Bestsellers

JOHN GRISHAM

L'UOMO DELLA PIOGGIA

Traduzione di Roberta Rambelli

ARNOLDO MONDADORI EDITORE

Titolo originale dell'opera: *The Rainmaker*

I edizione Omnibus maggio 1995
I edizione Bestsellers Oscar Mondadori gennaio 1997

ISBN 88-04-42301-3

Questo volume è stato stampato
presso Arnoldo Mondadori Editore S.p.A.
Stabilimento Nuova Stampa – Cles (TN)
Stampato in Italia – Printed in Italy

Ristampe:

3 4 5 6 7 8 9 10

1998 1999 2000 2001

Il nostro indirizzo internet è:
http://www.mondadori.com/libri

L'UOMO DELLA PIOGGIA

A tutti i penalisti d'America

1

La mia decisione di fare l'avvocato diventò irrevocabile quando mi resi conto che mio padre odiava gli avvocati. Ero un adolescente goffo, imbarazzato dalla mia goffaggine, frustrato nei confronti della vita, terrorizzato dalla pubertà e in procinto di venire spedito da mio padre in una scuola militare per insubordinazione. Era un ex marine, convinto che i ragazzi andassero tirati su a frustate. Io avevo dimostrato di avere la lingua svelta e una certa avversione per la disciplina, e la sua soluzione fu mandarmi via. Passarono anni prima che lo perdonassi.

Era anche ingegnere e lavorava settanta ore la settimana per una società che, fra le altre cose, fabbricava scale a pioli. Dato che le scale sono per natura pericolose, la società era spesso il bersaglio di cause per danni. E siccome lui si occupava della progettazione, veniva scelto abitualmente per sostenere le ragioni della società nelle testimonianze e nei processi. Non posso dargli torto se odiava gli avvocati; ma io avevo finito per ammirarli perché gli rovinavano l'esistenza. Passava otto ore a battersi con loro, poi si buttava sui martini non appena rincasava. Niente saluti. Niente abbracci. Niente cena. Soltanto un'ora di sfoghi stizziti mentre tracannava quattro martini e finiva per addormentarsi sulla poltrona malandata. Una causa durò tre settimane e quando si concluse con la condanna della società al pagamento di un cospicuo risarcimento, mia madre chiamò un medico, e nascosero mio padre in ospedale per un mese.

Più tardi la società fallì, e naturalmente tutta la colpa era degli avvocati. Non sentii ammettere neppure una volta che forse una gestione sbagliata poteva aver contribuito al fallimento.

I liquori diventarono la vita di mio padre, e lui diventò depresso. Per anni e anni non trovò un lavoro fisso, e questo mi mandava in bestia perché ero costretto a servire ai tavoli e a consegnare pizze a domicilio per pagarmi il college. Credo di aver parlato con lui non più di due volte nei quattro anni del diploma. Il giorno dopo aver saputo che ero stato accettato alla facoltà di legge, tornai a casa tutto orgoglioso e diedi la grande notizia. Più tardi mia madre mi raccontò che mio padre era rimasto a letto per una settimana.

Quindici giorni dopo la mia visita trionfale, mio padre stava cambiando una lampadina nel locale della caldaia quando (giuro che è vero) la scala a pioli cedette, lui cadde e batté la testa. Rimase in coma per un anno in un cronicario prima che qualcuno avesse la misericordiosa idea di staccare la spina.

Qualche giorno dopo il funerale accennai alla possibilità di fare causa, ma mia madre non se la sentì. E poi, ho sempre sospettato che mio padre fosse mezzo sbronzo quando cadde. Inoltre non guadagnava, perciò, secondo le nostre leggi sul risarcimento danni, la sua vita aveva scarso valore dal punto di vista economico.

Mia madre ricevette i cinquantamila dollari dell'assicurazione sulla vita e si risposò. Un matrimonio sbagliato. Il mio patrigno è un tipo molto semplice, un impiegato postale in pensione, di Toledo. Passano gran parte del tempo a ballare la quadriglia e a girare a bordo di un Winnebago. Io mi tengo alla larga. Mia madre non mi offrì un soldo dell'assicurazione: disse che dovevano servirle per affrontare il futuro e siccome avevo dimostrato di essere capace di vivere con niente, era convinta che non ne avessi bisogno. Io avevo un avvenire brillante che prometteva lauti guadagni, lei no. Sono certo che Hank, il nuovo marito, le riempisse la testa di consigli finanziari. Un giorno la mia strada e quella di Hank s'incontreranno ancora.

Finirò la facoltà di legge fra un mese, in maggio, e in luglio darò l'esame per l'ammissione all'ordine. Non sarà una laurea con la lode anche se mi piazzerò nella metà superiore della classifica del mio corso. L'unica cosa intelligente che ho fatto nei tre anni alla facoltà di legge è stata programmare in anticipo gli esami obbligatori più difficili per prendermela comoda nell'ultimo semestre. Le lezioni di questa primavera sono uno scherzo: Diritto dello sport, Diritto dell'arte, Letture scelte dal Codice Napoleonico e la mia materia preferita, Problemi legali degli anziani.

È appunto per quest'ultima scelta che adesso sono qui, su una sedia traballante dietro un fragile tavolino pieghevole in un edificio caldo e umido, pieno di un bizzarro assortimento di appartenenti alla terza età, come amano farsi chiamare. Un cartello dipinto a mano sopra l'unica porta visibile etichetta pomposamente il posto come "Cypress Gardens Senior Citizens Building", ma non c'è neppure l'ombra di un cipresso o di altre piante. Le pareti sono grigiastre e spoglie, se si eccettua una vecchia foto sbiadita di Ronald Reagan che sta in un angolo fra due meste bandierine, quella nazionale e quella dello stato del Tennessee. La costruzione è piccola e tetra, e si capisce subito che è stata tirata su in quattro e quattr'otto con i pochi dollari di uno stanziamento federale imprevisto. Scarabocchio su un bloc-notes e non oso guardare la folla che si avvicina lentamente tirandosi dietro le sedie pieghevoli.

Saranno una cinquantina, bianchi e neri in numero più o meno eguale, di età media non inferiore ai settantacinque: qualcuno è cieco, dieci o dodici sono su sedie a rotelle, molti hanno apparecchi acustici. Ci hanno detto che vengono tutti i giorni a mezzogiorno per un pasto caldo, qualche canzone, la visita occasionale di un candidato politico senza molte speranze. Dopo essere stati insieme per un paio d'ore rientrano a casa e contano i minuti che mancano al momento in cui potranno tornare. Il nostro professore dice che è l'avvenimento più atteso della loro giornata.

Abbiamo commesso l'errore di arrivare in tempo per il pranzo. Ci hanno fatti sedere tutti e quattro in un angolo con la nostra guida, il professor Smoot, e ci hanno osservati con attenzione mentre spilluzzicavamo il pollo di neoprene e i piselli freddi. La mia gelatina era gialla, e il particolare è stato notato da un vecchio caprone con il cognome Bosco scribacchiato sul cartellino "Salve, io mi chiamo" appuntato sul taschino della camicia sporca. Bosco ha borbottato qualcosa a proposito della gelatina gialla e io gliel'ho offerta subito assieme al pollo, ma la signora Birdie Birdsong l'ha bloccato e l'ha spinto bruscamente al suo posto. La signora Birdsong ha un'ottantina d'anni ma è molto arzilla per la sua età e si comporta come la madre, la dittatrice e il buttafuori dell'organizzazione. Si lavora la folla come il capo veterano di un comitato elettorale, distribuisce abbracci e pacche sulle spalle, chiacchiera con altre vecchiette dai capelli sfumati d'azzurro, ride con voce stridula e intanto non perde d'occhio Bosco, che evidentemente è la pecora nera del branco. Gli ha fatto la predica perché ha ammirato la mia gelatina, ma dopo pochi secondi gli ha messo davanti una ciotola piena di stucco gialliccio. Bosco l'ha mangiato con le dita tozze, e gli brillavano gli occhi.

È passata un'ora. Il pranzo procedeva come se quelle creature affamate partecipassero a un banchetto di sette portate senza la speranza di un altro pasto. Le forchette e i cucchiai tremolanti andavano avanti e indietro, su e giù, dentro e fuori come se fossero carichi di metalli preziosi. Il tempo non aveva la minima importanza. Altercavano con voce stridula quando qualche parola li eccitava. Lasciavano cadere il cibo sul pavimento e a un certo punto non ce l'ho più fatta a guardare. Ho addirittura mangiato la mia gelatina. Bosco sorvegliava con avidità ogni mio movimento. La signora Birdie svolazzava di qua e di là e cinguettava su questo e su quell'argomento.

Il professor Smoot, il tipo dell'accademico tradizionale con tanto di cravatta a farfalla, capelli a cespuglio e bretelle rosse, stava lì con l'aria sazia e soddisfatta di chi ha appena terminato un pasto squisito, e contemplava amorevolmente la scena. Poco più che cinquantenne, è un uomo mite, ma con modi di fare molto simili a quelli di Bosco e dei suoi amici. Da vent'anni insegna materie che nessun altro è disposto a insegnare, seguite da pochi studenti. Legislazione dell'infanzia, Legislazione per gli handicappati, Seminario sulla violenza domestica, Problemi dei malati di mente e, naturalmente, Diritto degli "arterio", come viene chiamato quest'ultimo quando lui non è presente. Una volta aveva messo in programma un corso che si doveva chiamare Diritti del feto, ma aveva scatenato una tale bufera di polemiche che Smoot si era affrettato a prendersi un anno sabbatico.

Il primo giorno di lezione ci aveva spiegato che lo scopo del suo corso era farci conoscere persone vere con veri problemi legali. È convinto che tutti gli studenti che si iscrivono a legge abbiano all'inizio una certa dose di idealismo e desiderino servire il popolo; ma dopo tre anni di competizione brutale l'unica cosa che ci sta a cuore è l'assunzione presso uno studio legale dove possiamo diventare soci in sette anni e guadagnare un sacco di soldi. In questo ha ragione.

Il suo esame non è obbligatorio e all'inizio eravamo undici iscritti. Dopo un mese di lezioni noiose e di continue esortazioni a dimenticare il denaro e a lavorare gratis, ci eravamo ridotti a quattro. È un corso di nessuna importanza, con appena due ore di lezione alla settimana, e richiede pochissimo lavoro... per questo mi ha attirato. Ma se mancasse più di un mese agli esami, dubito sinceramente che resisterei. A questo punto detesto la facoltà di legge. E ho gravi preoccupazioni sull'esercizio della professione.

È il mio primo incontro con clienti veri, e sono terrorizzato. Quelli che mi stanno davanti sono vecchi e infermi, però mi guardano come se possedessi una grande saggezza. Dopotutto sono quasi avvocato, indosso un abito scuro, ho di fronte a me il tipico bloc-notes giallo sul quale traccio quadrati e cerchi, e ho la faccia atteggiata in un'espressione pensierosa e intelligente, quindi devo essere in grado di aiutarli. Seduto accanto a me al tavolo pieghevole c'è Booker Kane, un negro che a scuola è il mio miglior amico. È spaventato quanto me. Davanti a noi ci sono i cartoncini piegati con i nostri nomi scritti in pennarello nero: Booker Kane e Rudy Baylor. Rudy Baylor sono io. Vicino a Booker c'è il podio dietro il quale la signora Birdie sta strillando, e dall'altra parte c'è un altro tavolo con altri cartoncini che annunciano la presenza di F. Franklin Donaldson IV, un imbecille pieno di sé che da tre anni continua ad aggiungere iniziali e numeri romani prima e dopo il nome. Al suo fianco c'è un'autentica carogna, N. Elizabeth Erickson, una ragazza che ostenta tailleur gessati, cravatte di seta e un'aria aggressiva. Molti di noi sospettano che porti anche un sospensorio.

Smoot è dietro di noi, in piedi contro il muro. La signora Birdie sta facendo gli annunci, bollettini medici e necrologi. Strilla in un microfono collegato a un sistema d'amplificazione che funziona straordinariamente bene. Ci sono quattro grossi altoparlanti appesi negli angoli e la sua voce penetrante rimbomba ed echeggia da tutte le direzioni. Molti si tolgono gli apparecchi acustici. Per il momento nessuno si è addormentato. Oggi ci sono tre necrologi e quando la signora Birdie finisce vedo qualcuno dei presenti piangere. Dio, fa' che non sia così anche per me. Dammi altri cinquant'anni di lavoro e di divertimenti, e poi una morte rapida nel sonno.

Sulla nostra sinistra, proprio contro il muro, la pianista si anima e sbatte i fogli da musica sul leggio di legno. La signora Birdie si considera una specie di commentatrice politica e mentre comincia a inveire contro una proposta di aumentare le tasse sui consumi, la pianista aggredisce i tasti: *America the Beautiful*, mi sembra. Con entusiasmo si lancia in un'esecuzione fragorosa del ritornello e i vecchietti prendono i loro libretti di inni e aspettano la prima strofa. La signora Birdie non si fa sfuggire una battuta. Adesso dirige il coro. Alza le mani, le batte per attirare l'attenzione, poi comincia ad agitarle in tutte le direzioni quando inizia il primo verso. Tutti coloro che sono in grado di farlo si alzano lentamente.

Il vociare diminuisce in modo sensazionale con la seconda strofa. Le parole sono meno familiari, e molti di quei poveretti non riescono a vedere oltre la punta del naso, quindi i libretti sono inutili. Bosco chiude di colpo la bocca ma continua a mugolare con gli occhi levati al soffitto.

Il pianoforte ammutolisce di colpo mentre i fogli cadono dal leggio e si sparpagliano sul pavimento. Fine del canto. Tutti guardano la pianista che, benedetta, brancola con le mani per aria e intorno ai piedi dov'è finita la musica.

«Grazie!» grida nel microfono la signora Birdie mentre tutti ripiombano sulle sedie. «Grazie. La musica è una cosa meravigliosa. Ringraziamo Dio che ci ha dato la bellezza della musica.»

«Amen!» ruggisce Bosco.

«Amen» ripete un altro relitto antidiluviano dall'ultima fila.

«Grazie» dice la signora Birdie. Si volta e sorride a Booker e a me. Noi ci puntelliamo sui gomiti e guardiamo di nuovo la folla. «Ora» annuncia lei con fare teatrale «veniamo al programma di oggi. Siamo lieti di avere di nuovo fra noi il professor Smoot e alcuni dei suoi studenti così bravi e belli.» Agita le mani e sorride con i denti grigi e gialli a Smoot che l'ha raggiunta in silenzio. «Non sono belli?» chiede lei, e ci indica. «Come tutti sapete» continua parlando nel microfono, «il professor Smoot insegna legge all'Università Statale di Memphis, dove ha studiato anche il mio figlio più giovane, ma senza laurearsi, e ogni anno il professor Smoot viene a trovarci con alcuni suoi studenti che ascolteranno i vostri problemi legali e vi daranno consigli sempre buoni, e anche sempre gratis, posso aggiungere.» Si volta e lancia a Smoot un altro sorriso sdolcinato. «Professor Smoot, a nome di questo gruppo, le porgiamo il bentornato a Cypress Gardens. La ringraziamo per il suo interesse verso i problemi della terza età. Grazie. Le vogliamo bene.»

Lascia il podio e comincia ad applaudire con vigore incitando i compagni a imitarla. Ma nessuno, neppure Bosco, alza una mano.

«Un vero trionfo» borbotta Booker.

«Almeno ha qualcuno che gli vuol bene» mormoro io. Ormai sono lì da dieci minuti e noto che c'è chi non riesce a tenere gli occhi aperti. Russeranno profondamente prima che Smoot abbia finito.

Smoot si avvicina al podio, regola il microfono, si schiarisce la gola e aspetta che la signora Birdie sia tornata a sedere in prima fila. Lei bisbiglia irata a un uomo pallido che le sta accanto: «Dovevate applaudire!». L'uomo non sente.

«Grazie, signora Birdie» esordisce Smoot con voce acuta. «È sempre un piacere visitare Cypress Gardens.» Il tono è sincero: non ho il minimo dubbio che il professor Howard L. Smoot si senta davvero onorato di essere qui in questo momento, al centro di una costruzione deprimente, davanti a un patetico gruppetto di vecchi, in compagnia dei soli quattro studenti che ancora rimangono nel suo corso. Smoot vive per queste cose.

Ci presenta. Mi affretto ad alzarmi e sorrido, torno a sedere e atteggio di nuovo la faccia in un'espressione pensosa e intelligente. Smoot parla di assistenza sanitaria, tagli al bilancio, donazioni fra vivi ed esenzioni fiscali, anziani maltrattati e premi di coassicurazione. Gli ascoltatori crollano come mosche. Le falle dell'assistenza pubblica, la legislazione in corso di discussione, i regolamenti delle case per anziani, la pianificazione dei comprensori abitativi, le medicine miracolose... continua a divagare proprio come fa in aula. Persino io sbadiglio e ho sonno. Bosco comincia a sbirciare l'orologio ogni dieci secondi.

Se Dio vuole, Smoot arriva alla conclusione, ringrazia la signora Birdie e i suoi amici, promette di tornare ogni anno e va a sedere a un'estremità del tavolo. La signora Birdie batte due volte le mani, poi desiste. Nessun altro si associa. Una metà dei presenti russa.

La signora Birdie indica noi e dice al suo gregge: «Eccoli qui: sono bravi e sono gratis».

Adagio, con movimenti impacciati, si avvicinano a noi. Bosco è il primo della fila e capisco subito che mi serba rancore per la gelatina perché mi guarda male, si dirige all'estremità opposta del tavolo e siede di fronte a N. Elizabeth Erickson. Qualcosa mi dice che non sarà l'unico cliente potenziale a rivolgersi ad altri per chiedere un parere legale. Un nero anziano sceglie Booker: cominciano a confabulare protendendosi sopra il tavolo. Mi sforzo di non ascoltare. Parlano di una ex moglie e di un divorzio di molti anni fa che potrebbe essere stato perfezionato ufficialmente o forse no. Booker prende appunti come un vero avvocato e ascolta con attenzione come se sapesse esattamente cosa fare.

Booker, almeno, ha un cliente. Per cinque minuti buoni mi sento molto stupido e solo mentre i miei tre compagni scribacchiano, ascoltano compunti e scuotono la testa di fronte ai problemi che gli vengono esposti.

La mia solitudine non passa inosservata. Alla fine la signora Birdie Birdsong fruga nella borsa, estrae una busta e si avvicina. «Lei è proprio quello che volevo» sussurra mentre accosta la sedia all'angolo del tavolo. Si sporge verso di me, io mi tendo verso sinistra e in questo modo le nostre teste si accostano. Comincia così il mio primo colloquio come consulente legale. Booker mi lancia un'occhiata e un sorriso un po' maligno.

Il mio primo colloquio. L'estate scorsa sono stato assunto in un piccolo studio legale con dodici avvocati che lavoravano esclusivamente in base alle tariffe orarie, non alle difficoltà dei vari casi. Lì ho imparato l'arte di calcolare gli onorari, e la prima regola è che un avvocato passa gran parte del suo tempo in colloqui e riunioni. Colloqui con i clienti, colloqui telefonici, riunioni con gli avvocati di parte avversa, con i giudici, i soci, i liquidatori delle assicurazioni, gli impiegati e i paralegali, riunioni a pranzo e in tribunale, telefonate per fissare le riunioni, riunioni per le transazioni, colloqui prima dell'udienza e dopo l'udienza. Basta nominare una qualsiasi attività perché gli avvocati ci costruiscano sopra una riunione o un colloquio.

La signora Birdie si guarda intorno, e per me è il segnale di abbassare la testa e la voce, perché qualunque sia l'argomento su cui vuole consultarsi è maledettamente serio. Per me va bene perché desidero che nessuno ascolti gli ingenui consigli da principiante che sono destinato a darle in risposta al problema che intende espormi.

«Legga questo» dice, e io prendo la busta e l'apro. Alleluia! È un testamento. Il testamento di Colleen Janiece Barrow Birdsong. Smoot ci ha avvertiti che oltre la metà di questi clienti vuole che rivediamo e magari aggiorniamo i loro testamenti, e per noi va bene così perché l'anno scorso abbiamo dovuto sostenere un pesante esame su Testamenti e assi ereditari, e ci sentiamo in grado di affrontare questo genere di problemi. I testamenti sono piuttosto semplici e anche un avvocato principiante è in grado di prepararli senza strafalcioni.

Questo è battuto a macchina e ha un aspetto ufficiale, e quando gli dò una scorsa scopro nei primi due paragrafi che la signora Birdie è vedova, ha due figli e un piccolo esercito di nipoti. Il terzo paragrafo mi inchioda. La sbircio mentre lo leggo. E lo rileggo. Lei sorride, orgogliosa e soddisfatta. Il testamento incarica l'esecutore di consegnare a ognuno dei figli la somma di due milioni di dollari, più un milione in un fondo vincolato per ognuno dei nipoti. Faccio il conto, e i nipoti sono otto. Quindi sono almeno dodici milioni di dollari.

«Continui a leggere» sussurra lei come se potesse sentire la calcolatrice che lavora nel mio cervello. Il cliente di Booker, il vecchio nero, si è messo a piangere mentre parla di un amore finito male anni fa e di figli che lo trascurano. Mi sforzo di non ascoltare, ma è impossibile. Booker scribacchia con impeto e cerca di non far caso alle lacrime. All'estremità opposta del tavolo, Bosco ride fragorosamente.

Il paragrafo cinque del testamento lascia tre milioni di dollari a una chiesa e due a un college. Poi c'è un elenco di lasciti a istituzioni benefiche, che comincia con l'Associazione per la lotta contro il diabete e finisce con lo Zoo di Memphis. Continuo ad aggrottare la fronte e a fare conti, e stabilisco che la signora Birdie vale almeno venti milioni.

All'improvviso, il testamento presenta molti problemi. Il primo e più importante è che non è voluminoso come dovrebbe. La signora Birdie è ricca, e i ricchi non fanno testamenti così semplici e smilzi. Li fanno ingombranti, pieni di fondi vincolati e di amministratori, di passaggi di proprietà che scavalcano le generazioni e di tutti i trucchi e gli inghippi escogitati e messi a punto da costosissimi fiscalisti di grandi studi legali.

«Questo chi l'ha preparato?» La busta non ha intestazioni e niente indica chi ha redatto il testamento.

«Il mio avvocato di un tempo. Adesso è morto.»

Meglio per lui, se è morto. Quando ha preparato il testamento ha tradito la deontologia professionale.

Dunque questa cara vecchietta dai denti gialli e grigi e la voce piuttosto melodiosa vale venti milioni di dollari. E a quanto pare non ha un avvocato. Le rivolgo un'occhiata e torno a guardare il testamento. Non si veste da donna ricca, non porta diamanti e neppure oggetti d'oro, non dedica tempo né denaro ai capelli. L'abito è di cotone lava-e-indossa e il blazer bordeaux liso sembra uscito da un catalogo di vendite per corrispondenza. Ho avuto modo di vedere diverse vecchie ricche, e di solito è facile individuarle.

Il testamento risale a circa due anni prima. «Quand'è morto il suo avvocato?» chiedo gentilmente. Le nostre teste sono ancora accostate e i nasi quasi si toccano.

«L'anno scorso. Di cancro.»

«E adesso non ne ha un altro?»

«Non sarei qui a parlare con lei se ce l'avessi, non le pare, Rudy? Un testamento non è complicato, quindi ho pensato che potesse occuparsene lei.»

L'avidità gioca strani scherzi. Il primo luglio andrò a lavorare con Brodnax e Speer, un piccolo studio legale con quindici avvocati che non fanno quasi altro che rappresentare compagnie di assicurazione nelle varie cause. Non è il lavoro dei miei sogni, ma Brodnax e Speer mi hanno offerto il posto quando gli altri studi legali non ci pensavano neppure. Credo che ci resterò per qualche anno, imparerò il mestiere, poi passerò a fare qualcosa di meglio.

Chissà come ci resterebbero da Brodnax e Speer se mi presentassi il primo giorno portandomi una cliente che vale almeno venti milioni di dollari! Diventerei di colpo un mago, l'uomo della pioggia, il giovane asso dal tocco dorato. Potrei addirittura pretendere un ufficio più grande.

«Certo, sono in grado di occuparmene io» dico un po' incerto. «È che, vede, qui si tratta di una somma enorme, e io...»

«Stttt!» sibila la signora Birdie, e si protende ancora di più verso di me. «Non parli del denaro.» Il suo sguardo saetta in tutte le direzioni come se avesse alle spalle una banda di ladri in agguato. «Mi rifiuto di parlarne» insiste.

«D'accordo, per me va bene. Ma credo che forse dovrebbe parlarne con un fiscalista.»

«Lo diceva anche il mio vecchio avvocato, ma io non ho voluto saperne. Per quanto mi riguarda, un avvocato è un avvocato, e un testamento è un testamento.»

«È vero, ma potrebbe risparmiare una montagna di tasse se pianificasse il suo asse ereditario.»

Lei scuote la testa come se mi giudicasse un idiota. «Non risparmierò un soldo.»

«Be', mi scusi, ma credo che invece sia possibile.»

Mi posa sul polso una mano coperta di macchie scure dell'età e bisbiglia: «Rudy, lasci che le spieghi. Le tasse per me non contano perché, vede, io sarò morta. Giusto?».

«Uh, sì, giusto. Ma i suoi eredi?»

«Sono qui per questo. Sono infuriata con i miei eredi e voglio escluderli dal testamento. I miei due figli e qualcuno dei miei nipoti. Escluderli, escluderli. Non avranno niente, capisce? Zero. Neppure un centesimo, neppure un mobile. Niente.»

I suoi occhi assumono un'espressione dura e intorno alle labbra si forma una miriade di minuscole rughe. Mi stringe forte il polso senza accorgersene. Per un secondo, la signora Birdie mi appare non soltanto arrabbiata ma anche triste.

All'altra estremità del tavolo scoppia una discussione fra Bosco e N. Elizabeth Erickson. Lui inveisce a gran voce contro la Medicaid e la Medicare e i repubblicani in generale, lei indica un foglio e cerca di fargli capire perché certe parcelle mediche non vengono rimborsate dall'assicurazione. Smoot si alza con calma e si avvia verso di loro per vedere se può essere d'aiuto.

Il cliente di Booker sta cercando disperatamente di ritrovare la compostezza, ma le lacrime continuano a scorrergli sulle guance e Booker si innervosisce. Gli assicura che sì, lui, Booker Kane, si informerà e sistemerà tutto. Il condizionatore entra in funzione rumorosamente e copre in parte le discussioni. I piatti e le tazze sono stati tolti dai tavolini, e adesso quasi tutti sono occupati a giocare: dama cinese, Rook, bridge, un gioco con tabellone e dadi. Per fortuna, i presenti sono venuti in maggioranza per pranzare e stare assieme, non per chiedere consigli legali.

«Perché vuole che li escluda?» chiedo.

La signora Birdie mi lascia il polso e si sfrega gli occhi. «Oh, è una faccenda molto personale e preferisco non parlarne.»

«Mi sembra giusto. A chi andrà il patrimonio?» chiedo. Mi sento inebriato dal potere che mi è stato appena conferito, il potere di tracciare le parole magiche che trasformeranno delle persone qualsiasi in milionari. Il sorriso che le rivolgo è così caldo e falso che spero non si offenda.

«Non sono sicura» dice lei con tono malinconico e si guarda intorno come se il nostro fosse un gioco. «Non so a chi darlo.»

Be', perché non lascia un milione di dollari a me? Da un giorno all'altro la Texaco mi farà causa per quattrocento dollari. Abbiamo rotto le trattative e il loro avvocato si è fatto vivo con me. Il padrone di casa minaccia di sfrattarmi perché non pago l'affitto da due mesi. E adesso sto parlando con la persona più ricca che abbia mai conosciuto, che probabilmente non vivrà ancora a lungo e si sta gingillando su chi merita di avere i suoi soldi e quanti.

Mi porge un foglio con quattro nomi a stampatello messi in colonna e dice: «Sono i nipoti che intendo proteggere, quelli che mi vogliono ancora bene». Si porta la mano alla bocca e mi mormora all'orecchio: «Dia un milione di dollari a ciascuno».

Mi trema la mano mentre scrivo sul bloc-notes. Fatto! Proprio così. Ho creato quattro milionari. «E gli altri?» sussurro.

Lei si raddrizza di scatto e dice: «Neppure un centesimo. Non mi telefonano mai, non mi mandano mai regali o cartoline. Li escluda».

Se io avessi una nonna che vale venti milioni di dollari le manderei un mazzo di fiori una volta la settimana, una cartolina un giorno sì e un giorno no, cioccolatini quando piove e champagne quando non piove. Le telefonerei una volta al mattino e due volte prima di andare a dormire. L'accompagnerei in chiesa tutte le domeniche e le terrei la mano durante la funzione, poi andremmo a fare il brunch e quindi a un'asta o a teatro o a una mostra d'arte o dovunque volesse andare la cara vecchietta. Non la trascurerei, la nonna.

E sto pensando di fare altrettanto con la signora Birdie.

«Bene» dico in tono solenne, come se l'avessi fatto molte altre volte. «E niente per i suoi due figli?»

«L'ho già detto. Niente di niente.»

«Posso chiedere cosa le hanno fatto?»

Respira a fondo per esprimere la sua frustrazione, e alza gli occhi come se le dispiacesse dirmelo; ma poi si tende verso di me appoggiandosi sui gomiti e parla. «Ecco» bisbiglia, «Randolph, il maggiore, ha quasi sessant'anni e si è appena sposato per la terza volta con una sgualdrinella che continua a batter cassa. Se gli lasciassi qualcosa finirebbe a quella donna, e preferirei dare il mio denaro a lei, Rudy, piuttosto che a mio figlio. O al professor Smoot o a chiunque altro, ma non a mio figlio. Capisce?»

Il mio cuore si ferma. Manca poco, pochissimo, per arrivare al filone d'oro con la mia prima cliente. I miei occhi, e probabilmente anche le labbra e il naso, la implorano di dire: Sì! Accidenti, i soldi sono miei e li lascerò a chi voglio, e se voglio darli a te, Rudy, accidenti, sono tuoi!

Invece la signora Birdie dice: «Tutto il resto andrà al reverendo Kenneth Chandler. Lo conosce? Ormai è sempre in televisione, va in onda da Dallas. Ha fatto una quantità di cose meravigliose in tutto il mondo con le nostre offerte, ha costruito case, sfamato bambini, insegnato la Bibbia. Voglio che il resto vada a lui».

«Un predicatore televisivo?»

«Oh, è molto più di un predicatore. È un maestro, uno statista, un consigliere, cena con i capi di stato, e in più è tanto carino. Ha una quantità di capelli ricci, prematuramente grigi, ma non vuole tingerli.»

«Capisco. Ma...»

«L'altra sera mi ha chiamata. Lo sa? In televisione ha la voce vellutata, ma al telefono è davvero affascinante. Capisce cosa voglio dire?»

«Sì, mi pare di sì. Perché le ha telefonato?»

«Ecco, il mese scorso, quando gli ho mandato l'offerta per marzo, gli ho scritto una lettera per dirgli che stavo pensando di cambiare il testamento, dato che i miei figli mi hanno abbandonata e tutto il resto, e che pensavo di lasciare qualcosa per le sue attività. Mi ha telefonato tre giorni dopo, così carino e appassionato al telefono, e mi ha chiesto quanto pensavo di lasciargli. Ho sparato una cifra e da allora mi telefona sempre. Ha detto che se volevo sarebbe venuto da me con il suo Learjet per conoscermi.»

Cerco affannosamente le parole. Smoot tiene stretto Bosco per il braccio nel tentativo di calmarlo e di farlo sedere di fronte a N. Elizabeth Erickson che non ha più quell'aria di superiorità e, messa in imbarazzo dal primo cliente, sembra sul punto di andare a nascondersi sotto il tavolo. Si guarda intorno e io le rivolgo un sorriso per farle sapere che la sto osservando. Accanto a lei F. Franklin Donaldson IV sta confabulando con una coppia anziana. Discutono di qualcosa che sembra un testamento. Penso con soddisfazione che il testamento che ho fra le mani io vale molto di più di quello che lui esamina aggrottando la fronte.

Decido di cambiare argomento. «Dunque, signora Birdie, mi ha detto che ha due figli, Randolph e...»

«Sì, Delbert. Diseredi anche lui. Non lo sento da tre anni. Vive in Florida. Lo escluda, lo escluda.»

Traccio una linea con la penna e Delbert perde i suoi milioni.

«Devo andare a occuparmi di Bosco» esclama all'improvviso la signora Birdie, e si alza di scatto. «Mi fa tanta pena. Non ha famiglia, non ha altri amici all'infuori di noi.»

«Non abbiamo ancora finito» obietto.

Lei si china. Le nostre facce, ancora una volta, sono a pochi centimetri l'una dall'altra. «Ma sì che abbiamo finito, Rudy. Un milione per ciascuno di questi quattro e ciò che resta a Kenneth Chandler. Tutte le altre parti del testamento rimangono come sono: esecutore, fondi vincolati, amministratori. È semplice, Rudy. Lo faccio sempre. Il professor Smoot ha detto che tornerete fra due settimane con tutti i documenti in ordine e battuti a macchina. È vero?»

«Credo di sì.»

«Bene. Allora arrivederci, Rudy.» Svolazza all'estremità opposta del tavolo e passa un braccio intorno alle spalle di Bosco che ridiventa di colpo il ritratto della calma e dell'innocenza.

Studio il testamento e prendo appunti. È consolante sapere che Smoot e gli altri professori mi aiuteranno e mi daranno suggerimenti e che avrò a disposizione due settimane per riordinare le idee e capire cosa fare. Non sono obbligato, dico a me stesso. La deliziosa vecchietta con venti milioni di dollari ha bisogno di ben altri consigli di quelli che posso darle io. Ha bisogno di un testamento che probabilmente lei non capirà ma al quale il fisco presterà molta attenzione. Non mi sento stupido ma soltanto inesperto. Dopo aver studiato legge per tre anni, mi rendo conto di sapere ben poco.

Il cliente di Booker si sforza coraggiosamente di dominare l'emotività, e il suo avvocato non sa più cosa dire. Continua a prendere appunti e borbotta un sì o un no a intervalli di pochi secondi. Non vedo l'ora di parlargli della signora Birdie e del suo patrimonio.

Guardo la folla che si dirada e noto in seconda fila una coppia che mi guarda. Al momento sono l'unico avvocato libero e i due sembrano chiedersi se devono tentare la sorte con me. La donna ha in mano un voluminoso fascio di carte trattenute da elastici. Mormora qualcosa e il marito scuote la testa come se preferisse aspettare che si liberi uno degli altri futuri principi del foro.

Si alzano adagio e vengono verso di me. Mi fissano, tutti e due, mentre si avvicinano. Sorrido. Benvenuti nel mio ufficio.

La donna prende posto sulla sedia della signora Birdie. Lui siede di fronte mantenendo le distanze.

«Salve» esordisco sorridendo e tendo la mano. L'uomo me la stringe fiaccamente, poi la tendo alla donna. «Sono Rudy Baylor.»

«Io sono Dot e lui è Buddy» dice lei. Indica Buddy con un cenno della testa e ignora la mia mano.

«Dot e Buddy» ripeto, e comincio a prendere appunti. «Il cognome?» chiedo con tutto il calore di un avvocato che sa il fatto suo.

«Black. Dot e Buddy Black. Per la precisione saremmo Marvarine e Willis Black, ma tutti ci chiamano Dot e Buddy.» Dot ha la permanente e i capelli, pettinati all'indietro, sono spruzzati d'argento sulla sommità del capo. Sembrano puliti. Porta modeste scarpe di tela bianche, calzini marrone e jeans abbondanti. È magra e solida, un po' dura.

«Indirizzo?» chiedo.

«Otto sessantatré Squire, Granger.»

«Che lavoro fate?»

Buddy non ha ancora aperto bocca, e ho l'impressione che da molti anni sia Dot a parlare per entrambi. «Sono invalida» risponde lei. «Ho soltanto cinquantotto anni ma soffro di cuore. Buddy ha una pensione, molto modesta.»

Buddy mi guarda. Porta occhiali con lenti spesse e stanghette di plastica che arrivano appena alle orecchie. Ha le guance rosse e paffute, i capelli ispidi, grigi con una sfumatura bruna. Credo che non li lavi da una settimana. La camicia è scozzese, rossa e nera, ancora più sporca dei capelli.

«Quanti anni ha il signor Black?» chiedo a Dot. Non so se il signor Black sarebbe disposto a dirmelo.

«Si chiama Buddy, va bene? Dot e Buddy. Lasciamo perdere i "signore". Ha sessantadue anni. Posso dirle una cosa?»

Mi affretto ad annuire. Buddy lancia un'occhiata a Booker seduto all'altro capo del tavolo.

«Non sta molto bene» sussurra Dot indicando vagamente il marito. Lo guardo. Lui ci guarda.

«È successo in guerra» continua Dot. «In Corea. Conosce i metal detector degli aeroporti?»

Annuisco di nuovo.

«Be', se lui ci passasse tutto nudo, si metterebbero a suonare lo stesso.»

La camicia di Buddy è così tesa che sembra sul punto di strapparsi, e i bottoni di schizzare via, mentre compiono un tentativo disperato di tenergli coperta la pancia. Ha il triplo mento. Cerco di immaginarlo nudo all'aeroporto internazionale di Memphis, con gli allarmi che suonano e gli addetti alla sicurezza in preda al panico.

«Ha una piastra metallica nella testa» soggiunge Dot.

«È... è terribile» mormoro, e scrivo sul blocco che il signor Buddy Black ha una piastra metallica nella testa. Il signor Black si volta verso sinistra e guarda male il cliente di Booker, a un metro da lui.

All'improvviso Dot si tende verso di me. «C'è un'altra cosa» dice. Anch'io mi tendo un po' verso di lei, incuriosito. «Sì?»

«Ha un problema con l'alcol.»

«Davvero?»

«Ma risale tutto alla ferita di guerra» precisa lei. Proprio così: questa donna che ho conosciuto tre minuti fa ha ridotto il marito a un imbecille alcolizzato.

«Le dispiace se fumo?» chiede mentre fruga nella borsetta.

«Qui è permesso?» domando. Mi guardo intorno nella speranza di vedere un cartello VIETATO FUMARE. Ma non c'è.

«Cosa posso fare per voi?» chiedo adocchiando il fascio di carte trattenuto dagli elastici. Faccio scivolare il testamento della signora Birdie sotto il bloc-notes. La mia prima cliente è stata una plurimilionaria, i secondi sono pensionati. La mia carriera ha appena spiccato il volo ed è già ripiombata sulla terra.

«Non abbiamo molti soldi» dice Dot a voce bassa come se fosse un grande segreto e rivelarlo la mettesse in imbarazzo. Sorrido comprensivo. Non so quanto possiedano ma sono molto più ricchi di me, e non credo che qualcuno stia per fargli causa.

«E abbiamo bisogno di un avvocato» continua Dot. Prende i fogli e toglie gli elastici.

«Di cosa si tratta?»

«Ecco, una società di assicurazioni vuole darci una solenne fregatura.»

«Che genere di assicurazione avete fatto?» chiedo. Lei spinge le carte verso di me, poi si stropiccia le mani come se se ne fosse liberata e avesse scaricato il problema su un taumaturgo. In cima al mucchietto c'è una polizza sgualcita, sciupata e un po' sporca. Dot lancia un'altra nuvola di fumo e per un momento quasi non riesco a vedere Buddy.

«È una assicurazione malattie» dice lei. «L'abbiamo fatta cinque anni fa. Con la Great Eastern Life, quando i nostri figli avevano diciotto anni. Adesso Donny Ray sta morendo di leucemia e quei ladri non vogliono pagargli le cure.»

«La Great Eastern?»

«Sì.»

«Mai sentita nominare» dico in tono sicuro mentre esamino la pagina delle prestazioni previste, come se mi fossi occupato di una quantità di cause e sapessi tutto di tutte le società d'assicurazione. Sono elencate due persone a carico, Donny Ray e Ronny Ray Black. Hanno la stessa data di nascita.

«Scusi la mia franchezza, ma sono un branco di figli di puttana.»

«Come tante altre società di assicurazione» commento pensieroso, e Dot sorride. Mi sono conquistato la sua fiducia. «Dunque avete stipulato la polizza cinque anni fa?»

«Più o meno. Abbiamo sempre pagato e non l'abbiamo mai utilizzata finché Donny Ray non si è ammalato.»

Sono uno studente e non sono assicurato. Non c'è nessuna assicurazione che protegga la mia vita, la mia salute o la mia automobile. Non posso neppure permettermi di comprare una gomma nuova per la ruota posteriore sinistra della mia piccola e ammaccatissima Toyota.

«E... uhm... ha detto che sta morendo?»

Dot annuisce senza togliersi la sigaretta dalle labbra. «Leucemia acuta. Si è ammalato nove mesi fa. I dottori gli hanno dato un anno di vita, ma morirà anche prima perché non ha potuto fare il trapianto del midollo osseo. Adesso forse è troppo tardi.»

Pronuncia "midollo" come se fosse "miollo".

«Un trapianto?» chiedo io, confuso.

«Non sa niente della leucemia?»

«Ecco, non proprio.»

Dot stringe i denti e rotea gli occhi come se avesse a che fare con un idiota, poi si mette la sigaretta fra le labbra e aspira. Quando ha espirato fumo a sufficienza, dice: «I miei figli sono gemelli identici, vede. E così Ron, noi lo chiamiamo Ron perché non gli piace Ronny Ray, è perfettamente compatibile per il trapianto del midollo osseo. L'hanno detto i dottori. Il problema è che il trapianto costa intorno ai centocinquantamila dollari. E noi non li abbiamo, vede. Dovrebbe pagarli l'assicurazione perché è previsto sulla polizza. Ma quei ladri hanno detto di no, e Donny Ray sta morendo per colpa loro».

Dot ha una capacità sorprendente di arrivare al nocciolo della questione.

Abbiamo continuato a ignorare Buddy, ma lui sta ascoltando. Si toglie gli occhiali e si passa sugli occhi il dorso peloso della mano sinistra. Magnifico. Buddy piange, Bosco piagnucola all'altro capo del tavolo. E il cliente di Booker è stato riassalito da un senso di colpa o dal rimorso o dalla tristezza e singhiozza con la faccia tra le mani. Smoot è in piedi accanto a una finestra e ci osserva. Senza dubbio si domanda che razza di consigli stiamo distribuendo per causare tanta sofferenza.

«Dove abita?» chiedo. Cerco di fare una domanda la cui risposta mi permetta di scrivere per qualche secondo sul blocco ignorando le lacrime.

«Non è mai andato via di casa. Sta con noi. È una delle ragioni del rifiuto della società d'assicurazione. Dicono che siccome è adulto non è più coperto.»

Sfoglio i documenti e dò un'occhiata alle lettere inviate alla Great Eastern e alle risposte. «La polizza prevede che la copertura cessi al raggiungimento di una certa età?»

Lei scuote la testa e sorride a denti stretti. «No. La polizza non lo dice, Rudy. L'ho letta una dozzina di volte e non lo dice per niente. Ho letto anche le clausole stampate in caratteri piccolissimi.»

«È sicura?» le chiedo mentre dò un'altra occhiata alla polizza.

«Sicurissima. Ho continuato a rileggerla per quasi un anno.»

«Chi ve l'ha fatta firmare? Chi è l'agente?»

«Un ometto che si è presentato a casa nostra e ci ha convinti ad assicurarci. Si chiamava Ort o qualcosa del genere, un piccolo imbroglione con la lingua sciolta. Ho cercato di rintracciarlo ma pare che abbia lasciato la città.»

Prendo una lettera dal mucchio e la leggo. È di un "supervisore delle liquidazioni" di Cleveland ed è stata scritta diversi mesi dopo la prima lettera che ho guardato. Nega in toni piuttosto bruschi la copertura assicurativa perché, dice, la leucemia di Donny era una malattia preesistente e quindi non c'è niente da fare. Ma se Donny ha davvero la leucemia da un anno appena, allora la diagnosi è stata fatta quattro anni dopo che la Great Eastern ha stipulato la polizza. «Qui dice che la copertura è stata negata perché la malattia era preesistente.»

«Si sono attaccati a tutti i pretesti di questo mondo, Rudy. Prenda un po' queste carte e le legga attentamente. Esclusioni, esenzioni, infermità preesistenti, clausole stampate in piccolo, hanno provato tutto.»

«C'è l'esclusione del trapianto di midollo osseo?»

«No, diavolo! Anche il nostro dottore ha letto la polizza e ha detto che la Great Eastern deve pagare perché ormai i trapianti di midollo osseo sono cure normali.»

Il cliente di Booker si asciuga la faccia con entrambe le mani, si alza e si scusa. Ringrazia Booker, che lo ringrazia a sua volta. Il vecchio va a sedersi accanto a un tavolino dove due giocatori sono impegnati in una partita molto vivace di dama cinese. La signora Birdie riesce finalmente a liberare N. Elizabeth Erickson da Bosco e dai suoi problemi. Smoot cammina avanti e indietro alle nostre spalle.

La lettera successiva è sempre della Great Eastern, e a prima vista sembra come le altre. È laconica, maleducata e sbrigativa. "Cara signora Black, già in sette occasioni precedenti questa compagnia ha respinto per iscritto le sue richieste. Ora le respingiamo per l'ottava e ultima volta. Lei dev'essere stupida, stupida, stupida!" È firmata dal liquidatore capo, e io passo incredulo le dita sul logo in rilievo. L'autunno scorso ho seguito un corso di Diritto delle assicurazioni e ricordo di essere rimasto scandalizzato dal comportamento di certe società in casi di palese malafede. Il docente era un professore ospite, un comunista che odiava le assicurazioni, anzi odiava tutte le grandi società e si era divertito a farci rilevare i rifiuti fraudolenti degli assicuratori di fronte a rivendicazioni legittime. Era convinto che nel nostro paese si verifichino decine di migliaia di casi di malafede che non arrivano mai in un'aula di tribunale. Aveva scritto diversi libri sulle cause per malafede, e le statistiche comprovavano la sua tesi: molta gente si rassegna al rifiuto senza informarsi a fondo.

Rileggo la lettera e intanto accarezzo il vistoso logo della Great Eastern Life nell'intestazione.

«E non avete mai saltato un pagamento?» chiedo a Dot.

«Nossignore. Neppure uno.»

«Ho bisogno di vedere la documentazione medica di Donny.»

«È quasi tutta a casa. Donny non è stato visitato da un dottore, ultimamente. Non possiamo permettercelo.»

«Conosce la data esatta in cui gli è stata diagnosticata la leucemia?»

«Esatta, no, però è stato nell'agosto dell'anno scorso. L'hanno ricoverato per il primo ciclo di chemioterapia. Poi quei mascalzoni ci hanno informato che non avrebbero pagato altre cure, e all'ospedale ci hanno chiuso la porta in faccia. Hanno detto che non potevano fare il trapianto. Costa troppo. E non hanno tutti i torti.»

Buddy sta osservando la nuova cliente di Booker, una donna fragile e minuta. Anche lei ha una montagna di carte. Dot fruga nel pacchetto di Salem e alla fine ne mette un'altra fra le labbra.

Se Donny è davvero malato di leucemia e se ce l'ha da nove mesi appena, non può assolutamente essere fuori copertura col pretesto dell'infermità preesistente. Se non c'è esenzione né esclusione per la leucemia, la Great Eastern deve pagare. Giusto? Per me è logico, mi sembra chiarissimo, e dato che la legge raramente è chiara e poche volte logica, di sicuro c'è una trappola fatale che mi aspetta al varco nel mucchio di lettere di rifiuto ricevute da Dot.

«Davvero non capisco» commento continuando a guardare la lettera che le dà della stupida.

Dot emette una densa nube azzurra in direzione del marito, e il fumo gli turbina intorno alla testa. Mi pare che abbia gli occhi asciutti, ma non ne sono sicuro. Dot schiocca le labbra e dice: «È semplice, Rudy. Sono un branco di delinquenti. Credono che siamo poveri idioti senza i soldi per batterci contro di loro. Ho lavorato trent'anni in una fabbrica di jeans, ero iscritta al sindacato, sa, e lottavamo tutti i giorni contro l'azienda. Qui è la stessa cosa. Le grandi società calpestano sempre quelli come noi».

Oltre a odiare gli avvocati, mio padre sputava spesso veleno contro i sindacati. Naturalmente sono diventato un ardente difensore delle masse lavoratrici. «Questa lettera è incredibile» dico.

«Quale?»

«Quella del signor Krokit che le dà della stupida.»

«È un figlio di puttana. Vorrei che venisse qui a dirmelo in faccia. Bastardo d'uno yankee.»

Buddy agita la mano davanti alla faccia per diradare il fumo e borbotta qualcosa. Lo guardo nella speranza che tenti di parlare, ma lui lascia perdere. Mi accorgo adesso che ha il lato sinistro della testa un po' più piatto del destro e ancora una volta mi passa davanti agli occhi l'immagine di lui che attraversa nudo l'aeroporto. Piego la Lettera alla Stupida e la metto in cima al mucchio.

«Ci vorrà qualche ora per esaminare tutto» dico.

«Sì, ma deve sbrigarsi. A Donny Ray non resta molto da vivere. Ormai pesa meno di cinquanta chili, e quando stava bene ne pesava settantadue. Sta così male che certi giorni non ce la fa neanche a camminare. Vorrei che lo vedesse.»

Non ho nessuna voglia di vedere Donny Ray. «Già, magari più tardi.» Riesaminerò la polizza e le lettere e la documentazione medica di Donny, poi mi consulterò con Smoot e scriverò ai Black una bella lettera di due pagine per spiegare con grande saggezza che dovrebbero sottoporre il loro caso a un avvocato vero, ma non a uno qualunque, bensì a uno specializzato nelle cause contro le assicurazioni che si comportano in malafede. Aggiungerò il nome di qualche avvocato e il relativo numero di telefono, e poi avrò finito con questo corso inutile, avrò finito con Smoot e la sua passione per il Diritto degli arterio.

Mancano trentotto giorni alla laurea.

«Questo materiale lo tengo io» spiego a Dot mentre riordino tutto e raccolgo gli elastici. «Tornerò fra due settimane con un parere scritto.»

«Perché due settimane?»

«Be', io... ehm... devo fare qualche ricerca, sa, consultare i miei professori, controllare qualche precedente. Può mandarmi la documentazione medica di Donny?»

«Certo. Ma vorrei che si sbrigasse.»

«Farò del mio meglio, Dot.»

«Crede che possiamo far causa?»

Sebbene sia solo uno studente, ho già imparato molte cose in fatto di discorsi ambigui. «A questo punto non posso dirlo. Però mi sembra promettente. Ma saranno necessari un esame accurato e ricerche scrupolose. È possibile.»

«Cosa diavolo significa?»

«Be', significa che credo che abbiate ragione, ma prima di saperlo con certezza dovrò riesaminare tutto il materiale.»

«Che razza di avvocato è, lei?»

«Sono studente di legge.»

Mi sembra perplessa. Stringe le labbra attorno al filtro bianco e mi guarda storto. Buddy grugnisce per la seconda volta. Per fortuna Smoot mi arriva alle spalle e domanda: «Qui come va?».

Dot guarda male prima la cravatta a farfalla, poi i capelli spettinati.

«Magnificamente» dico. «Stiamo per concludere.»

«Molto bene» risponde lui come se fosse scaduto il tempo e ci fossero altri clienti da ascoltare. Si allontana.

«Ci vediamo fra due settimane» dico calorosamente con un sorriso di circostanza. Dot schiaccia la sigaretta nel portacenere e si tende verso di me. Adesso le tremano le labbra e ha gli occhi umidi. Mi tocca con gentilezza il polso e mi rivolge uno sguardo impotente. «Per favore, Rudy, faccia presto. Abbiamo bisogno d'aiuto. Mio figlio sta morendo.»

Ci guardiamo negli occhi per un'eternità, alla fine annuisco e mormoro qualcosa. Questi poveretti hanno appena affidato a me la vita del figlio... a me, studente del terzo anno di legge dell'Università Statale di Memphis. Credono davvero che possa prendere il mucchio di carte che mi hanno portato, alzare il telefono, fare qualche chiamata, scrivere qualche lettera, incazzarmi e minacciare e zac! la Great Eastern si butterà in ginocchio e pagherà Donny Ray. E si aspettano che succeda tutto in fretta.

Si alzano e si allontanano impacciati dal tavolo. Sono quasi sicuro che in quella polizza c'è una clausola di esclusione, leggibile a stento e certamente incomprensibile, piazzata da esperti legali che incassano cospicue parcelle e da decenni sfornano clausole contrattuali stampate in caratteri microscopici.

Seguita da Buddy, Dot si inoltra zigzagando fra le sedie pieghevoli e gli assorti giocatori di Rook e si ferma davanti alla caffettiera. Riempie di caffè decaffeinato un bicchiere di carta e accende un'altra sigaretta. Si sistemano in fondo allo stanzone, sorseggiano il caffè e mi osservano da venti metri di distanza. Dò una scorsa alla polizza, tre pagine di caratteri quasi illeggibili, e prendo appunti. Fingo di ignorarli.

La folla si è diradata, la gente pian piano se ne va. Sono stanco di fare l'avvocato, per oggi ne ho avuto abbastanza e spero che non mi capitino altri clienti. La mia ignoranza della legge è sconvolgente, e rabbrividisco all'idea che fra pochi mesi mi presenterò nelle aule dei tribunali della città e discuterò con altri avvocati davanti a giudici e giurie. Non sono pronto per avventurarmi in una società che ha il potere di intentare cause.

La facoltà di legge non rappresenta altro che tre anni di stress inutile. Passiamo innumerevoli ore a cercare informazioni che non ci serviranno mai. Siamo bombardati da lezioni che dimentichiamo subito. Impariamo a memoria argomentazioni e sentenze che domani verranno annullate o modificate. Se avessi passato cinquanta ore la settimana in questi ultimi tre anni a fare tirocinio presso un buon avvocato, a quest'ora sarei un buon avvocato anch'io. Invece sono uno studente del terzo anno, nervoso e intimorito dai problemi legali più semplici, terrorizzato all'idea dell'imminente esame di ammissione all'ordine.

Mi accorgo di un movimento davanti a me. Alzo gli occhi e vedo un vecchio ciccione con un vistoso apparecchio acustico che si trascina a fatica verso di me.

2

Un'ora dopo le ultime fiacche partite di dama cinese e di ramino finiscono, e l'ultimo vecchietto esce dall'edificio. Un custode aspetta accanto alla porta mentre Smoot ci convoca intorno a sé per un riepilogo. A turno, riferiamo brevemente i vari problemi dei nuovi clienti. Siamo stanchi e abbiamo fretta di andarcene.

Smoot dà qualche suggerimento, ma niente di significativo o di originale, e ci congeda con la promessa che discuteremo questi veri problemi degli anziani in aula, la settimana prossima. Non vedo l'ora.

Me ne vado con Booker sulla sua macchina, una vecchia Pontiac troppo grande per essere elegante, ma comunque in condizioni molto migliori della mia Toyota scassata. Booker ha due figli piccoli e la moglie fa l'insegnante part-time, perciò naviga un po' al di sopra della soglia della povertà. Studia con impegno e così ha attirato l'attenzione di un ricco studio legale del centro, tutto composto da neri, uno studio di classe noto per la competenza nelle cause per i diritti civili. Lo stipendio iniziale sarà di quarantamila dollari l'anno, seimila dollari di più di quanto mi ha offerto lo studio Brodnax e Speer.

«Odio la facoltà di legge» confido mentre usciamo dal parcheggio del Cypress Gardens Senior Citizens Building.

«Sei una persona normale» mi risponde. Lui non odia niente e nessuno e qualche volta arriva addirittura ad affermare che gli studi di legge lo interessano.

«Perché vogliamo diventare avvocati?»

«Per servire la gente, combattere le ingiustizie, trasformare la società. Le solite cose. Non ascolti il professor Smoot?»

«Andiamo a farci una birra.»

«Non sono ancora le tre, Rudy.» Booker beve poco e io anche meno perché è un'abitudine costosa e in questo periodo devo risparmiare per comprare da mangiare.

«Scherzavo» dico. Si dirige verso la facoltà di legge. È giovedì, e ciò significa che domani mi ritroverò alle prese con il Diritto dello sport e il Codice Napoleonico, due corsi inutili quanto il Diritto degli arterio e che richiedono anche meno lavoro. Ma l'esame di ammissione all'ordine incombe, e quando ci penso mi tremano le mani. Se verrò respinto, quei signori gentili ma privi di spirito di Brodnax e Speer mi chiederanno di andarmene, il che vuol dire che lavorerò per circa un mese e poi finirò in mezzo alla strada. Essere bocciato all'esame d'ammissione è impensabile... mi porterebbe alla disoccupazione, al fallimento, al disonore, alla fame. E allora perché ci penso tutte le ore del santo giorno? «Portami alla biblioteca» dico a Booker. «Lavorerò su questi casi e poi studierò per l'esame.»

«Buona idea.»

«Odio la biblioteca.»

«Tutti odiano la biblioteca, Rudy. È congegnata in modo da essere odiata. Il suo scopo fondamentale è essere odiata dagli studenti di legge. Sei normale.»

«Grazie.»

«La prima vecchia, la signora Birdie, ha denaro?»

«Come fai a saperlo?»

«Mi è sembrato di sentire qualcosa.»

«Sì. È piena di soldi. Vuole cambiare il testamento. I figli e i nipoti la trascurano e lei, com'è ovvio, li vuole diseredare.»

«Quanto?»

«Venti milioni, più o meno.»

«E a chi andranno?»

«A un predicatore televisivo piuttosto sexy, proprietario di un Learjet personale.»

«No!»

«Giuro.»

Booker rimugina per due isolati, in mezzo al traffico intenso. «Senti Rudy, non offenderti, sei in gamba e tutto quanto, sei un ottimo studente, ma ti senti all'altezza di preparare il testamento per un simile asse ereditario?»

«No. Tu ti sentiresti all'altezza?»

«Naturalmente no. E allora cosa farai?»

«Forse la signora Birdie morirà nel sonno.»

«Non credo. È troppo vispa. Ci seppellirà tutti.»

«Ne parlerò con Smoot. Forse chiederò aiuto a uno dei professori di Diritto tributario. O magari dirò alla signora Birdie che non posso aiutarla e che dovrà pagare cinquemila dollari a uno specialista importante perché rediga il testamento. Per la verità non m'importa niente. Ho i miei problemi.»

«La Texaco?»

«Già. Ce l'hanno con me. E anche il mio padrone di casa.»

«Vorrei poterti aiutare» dice Booker, e so che è vero. Se potesse, mi farebbe volentieri un prestito.

«Sopravvivrò fino al primo luglio. Allora sarò un avvocato di Brodnax e Speer e i giorni della miseria finiranno. Come farò, mio caro Booker, a spendere trentaquattromila dollari all'anno?»

«Non sarà facile. Diventerai ricco.»

«Oh, diavolo, sono vissuto di mance per sette anni. Cosa farò con tutti quei soldi?»

«Ti comprerai un altro vestito?»

«Perché? Ne ho già due.»

«Magari qualche paio di scarpe?»

«Ecco! Ecco cosa farò. Comprerò scarpe, Booker, scarpe e cravatte e magari qualcosa da mangiare che non sia in scatola, e perfino una serie di mutande nuove.»

Da tre anni, almeno due volte al mese Booker e sua moglie mi invitano a cena. Lei si chiama Charlene, è di Memphis e riesce a far miracoli in cucina con pochi soldi. Sono amici, ma di sicuro gli faccio pena. Booker sorride, poi distoglie lo sguardo. Si è stancato di scherzare su cose spiacevoli.

Si ferma nel parcheggio di fronte alla facoltà di legge dell'Università Statale di Memphis, sull'altro lato di Central Avenue. «Devo fare qualche commissione» dice.

«Bene. Grazie del passaggio.»

«Tornerò verso le sei. Studieremo per l'esame di ammissione all'ordine.»

«Benissimo. Mi troverai nel seminterrato.»
Sbatto la portiera e attraverso correndo Central Avenue.

In un angolo buio e isolato del seminterrato della biblioteca, dietro mucchi di vecchissimi testi giuridici malconci, nascosto agli occhi di tutti, trovo ad attendermi il mio box di lettura preferito, come avviene ormai da molti mesi. È riservato ufficialmente a me. L'angolo è privo di finestre e a volte umido e freddo, e per questa ragione pochi gli si avvicinano. Ho passato ore e ore in questa piccola tana personale, ricapitolando argomentazioni e tesi di processi e studiando per gli esami. E nelle ultime settimane sono rimasto qui per molte ore angosciose, chiedendomi cosa ne è stato di lei e a che punto me la sono lasciata sfuggire. Mi tormento. Il piano è circondato su tre lati da pannelli, e ormai conosco a memoria tutte le venature del legno di ognuna di quelle piccole pareti. Lì posso piangere senza che nessuno mi sorprenda. Posso addirittura imprecare a un basso livello di decibel, e non se ne accorge nessuno.

Molte volte, durante la nostra splendida storia, Sara mi ha raggiunto qui, e abbiamo studiato insieme, con le sedie affiancate. Potevamo parlottare e ridere e nessuno se ne curava. Potevamo baciarci e toccarci, e nessuno ci vedeva. In questo momento, sprofondato nella depressione e nel dolore, mi sembra quasi di sentire il suo profumo.

Ecco, dovrei trovare un altro posto per studiare in questo immenso labirinto. Guardo fisso i pannelli intorno a me, vedo il suo viso, risento il contatto delle sue gambe, e vengo sopraffatto da una fitta al cuore che mi paralizza. Sara era qui poche settimane fa! E adesso qualcun altro le tocca le gambe.

Prendo il fascio di documenti dei Black e salgo nella sezione assicurazioni della biblioteca. Mi muovo adagio, però i miei occhi sfrecciano in tutte le direzioni. Sara non viene più qui molto spesso, ma l'ho vista un paio di volte.

Dispongo i documenti di Dot su un tavolo deserto in mezzo agli scaffali e leggo ancora una volta la lettera che le dà della stupida. È sconvolgente e cattiva, e senza dubbio è stata scritta da qualcuno convinto che Dot e Buddy non si sarebbero mai rivolti a un avvocato. La rileggo e mi accorgo che la stretta al cuore comincia ad attenuarsi... viene e va, e sto imparando a sopportarla.

Anche Sara Plankmore è al terzo anno di legge ed è l'unica ragazza che io abbia mai amato. Quattro mesi fa mi ha piantato per uno studente di un'università molto esclusiva, un aristocratico locale. Mi ha detto che erano amici dai tempi delle superiori e si erano ritrovati per caso durante le vacanze di Natale. La fiamma si era riaccesa, le dispiaceva farmi un così brutto scherzo, ma la vita continua. Alla facoltà di legge circola con insistenza la voce che sia incinta. La prima volta che l'ho sentito dire ho vomitato.

Esamino la polizza stipulata dai Black con la Great Eastern, e riempio pagine e pagine di appunti. Sembra scritta in sanscrito. Metto in ordine le lettere, i moduli per i rimborsi e i referti medici. Per il momento Sara è scomparsa, e mi sono smarrito in una questione assicurativa che puzza sempre più d'imbroglio.

La polizza è stata stipulata per la somma di diciotto dollari la settimana con la Great Eastern Life Insurance Company di Cleveland, Ohio. Studio il libretto della situazione debitoria che viene usato per registrare i pagamenti settimanali. A quanto pare l'agente, un certo Bobby Ott, andava tutte le settimane dai Black per incassare.

Il tavolo è coperto da mucchi ordinati di fogli e leggo tutto il materiale che mi ha consegnato Dot. Continuo a pensare a Max Leuberg, il docente comunista ospite, e al suo odio per le assicurazioni. Governano il nostro paese, continuava a ripetere. Dominano le banche. Hanno in mano le proprietà immobiliari. Se prendono un virus, Wall Street ha la diarrea per una settimana. E quando i tassi d'interesse scendono e i guadagni dei loro investimenti vanno a picco, corrono al Congresso e chiedono la riforma dei risarcimenti per illeciti civili. Le cause intentate contro di noi ci rovinano, strillano. Quei luridi avvocati continuano a farci causa per motivi che non stanno in piedi, convincono i giurati ignoranti a concedere risarcimenti astronomici, dobbiamo farli smettere prima che ci riducano al fallimento. Leuberg si imbestialiva al punto da tirare i libri contro i muri. Noi lo adoravamo.

E insegna ancora qui. Mi pare che tornerà nel Wisconsin al

termine del semestre, e se trovassi il coraggio potrei chiedergli di esaminare la situazione dei Black nei confronti della Great Eastern. Si vanta di aver sostenuto le ragioni della gente comune in diverse cause memorabili per malafede, su al Nord, in cui le giurie hanno assegnato risarcimenti molto cospicui alle vittime delle assicurazioni.

Comincio a scrivere un riepilogo del caso. Parto con la data di stipulazione della polizza, quindi elenco in ordine cronologico i fatti significativi. La Great Eastern ha negato per iscritto ben otto volte la copertura assicurativa. L'ottava volta, naturalmente, è quella della lettera con cui dà della stupida a Dot. Mi sembra di sentire Max Leuberg che fischietta e ride mentre la legge. E sento l'odore del sangue.

Mi auguro che lo senta anche il professor Leuberg. Il suo ufficio è incastrato fra due ripostigli al secondo piano della facoltà di legge. La porta è coperta da volantini per le marce a sostegno dei diritti dei gay, incitamenti al boicottaggio e comizi a difesa delle specie minacciate, tutte cause che a Memphis non destano grande interesse. La porta è semiaperta e sento il professore sbraitare al telefono. Trattengo il respiro e busso leggermente.

«Avanti!» grida. Varco la soglia. Mi indica l'unica sedia, invasa da libri, fascicoli e riviste. L'ufficio sembra una discarica. Cianfrusaglie, giornali, bottiglie. Gli scaffali sono così carichi da traballare. Le pareti sono coperte da poster. Pezzi di carta spiccano sul pavimento come pozzanghere. Il tempo e l'organizzazione non hanno significato per Max Leuberg.

È un uomo piccolo e magro sulla sessantina, con ispidi capelli spettinati color paglia, e mani che non stanno mai ferme. Indossa jeans stinti, magliette con slogan provocatori e vecchie scarpe di tela. Se fa freddo, qualche volta mette i calzini. È così eccessivo che mi rende nervoso.

Sbatte giù il ricevitore del telefono. «Baker!»

«Baylor. Rudy Baylor. Assicurazioni, lo scorso semestre.»

«Certo! Certo. Ricordo benissimo. Accomodati.» Mi indica di nuovo la sedia.

«No, grazie.»

Si agita, sfoglia un mucchio di carte. «Dunque cosa c'è, Baylor?» Max è adorato dagli studenti perché trova sempre il tempo per ascoltarli.

«Ecco, uhm, ha un minuto?» In una situazione normale adotterei un comportamento più formale e lo chiamerei "signore" o qualcosa di simile, ma lui odia le formalità. Ha sempre insistito perché lo chiamassimo "Max".

«Sì, certo. Cosa c'è?»

«Si tratta di questo. Seguo un corso con il professor Smoot» spiego, e riassumo la mia visita al centro, il colloquio con Dot e Buddy e la loro battaglia con la Great Eastern. Max sembra pendere da ogni mia parola.

«Ha mai sentito parlare della Great Eastern?» gli chiedo.

«Oh, sì. È un grosso gruppo che vende assicurazioni a basso costo a bianchi e neri di campagna. Molto disonesto.»

«Io non l'avevo mai sentita nominare.»

«È logico. Non fanno pubblicità. I loro agenti girano porta a porta e vanno a incassare i premi ogni settimana. Stiamo parlando dei livelli più bassi delle assicurazioni. Fammi vedere la polizza.»

Gliela consegno. La sfoglia. «Secondo loro, quale sarebbe il motivo per negare la copertura?» chiede senza guardarmi.

«Tutto quanto. Prima hanno negato in generale. Poi hanno detto che la leucemia non rientrava nella copertura assicurativa. In seguito hanno affermato che era una malattia preesistente. Infine hanno sostenuto che il ragazzo era ormai adulto e quindi non rientrava più nella polizza dei genitori. La fantasia non gli manca.»

«Tutti i premi sono stati pagati?»

«Sì, secondo la signora Black.»

«Delinquenti.» Max Leuberg sfoglia altre pagine e sorride malignamente. «Hai esaminato tutta la documentazione?»

«Sì, ho letto tutto quello che mi ha dato la cliente.»

Butta la polizza sulla scrivania. «Vale la pena di studiarla meglio» dichiara. «Ma tieni presente che quasi mai il cliente ti consegna tutto subito.» Gli passo la Lettera alla Stupida. Mentre la legge, un altro sorrisetto cattivo gli spunta sulle labbra. La rilegge e alla fine mi guarda. «Incredibile.»

«L'ho pensato anch'io» commento col tono del cane da guardia abituato a stare alle costole delle assicurazioni.

«Dov'è il resto?»

Poso sulla scrivania il fascio di carte. «È tutto quello che mi ha dato la signora Black. Dice che suo figlio sta morendo perché non possono permettersi di curarlo. Dice che è ridotto a meno di cinquanta chili e che non vivrà ancora per molto.»

Le mani di Max restano immobili. «Delinquenti» ripete come parlando fra sé. «Luridi delinquenti.»

Sono completamente d'accordo con lui, ma non faccio commenti. Noto un altro paio di scarpe di tela parcheggiate in un angolo: un vecchissimo paio di Nike. In classe ci ha spiegato che una volta portava le Converse, ma adesso boicotta l'azienda per la sua politica di riciclaggio. Combatte una piccola guerra personale contro l'America industriale e non compra niente se il produttore l'ha fatto arrabbiare. Rifiuta di fare assicurazioni sulla vita, sulla salute o sui beni, ma circola voce che la sua famiglia sia molto ricca e che quindi lui possa permettersi di vivere senza essere assicurato.

Molti dei miei professori sono accademici boriosi che portano la cravatta in aula e fanno lezione con la giacca abbottonata. Max non porta la cravatta da decenni. E non fa lezione. Recita. Mi dispiace che vada via da Memphis.

Le sue mani riprendono vita. «Mi piacerebbe dare un'occhiata a questa roba stasera» dice senza guardarmi.

«Nessun problema. Posso venire domattina?»

«Certo. Quando vuoi.»

Il telefono squilla e lui afferra il ricevitore. Sorrido e varco a ritroso la porta. Mi sento molto sollevato. Domattina tornerò da lui, ascolterò il suo parere, poi batterò a macchina una relazione in cui ripeterò ai Black tutto quello che mi avrà detto.

Adesso dovrei trovare qualcuno che faccia la ricerca per la signora Birdie. Ho un paio di candidati, un paio di docenti di Diritto tributario, e domani potrei tentare di rivolgermi a loro. Scendo la scala ed entro nel locale di ritrovo degli studenti accanto alla biblioteca. È l'unico posto, in tutto l'edificio, dove si può fumare e sotto le luci aleggia stabilmente una nebbia azzurrina. Ci sono un televisore e un assortimento di divani e poltrone piuttosto malconci. Le pareti sono ornate dalle foto dei vari corsi, collezioni incorniciate di facce studiose inviate ormai da tempo nelle trincee della guerra legale. Quando la sala è vuota, spesso contemplo questi miei predecessori e mi chiedo quanti sono stati radiati dall'ordine, quanti vorrebbero non aver mai messo piede qui dentro e quanti, invece, amano davvero la professione. Una parete è riservata a una varietà sorprendente di bollettini, comunicazioni e annunci tipo "cercasi", e c'è una fila di distributori di bibite e spuntini. Mangio spesso qui. Il cibo servito dai distributori è sottovalutato.

Vedo in un angolo l'onorevole F. Franklin Donaldson IV che chiacchiera con tre dei suoi amici, tutti tipi boriosi che collaborano alla "Law Review" e disprezzano quelli di noi che non lo fanno. Lui mi nota e sembra interessato a qualcosa. Sorride mentre gli passo accanto, e questo è insolito perché la sua faccia è perennemente atteggiata in una smorfia gelida.

«Ehi, Rudy, vai a lavorare da Brodnax e Speer, vero?» mi dice a gran voce. Il televisore è spento. I suoi amici mi guardano. Due studentesse sedute su un divano mi lanciano un'occhiata.

«Già. Perché?» chiedo. F. Franklin IV ha già un posto che lo attende in uno studio legale ricco di tradizioni, denaro e arroganza, uno studio immensamente superiore a Brodnax e Speer. In questo momento la sua corte è formata da W. Harper Whittenson, un borioso che, a Dio piacendo, lascerà Memphis per esercitare la professione in un megastudio di Dallas; J. Townsend Gross, che ha accettato un posto in un altro studio colossale; e James Straybeck, un tipo a volte cordiale che ha sopportato tre anni di facoltà di legge senza avere un'iniziale da piazzare davanti al nome e un numero romano da accodargli. Con un nome così breve, il suo avvenire come avvocato di un grande studio è in dubbio. Non credo che ce la farà.

F. Franklin IV mi si avvicina di un passo. È ancora tutto sorridente. «Bene, raccontaci cosa sta succedendo.»

«E cosa sta succedendo?» Non so di cosa stia parlando.

«Ma sì, lo sai, la fusione.»

Rimango imperturbabile. «Quale fusione?»

«Non l'hai saputo?»

«Saputo cosa?»

F. Franklin IV lancia un'occhiata ai tre compari. Sembra che si divertano molto. Il suo sorriso si allarga quando mi guarda. «Andiamo, Rudy, la fusione di Brodnax e Speer con Tinley Britt.»

Rimango immobile e cerco di scovare qualcosa di intelligente da dire. Ma le parole non mi soccorrono. Non so nulla della fusione e ovviamente questo stronzo sa qualcosa. Brodnax e Speer è un piccolo studio con quindici avvocati, e io sono l'unica recluta pescata nel mio corso. Quando ci siamo accordati, due mesi fa, non si è parlato di fusioni.

Tinley Britt, invece, è lo studio legale più grosso, tradizionale, prestigioso e ricco dello stato. Secondo l'ultimo conteggio, c'erano centoventi avvocati, molti dei quali usciti da università d'élite o con periodi lavorati alle dipendenze di organismi federali nel curriculum. È assai potente, rappresenta ricche società ed enti governativi, e ha una sede a Washington dove tiene stretti rapporti con il centro del potere. È un bastione della più rigorosa politica conservatrice. Uno dei soci è un ex senatore degli Stati Uniti. Gli associati lavorano ottanta ore la settimana e vestono tutti di blu e nero, con camicia bianca button-down e cravatta a righe. Portano i capelli tagliati corti e nessuno è autorizzato a farsi crescere baffi o barba. Si può riconoscere un avvocato di Tinley Britt dal modo in cui cammina e si veste. Sono tutti maschi bianchi, anglosassoni e protestanti, tutti usciti dalle scuole e dalle confraternite universitarie giuste.

J. Townsend Gross tiene le mani in tasca, mi guarda e sogghigna. È il numero due del nostro corso, porta magliette polo debitamente stirate, guida una Bmw e quindi è stato attratto subito da Tinley Britt.

Mi tremano le ginocchia perché so che Tinley Britt non mi prenderebbe mai. Se Brodnax e Speer si è veramente fuso con il colosso, è probabile che io mi sia perso per strada.

«Non ne so niente» dico con un filo di voce. Le ragazze sul divano ci osservano attente. Silenzio.

«Vuoi dire che non te l'hanno comunicato?» F. Franklin IV ha un tono incredulo. «Jack l'ha saputo oggi verso mezzogiorno» aggiunge indicando con un cenno il suo compare J. Townsend Gross.

«È vero» dice J. Townsend. «Ma il nome dello studio non è cambiato.»

Il nome dello studio in realtà è Tinley, Britt, Crawford, Mize e St. John. Per fortuna, anni fa qualcuno ha optato per la versione abbreviata. Annunciando che il nome dello studio è rimasto immutato, J. Townsend ha informato il suo piccolo pubblico che Brodnax e Speer è così modesto e insignificante che Tinley Britt può mandarlo giù intero senza neppure un rutto.

«Quindi si chiama ancora Tinley Britt?» chiedo a J. Townsend.

«Non posso credere che non te l'abbiano detto» continua F. Franklin IV.

Scrollo le spalle come se fosse una cosa da niente e mi avvio verso la porta. «Forse ti preoccupi troppo, Frankie.» Si scambiano sogghigni baldanzosi come se avessero ottenuto ciò che si erano proposti e io lascio la sala. Entro nella biblioteca e l'impiegato che sta al banco mi chiama con un cenno.

«C'è un messaggio» dice, e mi porge un foglietto. Devo chiamare Loyd Beck, il socio dirigente di Brodnax e Speer, l'uomo che mi ha assunto.

I telefoni a pagamento sono nella sala di ritrovo, ma non ho voglia di rivedere F. Franklin IV e la sua banda di tagliagole. «Posso telefonare da qui?» chiedo all'impiegato, uno studente del secondo anno che si comporta come se la biblioteca fosse sua.

«I telefoni a pagamento sono nella sala» mi risponde, e indica con la mano, come se dopo aver studiato qui per tre anni ancora non sapessi dove si trova la sala ritrovo degli studenti.

«Vengo proprio da lì e sono tutti occupati.»

Lui aggrotta la fronte e si guarda intorno. «E va bene, ma sbrigati.»

Compongo il numero di Brodnax e Speer. Sono quasi le sei e le segretarie escono alle cinque. Al nono squillo una voce maschile dice semplicemente: «Pronto».

Volto le spalle alla biblioteca e cerco di nascondermi fra gli scaffali. «Pronto, sono Rudy Baylor. Chiamo dalla facoltà di legge. Ho trovato un messaggio che mi chiede di telefonare a Loyd Beck. Dice che è urgente.» Sul foglietto non è scritto che è urgente, ma in questo momento sono piuttosto nervoso.

«Rudy Baylor? A che proposito?»

«Sono quello che avete appena assunto. Con chi parlo?»

«Oh, sì, Baylor. Sono Carson Bell. Umh, Loyd è in riunione e non posso disturbarlo. Riprovi fra un'ora.»

Ho conosciuto Carson Bell quando mi hanno fatto visitare lo studio e lo ricordo come il tipico avvocato oberato di impegni, cordiale per un istante e poi ansioso di rimettersi al lavoro. «Oh, signor Bell, ho assolutamente bisogno di parlare con il signor Beck.»

«Mi dispiace, ma in questo momento è impossibile. Okay?»

«Ho sentito parlare di una fusione con Tinley Britt. È vero?»

«Senta, Rudy, ho molto da fare e in questo momento non posso parlare. Richiami fra un'ora e Loyd si occuperà di lei.»

Si occuperà di me? «Il mio posto c'è ancora?» domando in preda alla paura e a un inizio di disperazione.

«Richiami fra un'ora» risponde esasperato, e riattacca bruscamente.

Scribacchio un messaggio su un foglietto e lo consegno all'impiegato. «Conosci Booker Kane?» chiedo.

«Certo.»

«Bene. Verrà fra pochi minuti. Dagli questo biglietto e digli che tornerò fra circa un'ora.»

Brontola ma prende il foglio. Lascio la biblioteca, passo accanto alla sala di ritrovo e prego che nessuno mi veda. Esco e corro al parcheggio dove mi aspetta la Toyota. Spero che il motore non mi abbia piantato in asso. Uno dei miei segreti più dolorosi è che devo ancora a una finanziaria quasi trecento dollari per questo rottame. Ho mentito perfino a Booker. Lui crede che l'abbia pagata.

3

Non è un segreto che a Memphis ci sono troppi avvocati. Ce l'hanno detto quando abbiamo iniziato gli studi di legge; hanno detto che nella professione c'è un sovraffollamento tremendo non soltanto qui ma dappertutto, che alcuni di noi si sarebbero ammazzati di fatica per tre anni, si sarebbero battuti per superare l'esame di ammissione all'ordine ma non sarebbero riusciti a trovare un posto. E quindi, per farci un favore, al corso di orientamento del primo anno ci hanno detto che avrebbero bocciato almeno un terzo di noi. E l'hanno fatto.

Posso fare i nomi di almeno dieci persone che il mese prossimo si laureeranno con me e poi avranno tutto il tempo di studiare per l'esame d'ammissione perché devono ancora trovare un impiego. Sette anni di college e poi la disoccupazione. E mi vengono in mente dozzine di compagni di corso che andranno a lavorare come assistenti dei difensori d'ufficio o dei pubblici ministeri o come collaboratori malpagati di giudici egualmente malpagati, tutti posti di cui non ci hanno parlato quando abbiamo cominciato a studiare legge.

Quindi ero molto orgoglioso, sotto parecchi aspetti, di aver trovato un posto da Brodnax e Speer, un vero studio legale. Sì, a volte mi sono mostrato soddisfatto in presenza di altri studenti che si stanno ancora affannando a sollecitare colloqui per l'assunzione. Ma la mia arroganza è svanita di colpo. Ho un nodo allo stomaco mentre mi dirigo verso il centro. Per me non c'è posto in uno studio legale come Tinley Britt. La Toyota sputacchia e tossisce come al solito, ma si muove.

Mi sforzo di analizzare la fusione. Un paio d'anni fa Tinley

Britt ha fagocitato uno studio con trenta avvocati, e in città la cosa ha fatto notizia. Ma non ricordo se questo ha comportato la perdita di posti di lavoro. Perché dovrebbero volere uno studio con quindici avvocati come Brodnax e Speer? Adesso mi rendo conto di sapere ben poco del mio futuro datore di lavoro. Il vecchio Brodnax è morto anni fa, e la sua faccia carnosa è immortalata in un orrendo busto di bronzo piazzato accanto all'ingresso. Speer è il genero, anche se da molto tempo ha divorziato dalla figlia. Ho parlato una sola volta con lui, ma mi è sembrato un tipo perbene. Nel secondo o terzo colloquio mi hanno detto che i loro clienti più importanti sono due società di assicurazione e che l'ottanta per cento del lavoro riguarda gli incidenti d'auto.

Forse Tinley Britt aveva bisogno di rinforzi per la divisione incidenti. Chissà.

In Poplar Street c'è parecchio traffico, ma scorre quasi tutto nell'altra direzione. Vedo i palazzoni del centro. Senza dubbio Loyd Beck e Carson Bell e i loro colleghi di Brodnax e Speer non mi avrebbero assunto facendo tanti progetti e prendendo tanti impegni se avessero avuto l'intenzione di tagliarmi la gola per amore dei soldi. Non si adatteranno alla fusione senza proteggere i loro collaboratori, vero?

Durante l'ultimo anno i miei compagni di corso che si laureeranno con me il mese prossimo hanno setacciato la città in cerca di lavoro. Non esistono altri posti disponibili. Neppure il più modesto degli impieghi sarebbe sfuggito alla loro attenzione.

I parcheggi si stanno vuotando e lo spazio non manca, però mi fermo in sosta vietata dall'altra parte della strada, di fronte al palazzo di otto piani dove ha sede Brodnax e Speer. A due isolati c'è una banca, l'edificio più alto della città, e naturalmente Tinley Britt ne occupa la metà superiore. Di lassù possono contemplare con disprezzo il resto della città. Li odio.

Attraverso la strada di corsa ed entro nell'atrio sporco del Powers Building. Gli ascensori sono a sinistra, ma a destra noto una faccia che conosco. È Richard Spain, un associato di Brodnax e Speer, un tipo simpatico che mi ha invitato a pranzo in occasione della mia prima visita. È seduto su una panchina di marmo e fissa il pavimento con sguardo vacuo.

«Richard» lo chiamo mentre mi avvicino. «Sono io, Rudy Baylor.»

Non si muove e continua a guardare nel vuoto. Siedo vicino a lui. Gli ascensori sono davanti a noi, a dieci metri.

«Cos'è successo, Richard?» gli chiedo. È stordito. «Richard, ti senti male?» In quel momento il piccolo atrio è deserto, e c'è silenzio.

Gira la testa verso di me e socchiude la bocca. «Mi hanno licenziato» dice a voce bassa. Ha gli occhi rossi: o ha pianto o ha bevuto.

Respiro profondamente. «Chi?» Anch'io abbasso la voce, ma conosco già la risposta.

«Mi hanno licenziato» ripete.

«Richard, parla, per favore. Cosa succede? Chi è stato licenziato?»

«Tutti noi associati» risponde lentamente Richard. «Beck ci ha chiamati nella sala riunioni, ha detto che i soci hanno deciso di vendere a Tinley Britt e che non c'è posto per gli associati. Proprio così. Ci ha dato un'ora per sgombrare le scrivanie e andarcene.» Lo dice facendo ciondolare la testa da una spalla all'altra e fissa le porte degli ascensori.

«Così, eh?» dico.

«Immagino che starai pensando al tuo posto» dice Richard, e continua a guardare il lato opposto dell'atrio.

«Sì, ci ho pensato.»

«A quei mascalzoni non gliene frega niente di te.»

A questo c'ero arrivato da solo. «Ma perché vi hanno licenziati?» chiedo con un filo di voce. Per la verità, non m'interessa sapere perché hanno licenziato gli associati. Ma mi sforzo di sembrare sincero.

«Tinley Britt voleva i nostri clienti» risponde Richard. «E per averli hanno dovuto comprare i soci. Noi associati eravamo solo un intralcio.»

«Mi dispiace» dico.

«Anche a me. Nella riunione si è parlato di te. Qualcuno ha fatto il tuo nome perché eri l'unico associato nuovo. Beck ha detto che aveva provato a chiamarti per darti la brutta notizia. Sei fregato anche tu, Rudy. Mi dispiace.»

Abbasso la testa di qualche centimetro e studio il pavimento. Ho le mani sudate.

«Sai quanto ho guadagnato l'anno scorso?» chiede Richard.

«Quanto?»

«Ottantamila dollari. Ho sgobbato qui come uno schiavo per sei anni, ho lavorato settanta ore la settimana, ho trascurato la famiglia, ho sputato sangue per Brodnax e Speer, sai, e adesso quei farabutti mi hanno detto che ho un'ora di tempo per sgombrare la scrivania e lasciare l'ufficio. Hanno perfino mandato una guardia del servizio di sicurezza a sorvegliarmi mentre sistemavo la mia roba per portarla via. Mi hanno pagato ottantamila dollari, e ho messo in conto ai clienti duemilacinquecento ore a centocinquanta dollari l'ora, quindi l'anno scorso gli ho reso una somma lorda di duecentosettantamila dollari. Mi ricompensano con ottantamila, mi regalano un orologio d'oro, mi dicono che sono bravo e che forse ce la farò a diventare socio entro un paio d'anni, le solite storie, una grande famiglia felice. Poi spunta Tinley Britt con i suoi milioni e io rimango disoccupato. E anche tu sei senza lavoro, amico. Lo sai? Ti rendi conto che hai perso il primo impiego senza averlo neppure cominciato?»

Non so cosa rispondere.

Inclina la testa sulla spalla sinistra e mi ignora. «Ottantamila. Niente male, vero, Rudy?»

«Sì.» A me sembra un patrimonio.

«Impossibile trovare un altro posto che faccia guadagnare tanto, sai? Impossibile in questa città. Non fanno assunzioni. Ci sono troppi avvocati.»

E non scherza.

Si asciuga gli occhi con le dita e si alza in piedi. «Dovrò dirlo a mia moglie» mormora mentre si avvia a testa bassa attraverso l'atrio, esce e sparisce sul marciapiedi.

Prendo l'ascensore per salire al terzo piano ed esco in un piccolo vestibolo. Al di là dei due battenti a vetri vedo una guardia del servizio di sicurezza accanto al banco della reception. Mi rivolge una smorfia quando entro nello studio Brodnax e Speer.

«Desidera?» mi apostrofa.

«Cerco Loyd Beck» dico cercando di sbirciare nel corridoio alle sue spalle. Si sposta leggermente per bloccarmi la visuale.

«E lei chi è?»

«Rudy Baylor.»

Prende una busta dal banco. «È per lei» dice. Il mio nome è scritto a mano in inchiostro rosso. Prendo il foglio, lo apro. Mentre lo leggo mi tremano le mani.

Una voce starnazza nella sua radio portatile. Indietreggia. «Legga la lettera e se ne vada» ordina, e sparisce nel corridoio.

La lettera è formata da un solo capoverso. Loyd Beck mi dà gentilmente la notizia e mi augura buona fortuna. La fusione è stata "improvvisa e inattesa".

Butto la lettera sul pavimento e cerco qualcos'altro da scagliare. C'è un profondo silenzio. Sono sicuro che si sono trincerati dietro le porte chiuse e aspettano che io e gli altri espulsi ci leviamo di torno. C'è un busto su un piedestallo di cemento accanto alla porta, un pessimo esempio di scultura in bronzo che raffigura la faccia grassa del vecchio Brodnax. Quando passo gli sputo contro e non reagisce. Gli dò una spinta mentre apro la porta. Il piedestallo ondeggia e il busto cade.

«Ehi!» tuona una voce alle mie spalle. Il busto sfonda il vetro e vedo la guardia correre verso di me.

Per una frazione di secondo penso di fermarmi e scusarmi, ma poi attraverso a precipizio il vestibolo e spalanco la porta che dà sulla scala. La guardia urla ancora. Scendo come un fulmine, muovo i piedi a passi frenetici. Quello è troppo vecchio e troppo grasso per raggiungermi.

L'atrio è deserto quando vi entro da una porta accanto agli ascensori. Esco con calma sul marciapiede.

Sono quasi le sette ed è ormai buio quando mi fermo davanti a un negozio, a sei isolati di distanza. Un cartello dipinto a mano offre una confezione di sei lattine di birra per tre dollari. Ho un gran bisogno di sei lattine di birra.

Loyd Beck mi ha assunto due mesi fa, i miei voti erano abbastanza buoni, scrivevo in modo persuasivo, i colloqui erano andati bene, allo studio erano tutti convinti che mi sarei inserito. Andava tutto a meraviglia. Avevo un futuro brillante con il buon vecchio studio legale Brodnax e Speer.

Poi Tinley Britt sventola qualche dollaro, e i soci cedono. Quei luridi farabutti guadagnano trecentomila dollari l'anno ma ne vogliono di più.

Entro e compro la birra. Dedotte anche le tasse, mi restano in tasca quattro dollari e qualche spicciolo. Il mio conto in banca non è molto più consistente.

Siedo in macchina vicino alla cabina telefonica e vuoto la prima lattina. Non ho mangiato niente dopo il delizioso pranzo con Dot e Buddy e Bosco e la signora Birdie. Forse avrei dovuto mangiare un po' più di gelatina, come Bosco. La birra fredda mi piomba nello stomaco vuoto e sento un ronzio immediato.

Vuoto in fretta le lattine. Le ore passano mentre mi aggiro in macchina per le vie di Memphis.

4

Il mio appartamento è uno scalcinato buco di due stanze al primo piano di un edificio cadente chiamato The Hampton: duecentosettantacinque dollari al mese, che di rado pago puntualmente. È a un isolato da una via molto trafficata e a più di un chilometro e mezzo dal campus. È stato la mia casa per quasi tre anni. Ultimamente ho pensato spesso di filarmela nel cuore della notte e di cercare di negoziare per gli arretrati un pagamento rateale nei prossimi dodici mesi. Finora, questi progetti avevano sempre dato per scontati l'impiego e lo stipendio mensile di Brodnax e Speer. The Hampton è pieno di studenti spiantati come me e il padrone di casa è abituato a venire a patti sugli arretrati.

Il parcheggio è buio e silenzioso quando arrivo poco prima delle due. Fermo la Toyota vicino ai cassonetti, e mentre scendo e chiudo la portiera noto un movimento improvviso non molto lontano. Un uomo scende in fretta da una macchina, sbatte la portiera e avanza verso di me. Resto immobile sul marciapiede. Buio e silenzio.

«Lei è Rudy Baylor?» mi chiede. È un vero cowboy: stivali a punta, Levi's attillati, camicia di denim, capelli e barba tagliati con cura. Mastica una gomma e ha l'aria di uno che non ci pensa due volte se deve farsi largo a gomitate.

«Lei chi è?» domando.

«Lei è Rudy Baylor sì o no?»

«Sì.»

Si sfila un paio di carte dalla tasca posteriore e me le caccia sotto il naso. «Mi dispiace» dice in tono sincero.

«Cosa sono?» chiedo.

«Mandati di comparizione.»

Prendo i fogli. È troppo buio per leggerli, ma ho capito il messaggio. «È un ufficiale giudiziario?» chiedo, avvilito.

«Già.»

«La Texaco?»

«Già. E The Hampton. È lo sfratto.»

Se fossi sobrio inorridirei all'idea di avere in mano una notifica di sfratto. Ma per oggi sono inorridito abbastanza. Guardo l'edificio buio e tetro, il prato ingombro di rifiuti e le erbacce sul marciapiedi e mi domando com'è possibile che un posto che fa pietà come quello l'abbia avuta vinta contro di me.

Il cowboy fa un passo indietro. «Lì c'è tutto» spiega. «Data, nomi degli avvocati, eccetera. Probabilmente può sistemare tutto con qualche telefonata. Comunque non è affar mio. Faccio il mio lavoro e basta.»

Bel lavoro! Aggirarsi furtivo nell'ombra, saltare addosso alle persone ignare, sbattergli le carte in faccia, dare qualche consiglio legale gratis, poi andare a terrorizzare qualcun altro.

Si allontana ma poi si ferma e aggiunge: «Oh, senta, sono un ex poliziotto e ho il sintonizzatore della radio della polizia in macchina. Qualche ora fa ho sentito una chiamata abbastanza strana. Un certo Rudy Baylor ha sfasciato uno studio legale del centro. I connotati corrispondono. La macchina è dello stesso modello. Non credo che sia lei.»

«E se lo fossi?»

«Non è affar mio, vede. Ma la polizia la cerca per danneggiamento di proprietà privata.»

«Vuol dire che mi arresteranno?»

«Proprio così. Io mi cercherei un altro posto per dormire, questa notte.»

Risale in macchina, una Bmw. Lo seguo con gli occhi mentre si allontana.

Booker mi aspetta sotto il portico della casa bifamiliare. Sopra il pigiama indossa una vestaglia a disegni minuti. È scalzo. Anche se è uno dei tanti studenti di legge poveri e conta i giorni che mancano all'assunzione, ci tiene al suo aspetto. Non ha molti capi nell'armadio, ma tutti selezionati meticolosamente. «Cosa diavolo è successo?» chiede. È preoccupato e ha gli occhi gonfi di sonno. L'ho chiamato da un telefono pubblico del Junior Food Mart, girato l'angolo.

«Scusami» dico mentre entriamo nello studio. Vedo Charlene nel cucinino, anche lei con una vestaglia a disegni minuti, i capelli tirati indietro e le palpebre gonfie, mentre prepara il caffè o chissà cosa. Sento un bambino piangere in una stanza sul retro. Sono quasi le tre del mattino e ho svegliato tutti.

«Siedi» invita Booker. Mi prende il braccio e mi spinge gentilmente sul divano. «Hai bevuto.»

«Sono ubriaco, Booker.»

«Qualche ragione particolare?» È in piedi davanti a me come un padre in collera.

«È una storia lunga.»

«Hai parlato della polizia.»

Charlene mette sul tavolo davanti a me una tazza di caffè bollente. «Tutto bene, Rudy?» mi chiede con dolcezza.

«Benone» rispondo, da autentico coglione.

«Vai a dare un'occhiata ai bambini» le dice Booker, e Charlene sparisce.

«Scusami» ripeto. Booker siede sull'orlo del tavolino, di fronte a me. Aspetta.

Non guardo neppure il caffè. La testa mi martella. Riferisco la mia versione di ciò che è successo da quando ci siamo lasciati ieri pomeriggio. Ho la lingua pesante e impastata, quindi prendo tempo e mi sforzo di concentrarmi sul racconto. Charlene viene a sedersi sulla poltrona più vicina e ascolta, preoccupata. «Scusami» le mormoro.

«Tutto okay, Rudy. Tutto okay.»

Charlene è figlia di un ecclesiastico di campagna del Tennessee, e non ha molta tolleranza per l'ubriachezza e la condotta disordinata. Le poche volte che io e Booker abbiamo bevuto qualcosa insieme, l'abbiamo fatto di nascosto.

«Hai fatto fuori due confezioni da sei lattine?» chiede Booker incredulo.

Charlene va a dare un'occhiata al bambino che ha ricominciato a strillare. Concludo il racconto con l'ufficiale giudiziario, il mandato di comparizione della Texaco, lo sfratto. È stata una giornataccia.

«Devo trovare assolutamente un lavoro, Booker» dico, e bevo il caffè.

«In questo momento hai problemi più grossi. Fra tre mesi daremo l'esame di ammissione all'ordine, poi dovremo affrontare la commissione di controllo. Un arresto e una condanna per le tue bravate possono rovinarti.»

Non ci avevo pensato. Ho la testa che mi martella in modo insopportabile. «Potrei avere un sandwich?» Mi sento in preda alla nausea. Ho mangiato un sacchetto di pretzel con la seconda confezione da sei birre, ma è stato tutto quello che ho mandato giù dopo il pranzo con Bosco e la signora Birdie.

Charlene, che è in cucina, mi ha sentito. «Ti andrebbero uova e bacon?»

«Benissimo, Charlene. Grazie.»

Booker riflette. «Fra qualche ora chiamerò Marvin Shankle. Lui può telefonare al fratello e magari intervenire presso la polizia. Dobbiamo evitare l'arresto.»

«Per me va bene.» Marvin Shankle è il più noto avvocato nero di Memphis, il futuro principale di Booker. «E già che ci sei, chiedigli se ha un posto libero.»

«Lo farò. Tu vuoi andare a lavorare in uno studio legale formato esclusivamente da neri che si occupano dei diritti civili.»

«In questo momento andrei a lavorare anche per uno studio legale coreano che si occupa di divorzi. Non offenderti, Booker, ma devo trovare un lavoro. Sono sull'orlo del fallimento. Potrebbero esserci altri creditori in agguato fra i cespugli, pronti a saltarmi addosso armati di citazioni. Non lo sopporto.» Mi sdraio sul divano. Charlene sta rosolando il bacon e l'aroma aleggia nel piccolo studio.

«Dove sono le carte?» chiede Booker.

«In macchina.»

Se ne va e torna dopo un minuto. Siede su una poltrona accanto a me e studia il mandato di comparizione della Texaco e la notifica di sfratto. Charlene traffica in cucina, mi porta altro caffè e un'aspirina. Sono le tre e mezzo del mattino. I bambini stanno finalmente zitti. Mi sento al sicuro e al caldo, addirittura amato.

La testa mi gira lentamente. Chiudo gli occhi e mi assopisco.

5

Come un serpente che striscia nel sottobosco, sguscio in facoltà dopo mezzogiorno, ore dopo il termine delle due lezioni che dovevo seguire. Diritto dello sport e Letture scelte dal Codice Napoleonico. Che scherzo. Mi nascondo nella mia tana nell'angolo più remoto del seminterrato della biblioteca.

Booker mi ha svegliato mentre ancora dormivo sul divano. Aveva parlato con Marvin Shankle e la macchina si era messa in moto. Il signor Shankle avrebbe chiamato un certo capitano e contava che tutto si potesse risolvere. Il fratello del signor Shankle è giudice di una delle sezioni penali e se non fosse possibile archiviare le accuse si potrebbero trovare altre strade. Ma non si sa ancora se la polizia mi ricerca o no. Booker avrebbe fatto qualche altra telefonata e mi avrebbe tenuto informato.

Booker ha già un ufficio nello studio Shankle: c'è stato come impiegato per due anni, part-time, e ha imparato più di cinque di noi scelti a caso. Fra una lezione e l'altra telefona a una segretaria, aggiorna la rubrica degli appuntamenti, mi parla di questo e di quel cliente. Diventerà un grande avvocato.

È impossibile riordinare i pensieri quando si è in preda ai postumi di una sbronza. Scribacchio promemoria per me stesso su un bloc-notes, cose importanti: per esempio, adesso che sono entrato senza che nessuno se ne accorgesse, cosa faccio? Aspetterò qui un paio d'ore che la facoltà si vuoti. È venerdì pomeriggio, il momento in cui c'è meno gente. Poi andrò all'Ufficio collocamento, bloccherò la direttrice e mi confiderò con lei. Se avrò fortuna, potrebbe esserci un oscuro ente governativo rifiutato da tutti gli altri laureati e disposto a offrire ventimila dollari l'anno a un giovane avvocato sveglio e brillante. O magari una piccola azienda ha scoperto di aver bisogno di assumere un altro avvocato fisso. A questo punto, non restano molti "se".

A Memphis vive una leggenda di nome Jonathan Lake: laureato in questa facoltà, nemmeno lui riusciva a trovare un posto in nessuno dei grandi studi legali del centro. È successo una ventina di anni fa. Lake fu rifiutato dagli studi affermati, e allora prese in affitto un ufficio, mise una targa sulla porta e si dichiarò pronto a intentare cause. Per qualche mese soffrì la fame; poi una notte andò a sbattere con la moto e si svegliò con una gamba fratturata al St. Peter's, l'ospedale dove ricoverano chi non è in grado di pagare. Poco dopo, nel letto accanto al suo misero un tale che aveva avuto anche lui un incidente con la moto. Aveva le ossa a pezzi e ustioni molto gravi. La sua ragazza stava anche peggio, e infatti morì dopo un paio di giorni. Fecero amicizia, e Lake si occupò delle cause. Si scoprì che il guidatore della Jaguar che era passato col rosso e aveva investito la moto su cui viaggiavano i nuovi clienti di Lake era il socio anziano del terzo studio legale della città in ordine d'importanza, lo stesso che aveva fatto il colloquio a Lake sei mesi prima. Ed era ubriaco quando era passato col rosso.

Lake ci mise l'anima in quella causa. Il socio anziano aveva tonnellate di polizze assicurative e l'assicurazione cominciò subito a offrire denaro a Lake. Tutti volevano una soluzione stragiudiziale molto rapida. Sei mesi dopo aver superato l'esame di ammissione all'ordine, Jonathan Lake accettò una transazione per due milioni e seicentomila dollari. In contanti, niente rate. E sull'unghia.

La leggenda narra che mentre erano entrambi all'ospedale il motociclista aveva detto a Lake che, siccome era così giovane e aveva appena finito gli studi, avrebbe potuto tenere per sé la metà della somma che sarebbe riuscito a spuntare. Lake se ne ricordò. E il motociclista mantenne la parola. Sempre secondo la leggenda, Lake si guadagnò un milione e trecentomila dollari.

Al suo posto sarei andato subito nei Caraibi con il mio milione e tre, a navigare su un ketch tutto mio e a bere punch al rum.

Ma Lake no. Costruì un ufficio, lo riempì di segretarie e paralegali e fattorini e investigatori e si mise al lavoro con impegno. Sgobbava diciotto ore al giorno e accettava di far causa a chiunque per qualunque torto. Studiò molto, accumulò una grande esperienza e diventò in breve l'avvocato più richiesto del Tennessee.

Dopo vent'anni Jonathan Lake lavora ancora diciotto ore al giorno, è titolare di uno studio con undici associati e neppure un socio, si occupa di cause importanti più di qualunque altro avvocato della zona e, secondo la leggenda, guadagna circa tre milioni di dollari l'anno.

E ama spenderli. Tre milioni di dollari l'anno non si possono nascondere facilmente in una città come Memphis, quindi Jonathan Lake fa sempre notizia. E la sua leggenda fiorisce. Ogni anno un numero imprecisato di studenti si iscrive a legge avendo in mente la sua leggenda. Tutti hanno un sogno. E qualche laureato esce da qui senza un lavoro perché vuole soltanto un buchetto in centro con il suo nome sulla porta. Vuol fare la fame e partire da zero, come Lake.

Sospetto che vadano anche in giro in moto. E forse farò come loro. Forse c'è speranza. Io e Lake.

Mi presento a Max Leuberg in un brutto momento. È al telefono, e gesticola e bestemmia come un marinaio ubriaco. Parla di una causa a St. Paul dove dovrebbe testimoniare. Fingo di prendere appunti, guardo il pavimento, cerco di non ascoltare mentre lui cammina a grandi passi dietro la scrivania e strattona il filo dell'apparecchio.

Riattacca. «Puoi prenderli per il collo, okay» mi dice in fretta mentre cerca qualcosa nel caos della scrivania.

«Chi?»

«Quelli della Great Eastern. Ho letto tutto il fascicolo, ieri sera. Il tipico sistema di assicurazione a situazione debitoria.» Prende una cartelletta da un angolo e si butta sulla poltroncina. «Sai cos'è?»

Credo di saperlo ma ho paura che voglia una risposta precisa. «Non esattamente.»

«I neri la chiamano "assicurazione da marciapiede". Polizze molto modeste vendute porta a porta a persone con reddito basso. Gli agenti che piazzano le polizze si presentano in media una volta la settimana, incassano i premi e li annotano sul libretto dei pagamenti che resta all'assicurato. Approfittano della gente ignorante e quando qualcuno chiede di essere risarcito, le società respingono per abitudine la richiesta. Ci dispiace ma per questa o quella ragione la copertura non è prevista. Hanno molta fantasia quando si tratta di inventare motivi per non pagare.»

«E nessuno gli fa causa?»

«Non succede spesso. Gli studi e le statistiche dimostrano che in media su trenta casi di rifiuto in malafede solo uno finisce in tribunale. Naturalmente le società lo sanno. E ci contano. Non dimenticare che cercano i clienti nelle classi più umili, fra la gente che ha paura degli avvocati e del sistema giudiziario.»

«Cosa succede quando vengono citate?» chiedo. Max Leuberg agita la mano per scacciare una mosca e due fogli di carta si sollevano dalla scrivania finendo sul pavimento.

Fa scrocchiare le nocche con violenza. «In genere non molto. In tutto il paese ci sono stati alcuni cospicui risarcimenti punitivi, e due o tre li ho ottenuti proprio io. Ma i giurati esitano a trasformare in milionari i sempliciotti che stipulano polizze d'assicurazione da poco prezzo. Pensaci. C'è qualcuno che fa causa, diciamo, perché presenta regolari fatture per cinquemila dollari di spese mediche, indiscutibilmente coperte dalla polizza. Ma la società di assicurazioni dice di no. E vale, diciamo, duecento milioni. Nel corso della causa l'avvocato del querelante chiede alla giuria quei cinquemila dollari e in più qualche milione per punire la società in malafede. Succede di rado che il sistema funzioni. I giurati assegnano i cinquemila dollari, ne aggiungono diecimila come risarcimento punitivo, ed ecco che la società ha vinto ancora una volta.»

«Ma Donny Ray Black sta morendo. E sta morendo perché non può sottoporsi al trapianto di midollo osseo come sarebbe suo diritto secondo le clausole della polizza. Ho ragione?»

Leuberg mi rivolge un sorriso maligno. «Certo. Ammesso e non concesso che i genitori ti abbiano detto tutto. Spesso non è così.»

«Ma se fosse tutto vero?» chiedo, e indico la cartella.

Alza le spalle, annuisce e torna a sorridere. «Allora è un buon caso. Non grandioso, ma buono.»

«Non capisco.»

«È semplice, Rudy. Siamo nel Tennessee, terra dei verdetti a cinque cifre. Qui nessuno ottiene risarcimenti punitivi. Le giurie sono molto conservatrici. Il reddito pro capite è piuttosto basso e i giurati difficilmente sono disposti ad arricchire il loro prossimo. Memphis è un posto dove è assai problematico spuntare un verdetto decente.»

Scommetto che Jonathan Lake riuscirebbe a ottenerlo. E forse darebbe una piccola fetta a me, se gli portassi il caso. Nonostante i postumi della sbronza, nel mio cervello le rotelle hanno ripreso a funzionare.

«Allora cosa devo fare?» chiedo.

«Fai causa a quei bastardi.»

«Non sono iscritto all'albo.»

«Non ho detto che devi farlo tu. Manda i Black da un grosso studio del centro. Fai qualche telefonata per loro conto, parla con l'avvocato. Scrivi un rapporto di due pagine per Smoot. E a quel punto hai finito.» Leuberg balza in piedi mentre squilla il telefono e spinge il fascicolo verso di me. «Lì c'è un elenco di tre dozzine di casi di malafede che dovresti leggere, se t'interessa.»

«Grazie» dico.

Mi congeda con un cenno di saluto. Quando esco dall'ufficio, sta urlando al telefono.

La facoltà di legge mi ha insegnato a odiare la ricerca. Praticamente vivo qui dentro da tre anni, e almeno la metà di queste ore di sofferenza l'ho sprecata sfogliando vecchi volumi malandati in cerca di casi antichi per sostenere teorie legali primitive che nessun avvocato sano di mente prende in considerazione da anni. Qui si divertono a farti partecipare alle cacce al tesoro. I professori, o per lo meno quelli di loro che insegnano perché non saprebbero cavarsela nel mondo reale, credono che per noi sia un buon allenamento scovare casi pressoché ignoti da esporre in memorie prive di significato per ottenere bei voti che ci permetteranno di avventurarci nella professione legale come giovani avvocati molto istruiti.

Tutto ciò soprattutto nei primi due anni. Adesso è un po' meno peggio. E forse l'allenamento ha un metodo, nella sua follia. Ho sentito parlare mille volte di grandi studi legali che hanno l'abitudine di relegare le reclute inesperte in biblioteca per due anni, a scrivere memorie e comparse.

Tutti gli orologi si fermano quando si fa ricerca legale in preda ai postumi di una sbronza. Il mal di testa si aggrava. Le mani continuano a tremare. Booker mi trova nel tardo pomeriggio di venerdì nella mia piccola tana con una dozzina di testi aperti davanti a me. L'elenco dei casi che, secondo Leuberg, devo assolutamente leggere. «Come va?» mi chiede.

È in giacca e cravatta e senza dubbio è stato in ufficio, a ricevere telefonate e a usare il dittafono come un vero avvocato.

«Bene.»

S'inginocchia accanto a me e guarda la catasta di volumi. «Che roba è?» domanda.

«Non è per l'esame d'ammissione. Una ricerca per il corso di Smoot.»

«Non hai mai fatto ricerche per il corso di Smoot.»

«Lo so. Mi sento in colpa.»

Booker si rialza e si appoggia su un lato del mio box di lettura. «Ho due cose da dirti» bisbiglia. «Il signor Shankle pensa che il piccolo incidente della sede di Brodnax e Speer sia chiuso. Ha fatto qualche telefonata e gli hanno assicurato che le cosiddette vittime non presenteranno denuncia.»

«Bene» dico io. «Grazie, Booker.»

«Figurati. Credo che adesso tu possai uscire senza correre rischi. Cioè, se puoi interrompere la ricerca.»

«Ci proverò.»

«Secondo. Ho appena parlato a lungo con il signor Shankle. Sono stato nel suo ufficio. Ecco, in questo momento non c'è niente di disponibile. Ha assunto tre nuovi associati, me e due di Washington, e non sa bene dove metterli. Sta cercando uno studio più grande.»

«Non eri tenuto a farlo, Booker.»

«No, mi sentivo in dovere. Non è niente. Il signor Shankle ha promesso di informarsi. Conosce molta gente.»

Sono commosso. Ventiquattr'ore fa avevo la promessa di un

buon lavoro con un discreto stipendio. Adesso degli sconosciuti chiedono favori per me e cercano di trovarmi un posto.

«Grazie.» Mi mordo il labbro e mi guardo le unghie.

Booker dà un'occhiata all'orologio. «Devo scappare. Vuoi studiare per l'esame, domattina?»

«Certo.»

«Ti chiamerò.» Mi dà una pacca sulla spalla e sparisce.

Dieci minuti prima delle cinque salgo la scala che porta al pianterreno e lascio la biblioteca. Non devo guardarmi dai poliziotti, adesso, e non ho paura di trovarmi di fronte Sara Plankmore, non mi preoccupo neppure degli ufficiali giudiziari. E non temo eventuali incontri spiacevoli con vari compagni di studi. Se ne sono andati tutti. È venerdì e la facoltà è deserta.

L'Ufficio collocamento è al pianterreno e si affaccia sulla strada, come gli altri uffici amministrativi. Dò un'occhiata alla bacheca in corridoio, ma continuo a camminare. Di solito è pieno di decine di annunci di potenziali posti di lavoro: studi legali grandi, medi, con un solo avvocato, aziende, enti governativi. Un rapido sguardo mi rivela ciò che so già. In bacheca non c'è neppure un annuncio. Non c'è mercato del lavoro, in questo periodo dell'anno.

Madeline Skinner dirige da decenni l'Ufficio collocamento. Corre voce che stia per andare in pensione, ma secondo un'altra voce si tratta di una minaccia che ripete ogni anno per ottenere qualcosa dal decano. Ha sessant'anni e ne dimostra dieci di più: è magra, con capelli grigi corti, ventagli di rughe attorno agli occhi e una sigaretta sempre posata sul portacenere della scrivania. Si dice che fumi quattro pacchetti al giorno, ed è un po' strano perché ormai in facoltà è vietato fumare; ma nessuno ha avuto il coraggio di dirlo a Madeline. Ha parecchio potere perché è lei ad attirare quelli che offrono posti di lavoro. Se non ci fossero posti di lavoro, non ci sarebbe neppure la facoltà di legge.

Sa fare molto bene il suo mestiere. Conosce le persone giuste degli studi giusti. Ha trovato il posto a molti di quelli che adesso sono addetti alle assunzioni per conto dei loro studi, ed è brutale. Se un laureato della Statale di Memphis è addetto alle assunzioni di uno studio importante, e lo studio importante assume molti laureati delle grandi università private e pochi dei nostri, allora Madeline telefona al rettore e sporge un reclamo ufficiale. Il rettore va a fare una visita allo studio importante, pranza con i soci e rimedia allo squilibrio. Madeline conosce tutte le possibilità di lavoro esistenti a Memphis, e sa esattamente chi occupa ogni posto.

Ma il suo compito diventa sempre più difficile. Ci sono troppi laureati in legge. E questa non è una grande università privata.

È in piedi accanto alla fontanella e tiene d'occhio la porta come se mi aspettasse. «Salve, Rudy» dice con voce stridula. È sola, se ne sono andati tutti. Tiene con una mano un bicchier d'acqua e con l'altra una sigaretta sottile sottile.

«Salve» dico con un sorriso, come se fossi l'uomo più felice del mondo.

Madeline indica con il bicchiere la porta dell'ufficio. «Andiamo a fare due chiacchiere.»

«Bene» dico io, e la seguo. Chiude la porta e addita una sedia. Obbedisco e lei siede sul bordo della sua poltroncina dietro la scrivania.

«Brutta giornata, eh?» domanda, come se sapesse tutto quel che è successo nelle ultime ventiquattr'ore.

«Ne ho avute di migliori.»

«Stamattina ho parlato con Loyd Beck» dice. Io mi auguravo che fosse morto.

«E cos'ha detto?» chiedo, cercando di adottare un tono arrogante.

«Ecco, ieri sera ho saputo della fusione ed ero preoccupata per te. Sei l'unico laureato che abbiamo collocato presso Brodnax e Speer, quindi ci tenevo a sapere cosa ti era successo.»

«E allora?»

«La fusione è avvenuta in quattro e quattr'otto, era un'occasione d'oro eccetera eccetera.»

«Stesso discorsetto che hanno fatto a me.»

«Gli ho chiesto quando ti hanno informato della fusione e ha cercato di imbrogliare le carte, ha parlato di questo e quel socio che aveva cercato di chiamarti un paio di volte ma il telefono era staccato.»

«È staccato da quattro giorni.»
«Comunque gli ho chiesto di faxarmi copia della corrispondenza intercorsa fra te e Brodnax e Speer a proposito della fusione e del ruolo che ti sarebbe toccato successivamente.»
«Non c'è stata nessuna corrispondenza.»
«Lo so. Questo l'ha ammesso. La conclusione è stata che non hanno fatto nulla prima che la fusione fosse un fatto compiuto.»
«Appunto. Nulla.» È consolante avere Madeline dalla mia parte.
«Quindi gli ho spiegato con grande ricchezza di particolari che aveva fregato uno dei nostri laureati, e c'è stato un memorabile litigio telefonico.»
Non posso trattenere un sorriso. So già chi ha avuto la meglio.
Madeline continua. «Beck giura che avrebbe voluto tenerti. Non ne sono troppo convinta, ma ho chiarito che avrebbero dovuto discuterne con te già molto prima. Sei uno studente, stai per laurearti, ci è mancato poco che diventassi un associato; non sei un oggetto. Ho detto che sapevo che il suo studio legale funzionava con criteri da schiavisti e che la schiavitù appartiene al passato. Non può prenderti o lasciarti, trasferirti o tenerti, proteggerti o buttarti via.»
Brava. È esattamente quello che penso anch'io.
«Quando abbiamo finito di litigare sono andata a parlare con il decano. Il decano ha chiamato Donald Hucek, il socio dirigente di Tinley Britt. Hanno fatto qualche telefonata, poi Hucek si è rifatto vivo con lo stesso argomento: Beck avrebbe voluto tenerti, ma non sei all'altezza delle esigenze di Tinley Britt per quanto riguarda i nuovi associati. Il decano era sospettoso, e Hucek ha promesso che darà un'occhiata al tuo curriculum studentesco.»
«Non c'è posto per me da Tinley Britt» dico, come se avessi molte possibilità di scelta.
«La pensa così anche Hucek. Ha detto che Tinley Britt preferirebbe lasciar perdere.»
«Bene» dico perché non riesco a pensare a una risposta più intelligente. Madeline capisce, però. Sa che sto soffrendo.
«Non abbiamo molto potere nei confronti di Tinley Britt.

Hanno assunto appena cinque nostri laureati negli ultimi tre anni. È diventato uno studio così importante che è impossibile far pressioni. Per essere sincera, non vorrei mai lavorare da loro.»

Cerca di consolarmi, di darmi la sensazione che per me sia meglio così. Chi ha bisogno di Tinley Britt e di uno stipendio iniziale di cinquantamila dollari l'anno?

«Quindi cosa rimane?» chiedo.

«Non molto» risponde subito. «Niente, anzi.» Consulta qualche appunto. «Ho telefonato a tutti quelli che conosco. C'era un posto come assistente di avvocato d'ufficio, un lavoro part-time da dodicimila dollari l'anno, ma è stato occupato due giorni fa. Gli ho mandato Hall Pasterini. Lo conosci? Benedetto lui. Finalmente ha avuto un impiego.»

Immagino che qualcuno stia benedicendo anche me in questo momento.

«E ci sono due buoni posti negli uffici legali di piccole aziende, però tutt'e due richiedono che prima il candidato superi l'esame d'ammissione.»

L'esame d'ammissione all'ordine è in luglio. In pratica tutti gli studi assumono i nuovi associati subito dopo la laurea, li pagano, li aiutano a prepararsi per l'esame, e quando il candidato lo supera ormai è lanciato.

Madeline mette gli appunti sulla scrivania. «Continuerò a cercare, d'accordo? Forse salterà fuori qualcosa.»

«Cosa dovrei fare?»

«Comincia a bussare a tutte le porte. In questa città ci sono tremila avvocati, e molti lavorano da soli oppure in due o tre. Non si rivolgono a noi perciò non li conosciamo. Va' a cercarli. Io comincerei con gli studi piccoli, due, tre, magari quattro avvocati, e li convincerei a darmi un lavoro. Proponi di occuparti dei loro pesci marci, di raccogliere...»

«I pesci marci?» chiedo.

«Proprio così. Ogni avvocato ha un mucchio di pratiche che sono come i pesci marci. Le tengono in un angolo, e più stanno lì e più puzzano. Sono i casi che vorrebbero non aver mai accettato.»

Ci sono tante cose che non ti insegnano all'università.

«Posso fare una domanda?»

«Ma certo.»
«Il consiglio che mi ha appena dato, andare a bussare a tutte le porte... quante volte l'ha ripetuto negli ultimi tre mesi?»
Madeline sorride fuggevolmente e consulta un elenco. «Abbiamo ancora una quindicina di laureati in cerca di un posto.»
«Perciò in questo momento sono in giro a rastrellare le strade.»
«Probabilmente. È difficile dirlo. Certuni hanno altri progetti, e non sempre sono disposti a confidarmeli.»
Sono le cinque passate e Madeline vorrebbe andar via. «Grazie, signora Skinner. Grazie di tutto. È bello sapere che qualcuno s'interessa di me.»
«Continuerò a cercare. Te lo prometto. Fatti vivo la settimana prossima.»
«Senz'altro. Grazie ancora.»
Inosservato, faccio ritorno al mio box di lettura.

6

La casa dei Birdsong è a Midtown, la zona più vecchia e ricca della città, a circa tre chilometri dalla facoltà di legge. La strada è fiancheggiata da antiche querce e ha l'aria isolata. Alcune case sono molto belle, con prati curatissimi e macchine di lusso che luccicano nei vialetti. Altre sembrano quasi abbandonate e sbirciano fra la vegetazione fitta di alberi non potati e di arbusti inselvatichiti. Altre ancora rappresentano una via di mezzo. Quella della signora Birdie è vittoriana, di pietra bianca, risale alla fine del secolo scorso e ha un lungo portico che scompare dietro un angolo della facciata. Ha bisogno di una mano di pittura, di un tetto nuovo e di molti lavori in giardino. Le finestre sono sporche e le grondaie intasate dalle foglie morte, ma si capisce subito che ci abita qualcuno che si sforza di tenerla in ordine. Il viale è fiancheggiato da siepi disordinate. Parcheggio dietro una Cadillac impolverata che deve avere almeno dieci anni.

Le assi del portico scricchiolano quando mi avvicino alla porta d'ingresso e mi guardo intorno nel timore di veder comparire un grosso cane dai denti aguzzi. È tardi, è quasi buio e sotto il portico non ci sono luci accese. La massiccia porta di legno è spalancata e attraverso la zanzariera intravedo un piccolo vestibolo. Non c'è campanello perciò busso con delicatezza sulla zanzariera, che trema rumorosamente. Trattengo il respiro... niente latrati di cani.

Nessun rumore, nessun movimento. Busso un po' più forte.

«Chi è?» chiede una voce che conosco.

«La signora Birdie?»

Una figura attraversa il vestibolo, si accende una luce, ed eccola lì. Indossa lo stesso abito di cotone che portava ieri al Cypress Gardens Senior Citizens Building. Socchiude gli occhi per mettermi a fuoco.

«Sono Rudy Baylor. Lo studente di legge. Ci siamo parlati ieri.»

«Rudy!» Si emoziona nel vedermi. Per un attimo mi sento un po' imbarazzato, poi triste. La signora Birdie vive sola in questa casa enorme ed è convinta che la famiglia l'abbia abbandonata. Il momento culminante della sua giornata è quando si prende cura dei vecchi abbandonati che si ritrovano per pranzare e cantare un paio di canzoni. La signora Birdie Birdsong è davvero molto sola.

Si affretta ad aprire la zanzariera. «Avanti, avanti» ripete senza la minima curiosità. Mi prende per il gomito e mi guida attraverso il vestibolo e lungo un corridoio, accendendo le luci mentre passa. Le pareti sono coperte da decine di vecchi ritratti di famiglia. I tappeti sono polverosi e lisi. C'è odore di muffa e di chiuso: è una casa vecchia che ha bisogno di essere ripulita e risistemata.

«Che gentile, è venuto a trovarmi» dice con dolcezza, e continua a stringermi il braccio. «Non si è divertito, ieri, con noi?»

«Sì, signora.»

«Non tornerà a trovarci?»

«Non vedo l'ora.»

Mi parcheggia al tavolo di cucina. «Caffè o tè?» chiede, avviandosi verso i pensili e facendo scattare gli interruttori.

«Caffè» rispondo, e mi guardo attorno.

«Le va bene quello solubile?»

«Benissimo.» Dopo tre anni di università, non so più distinguere il caffè solubile da quello normale.

«Panna o zucchero?» chiede mentre cerca in frigo.

«Senza niente, grazie.»

Mette a scaldare l'acqua e allinea le tazze, poi siede a tavola di fronte a me. Sfoggia un sorriso da un orecchio all'altro. L'ho resa felice.

«Sono così contenta di vederla» ripete per la terza o la quarta volta.

«Ha una casa bellissima, signora Birdie» dico aspirando l'aria polverosa.

«Oh, grazie. Io e Thomas la comprammo cinquant'anni fa.»

Pentole, padelle, lavello e rubinetti, fornelli e tostapane hanno almeno quarant'anni. Il frigo risale probabilmente agli inizi degli anni Sessanta.

«Thomas è morto undici anni fa. Abbiamo allevato due figli in questa casa, ma preferisco non parlarne.» La faccia sorridente si oscura per un secondo, poi si rischiara di nuovo.

«Come preferisce.»

«Parliamo un po' di lei» dice. È un argomento che vorrei evitare.

«Certo. Perché no?» Sono preparato alle domande.

«Da dove viene?»

«Sono nato qui, però sono cresciuto a Knoxville.»

«Oh, che bello! E in quale college ha studiato?»

«L'Austin Peay.»

«Austin chi?»

«Austin Peay. È piccolo e si trova a Clarksville. Finanziato dallo stato.»

«Oh, che bello! Perché ha scelto l'Università Statale di Memphis per studiare legge?»

«È un'ottima università, e Memphis mi piace.» Per la verità ci sono altre due ragioni. La Statale di Memphis mi aveva accettato e potevo permettermi di frequentarla.

«Oh, che bello! Quando si laurea?»

«Fra poche settimane.»

«Allora sarà un avvocato vero. Che bello! Dove andrà a lavorare?»

«Non lo so ancora di preciso. Ultimamente ho pensato spesso che mi piacerebbe aprire uno studio. Sono un tipo indipendente e non mi attira lavorare per qualcun altro. Mi piacerebbe esercitare la professione per conto mio.»

Mi guarda fisso. Il sorriso è sparito. Mi guarda dritto negli occhi. È perplessa. «Mi sembra meraviglioso» dice alla fine, e si alza per preparare il caffè.

Se questa amabile vecchietta vale tanti milioni, riesce a nasconderlo benissimo. Osservo la stanza. Il tavolo ha le gambe di alluminio e il piano di laminato. Piatti, elettrodomestici, utensili e mobili sono stati acquistati decenni fa. Abita in una casa piuttosto trascurata e guida una macchina vecchia. Non mi pare che ci siano cameriere o servitori, e neppure cagnolini di razza.

«Che bello!» ripete, e mette sul tavolo due tazze che non esalano vapore. La mia è appena tiepida. Il caffè è molto leggero, insipido e stantio.

«Ottimo caffè» dico, e faccio schioccare le labbra.

«Grazie. E così, ha intenzione di aprire uno studio legale suo?»

«Ci sto pensando. Sarà dura, sa, almeno per qualche tempo. Ma se lavorerò con impegno e tratterò la gente con onestà, non avrò problemi a trovare clienti.»

Sorride sinceramente e scuote la testa. «È meraviglioso, Rudy. Un'idea coraggiosa. Credo che la professione legale abbia bisogno di molti giovani come lei.»

Io sono proprio l'ultima cosa di cui c'è bisogno nella professione legale: un altro giovane avvoltoio che si aggira per le strade a caccia di cause e cerca di far succedere qualcosa per poter spremere qualche dollaro a clienti che non ne hanno.

«Si chiederà perché sono venuto a trovarla» dico fra un sorso di caffè e l'altro.

«Sono molto contenta che sia venuto.»

«Sì, be', anch'io sono molto contento di vederla. Ma volevo parlarle del suo testamento. Questa notte quasi non ho dormito perché pensavo al suo asse ereditario.»

Ha gli occhi umidi. Le mie parole la commuovono.

«Ci sono alcune difficoltà» spiego con il mio migliore atteggiamento avvocatesco. Prendo una penna dalla tasca e la impugno come se stessi per entrare in azione. «Primo, e mi perdoni se glielo dico, mi dispiace vedere un cliente che prende misure così drastiche nei confronti dei familiari.» La signora Birdie stringe le labbra ma non fa commenti. «Secondo, e le chiedo ancora scusa ma non potrei mai perdonarmelo se non ne parlassi, per me è un vero problema redigere un testamento o un qualunque atto che conferisce a un personaggio televisivo la parte più cospicua di un'eredità.»

«È un uomo di Dio» risponde lei in tono enfatico per difendere l'onore del reverendo Kenneth Chandler.

«Lo so. E va bene. Ma perché lasciargli tutto, signora Birdie? Perché non gli lascia il venticinque per cento? È una somma ragionevole?»

«Ha tante spese generali. E ormai il suo jet è vecchio. Me l'ha detto lui.»

«D'accordo, ma il Signore non pretenderà che sia lei a finanziare l'apostolato del reverendo, vero?»

«Quello che mi dice il Signore è una questione strettamente privata, grazie.»

«Sì, è naturale. Il fatto è, e lei lo sa benissimo, che molti personaggi come il reverendo sono caduti rovinosamente. Si sono fatti sorprendere in compagnia di donne che non erano le mogli. Hanno sperperato milioni in un tenore di vita lussuoso... ville, macchine, vacanze, abiti eleganti. Molti sono imbroglioni.»

«Lui no.»

«Non ho detto che lo sia.»

«Cosa vuole insinuare?»

«Niente» dico. Bevo un sorso di caffè. La signora Birdie non è arrabbiata, ma non ci manca molto. «Sono qui come suo avvocato, ecco tutto. Mi ha chiesto di prepararle un testamento e ho il dovere di interessarmi a ogni particolare. Prendo molto sul serio questa responsabilità.»

Le rughe che le circondano le labbra si distendono e gli occhi tornano ad addolcirsi. «Che bella cosa!» commenta.

Immagino che molti vecchi danarosi come la signora Birdie, soprattutto quelli che hanno sofferto durante la Depressione e hanno accumulato un capitale, difendano i loro patrimoni con un esercito di commercialisti, avvocati e banchieri. Ma la signora Birdie non è così. È ingenua e fiduciosa come una povera vedova che vive della pensione. «Ha bisogno di quei soldi» dice. Beve un sorso e mi sbircia insospettita.

«Possiamo parlarne, dei soldi?»

«Perché volete sempre parlare di soldi, voi avvocati?»

«Per un'ottima ragione, signora Birdie. Se non starà molto attenta, una grossa fetta del suo asse ereditario se lo prenderà il governo. Si potrebbero fare varie cose, subito, con una pianificazione meticolosa in modo da evitare buona parte delle tasse.»

Vedo che è insofferente. «Tutti quei cavilli legali!»

«Sono qui apposta, signora Birdie.»

«Immagino che vorrà anche il suo nome, nel testamento» dice, ancora diffidente.

«Per niente» affermo, e mi sforzo di apparire scandalizzato mentre cerco di nascondere la sorpresa per essere stato scoperto.

«Gli avvocati cercano sempre di mettere il loro nome nei miei testamenti.»

«Mi dispiace, signora Birdie. Ci sono molti avvocati disonesti.»

«L'ha detto anche il reverendo Chandler.»

«Non ne dubito. Senta, non voglio conoscere tutti i particolari, ma potrebbe dirmi se il suo patrimonio è costituito da proprietà immobiliari, azioni, titoli di stato, contanti o altri investimenti? È molto importante sapere dov'è il denaro per pianificare l'asse ereditario.»

«È tutto in un unico posto.»

«Bene. Dove?»

«Ad Atlanta.»

«Atlanta?»

«Sì. È una storia lunga, Rudy.»

«Perché non me la racconta?»

Diversamente da ieri al Cypress Gardens, adesso la signora Birdie non ha fretta. Non ha nessuna responsabilità. Bosco non c'è. Non deve sorvegliare quelli che sparecchiano e neppure fare da arbitro nelle varie partite.

Rigira adagio la tazza del caffè e riflette fissando il tavolo. «Per la verità non lo sa nessuno» prosegue a voce bassa, e la dentiera sbatte un paio di volte. «Almeno, non lo sa nessuno a Memphis.»

«E perché?» domando, forse con troppo interesse.

«I miei figli non lo sanno.»

«Non sanno del patrimonio?» le domando, incredulo.

«Oh, solo di una parte. Thomas lavorava sodo e risparmiavamo molto. Quando è morto, undici anni fa, mi ha lasciato quasi centomila dollari. I miei figli, e soprattutto le loro mogli, credono che adesso il valore sia quintuplicato. Ma non sanno di Atlanta. Vuole un altro po' di caffè?» Si è già alzata.

«Volentieri.» La signora Birdie porta la mia tazza al ripiano della cucina, aggiunge mezzo cucchiaino di caffè solubile, altra acqua tiepida, poi torna al tavolo. Rimescolo come se mi accingessi a bere un caffè squisito.

I nostri occhi s'incontrano, e io sono il ritratto della comprensione. «Senta, signora Birdie, se per lei è troppo doloroso, possiamo evitare di parlarne. Bastano i punti importanti.»

«È un patrimonio. Perché dovrebbe essere doloroso?»

Ecco, è appunto ciò che pensavo. «Bene. Allora mi dica, in termini generali, com'è investito il denaro. Mi interessano soprattutto le proprietà immobiliari.» Questo è vero. I contanti e gli altri investimenti vengono di solito liquidati per primi, per pagare le tasse. Le proprietà immobiliari sono usate come estrema risorsa. Le mie domande, quindi, non sono ispirate solo dalla curiosità.

«Non ho mai parlato a nessuno del denaro» risponde, sempre a voce bassa.

«Ma ieri mi ha detto di averne parlato con Kenneth Chandler.»

C'è un lungo silenzio mentre rigira la tazza sul piano del tavolo. «Sì, mi pare di sì. Ma non sono sicura di avergli detto tutto. Forse ho mentito un pochino. E non gli ho spiegato da dove viene.»

«E da dove viene?»

«Dal mio secondo marito.»

«Il suo secondo marito?»

«Già. Tony.»

«Thomas e Tony?»

«Proprio così. Due anni dopo la morte di Thomas ho sposato Tony. Era di Atlanta. Quando ci siamo conosciuti era di passaggio a Memphis. Abbiamo vissuto insieme a intervalli per cinque anni, ma litigavamo sempre e alla fine lui è tornato a casa. Era un fannullone e mirava ai miei soldi.»

«Mi sento un po' confuso. Non ha appena detto che il denaro le è venuto da Tony?»

«Sì, però lui non lo sapeva. È una storia lunga. C'erano state varie eredità e cose del genere, ma Tony non ne sapeva niente e neppure io. Aveva un fratello molto ricco e molto matto, in famiglia erano tutti matti, e poco prima di morire Tony ha ereditato una fortuna dal fratello. Voglio dire, due giorni prima che Tony tirasse le cuoia, suo fratello è morto in Florida. Tony è morto senza lasciare testamento e io ero la sua unica moglie. Così un grosso studio legale di Atlanta mi ha contattata informandomi che secondo la legge della Georgia avevo ereditato un sacco di soldi.»

«Quanto?»

«Molto più di quello che mi aveva lasciato Thomas. Comunque non l'ho mai detto a nessuno. Finora. E lei non lo dirà, vero, Rudy?»

«Signora Birdie, come suo legale non posso dirlo. Sono tenuto al silenzio. Si chiama segreto professionale.»

«Che bella cosa!»

«Perché non ha parlato del denaro con il suo ultimo avvocato?» domando.

«Oh, quello. Non mi fidavo del tutto di lui. Gli avevo indicato l'entità dei lasciti, ma non gli avevo detto quanto era in tutto. Quando ha capito che ero piena di soldi, mi ha chiesto di nominarlo nel testamento.»

«Ma lei non gli ha mai detto tutto?»

«Mai.»

«Non gli ha detto quant'era?»

«No.»

Se non ho sbagliato a fare i calcoli, il vecchio testamento comprendeva lasciti per un totale di venti milioni, come minimo. Quindi l'avvocato sapeva almeno questo quando ha preparato il testamento. Mi domando, ovviamente, quanto possiede questa preziosa vecchietta.

«Ha intenzione di dirmi quant'è?»

«Forse domani, Rudy. Forse domani.»

Lasciamo la cucina e ci avviamo verso il patio dietro la casa. Vuole mostrarmi la nuova fontana vicino ai rosai. L'ammiro con attenzione estatica.

Adesso è tutto chiaro. La signora Birdie è ricca ma vuole che nessuno lo sappia, soprattutto i suoi familiari. Ha sempre avuto un'esistenza agiata, e nessuno si insospettisce vedendola vivere come una vedova ottantenne che può contare su consistenti risparmi.

Ci sediamo su una panchina di ferro battuto e beviamo il

caffè ormai freddo mentre scende la sera e io sfodero un numero di scuse sufficienti per battere in ritirata.

Per pagarmi il mio lussuoso tenore di vita, in questi ultimi tre anni ho lavorato come barista e cameriere da Yogi's, un locale frequentato da studenti e molto vicino al campus. È famoso per gli hamburger alla cipolla e la birra verde che viene servita per la festa di san Patrizio. I boccali di birra leggera e acquosa costano un dollaro durante le partite di football del lunedì sera, due dollari in occasione di tutti gli altri avvenimenti sportivi.

Il proprietario è Prince Thomas, che porta la coda di cavallo, ha una figura massiccia e un formidabile egocentrismo. È un tipo intraprendente, e ama vedere la sua foto sul giornale e la sua faccia nel notiziario della notte. Organizza giri nei pub e concorsi di Miss Maglietta Bagnata. Ha presentato al municipio una petizione perché si autorizzino i locali come il suo a restare aperti tutta notte. A sua volta, il municipio gli ha fatto causa per vari peccati. E lui è contento. Basta nominare un vizio perché organizzi un comitato e tenti di legalizzarlo.

Prince non è molto rigoroso in fatto di disciplina, da Yogi's. Noi dipendenti facciamo gli orari che vogliamo, gestiamo le mance e mandiamo avanti la baracca senza una stretta supervisione. Per la verità non è complicato. Basta tenere birra a sufficienza al banco e carne macinata di manzo in cucina, e il locale funziona con precisione sorprendente. Prince preferisce stare in sala. Gli piace accogliere le studentesse carine e scortarle ai rispettivi séparé. Flirta un po' con loro e si prende un po' in giro. Ama sedersi a un tavolo accanto al televisore a grande schermo e accetta scommesse sulle partite. È un omaccione con le braccia robuste, e quando capita una rissa interviene per riportare la calma.

Prince ha anche un lato più tenebroso. Si dice che sia coinvolto nel giro dei pornofilm e della prostituzione. I topless club sono un'industria fiorente in questa città, e i suoi presunti soci hanno precedenti penali. I giornali ne hanno parlato. È finito due volte sotto processo per gioco d'azzardo e scommesse clandestine, ma in entrambi i casi le giurie non hanno raggiunto un verdetto unanime. Dopo aver lavorato tre anni per lui mi sono convinto di due cose: primo, Prince nasconde al fisco buona parte degli incassi di Yogi's con fatture false. Credo che siano almeno duemila dollari la settimana, centomila l'anno. Secondo, si serve di Yogi's come facciata per il suo piccolo impero corrotto. Lo usa per riciclare il denaro sporco e fa in modo che il bilancio risulti in perdita ogni anno ai fini fiscali. Ha l'ufficio nel sotterraneo, una stanza sicura e senza finestre dove si incontra con i suoi compari.

Non me ne importa niente. Con me è stato generoso. Guadagno cinque dollari l'ora per circa venti ore la settimana. I nostri clienti sono studenti e le mance modeste. Durante gli esami posso cambiare turno. Almeno cinque studenti vengono ogni giorno a cercare lavoro, quindi mi ritengo fortunato ad avere questo posto.

E comunque, Yogi's è un gran locale per studenti. Anni fa, Prince l'ha arredato in blu e grigio, i colori dell'Università di Memphis, e alle pareti ci sono i gagliardetti delle squadre e le foto degli assi dello sport. I Tigers sono onnipresenti. È a pochi passi dal campus, e i ragazzi vengono a gruppi per chiacchierare, ridere e flirtare.

Questa sera Prince sta guardando una partita. La stagione del baseball è cominciata da poco, eppure lui è già convinto che i Braves siano nelle Series. È pronto a scommettere su tutto, ma i Braves sono i suoi preferiti. Non importa con chi s'incontrano o dove giocano, chi batte e chi si è infortunato. Prince parteggia sempre per i Braves.

Stasera sono al banco principale, e il mio compito più importante è assicurarmi che il suo bicchiere di rum and tonic non resti in secca. Urla quando Dave Justice realizza un grandioso home run. Poi incassa un po' di contanti da uno studente. Avevano scommesso su chi avrebbe fatto il primo home run... Dave Justice o Barry Bonds?

È una fortuna che stasera io non debba servire ai tavoli. Ho ancora mal di testa e devo muovermi il meno possibile. E poi, ogni tanto posso trafugare una birra dal frigo, la birra buona nelle bottiglie verdi, Heineken e Moosehead. Prince si aspetta che i suoi baristi si servano da soli.

Sentirò la mancanza di questo lavoro. O no?

Un séparé si riempie di studenti di legge, facce note che

preferirei evitare. Sono del terzo anno come me, e probabilmente hanno già trovato tutti un impiego.

Va bene fare il barista o il cameriere finché si è studenti, anzi lavorare da Yogi's conferisce un po' di prestigio. Ma il prestigio si dileguerà fra circa un mese quando mi sarò laureato. Poi diventerò ben peggio di uno studente che si arrangia per tirare avanti. Diventerò un caduto sul campo, un dato statistico, un altro studente di legge che non ha trovato il suo spazio nella professione legale.

7

In tutta sincerità, non ricordo quali riflessioni mi abbiano spinto a scegliere lo studio Aubrey H. Long e Associati come primo possibile obiettivo, ma credo che c'entrasse un po' la dignitosa pubblicità sulle pagine gialle. C'era una foto sgranata in bianco e nero del signor Long. Gli avvocati stanno diventando peggio dei chiropratici nel piazzare le loro facce dappertutto. Sembrava un tipo serio, sulla quarantina, con un sorriso simpatico, molto diverso dai soliti ritratti della sezione "Avvocati". Nel suo studio sono in quattro, specializzati in incidenti automobilistici, cercano giustizia in tutti i campi, dalle lesioni alle assicurazioni, si battono per i clienti e non pretendono un centesimo prima di aver recuperato qualcosa.

Diavolo, devo pur cominciare da qualche parte. Trovo l'indirizzo in centro: è un piccolo, sgraziato edificio di mattoni con parcheggio gratuito. Il parcheggio gratuito era appunto menzionato nelle pagine gialle. Apro la porta e sento squillare un campanello. Una donna piccola e rotondetta dietro una scrivania ingombra mi accoglie con una via di mezzo tra uno sbuffo e una smorfia. L'ho interrotta mentre batteva a macchina.

«Posso esserle utile?» chiede, tenendo le dita grasse a pochi centimetri dai tasti.

La cosa si fa difficile, accidenti. Mi sforzo di sorridere. «Sì. Vorrei sapere se posso vedere il signor Long.»

«È al tribunale federale» risponde lei, e batte due dita sui tasti, scrive una parola. Non un tribunale qualunque, il tribunale federale! Roba da serie A, e quando un avvocato modesto come Aubrey Long ha una causa di fronte al tribunale federale, è logico che voglia farlo sapere a tutti. La segretaria ha ricevuto l'ordine di diffondere la notizia. «Posso esserle utile?» ripete.

Ho scelto la strada della sincerità brutale. Imbrogli e manfrine possono aspettare, ma non per molto. «Sì, mi chiamo Rudy Baylor. Sono studente del terzo anno di legge all'Università Statale di Memphis, sto per laurearmi e volevo, be', ecco, sto cercando lavoro.»

Il sogghigno diventa più netto. La donna ritrae le mani dalla tastiera, gira la poltroncina verso di me e comincia a scuotere la testa. «Non facciamo assunzioni» dice in tono lievemente soddisfatto, come se fosse il capo-operai di una raffineria.

«Capisco. Posso lasciare il mio curriculum e una lettera per il signor Long?»

Prende i fogli dalle mie mani quasi con ribrezzo, come se fossero intrisi di urina, e li lascia cadere sulla scrivania. «Li metterò con tutti gli altri.»

Riesco chissà come a ridacchiare. «Ne vengono molti, eh?»

«In media uno al giorno, direi.»

«Oh, bene. Scusi il disturbo.»

«Non c'è di che» borbotta girandosi di nuovo verso la macchina da scrivere. Comincia a battere con foga mentre mi volto per uscire.

Ho mucchi di lettere e di curriculum. Ho passato il fine settimana a organizzarmi e a studiare la mia linea d'attacco. In questo momento sono ricco di strategia e carente di ottimismo. Immagino che continuerò per un mese, farò una scappata in due o tre piccoli studi legali ogni giorno per cinque giorni la settimana. Poi, chissà. Booker ha convinto Marvin Shankle a setacciare le aule del tribunale per vedere se c'è un posto, e Madeline Skinner in questo momento probabilmente è al telefono per chiedere a qualcuno di assumermi.

Forse funzionerà.

La mia seconda meta è uno studio con tre avvocati a due isolati dal primo. Mi sono organizzato in modo da poter passare in fretta da un rifiuto all'altro. Così non perdo tempo.

Secondo l'annuario dell'ordine, Nunley Ross & Perry è uno studio che si occupa un po' di tutto: tre avvocati poco oltre la quarantina senza associati e paralegali. Sembra che si occupino soprattutto di proprietà immobiliari, un ramo che non sopporto, ma non è il momento di fare lo schizzinoso. Sono al secondo piano di un moderno palazzo di cemento. L'ascensore è lento e soffocante.

L'anticamera è sorprendentemente gradevole, con un tappeto orientale sul pavimento di finto legno. Sul tavolino di vetro sono sparpagliate copie di "People" e "Us". La segretaria riattacca il telefono e sorride. «Buongiorno. Posso esserle utile?»

«Sì. Vorrei vedere il signor Nunley.»

Non smette di sorridere mentre getta un'occhiata a una grossa agenda al centro della scrivania sgombra. «Ha un appuntamento?» mi chiede anche se sa benissimo che non ce l'ho.

«No.»

«Capisco. Al momento il signor Nunley ha molto da fare.»

Ho lavorato in uno studio legale, l'estate scorsa, quindi sapevo prima di entrare che il signor Nunley avrebbe avuto molto da fare. È la procedura abituale. A questo mondo nessun avvocato ammetterà mai di non essere oberato di lavoro.

Potrebbe andar peggio. Potrebbe essere al tribunale federale, questa mattina.

Roderick Nunley è il socio anziano dello studio e secondo l'annuario dell'ordine si è laureato alla Statale di Memphis. Ho pianificato il mio attacco in modo da includere il maggior numero possibile di ex alunni della mia facoltà.

«Posso aspettare» dico con un sorriso. La segretaria sorride. Sorridiamo tutti. Una porta si apre nel corridoio e un uomo senza giacca e con le maniche della camicia rimboccate viene verso di noi. Alza gli occhi, mi vede, e d'un tratto siamo faccia a faccia. Passa un fascicolo alla segretaria.

«Buongiorno» dice. «In cosa posso esserle utile?» Parla a voce alta e ha modi cordiali.

La segretaria sta per dire qualcosa ma la prevengo. «Vorrei parlare con il signor Nunley» dico.

«Sono io» dice lui, e mi tende la destra. «Rod Nunley.»

«Io sono Rudy Baylor» dico. Gli prendo la mano, la stringo con fermezza. «Sono studente del terzo anno della Statale di Memphis. Sto per laurearmi e volevo chiederle se ha un posto per me.»

Ci stiamo ancora stringendo la mano. La sua non si irrigidisce in modo percettibile quando parlo di lavoro. «Già» dice lui. «Un posto, eh?» Guarda la segretaria come per chiederle: "Come hai permesso che succedesse?".

«Sì, signore. Se potesse concedermi dieci minuti. So che è molto occupato.»

«Proprio così. Vede, ho una deposizione fra pochi minuti, e poi devo correre in tribunale.» Lancia un'occhiata a me, poi alla segretaria, poi all'orologio. Ma in fondo è un brav'uomo. Forse un giorno non lontano si è trovato dalla mia stessa parte della barricata. Lo supplico con gli occhi e gli tendo la cartella col curriculum e la lettera.

«Comunque va bene, su, venga. Ma solo per un minuto.»

«L'avvertirò fra dieci minuti» gli dice pronta la segretaria, per fare ammenda. Come tutti gli avvocati, lui consulta l'orologio per un secondo, poi si rivolge alla segretaria con tono deciso. «Sì, dieci minuti al massimo. E chiama Blanche, avvertila che potrei arrivare con qualche minuto di ritardo.»

Si sono intesi a meraviglia, quei due. Mi accontentano, ma hanno già orchestrato per me un rapido commiato.

«Mi segua, Rudy» invita il signor Nunley con un sorriso. Mi incollo alla sua schiena e ci avviamo nel corridoio.

Il suo ufficio è una stanza quadrata con una parete occupata da scaffali e, di fronte alla porta, un'altra che è una vera esposizione di titoli e benemerenze. Dò un'occhiata ai vari certificati in cornice, iscrizione al Rotary, volontariato con i boy scout, Avvocato del Mese, almeno due lauree, una foto che lo mostra in compagnia di un politico dalla faccia rossa, iscrizione alla Camera di Commercio. È il tipo capace di mettere in cornice qualunque cosa.

Sento ticchettare l'orologio mentre sediamo ai due lati dell'enorme scrivania in perfetto stile avvocato americano. «Scusi il disturbo» esordisco, «ma ho davvero bisogno di lavorare.»

«Quando si laurea?» chiede Nunley. Si appoggia sui gomiti e si sporge verso di me.

«Il mese prossimo. So che adesso è un po' tardi, ma ho una buona ragione.» Gli racconto la faccenda di Brodnax e Speer. Quando comincio a parlare di Tinley Britt, calco la mano e mi auguro che detesti i grandi studi legali. C'è una rivalità naturale tra i piccoli come il mio amico Rod e i pezzi grossi insediati nei palazzoni del centro. Baro un tantino quando racconto che Tinley Britt voleva propormi l'assunzione, e sparo un'affermazione interessata dichiarando che non potrei mai lavorare per un grande studio. Non ce l'ho nel sangue, sono troppo indipendente. Io voglio rappresentare la gente, non le grandi società.

Ci metto meno di cinque minuti.

Nunley è un buon ascoltatore, un po' nervoso perché i telefoni squillano in sottofondo. Sa che non mi assumerà e prende tempo in attesa che passino i dieci minuti. «Che tiro mancino» commenta comprensivo quando concludo il racconto.

«Forse è meglio così» dico come l'agnello sull'altare del sacrificio. «Ma sono pronto a mettermi al lavoro e mi piazzerò fra i primi del mio corso. Le proprietà immobiliari mi interessano e ho dato due esami sulla materia, con buoni voti in entrambi.»

«Noi ci occupiamo molto di proprietà immobiliari» dice lui con orgoglio, come se fosse l'attività più redditizia del mondo. «E di cause» aggiunge, ancora più soddisfatto. È poco più di un burocrate, probabilmente è bravo nel suo campo e guadagna bene. Ma vuol farmi credere che è anche un temibile combattente delle aule dei tribunali. Lo dice perché è un'abitudine di tutti gli avvocati. Non ne ho conosciuti molti, ma devo ancora trovarne uno che non cercasse di farmi credere che in aula era un avversario imbattibile.

Il mio tempo è quasi scaduto. «Ho lavorato per mantenermi agli studi. Per sette anni. Non ho mai ricevuto un centesimo dalla famiglia.»

«Che tipo di lavoro?»

«Quello che capitava. Adesso lavoro da Yogi's, servo ai tavoli e al banco.»

«È barista?»

«Sissignore. Fra le altre cose.»

Ha nelle mani il mio curriculum. «È single» dice. C'è scritto lì, nero su bianco.

«Sì, signore.»

«Qualche legame sentimentale serio?»

Per la verità la cosa non lo riguarda, ma non posso certo obiettare. «No, signore.»

«Non è frocio, vero?»

«No, diavolo, no» e condividiamo un fuggevole cameratismo eterosessuale. Siamo due maschi bianchi molto normali.

Nunley si inclina all'indietro e assume un'espressione seria, come se si trattasse di una questione importante. «Da anni non assumiamo associati. Per pura curiosità, può dirmi quanto pagano una recluta i grandi studi del centro?»

La domanda ha una ragione precisa. Indipendentemente dalla mia risposta, ostenterà un'incredulità scandalizzata per gli stipendi che girano in quegli ambienti. E questo, com'è ovvio, getterà le basi per ogni eventuale discussione sui compensi.

Inutile mentire. Con ogni probabilità conosce benissimo la gamma degli stipendi. Gli avvocati amano spettegolare.

«Tinley Britt paga il massimo, lo sa. Ho sentito dire che si parte da cinquantamila.»

Scuote la testa prima ancora che abbia finito. «Però» commenta sbalordito. «Però!»

«Io non pretendo tanto» mi affretto a dichiarare. Ho deciso di vendermi a buon mercato a chiunque sia disposto a fare un'offerta. Non ho spese generali elevate e se riesco a metter dentro un piede, lavorerò sodo per un paio d'anni, poi forse salterà fuori qualcos'altro.

«Che cifra aveva in mente?» chiede Nunley come se il suo piccolo studio potesse far concorrenza ai colossi e una proposta più bassa fosse degradante.

«Mi accontenterei della metà. Venticinquemila. Lavorerei ottantaquattro ore la settimana, mi occuperei degli arretrati, farei tutto il lavoro di bassa manovalanza. Lei, il signor Ross e il signor Perry potreste passarmi tutte le cause che vorreste non aver mai accettato, e io le chiuderei in sei mesi. È una promessa. Sono certo che meriterei lo stipendio nei primi dodici mesi, ma se non dovessi farcela, me ne andrei.»

Le sue labbra si socchiudono, gli vedo i denti. Gli brillano gli occhi al pensiero di spalar via il letame dal suo ufficio e scaricarlo su qualcun altro. Dal telefono esce un ronzio penetrante, seguito dalla voce della segretaria: «Signor Nunley, la stanno aspettando per la deposizione».

Dò un'occhiata all'orologio. Otto minuti.

Anche lui guarda il suo. Aggrotta la fronte, poi mi dice: «Una proposta interessante. Mi lasci il tempo di pensarci. Dovrò discuterne con i miei soci. Ci riuniamo tutti i giovedì mattina». Si alza. «Ne parlerò. Per la verità non ci avevamo pensato.» Gira intorno alla scrivania, pronto ad accompagnarmi all'uscita.

«Funzionerà, signor Nunley. Venticinquemila l'anno è un affare.» Arretro verso la porta.

Per un secondo si mostra stupito. «Oh, non è per lo stipendio» dice come se lui e i suoi soci non fossero disposti a considerare l'idea di pagare meno di Tinley Britt. «Il fatto è che le cose vanno bene così come stanno. Guadagniamo parecchio, sa, e siamo tutti soddisfatti. Non abbiamo mai pensato di ingrandirci.» Apre la porta e aspetta che io esca. «Ci terremo in contatto.»

Mi accompagna dalla segretaria e le raccomanda di annotare il mio numero di telefono. Mi stringe la mano con fermezza, mi fa tanti auguri, promette di chiamarmi presto. Pochi secondi dopo sono di nuovo per strada.

Mi occorre qualche istante per riordinare i pensieri. Ho appena offerto di prostituire la mia preparazione e i miei studi per molto meno della cifra ottimale, e sono finito sul marciapiede nel giro di pochi minuti.

Ma poi scopro che il breve colloquio con Roderick Nunley è stato una delle cose più produttive degli ultimi giorni.

Sono quasi le dieci. Fra mezz'ora c'è Letture scelte dal Codice Napoleonico, e devo assistere per forza perché ho saltato le lezioni per una settimana. Potrei saltarle anche per le tre prossime settimane e tutti se ne infischierebbero. Non è un esame fondamentale.

In questi giorni mi aggiro liberamente in facoltà. Non mi vergogno più di mostrare la faccia. E poi, dato che mancano pochi giorni alla fine, molti studenti del terzo anno la stanno abbandonando. La facoltà di legge comincia con un fuoco serrato di studio intenso e di esami sotto pressione, ma termina con qualche raffica sparsa di quiz edulcorati e di saggi facili.

Tutti dedichiamo più tempo a studiare per l'esame di ammissione all'ordine che per gli ultimi esami del corso.

E quasi tutti ci prepariamo ad andare a lavorare.

Madeline Skinner ha abbracciato la mia causa come se la riguardasse personalmente. E soffre quasi quanto me perché non abbiamo fortuna. C'è un senatore dello stato, qui a Memphis, il cui ufficio di Nashville potrebbe aver bisogno di un avvocato per redigere i progetti di legge... trentamila dollari l'anno e assicurazioni pagate, ma vogliono l'iscrizione all'albo e due anni di esperienza. Una piccola azienda cerca un legale che abbia anche un diploma in contabilità. Io ho studiato storia.

«Forse al Dipartimento Assistenza della contea di Shelby si libererà un posto in agosto per un avvocato fisso.» Madeline Skinner rovista fra le carte sulla scrivania e tenta disperatamente di scovare qualcosa.

«Un avvocato per il servizio assistenziale?» ripeto.

«Sembra interessante, no?»

«Quant'è lo stipendio?»

«Diciottomila.»

«E il genere di lavoro?»

«Rintracciare padri inadempienti e indurli a pagare gli alimenti per moglie e figli. Seguire le cause di paternità. Le solite cose.»

«Mi sembra pericoloso.»

«È un lavoro come un altro.»

«Cosa farò fino ad agosto?»

«Studia per l'esame d'ammissione.»

«Grazie del consiglio. Se studio con impegno e supero l'esame, potrò andare a lavorare al Dipartimento Assistenza con uno stipendio minimo.»

«Rudy, senti...»

«Mi scusi. È stata una gran brutta giornata.»

Prometto che tornerò l'indomani e prevedo che sarà il bis di oggi.

8

Booker ha trovato i moduli in qualche angolo dello studio di Shankle. Dice che nel seminterrato sta rintanato un associato che ogni tanto si occupa di tutela del credito, e ha potuto arraffare la documentazione necessaria.

È piuttosto semplice. Elenco dell'attivo su una pagina, e nel mio caso è un compito facile. Elenco delle passività su un'altra pagina. Spazi per le informazioni sulla professione, le cause pendenti, eccetera. Si fonda sul principio della responsabilità patrimoniale del debitore, grazie al quale tutti i beni del debitore vengono spazzati via per coprire i debiti, che vengono spazzati via a loro volta.

Non sono più alle dipendenze di Yogi's. Lavoro, ma adesso vengo pagato in contanti e sottobanco. Niente di sequestrabile o pignorabile. Non sono obbligato a spartire i miei miseri guadagni con la Texaco. Ho parlato con Prince della mia situazione, gli ho detto che sono messo male, ho dato la colpa alle spese per gli studi e alle carte di credito e lui si è entusiasmato all'idea di pagarmi in contanti fregando il governo. È un seguace convinto dell'economia "in contanti esentasse".

Si è offerto di farmi un prestito per tirarmi fuori dai pasticci, ma non funzionerebbe. È convinto che molto presto guadagnerò una barca di soldi facendo l'avvocato, e non ho avuto il coraggio di dirgli che forse resterò alle sue dipendenze ancora per diverso tempo.

Non gli ho neppure detto quale dovrebbe essere l'ammontare del prestito. La Texaco mi ha citato per 612,88 dollari, incluse tutte le spese legali. Il padrone di casa mi ha citato per

809 dollari, incluse come sopra tutte le spese. Ma i lupi più voraci stanno cominciando ad avvicinarsi solo adesso. Scrivono lettere meschine e parlano di mettere le cose in mano agli avvocati.

Ho una MasterCard e una Visa, emesse da due diverse banche di Memphis. L'anno scorso, fra la festa del Ringraziamento e Natale, in un breve periodo felice durante il quale mi era stato assicurato un buon posto entro pochi mesi, e io ero innamorato invano di Sara, avevo deciso di farle un paio di bei regali per le feste. Volevo che fossero oggetti costosi e durevoli. Con la MasterCard avevo comprato un braccialetto in oro e brillanti per millesettecento dollari, e con la Visa, sempre per il mio grande amore, un paio di orecchini antichi in argento. Altri millecento dollari. Il giorno prima che mi annunciasse di non volermi più vedere ero andato in una gastronomia di lusso, avevo comprato una bottiglia di Dom Pérignon, due etti di foie gras, caviale, diversi ottimi formaggi e altre leccornie per il nostro pranzetto di Natale. Avevo speso trecento dollari ma, diavolo, si vive una volta sola.

Le banche che avevano emesso le carte avevano subdolamente e senza motivo aumentato il mio credito giusto poche settimane prima delle feste. Avevo avuto all'improvviso la possibilità di spendere senza restrizioni; e dato che mancavano pochi mesi alla laurea e all'impiego, ero certo di potermela cavare a effettuare i pagamenti mensili fino all'estate. E così spendevo e spandevo, tutto preso dal sogno di darmi alla bella vita con Sara.

Adesso lo rimpiango; ma avevo preso carta e penna e calcolato tutto. Era fattibile.

Il foie gras lo dimenticai sul frigo durante una brutta sbronza di birra scadente e andò a male. A Natale pranzai con formaggi e champagne in totale solitudine nel mio appartamento semibuio. Non assaggiai il caviale. Stavo seduto sul divano e fissavo i gioielli sparsi sul pavimento di fronte a me. Mordicchiavo grosse fette di Brie e bevevo Dom Pérignon, e intanto guardavo i regali di Natale destinati al mio amore e piangevo.

In un momento imprecisato fra Natale e Capodanno, mi ripresi un po', e decisi di riportare indietro i gioielli. Mi trastullai per un po' con l'idea di buttarli da un ponte o di compiere qualche gesto altrettanto plateale. Ma tenendo conto del mio stato d'animo, sapevo che avrei fatto meglio a rimanere lontano dai ponti.

Era il giorno dopo Capodanno. Al rientro da una lunga passeggiata scoprii che c'erano stati i ladri. La porta era scassinata. Avevano portato via il vecchio televisore e lo stereo, un barattolo pieno di monete da un quarto di dollaro che tenevo sulla toilette, e naturalmente i gioielli che avevo comprato per Sara.

Chiamai la polizia e riempii vari verbali. Mostrai le ricevute delle carte di credito. Il sergente scosse la testa e mi consigliò di mettermi in contatto con la mia assicurazione.

Avevo speso più di tremila dollari in acquisti con le carte di credito. Era venuto il momento di pagare.

Domani dovrebbero buttarmi fuori di casa. La legge contiene una disposizione meravigliosa in base alla quale nel caso di avvio di procedure per insolvenza qualsiasi altra procedura legale viene sospesa. Ecco perché si vedono società ricchissime, inclusa la mia amica Texaco, ricorrere al tribunale fallimentare quando hanno bisogno di una protezione temporanea. Domani il mio padrone di casa non potrà toccarmi. Non potrà neppure telefonarmi per coprirmi di improperi.

Esco dall'ascensore e respiro a fondo. Il corridoio è affollato di avvocati. Ci sono tre magistrati addetti alle insolvenze che lavorano a tempo pieno, e tutti hanno l'aula su questo piano. Mettono in programma dozzine di udienze ogni giorno, e ogni udienza coinvolge un gruppo di avvocati: uno per il debitore, e vari per i creditori. È un circo. Mentre avanzo, ascolto decine di discussioni interessanti, avvocati che discutono di spese mediche non pagate e del valore che si può attribuire a un camionista. Entro nella cancelleria e attendo per dieci minuti mentre gli avvocati che mi precedono depositano con calma le rispettive istanze. Conoscono bene le assistenti del cancelliere e li sento flirtare e chiacchierare spensierati. Dio, mi piacerebbe essere un avvocato importante, specialista in tutela del credito e responsabilità civile, così queste ragazze carine mi chiamerebbero Fred o Sonny.

L'anno scorso un professore ha vaticinato che il settore responsabilità civile e tutela del credito è la grande promessa del futuro: era arrivato a quella conclusione tenendo conto dell'incertezza economica, dei tagli nei posti di lavoro, del ridimensionamento delle aziende. A dirlo era stato uno che in vita sua non aveva mai fatturato un'ora di lavoro per l'esercizio privato della professione.

Però oggi mi sembra piuttosto redditizio. Vengono depositate valanghe di istanze. Sono tutti al verde.

Consegno i documenti a un'assistente molto indaffarata, una ragazza graziosa che mastica un chewing-gum. Dà un'occhiata all'istanza e mi studia con attenzione. Porto una camicia di denim e pantaloni kaki.

«È avvocato?» chiede a voce piuttosto alta. Molti si voltano a guardarmi.

«No.»

«È il debitore?» chiede a voce ancora più alta, masticando la gomma.

«Sì» rispondo in fretta. Un debitore può depositare la propria istanza anche se non è avvocato, ma questo particolare non lo vedrete mai pubblicizzato da nessuna parte.

La ragazza annuisce con aria d'approvazione e timbra l'istanza. «L'imposta di registro è ottanta dollari, prego.»

Le consegno quattro biglietti da venti. Li prende e li guarda insospettita. La mia istanza non elenca conti in banca perché il mio l'ho chiuso ieri, eliminando così un deposito del valore di 11 dollari e 84 cent. Gli altri beni elencati sono: una Toyota molto usata, 500 dollari; mobili vari, 150 dollari; collezione stereo e CD, 200 dollari; testi giuridici, 150 dollari; capi d'abbigliamento, 150 dollari. Sono tutti considerati beni personali e perciò esenti dalla procedura che ho appena avviato. Potrò tenerli tutti, ma dovrò continuare a pagare le rate della Toyota.

«Contanti, eh?» commenta la ragazza, e si accinge a rilasciarmi la ricevuta.

«Non ho conti in banca.» Quasi lo grido, a beneficio di chi sta ascoltando e forse vuole sentire il resto della storia.

Mi fa gli occhiacci e io la ricambio. Poi si mette al lavoro e nel giro di un minuto fa scivolare verso di me la copia dell'istanza e la ricevuta. Osservo data, ora e aula della prima udienza. Sto guardando le carte mentre mi avvio per uscire quando un giovane robusto con la faccia sudata e la barba nera mi tocca il braccio. «Scusi, signore» dice. Mi fermo e lo guardo. Mi mette in mano un biglietto da visita. «Robbie Molk, avvocato. Non ho potuto fare a meno di ascoltare. Ho pensato che potrebbe servirle un aiuto.»

Guardo il biglietto da visita, poi la faccia butterata di Molk. Ho sentito parlare di lui. Ho visto i suoi annunci pubblicitari sul giornale. Offre di occuparsi di insolvenze per un anticipo di centocinquanta dollari, e adesso è qui e si aggira in cancelleria come un avvoltoio, nella speranza di accalappiare il fesso squattrinato che potrebbe rendergli centocinquanta dollari.

Prendo il biglietto per pura educazione. «No, grazie» dico sforzandomi di essere gentile. «Posso cavarmela da solo.»

«Ci sono tanti modi per rovinare tutto» obietta lui, e sono sicuro che ha ripetuto questa frase mille volte. «La procedura per insolvenza può essere insidiosa. Ne seguo migliaia ogni anno. Duecento d'anticipo e posso pensarci io. Ho uno studio con molto personale.»

Siamo già a duecento dollari. Immagino che se si arriva a conoscerlo un po' meglio spara altri cinquanta dollari in più. A questo punto sarebbe facile smontarlo, ma qualcosa mi dice che Molk è il tipo che non si può umiliare.

«No, grazie» dico, e passo oltre.

La discesa è lenta e dolorosa. L'ascensore è strapieno di avvocati, tutti vestiti male, tutti con borse sciupate e scarpe malconce. Continuano a parlare di esenzioni, e di cosa è assicurato e di cosa non lo è. L'impossibile linguaggio degli avvocati. Discussioni terribilmente importanti. Sembra che non la smettano mai.

Mentre stiamo per fermarci al pianterreno, vengo colpito da un'idea. Non so cosa farò fra un anno, ma è non solo possibile bensì addirittura probabile che salirò e scenderò con questo ascensore e parteciperò a queste noiose discussioni con le stesse persone. È verosimile ritenere che diventerò come loro, mi aggirerò per le strade cercando di spremere onorari a individui che non possono pagare e ronzerò attorno alle aule del tribunale in cerca di clienti.

È un pensiero terribile e mi fa venire le vertigini. Nell'ascensore fa caldo e manca l'aria. Forse sto per vomitare. Si ferma e tutti si precipitano nell'atrio dove si disperdono continuando però a discutere e a trattare.

L'aria pura mi schiarisce le idee mentre procedo lungo il Mid-America Mall, una zona pedonale con un tram per portare avanti e indietro gli ubriachi. Un tempo si chiamava Main Street ed è ancora frequentata da un numero enorme di avvocati. I tribunali sono a pochi isolati. Passo davanti ai palazzoni del centro e mi domando cosa succede lassù, negli innumerevoli studi legali: associati che corrono qua e là e lavorano diciotto ore al giorno perché c'è un collega che ne lavora venti; soci giovani in riunione per discutere la strategia dello studio; soci anziani arroccati nei lussuosi uffici d'angolo mentre gli avvocati più giovani attendono con ansia le loro istruzioni.

Per essere sincero, era questo che desideravo quando mi sono iscritto a legge. Aspiravo al superlavoro e al potere che derivano dal fatto di stare con persone intelligenti e fortemente motivate, tutte soggette a stress e tensioni e scadenze. Lo studio dove ho lavorato come impiegato la scorsa estate era piccolo e contava solo dodici avvocati, ma c'erano tanti paralegali e segretarie e altri impiegati, e a volte quel caos mi faceva sentire euforico. Avevo un ruolo infinitesimale nella squadra e sognavo che un giorno sarei diventato il capitano.

Compro un gelato a un distributore automatico e siedo su una panchina in Court Square. I piccioni mi osservano. Sopra di me torreggia il First Federal Building, la costruzione più alta di Memphis, sede di Tinley Britt. Sarei capace di uccidere qualcuno pur di lavorare lì. Per me e i miei amici è facile disprezzare quelli di Tinley Britt. Ma li disprezziamo perché non siamo degni di lavorare con loro. Li odiamo perché non ci guarderebbero neppure, non si prenderebbero nemmeno il disturbo di ammetterci a un colloquio.

Immagino che ci sia un Tinley Britt in ogni città e in ogni attività. Non ce l'ho fatta e quello non è un posto per me, quindi continuerò a odiarli per tutta la vita.

A proposito di studi legali. Dato che mi trovo in centro, passerò un po' di tempo bussando a qualche porta. Ho un elenco di avvocati che esercitano da soli o dividono lo studio con uno o due colleghi. Più o meno l'unico fattore incoraggiante per chi si avventura in un campo così sovraffollato è che ci sono tante porte a cui bussare. C'è la speranza, continuo a ripetermi, che al momento buono troverò lo studio che finora nessuno ha scovato e parlerò con un avvocato oberato di lavoro che ha bisogno di un novellino per sbrigare l'ordinaria amministrazione.

Proseguo per qualche isolato fino allo Sterick Building, il primo palazzone costruito a Memphis, adesso sede di centinaia di avvocati. Parlo con qualche segretaria e lascio il curriculum. Mi sorprende notare quanto sono numerosi gli studi che assumono segretarie scostanti se non addirittura scortesi. Spesso, ancora prima che io dica che cerco lavoro mi trattano come un pezzente. Due hanno preso il curriculum e l'hanno infilato in un cassetto. Provo la tentazione di presentarmi come un potenziale cliente, il marito straziato di una giovane donna travolta e uccisa da un grosso camion, un camion coperto da cospicue polizze assicurative e con un ubriaco al volante. Magari un camion della Exxon. Sarebbe divertente vedere queste carogne alzarsi di scatto, sorridere e affrettarsi a portarmi un caffè.

Vado da uno studio all'altro, sorrido quando avrei voglia di ringhiare e ripeto le stesse frasi alle stesse donne. «Sì, mi chiamo Rudy Baylor, e sono studente del terzo anno dell'Università Statale di Memphis. Vorrei parlare con il signor Taldeitali per un posto.»

«Per cosa?» mi chiedono spesso. E io continuo a sorridere mentre consegno il curriculum e chiedo ancora di vedere il signor Pezzo Grosso. Il signor Pezzo Grosso è sempre troppo occupato, perciò mi liquidano con la promessa che qualcuno si farà vivo con me.

Il quartiere Granger di Memphis è a nord del centro. Le file di casette di mattoni lungo le strade ombreggiate costituiscono la prova inconfutabile che si tratta di un sobborgo nato al termine della Seconda guerra mondiale, quando i protagonisti del boom cominciarono a costruire. Avevano buoni posti nelle fabbriche vicine. Piantarono alberi nei prati davanti alle case e costruirono i patio nei prati sul retro. Con l'andar del tempo, i protagonisti del boom si spostarono verso est dove costruirono case ancora più belle, e a poco a poco Granger diventò un assortimento di pensionati e di bianchi e neri delle classi inferiori.

La casa di Dot e Buddy Black somiglia a migliaia di altre. Sorge su un terreno piatto di ventiquattro metri per trenta. All'inevitabile albero ombroso davanti alla casa dev'essere capitato qualcosa. C'è una vecchia Chevrolet nel garage monoposto. L'erba e i cespugli sono tenuti con cura.

Sulla sinistra, il vicino sta ricostruendo una vecchia auto con il motore truccato, e ci sono pezzi sparsi fino alla strada. Sulla destra, l'altro vicino ha recintato il prato, cioè le erbacce alte trenta centimetri che crescono dentro la rete. Due dobermann fanno la ronda sul vialetto appena oltre la recinzione.

Parcheggio sul viale dietro la Chevrolet, e i dobermann, a un metro e mezzo di distanza, mi ringhiano contro.

È metà pomeriggio e la temperatura supera i trentadue. Finestre e porte sono aperte. Sbircio attraverso la zanzariera e busso leggermente.

Essere qui non mi entusiasma perché non ho nessuna voglia di vedere Donny Ray Black. Sospetto che sia sofferente ed emaciato come l'ha descritto la madre, e ho lo stomaco debole.

Dot viene alla porta con una sigaretta al mentolo fra le dita e mi guarda male attraverso la rete metallica.

«Sono io, signora Black. Rudy Baylor. Ci siamo conosciuti la settimana scorsa ai Cypress Gardens.»

I piazzisti a domicilio devono essere una seccatura, lì a Granger, perché continua a guardarmi male. Si avvicina di un passo e mette la sigaretta fra le labbra.

«Si ricorda di me? Mi occupo della sua causa contro la Great Eastern.»

«Credevo che fosse un testimone di Geova.»

«No, signora Black, non lo sono.»

«Mi chiami Dot. Mi pareva di averglielo detto.»

«D'accordo, Dot.»

«Quei maledetti mi fanno diventar matta. Loro e i mormoni. E il sabato mattina arrivano i boy scout per vendere le ciambelle prima dell'alba. Cosa vuole?»

«Ecco, se ha un minuto di tempo, vorrei parlare del suo caso.»

«Cosa vuol sapere?»

«Vorrei parlare di un paio di cose.»

«Mi pareva che l'avessimo già fatto.»
«Dobbiamo parlare ancora.»
Lancia uno sbuffo di fumo attraverso la rete e toglie il gancio dalla porta. Entro in un piccolo soggiorno e la seguo nella cucina. La casa è umida e dappertutto si sente puzza di fumo stantio.
«Beve qualcosa?» mi chiede.
«No, grazie.» Siedo al tavolo. Dot versa una diet cola su un paio di cubetti di ghiaccio e si appoggia al ripiano dei mobiletti con la schiena. Buddy non si vede. Immagino che Donny Ray sia in camera sua.
«Dov'è Buddy?» chiedo allegro come se fosse un vecchio amico e sentissi la sua mancanza.
Con un cenno della testa, Dot indica il prato sul retro. «Vede quella vecchia macchina?»
In un angolo invaso da arbusti e rampicanti, accanto a un capanno cadente e sotto un acero, c'è una vecchia Ford Fairlane. È bianca e ha due portiere, entrambe aperte. Sul cofano dorme un gatto.
«È seduto nella sua macchina» spiega Dot.
La macchina è circondata da erbacce e sembra che non abbia le gomme. Tutt'intorno non è stato toccato niente da decenni.
«Dove va?» chiedo, e Dot sorride.
Sorseggia rumorosamente la cola. «Buddy? Non va in nessun posto. Abbiamo comprato la macchina nuova nel 1964. Si mette lì, tutti i giorni e per tutto il giorno. Soltanto Buddy e i gatti.»
C'è una certa logica. Buddy se ne sta fuori, solo, senza il fumo delle sigarette che lo soffoca, senza preoccupazioni per Donny Ray. «Perché?» domando. È evidente che a Dot non dispiace parlarne.
«Buddy non c'è con la testa. Gliel'ho già detto la settimana scorsa.»
Come potevo dimenticarlo?
«E Donny Ray come sta?»
Dot alza le spalle e va a sedere di fronte a me, al fragile tavolo. «Certi giorni va bene, certi giorni va male. Vuole conoscerlo?»
«Più tardi, magari.»

«Sta quasi sempre a letto. Ma riesce ancora a fare qualche passo. Magari lo farò alzare prima che lei vada via.»

«Sì, forse sì. Senta, ho lavorato molto sul suo caso. Voglio dire, ho passato parecchie ore a esaminare tutta la documentazione, e giorni interi in biblioteca a fare ricerche. Francamente, credo che dovreste far causa alla Great Eastern e spremerla a dovere.»

«Mi pareva che l'avessimo già deciso» commenta, e mi rivolge uno sguardo duro. Ha una faccia implacabile: senza dubbio è il risultato di una vita difficile, con quel matto seduto là fuori a bordo della Fairlane.

«Può darsi, ma dovevo fare le mie ricerche. Io le consiglio di far causa, e al più presto.»

«Cosa aspetta, allora?»

«Ma non speri in una soluzione rapida. Dovrà battersi con una grossa società che ha a disposizione molti avvocati, e quelli cercheranno di ottenere rinvii su rinvii. È il loro mestiere.»

«Quanto ci vorrà?»

«Potrebbero volerci mesi, forse anni. Potremmo minacciare di far causa e convincerli così a venire a una rapida transazione. Ma loro potrebbero farci arrivare alla causa vera e propria, per poi presentare appello. Impossibile fare una previsione.»

«Ma lui morirà fra pochi mesi.»

«Posso chiederle una cosa?»

Dot lancia uno sbuffo di fumo e annuisce con lo stesso movimento.

«La Great Eastern ha respinto per la prima volta la richiesta l'agosto scorso, subito dopo che a Donny Ray avevano diagnosticato la leucemia. Perché ha aspettato fino adesso per consultare un avvocato?» Uso la parola "avvocato" in senso piuttosto lato.

«Non posso vantarmene, chiaro? Pensavo che l'assicurazione avrebbe finito per rispettare l'impegno e pagare, sa, sostenere le spese e il trattamento. Continuavo a scrivergli e loro continuavano a rispondere di no. Non saprei. È stata una stupidaggine, credo. Abbiamo pagato regolarmente i premi per anni, non abbiamo mai ritardato una volta. Credevo che avrebbero rispettato la polizza. E poi non avevo mai avuto a che fare con un avvocato. Niente divorzi, niente di niente. Dio sa che avrei dovuto farlo.» Si volta con aria triste e guarda desolata la Fairlane e il suo patetico passeggero. «Si scola mezzo litro di gin al mattino e mezzo al pomeriggio. A me non importa. Lo rende felice, lo tiene fuori casa e non gli impedisce di essere produttivo, capisce cosa voglio dire?»

Tutti e due guardiamo la figura accasciata sul sedile anteriore. Gli arbusti troppo cresciuti e l'acero ombreggiano la macchina. «Glielo compra lei?» come se avesse importanza.

«Oh, no. Paga un ragazzino che abita alla porta accanto perché vada a comprarglielo di nascosto. Crede che non lo sappia.»

C'è un movimento sul retro della casa. Qui non esiste un impianto dell'aria condizionata che smorzi i rumori. Qualcuno tossisce. Riprendo il discorso. «Senta, Dot, mi piacerebbe occuparmi del suo caso. Sono alle prime armi, non ho ancora finito gli studi, ma ho già dedicato diverse ore al caso e lo conosco meglio di chiunque altro.»

Dot ha un'espressione vacua, quasi rassegnata. Un avvocato vale l'altro. Si fiderà di me come si fiderebbe del primo venuto, il che non è molto. Strano. Con tutti i soldi che gli avvocati spendono in pubblicità aggressiva, stupidi spot televisivi a basso costo e annunci economici sui giornali, c'è ancora gente come Dot Black che non sa distinguere un vecchio marpione delle aule giudiziarie da uno studente del terzo anno.

Conto sulla sua ingenuità. «Probabilmente mi dovrò associarmi un altro avvocato, tanto per mettere il suo nome su tutti gli atti finché non avrò superato l'esame di ammissione all'ordine e sarò abilitato a esercitare.»

Le mie parole sembrano cadere nel vuoto.

«Quanto costerà?» chiede Dot con aria sospettosa.

Le rivolgo un sorriso caloroso. «Neppure un centesimo. Me ne occuperò a percentuale. Mi darà un terzo di tutto quello che incasseremo. Se non incasseremo non mi dovrà niente. E non chiedo anticipi.» Senza dubbio ha letto questo discorsetto in qualche annuncio pubblicitario, tuttavia sembra un po' disorientata.

«Quanto?»

«Chiederemo milioni» dichiaro teatralmente, e lei abbocca. Non credo che ci sia avidità in questa donna distrutta. Se mai ha sognato una vita piacevole, adesso non lo ricorda neppure. Ma le sorride l'idea di mettere nei guai quelli della Great Eastern e farli soffrire.

«E lei si prende un terzo?»

«Non mi aspetto di recuperare milioni: ma qualunque sia la somma che otterremo, mi accontenterò di un terzo. Cioè, un terzo di quello che resterà dopo che saranno state pagate le cure mediche di Donny Ray. Non ha niente da perdere.»

Batte la mano sinistra sul piano del tavolo. «Allora ci sto. Non m'interessa quello che si prenderà lei: vada avanti. Subito, d'accordo? Domani.»

Ho in tasca un regolare contratto. L'ho trovato in un formulario in biblioteca. A questo punto dovrei sfoderarlo e farglielo firmare, ma non riesco a decidermi. Da un punto di vista deontologico non posso rappresentare nessuno finché non sarò stato ammesso all'ordine e non avrò l'abilitazione a esercitare. Ma credo che Dot rispetterà la parola data.

Comincio a sbirciare il mio orologio, come un avvocato vero. «Mi lasci andare a lavorare» dico.

«Non vuol conoscere Donny Ray?»

«Magari la prossima volta.»

«Non le dò torto. È ridotto pelle e ossa.»

«Tornerò fra qualche giorno, quando potrò trattenermi un po' di più. Dobbiamo parlare di molte cose, e dovrò fare qualche domanda a suo figlio.»

«Basta che si sbrighi, okay?»

Parliamo ancora per qualche minuto dei Cypress Gardens e delle feste che fanno là. Dot ci va con Buddy una volta la settimana, se riesce a farlo restare sobrio fino a mezzogiorno. È l'unica occasione in cui escono di casa insieme.

Lei ha voglia di parlare, io di andarmene. Mi segue sul vialetto, esamina la mia Toyota sporca e ammaccata, parla male dei prodotti d'importazione, soprattutto giapponesi, e strilla contro i dobermann.

Resta accanto alla cassetta delle lettere mentre mi allontano. Fuma e mi segue con lo sguardo.

Per uno che è appena stato in tribunale per insolvenza, riesco ancora a spendere come uno scemo. Pago otto dollari per un vaso di gerani e lo porto alla signora Birdie. Ama i fiori, dice, ed è così sola, naturalmente, e mi pare un gesto simpatico. Un piccolo raggio di sole nella vita di una donna anziana.

Ho scelto bene il momento. La trovo inginocchiata nell'aiola accanto alla casa, di fianco al vialetto che porta al garage sul retro. Il cemento ha un'ampia bordura di fiori, cespugli e rampicanti e alberelli decorativi. Il prato dietro la casa è ombreggiato da alberi vecchi quanto lei. C'è una terrazza di mattoni con le cassette piene di fiori colorati.

Quando le offro il piccolo dono mi abbraccia. Si sfila in fretta i guanti da giardinaggio, li lascia cadere tra i fiori e mi conduce verso il retro della casa. Ha un posto ideale per i gerani, e domani li pianterà. Gradisco un caffè?

«Solo un po' d'acqua» rispondo. Ricordo anche troppo bene il sapore del caffè solubile allungato. Mi fa sedere su una poltroncina ornamentale del terrazzo mentre si spolvera il grembiule macchiato di fango e terriccio.

«Acqua fresca?» chiede. Sembra emozionata alla prospettiva di servirmi qualcosa da bere.

«Ottimo» dico, e lei entra in cucina. Nel prato dietro la casa le piante incolte hanno una strana simmetria. Si estende per una cinquantina di metri prima di arrendersi contro una siepe folta. Più oltre, fra gli alberi, scorgo un tetto. Ci sono piccole macchie vivaci di vegetazione organizzata, minuscole aiole che evidentemente sono curate da lei o da qualcun altro. C'è una fontana su una piattaforma di mattoni lungo la recinzione, ma è senz'acqua. Una vecchia amaca sta appesa a due alberi, e le corde e la tela sbrindellate ondeggiano nella brezza. Non ci sono erbacce, ma il prato ha bisogno d'essere falciato.

Il garage attira la mia attenzione. Ha due porte rientranti chiuse. Da un lato c'è un ripostiglio con le finestre oscurate. Sopra il garage, a quanto pare, c'è un piccolo appartamento con una scala di legno che gira attorno all'angolo e continua a salire. Due grandi finestre danno verso la casa, e una ha un vetro rotto. L'edera divora i muri esterni e mi sembra che penetri dalla finestra sfondata.

È un luogo un po' singolare.

La signora Birdie esce dalla porta-finestra. Tiene in mano

due bicchieroni d'acqua fresca. «Come le sembra il mio giardino?» domanda mentre siede accanto a me.

«È bello, signora Birdie. Così tranquillo.»

«Questa è la mia vita» dice, e agita le mani in un gesto espansivo. Mi spruzza un po' d'acqua sui piedi senza accorgersene. «Ecco come passo il tempo. A me piace.»

«È molto bello. Fa lei tutto il lavoro?»

«Oh, quasi tutto. Pago un ragazzetto che taglia l'erba una volta la settimana. Trenta dollari, ci pensa? Prima ne bastavano cinque.» Beve un sorso d'acqua e schiocca le labbra.

«C'è un appartamentino, lassù?» chiedo indicando le finestre sopra il garage.

«C'era. Uno dei miei nipoti ci ha abitato per un certo periodo. L'avevo fatto sistemare, avevo messo il bagno e un cucinino. Era molto grazioso. Mio nipote studiava all'Università Statale di Memphis.»

«Ha abitato qui a lungo?»

«Non tanto. E non voglio parlare di lui.»

Probabilmente è uno di quelli che devono essere esclusi dal testamento.

Quando passi ore a bussare alle porte degli studi legali per cercare lavoro e vieni preso a pesci in faccia da segretarie carogne, perdi tutte le inibizioni. Ti cresce il pelo sullo stomaco. I rifiuti sono facili da affrontare perché impari presto che il peggio che può capitarti è sentirti dire "no".

«Immagino che non intenda affittarlo» azzardo con appena un filo di esitazione e senza il timore di un rifiuto.

Si ferma col bicchiere a mezz'aria e guarda l'appartamentino come se ne avesse appena scoperto l'esistenza. «A chi?» domanda.

«Mi piacerebbe vivere qui. È incantevole e dev'essere molto tranquillo.»

«Tranquillo da morire.»

«Solo per un po'. Fino a quando comincerò a lavorare e potrò sistemarmi.»

«Lei, Rudy?» domanda incredula.

«Mi piace» rispondo con un sorriso semiartificiale. «Per me andrebbe benissimo. Sono solo, faccio una vita regolare, non posso permettermi di pagare un affitto esorbitante. È perfetto.»

«Quanto può pagare?» Me lo chiede in tono sbrigativo, come un avvocato che sta torchiando un cliente squattrinato.

Mi prende alla sprovvista. «Oh, non so. La padrona di casa è lei. Quanto vuole?»

Gira la testa e guarda gli alberi. «Andrebbero bene quattro... no, trecento dollari al mese?»

È evidente che la signora Birdie non ha mai avuto inquilini. Pesca i numeri a caso. Per fortuna non è partita da ottocento al mese. «Credo che prima dovremmo dargli un'occhiata» dico prudentemente.

Si alza. «Sa, c'è un gran disordine. Da dieci anni lo uso come magazzino. Però possiamo pulirlo. Gli impianti igienici funzionano, credo.» Mi prende per mano e mi guida attraverso il prato. «Dovremo far riaprire l'acqua. Non so cosa si deve fare per il riscaldamento e l'aria condizionata. C'è qualche mobile, non molti, roba vecchia che ho scartato.»

Comincia a salire i gradini scricchiolanti. «Ha bisogno di mobili?»

«Non molti.» La ringhiera non è solida e l'intera costruzione sembra tremare.

9

Alla facoltà di legge ci si fanno parecchi nemici. La concorrenza a volte è spietata. Gli studenti imparano a imbrogliare e a tirare pugnalate alle spalle: è un allenamento per affrontare il mondo. Il primo anno che studiavo qui c'è stata una rissa fra due studenti del terzo che avevano cominciato a insultarsi durante un processo simulato. Li hanno espulsi e poi riammessi. La facoltà ha bisogno di soldi.

Ci sono diversi individui che non mi piacciono, e uno o due che detesto. Mi sforzo però di non odiare nessuno.

Tuttavia adesso odio la carogna che mi ha fatto lo scherzo. In questa città pubblicano una cronaca di tutte le transazioni legali e finanziarie: si chiama "Daily Report" e include, oltre alla rassegna delle istanze di divorzio e a un'altra decina di categorie importantissime, anche un elenco dell'attività del tribunale delle insolvenze del giorno prima. Il mio amico, o il gruppo di amici, ha ritenuto divertente pescare il mio nome nella documentazione, fare l'ingrandimento di un ritaglio preso dalle istanze e diffondere il ghiotto boccone in tutta la facoltà. C'è scritto: "Baylor, Rudy L., studente; attività: 1125 dollari (esenti); passività garantite: 285 dollari alla Wheels and Deals Finance Company; passività non garantite: 5136,88 dollari. Azioni pendenti: 1) recupero crediti scaduti da parte della Texaco; 2) sfratto da The Hampton. Datore di lavoro: nessuno. Avvocato: *pro se*."

Pro se significa che non posso permettermi un avvocato e devo fare tutto da solo. Lo studente di turno al banco della biblioteca me ne ha dato una copia quando sono entrato questa mattina e ha detto che li aveva visti sparsi per tutta la facoltà e addirittura affissi nelle bacheche. Ha commentato: «Chissà chi lo trova tanto divertente».

L'ho ringraziato e sono corso nel mio angolo sotterraneo, a nascondermi fra gli scaffali evitando ogni contatto con facce note. Presto le lezioni finiranno e io uscirò di qui e potrò stare lontano dalla gente che non sopporto.

Questa mattina devo andare dal professor Smoot e arrivo con dieci minuti di ritardo. Non se la prende. Il suo ufficio presenta il disordine di prammatica per uno studioso troppo geniale per sapersi organizzare. La cravatta a farfalla è storta, il sorriso sincero.

Parliamo dei Black e del loro contenzioso con la Great Eastern. Gli consegno un riepilogo di tre pagine con le mie ingegnose conclusioni e le proposte per la causa. Lo legge con attenzione mentre io scruto i fogli appallottolati sotto la scrivania. È impressionato favorevolmente e me lo ripete più volte. Io consiglio i Black di mettersi in contatto con un avvocato e di far causa alla Great Eastern per malafede. Smoot è d'accordo senza riserve. Se sapesse!

Tutto ciò che voglio da lui è una specie di promozione, niente di più. Poi parliamo della signora Birdie Birdsong. Gli dico che è benestante e vuole rifare il testamento. I dettagli li tengo per me. Gli presento una bozza di cinque pagine, il testamento riveduto e corretto. Lo scorre in fretta. Gli sembra che vada bene, dice, ma non ci fa gran caso. I Problemi legali degli anziani non sono un esame fondamentale, non ci sono saggi da presentare. Si frequenta il corso, si visitano i vecchietti, si preparano i riepiloghi, e Smoot assegna il massimo dei voti.

Smoot conosce la signora Birdie da anni. Evidentemente è la regina dei Cypress Gardens da diverso tempo, e lui la vede ogni sei mesi, quando ci va con i suoi studenti. Dice che non aveva mai voluto approfittare dei consigli legali gratuiti prima d'ora. Riflette e intanto strattona un po' la cravatta a farfalla. Dice che è una sorpresa scoprire che è ricca.

Sarebbe sorpreso ancora di più se sapesse che sta per diventare la mia padrona di casa.

L'ufficio di Max Leuberg è subito girato l'angolo. Mi ha lasciato un messaggio al banco della biblioteca per farmi sapere che ha bisogno di vedermi. Se ne andrà al termine delle lezioni. È rimasto in prestito per due anni dall'Università Statale del Wisconsin e adesso sta per lasciarci. Probabilmente sentirò un po' la sua mancanza, quando ce ne saremo andati tutti e due, ma in questo momento è difficile immaginare un sentimento durevole per qualcosa o per qualcuno legato alla facoltà di legge.

L'ufficio di Max è pieno di scatole di cartone per liquori. Sta facendo i bagagli, e non ho mai visto un simile caos. Per qualche momento impacciato ci scambiamo reminiscenze in un tentativo disperato di far sembrare interessante questo tipo di studi. Non l'ho mai visto depresso, ma pare che la prospettiva di andarsene lo rattristi sinceramente. Indica un fascio di carte in uno scatolone della Wild Turkey. «Per te. È materiale recente che ho usato in diverse cause di malafede. Prendilo. Potrebbe esserti utile.»

Non ho ancora finito di esaminare l'ultima infornata del materiale di ricerca che mi ha affibbiato. «Grazie, Max» dico con lo sguardo assente.

«Hai già depositato la citazione?» mi chiede.

«Uh, no. Non ancora.»

«Devi farlo. Trova un avvocato del centro che abbia ottenuto buoni risultati in tribunale. Qualcuno con una buona esperienza nei casi di malafede. Ho pensato parecchio a questo e mi convince sempre di più. Desterà l'interesse della giuria. Immagino che i giurati si arrabbieranno da matti e vorranno punire l'assicurazione. Qualcuno deve prendere in mano il caso e portarlo avanti.»

Io sono più che disposto a farlo.

Si alza di scatto e si stira le braccia. «Con che tipo di studio legale andrai a lavorare?» domanda mentre sta in punta di piedi ed esegue una specie di espansione yoga sui polpacci. «Perché è un caso molto importante e tu devi occupartene. È solo un'idea, sai. Forse dovresti portarlo al tuo studio, lasciare che ci pensino loro e intanto sbrigare direttamente il lavoro di manovalanza. Senza dubbio nel tuo studio ci sarà qualcuno che ha esperienza dei dibattimenti in aula. Puoi chiamarmi, se vuoi. Starò a Detroit per l'intera estate a preparare una causa colossale contro l'All-State, ma questa faccenda m'interessa, okay? Credo che potrebbe diventare qualcosa di memorabile. Mi piacerebbe vederti mettere quei farabutti con le spalle al muro.»

«Cos'ha combinato l'All-State?» gli chiedo tanto per dirottare il discorso dal "mio" studio legale.

Sfoggia un gran sorriso, intreccia le dita sopra la testa, assume la tipica espressione "non ci crederai". «È incredibile» dice infatti, e attacca la prolissa esposizione di un clamoroso caso di malafede. Sono pentito di averglielo chiesto.

Non ho molta esperienza in fatto di frequentazioni di avvocati, ma ho scoperto che soffrono tutti degli stessi mali. Una delle loro abitudini più fastidiose consiste nel raccontare episodi che li riguardano. Se hanno vinto una grossa causa, vogliono fartelo sapere. Se hanno per le mani un caso clamoroso destinato a farli diventare ricchi, devono assolutamente parlarne con i colleghi. Max non dorme di notte per godersi le visioni dell'All-State sul lastrico.

«Comunque» dice tornando alla realtà, «potrei aiutarti. L'autunno prossimo non tornerò, ma il mio numero telefonico e il mio indirizzo sono nella scatola. Chiamami, se hai bisogno di me.»

Prendo la scatola della Wild Turkey. È pesante e il fondo sembra sul punto di cedere. «Grazie» gli dico. «Gliene sono molto grato.»

«Ci tengo ad aiutarti, Rudy. Non c'è niente di più entusiasmante che inchiodare una società di assicurazioni. Credimi.»

«Farò del mio meglio. E grazie ancora.»

Il telefono squilla e Max si precipita a rispondere. Esco con il mio carico voluminoso.

La signora Birdie e io concludiamo un bizzarro accordo. Non è un'abile negoziatrice, ed è evidente che non ha bisogno di soldi. La convinco a ridurre l'affitto a centocinquanta dollari al mese, compreso luce, acqua eccetera. E aggiunge una quantità di mobili sufficienti a riempire i quattro locali.

Oltre all'affitto, mi impegno a compensarla con vari lavoretti, soprattutto nel prato e in giardino. Toserò l'erba, e così risparmierà trenta dollari la settimana. Poterò le siepi, rastrellerò le foglie cadute, il solito. Si è anche parlato, vagamente, di strappare le erbacce, ma non ho preso sul serio la richiesta.

Per me è un buon affare e sono orgoglioso della mia abilità di negoziatore. L'appartamento vale almeno trecentocinquanta dollari al mese, quindi ne ho risparmiati duecento in contanti. Calcolo di potermela cavare lavorando cinque ore la settimana, venti ore al mese. Niente male, date le circostanze. Dopo tre anni vissuti in biblioteca, sento il bisogno di aria pura e di un po' di moto. Nessuno saprà che faccio il giardiniere. E in più, resterò vicino alla signora Birdie, la mia cliente.

È un accordo verbale, rinnovabile tacitamente di mese in mese. Se non funziona traslocherò.

Non molto tempo fa sono andato a vedere qualche bell'appartamento, adatto a un avvocato emergente. Volevano settecento dollari al mese per meno di cento metri quadrati con due camere da letto. E io ero disposto a pagarli. Sono cambiate molte cose.

Adesso mi trasferisco in un alloggio piuttosto spartano progettato dalla signora Birdie e poi trascurato per dieci anni. Il modesto soggiorno ha la moquette arancio e le pareti verde chiaro. C'è una camera da letto, una piccola cucina con zona pranzo separata. I soffitti sono a volta e si abbassano su tutte le pareti conferendo un'atmosfera claustrofobica al mio attico.

Per me è l'ideale. Andrà benissimo, purché la signora Birdie mantenga le distanze. Mi ha fatto promettere che non ci saranno feste scatenate, musica a tutto volume, giri di ragazze, alcol, droghe, cani o gatti. Ha pulito personalmente l'appartamento. Ha lustrato pavimenti e pareti, ha portato via tutto il ciarpame che poteva. E mi è stata al fianco mentre portavo su per la scala le mie poche cose. Sono sicuro che le ho fatto pena.

Quando ho finito di scaricare l'ultimo scatolone, prima che avessi il tempo di sistemare qualcosa, ha insistito perché prendessimo il caffè nel patio.

Eravamo lì da una decina di minuti, giusto il tempo perché smettessi di sudare, quando ha annunciato che era ora che mi dessi da fare nelle aiole. Ho strappato erbacce fino a indolenzirmi la schiena. Per qualche minuto ha lavorato con me, poi si è piazzata alle mie spalle per indicarmi quelle che dovevo eliminare.

Riesco a sottrarmi al giardinaggio solo rifugiandomi da Yogi's. Servo al bar fino all'ora di chiusura, dopo l'una del mattino.

Stasera il locale è pieno, e con mio grande disappunto c'è un gruppo di studenti di legge attorno a due grandi tavoli. È l'ultimo raduno di una delle varie confraternite della facoltà, una di quelle che non mi hanno mai invitato ad associarmi. Si chiamano i Patrocinanti, e sono i tipici redattori della "Law Review", studenti importanti che si prendono troppo sul serio. Si sforzano di costituire una consorteria esclusiva e un po' misteriosa, con oscuri riti iniziatici salmodiati in latino e altre sciocchezze del genere. Quasi tutti andranno a lavorare per grandi studi legali o verranno assunti dalla magistratura federale. Due di loro sono stati accettati alla facoltà di diritto tributario dell'Università di New York. Formano una cricca pomposa.

Si sbronzano in fretta mentre io spillo un boccale di birra dopo l'altro. Il più chiassoso è una specie di scoiattolo che si chiama Jacob Staples, un avvocato giovane e promettente che quando ha cominciato gli studi di legge, tre anni fa, conosceva già l'arte di giocare sporco. Ha scoperto più modi d'imbrogliare di chiunque altro nella storia di questa facoltà. Ha barato agli esami, nascosto testi di ricerca, rubato appunti a tutti, mentito ai professori per giustificare i ritardi con cui presentava memorie e riepiloghi. Molto presto guadagnerà un milione di dollari. Sospetto che sia stato lui a copiare dal "Daily Report" la notizia che mi riguardava e a diffonderla in tutta la facoltà. È proprio il tipo.

Anche se mi sforzo di ignorarli, mi accorgo che ogni tanto mi guardano. Sento ripetere diverse volte la parola "insolvenza".

Ma continuo a darmi da fare e ogni tanto bevo un po' di birra in una tazza da caffè. Prince è nell'angolo opposto: guarda la televisione e tiene d'occhio i Patrocinanti. Stasera segue le corse dei levrieri trasmesse da un cinodromo in Florida e scommette su ogni corsa. Il suo compagno di scommesse e di bevute stavolta è il suo avvocato, Bruiser Stone, un uomo straordinariamente grasso e tozzo con lunghi capelli grigi e barbetta. Pesa almeno centocinquanta chili. Insieme sembrano due orsi seduti sulle rocce occupati a sgranocchiare noccioline.

Bruiser Stone è un avvocato dall'etica piuttosto discutibile. È amico di Prince da molto tempo, da quando studiavano alle superiori a South Memphis, e insieme hanno concluso molti affari poco limpidi. Contano i soldi quando non c'è nessuno. Pagano politici e poliziotti. Prince è il prestanome, Bruiser la mente. E quando Prince viene scoperto, Bruiser compare sulle prime pagine dei giornali per gridare all'ingiustizia. In aula è molto abile, soprattutto perché è noto che allunga somme considerevoli ai giurati. Prince non teme verdetti di colpevolezza.

Nello studio di Bruiser ci sono cinque o sei avvocati. Non riesco a immaginare di ridurmi a un punto di disperazione tale da chiedere un posto a lui. Non riesco a immaginare niente di peggio che raccontare che lavoro per Bruiser Stone.

Prince potrebbe combinare. Sarebbe felice di farmi il favore, e dimostrare quanto è influente.

Non posso credere di aver pensato una cosa del genere.

10

In seguito alle insistenze di tutti e quattro, Smoot cede e dice che possiamo tornare ai Cypress Gardens da soli, non in gruppo, e senza subire un altro pranzo tormentoso. Io e Booker arriviamo un giorno mentre stanno cantando *America the Beautiful* e ci sediamo nell'ultima fila mentre la signora Birdie tiene un discorsetto sulle virtù delle vitamine e del moto. Finalmente ci vede e insiste che la raggiungiamo sul podio per una presentazione formale.

Alla conclusione del programma, Booker si rintana in un angolo dove s'incontra con i clienti e distribuisce consigli che non vuole siano ascoltati da nessun altro. Io ho già parlato con Dot e con la signora Birdie ho passato ore a discutere il testamento, perciò non mi resta molto da fare. Il signor DeWayne Deweese, il mio terzo cliente dell'altra visita, è ricoverato in ospedale e gli ho spedito un riepilogo assolutamente inutile dei miei suggerimenti per aiutarlo nella sua piccola guerra personale contro l'Amministrazione veterani.

Il testamento della signora Birdie è incompleto e non è stato ancora firmato. In questi giorni si è mostrata molto suscettibile. Non sono neppure sicuro che abbia intenzione di cambiarlo. Dice che il reverendo Kenneth Chandler non si è più fatto vivo, quindi può darsi che non gli lasci il grosso del suo patrimonio. Ho cercato di incoraggiare questo orientamento.

Abbiamo parlato diverse volte del suo denaro. Lei preferisce aspettare quando sono sepolto fino alle anche nella pacciamatura e nel terriccio per invasare le piante, e il sudore mi gocciola dal naso sporco di torba per ronzarmi intorno e rivolgermi domande imprevedibili, tipo: «La moglie di Delbert può far causa se non gli lascio niente?». Oppure: «Ma perché non posso regalare il mio patrimonio a chi voglio già adesso?».

Io mi fermo, mi districo dai fiori, mi asciugo la faccia e cerco di pensare a una risposta intelligente. Di solito lei ha già cambiato discorso e vuol sapere perché le azalee laggiù non crescono bene.

Ho affrontato l'argomento diverse volte mentre prendevamo il caffè nel patio, ma si innervosisce e si agita. Ha una salutare diffidenza per gli avvocati.

Sono riuscito ad accertare alcuni fatti. Si è sposata davvero una seconda volta con un certo Anthony Murdine. Il matrimonio è durato quasi cinque anni, fino a quando lui è morto ad Atlanta quattro anni fa. A quanto risulta, il signor Murdine morendo ha lasciato un patrimonio cospicuo, ma ci sono state molte controversie e di conseguenza il tribunale della contea di De Kalb, Georgia, ordinò di mettere i sigilli alla pratica. È tutto ciò che ho scoperto. Mi propongo di parlare con qualcuno degli avvocati che si sono occupati dell'asse ereditario.

La signora Birdie vuole parlare, conferire con me. La fa sentire importante di fronte ai suoi amici. Sediamo a un tavolino accanto al pianoforte, lontano dagli altri. E confabuliamo. Si direbbe che non ci vediamo da un mese.

«Devo sapere cosa fare con il suo testamento, signora Birdie» le dico. «E prima che possa redigerlo nel modo giusto, devo sapere qualcosa di più sul patrimonio.»

Si guarda intorno come se tutti stessero origliando. In realtà, la maggior parte di quei poveretti non potrebbe sentirci neppure se urlassimo. Si tende verso di me, si copre la bocca con la mano. «Non ci sono proprietà immobiliari, va bene? Azioni, fondi d'investimento, buoni del tesoro.»

Mi sorprende sentirla snocciolare in tono di familiarità questi tipi di investimenti. Il denaro dev'esserci, senza dubbio.

«Chi lo amministra?» chiedo. È una domanda superflua. Non fa nessuna differenza per il testamento e il patrimonio il fatto che lo amministri uno piuttosto di un altro.

«Uno studio di Atlanta.»

«Uno studio legale?» chiedo impaurito.

«Oh, no. Non lo affiderei mai agli avvocati. È una società di amministrazione fiduciaria. Il denaro è tutto in fondi vincolati. Io riceverò la rendita fino alla morte, poi la lascerò a chi voglio. Così ha stabilito il giudice.»

«Quant'è la rendita?»

«Be', questo non è affar suo, vero, Rudy?»

Vero, non è affar mio. Mi ha dato uno schiaffo sulla mano ma, secondo la migliore tradizione legale, cerco di coprirmi le spalle. «Potrebbe essere importante, invece. Per le tasse.»

«Non le ho chiesto di occuparsi delle mie tasse, o sbaglio? Per quelle ho un commercialista. Le ho chiesto soltanto di rifare il mio testamento e, santo cielo, sembra che sia al di sopra delle sue capacità.»

Bosco si avvicina all'altra estremità del tavolo e ci sorride. Gli mancano quasi tutti i denti. La signora Birdie lo esorta con garbo ad andare a giocare per qualche minuto. È straordinariamente cortese con questa gente.

«Preparerò il testamento come vuole, signora Birdie» dico in tono severo. «Ma lei deve decidersi.»

Raddrizza la schiena, respira in modo drammatico e stringe i denti finti. «Mi lasci il tempo di pensarci.»

«Bene. Però tenga presente questo. Nel testamento attuale ci sono troppi dettagli che non le piacciono. Se le capitasse qualcosa...»

«Lo so, lo so.» S'interrompe e agita le mani. «Non mi faccia prediche. Ho fatto testamento venti volte negli ultimi vent'anni. So tutto.»

Bosco piange accanto alla cucina, e lei corre a confortarlo. Booker, per fortuna, sta terminando le consultazioni. Il suo ultimo cliente è il vecchio con cui ha parlato a lungo durante la prima visita. Si capisce che non è molto soddisfatto del riepilogo che Booker ha preparato sul suo caso complicatissimo e a un certo punto sento Booker dire, mentre cerca di scappare: «Be', è gratis, cosa pretende?».

Andiamo a salutare la signora Birdie e ce ne andiamo in fretta. I Problemi legali degli anziani sono ormai storia antica. Fra pochi giorni termineranno le lezioni.

Dopo aver odiato per tre anni la facoltà di legge, stiamo per essere liberati. Una volta ho sentito un avvocato dire che occorre qualche anno perché le sofferenze e l'infelicità dello studio svaniscano e, come succede per tante altre cose della vita, restino soltanto i bei ricordi. Sembrava addirittura malinconico mentre rievocava i giorni gloriosi della sua istruzione legale.

Non riesco a immaginare il momento della mia vita in cui ripenserò agli ultimi tre anni e dichiarerò che dopotutto sono stati piacevoli. Forse riuscirò a ricordare qualche momento luminoso del tempo trascorso con gli amici, le chiacchierate con Booker, le ore passate a servire al banco di Yogi's, e altre cose che adesso mi sfuggono. E sono sicuro che io e Booker rideremo dei cari vecchietti dei Cypress Gardens e della fiducia che avevano riposto in noi.

Forse un giorno sarà divertente.

Propongo di andare a farci una birra da Yogi's. Offro io. Sono le due e piove: il momento ideale per sederci a un tavolo e sprecare un pomeriggio. Può essere la nostra ultima occasione.

Booker vorrebbe accettare, ma lo aspettano in ufficio fra un'ora. Marvin Shankle gli sta facendo preparare una memoria che lunedì dovrà essere presentata in tribunale. Passerà il fine settimana sepolto in biblioteca.

Shankle lavora sette giorni la settimana. Il suo studio è stato uno dei pionieri delle cause per i diritti civili qui a Memphis, e adesso si gode il frutto del suo impegno. Ci sono ventidue avvocati, tutti negri, per metà donne, e tutti si sforzano di essere all'altezza dei brutali orari di lavoro imposti da Shankle. Le segretarie fanno i turni, quindi ce ne sono sempre almeno tre a disposizione in qualunque momento della giornata. Per Booker Shankle è un dio, e so già che fra poche settimane anche lui lavorerà la domenica.

Mi sento un rapinatore di banche mentre giro in macchina per i sobborghi a caccia di studi legali e tento di capire dove può essere più facile concludere qualcosa. Trovo quello che sto cercando in un moderno palazzo di quattro piani, tutto vetrate e pietra. È in East Memphis, lungo una trafficata via di scorrimento che parte dal centro, procede verso ovest e arriva al fiume. I bianchi sono giunti fin qui.

Nello studio ci sono quattro avvocati, tutti sui trentacinque anni, tutti usciti dalla Statale di Memphis. Ho sentito dire che erano amici all'università, erano andati a lavorare per diversi grandi studi sparsi per la città, ma si erano trovati a disagio in quell'atmosfera di pressione perpetua e si erano messi insieme per esercitare con un po' di calma. Ho visto la loro pubblicità sulle pagine gialle, un paginone intero che a quanto si dice costa quattromila dollari al mese. Si occupano di tutto, dai divorzi alle proprietà immobiliari all'urbanistica, ma naturalmente i caratteri più vistosi dell'annuncio sono quelli che parlano di LESIONI PERSONALI.

Indipendentemente dalla sua vera specializzazione, molto spesso un avvocato proclama di avere grande competenza nel campo delle lesioni personali. Per la stragrande maggioranza di coloro che non hanno clienti fissi ai quali conteggiare in eterno le ore di lavoro, l'unica speranza di guadagnare bene consiste nel difendere gli interessi di persone uccise o ferite. Si tratta quasi sempre di denaro facile. Prendete un tale ferito in un incidente d'auto in cui l'altro guidatore sia in torto e abbia un'assicurazione. Sta all'ospedale per una settimana con una gamba fratturata e ci rimette lo stipendio. Se l'avvocato riesce a contattarlo prima dell'incaricato dell'assicurazione, può ottenergli un risarcimento di cinquantamila dollari. Dedica un po' di tempo alle pratiche burocratiche, ma di solito non è costretto a far causa. Investe al massimo trenta ore di lavoro e incassa circa quindicimila dollari, il che corrisponde a cinquecento dollari l'ora.

È un lavoro magnifico, se riesci a metterci le mani sopra. Ecco perché quasi tutti gli avvocati che compaiono sulle pagine gialle di Memphis lanciano appelli alle vittime di lesioni. Non è necessario avere esperienza di dibattimenti in aula: il novantacinque per cento dei casi si conclude con una transazione. Il difficile è convincere il potenziale assistito a firmare la procura.

A me la loro pubblicità non interessa. M'interessa soltanto convincerli ad assumermi. Resto seduto in macchina per qualche istante mentre la pioggia batte sul parabrezza. Preferirei prendere dei pugni, piuttosto che entrare nello studio, sorridere con calore all'impiegata, chiacchierare del più e del meno come un piazzista a domicilio e mettere in atto il mio trucco più recente per riuscire a superarla e a parlare con uno dei suoi capi.

Non posso credere di essere caduto così in basso.

11

Con la scusa che devo presentarmi a colloqui in diversi studi legali, non partecipo alla cerimonia di consegna delle lauree. Lo dico a Booker, ma non ci crede. Sa che non faccio altro che bussare e distribuire il mio curriculum in tutta la città.

È l'unica persona al mondo che ci tiene a vedermi in tocco e toga alla cerimonia. L'idea che non ci sarò lo delude. Mia madre e Hank sono accampati chissà dove nel Maine e guardano il fogliame che diventa verde. Ho parlato con mia madre un mese fa, e non ha idea di quando finirò gli studi.

Ho sentito dire che la cerimonia è di una noia mortale, con una quantità di discorsi di vecchi giudici verbosi che esortano i neolaureati ad amare la legge, considerarla una professione onorevole, rispettarla come un'amante gelosa, rinverdirne l'immagine offuscata da coloro che ci hanno preceduti. Ad nauseam. Preferisco starmene tranquillo da Yogi's ad ascoltare Prince che disserta sulle corse delle capre.

Booker andrà alla cerimonia con la famiglia, Charlene e i figli, genitori e suoceri, vari nonni, zii, cugini. Il clan Kane sarà un gruppo formidabile. Ci saranno lacrime e fotografie in abbondanza. È stato il primo della famiglia a terminare il college e il fatto che adesso abbia finito anche gli studi di legge è motivo di un orgoglio sconfinato. Sono tentato di mimetizzarmi tra la folla per osservare i suoi genitori quando riceverà la laurea. Probabilmente piangerei come loro.

Non so se la famiglia di Sara Plankmore prenderà parte ai festeggiamenti, ma è un rischio che vorrei evitare. Non sopporto l'idea di vederla sorridere davanti all'obiettivo a fianco del fidanzato, S. Todd Wilcox. Metterà un abito abbondante, perciò sarà difficile notare la gravidanza. Ma io la fisserei. Nonostante tutti gli sforzi, non riuscirei a staccarle gli occhi dalla pancia.

Meglio evitare la cerimonia. Madeline Skinner mi ha confidato due giorni fa che tutti gli altri laureati hanno trovato un posto. Molti si sono rassegnati ad accettare meno di quanto avrebbero voluto. Almeno quindici si metteranno in proprio, apriranno piccoli studi dichiarandosi pronti a scendere in campo in difesa dei futuri clienti. Si sono fatti fare prestiti da genitori e zii e hanno preso in affitto modesti uffici arredati. Madeline ha le statistiche. Sa come finiranno tutti quanti. Non è pensabile che vada a sedermi in tocco e toga in mezzo a centoventi colleghi, tutti a conoscenza del fatto che io, Rudy Baylor, sono l'unico idiota disoccupato del mio corso. Tanto varrebbe indossare una toga rosa e un tocco al neon. Meglio lasciar perdere.

Ieri sono andato a ritirare il diploma.

La cerimonia ha inizio alle due del pomeriggio, e proprio a quell'ora entro nello studio legale di Jonathan Lake. Sarà il mio primo bis. Sono venuto un mese fa e ho consegnato timidamente il curriculum all'impiegata. Questa visita sarà diversa. Ho un piano.

Ho fatto qualche ricerca sullo studio Lake, com'è chiamato abitualmente. Dato che il signor Lake preferisce non spartire la sua ricchezza, non ha soci. Ha dodici avvocati che lavorano per lui; sette sono associati e si occupano delle cause in tribunale, cinque sono più giovani e si occupano delle altre pratiche. I sette associati che vanno in aula sono capaci ed efficienti. Ognuno ha a disposizione una segretaria e un paralegale, e a sua volta il paralegale ha una segretaria. Ogni gruppetto è chiamato "unità di combattimento" e lavora indipendentemente dagli altri: solo Jonathan Lake interviene ogni tanto e assume il ruolo decisivo. Sceglie i casi che vuole, soprattutto quelli che possono spuntare risarcimenti astronomici. Gli piace portare in tribunale gli ostetrici per danni provocati ai neonati e di recente ha guadagnato un patrimonio in una causa imperniata sulla tossicità dell'amianto.

Ogni associato gestisce il suo staff, può assumere e licenziare e ha la responsabilità di cercare nuovi casi. Ho sentito dire che circa l'ottanta per cento dell'attività dello studio viene girata loro da altri avvocati, quelli che battono le strade e si occupano soprattutto di proprietà immobiliari e ogni tanto si imbattono in un cliente che ha subito lesioni. Il reddito di uno di questi associati è determinato da diversi fattori, incluso il numero delle cause nuove che porta allo studio.

Barry X. Lancaster è un giovane astro nascente dello studio. È stato da poco promosso ai dibattimenti in tribunale ed è riuscito a far condannare un medico dell'Arkansas a un risarcimento di due milioni di dollari proprio lo scorso Natale. Ha trentaquattro anni, è divorziato, vive in ufficio e ha studiato anche lui alla Statale di Memphis. Mi sono informato sul suo conto e ho saputo che sta cercando un paralegale. Ho visto l'annuncio sul "Daily Record". Se non posso cominciare come avvocato, cosa c'è di male se divento paralegale? Un giorno, quando mi sarò affermato e avrò un grande studio tutto mio, la cosa farà sensazione: il giovane Rudy non riusciva a trovare un posto e quindi cominciò sbrigando la corrispondenza di Jonathan Lake. E adesso guardatelo.

Ho appuntamento alle due con Barry X. L'impiegata mi guarda sorpresa, ma lascia perdere. Non credo che mi abbia riconosciuto dalla visita precedente. Da quel giorno sono andate e venute mille persone. Siedo su un divano di pelle, mi trincero dietro una rivista e ammiro i tappeti persiani, il parquet pregiato e le travature del soffitto. Lo studio ha sede in un ex magazzino presso il quartiere dei medici. Si dice che Lake abbia speso tre milioni di dollari per ristrutturare e arredare questo monumento a se stesso. Ho letto articoli in proposito su due riviste.

Pochi minuti dopo una segretaria mi conduce in un labirinto di vestiboli e pianerottoli fino a un ufficio al piano di sopra. Sotto c'è una biblioteca aperta senza muri e divisori: vedo solo file e file di libri. A un lungo tavolo siede uno studioso solitario circondato da numerosi trattati e perduto in una marea di tesi contraddittorie.

L'ufficio di Barry X. è lungo e stretto, con pareti di mattoni a vista e pavimento che scricchiola. È abbellito da accessori e oggetti antichi. Ci stringiamo la mano e sediamo. È magro e in forma, e ricordo di aver visto sul paginone della rivista le foto della palestra che il signor Lake ha fatto installare per i suoi collaboratori. Ci sono anche una sauna e un bagno turco.

Barry è indaffaratissimo: senza dubbio deve andare a una riunione strategica con la sua unità per preparare una causa importante. Il telefono è piazzato in modo che posso vedere le spie luminose lampeggiare furiosamente. Tiene le mani immobili ma non può fare a meno di sbirciare l'orologio.

«Mi parli del suo caso» dice dopo i brevi preliminari. «Riguarda un risarcimento rifiutato da un'assicurazione?» Si è già insospettito perché porto giacca e cravatta: non sono il tipo del cliente abituale.

«Ecco, per la precisione sono venuto in cerca di un posto» rispondo audacemente. Al massimo può dirmi di andarmene. Cos'ho da perdere?

Fa una smorfia e prende un foglio. Quell'accidenti di segretaria ha sbagliato di nuovo.

«Ho visto sul "Daily Record" il suo annuncio per un paralegale.»

«Allora è un paralegale?» chiede brusco.

«Potrei diventarlo.»

«Cosa diavolo significa?»

«Ho studiato tre anni alla facoltà di legge.»

Mi scruta per cinque secondi, poi scuote la testa e lancia un'altra occhiata all'orologio. «Ho molto da fare. Consegni la domanda di assunzione alla mia segretaria.»

Mi alzo di scatto e mi sporgo verso di lui. «Ascolti la mia proposta» dico in tono teatrale mentre lui solleva la testa, stupito. Gli tengo il solito discorsetto: sono sveglio, sono motivato e mi sono classificato fra i migliori del mio corso; avevo già un posto da Brodnax e Speer ma ho preso una fregatura. Sparo con vigore. Tinley Britt, il mio odio per i grandi studi legali. Mi accontento di poco, e mi va bene qualunque posto pur di cominciare. Ho veramente bisogno di un lavoro. Continuo senza interruzioni per un paio di minuti, quindi torno a sedermi.

Lui rimugina per un po' e si mordicchia un'unghia. Non capisco se è interessato o incazzato.

«Sa cosa mi irrita?» dice alla fine. È evidente che non è molto interessato.

«Lo so. Quelli come me che sparano palle per poter tornare e chiedere un posto. È questo che la infastidisce. Non le posso dare torto. Mi scoccerei anch'io, ma mi passerebbe, capisce? Direi: ecco, questo sta per diventare avvocato ma invece di pagargli quarantamila bigliettoni, posso assumerlo per fare il lavoro di manovalanza, diciamo, per ventiquattromila.»

«Ventunmila.»

«Accetto» dico. «Per ventunmila dollari comincio domani. Lavorerò tutto l'anno per lo stesso stipendio. Le prometto che per dodici mesi non me ne andrò, indipendentemente dal fatto che superi o no l'esame di ammissione all'ordine. Niente vacanze. Ha la mia parola. Sono pronto a firmare il contratto.»

«Un paralegale, qui, deve avere cinque anni d'esperienza. È uno studio importante.»

«Imparerò presto. L'estate scorsa ho lavorato per uno studio del centro.»

Lui ha capito che qualcosa non va. Sono entrato con i cannoni carichi e gli ho teso un'imboscata. È evidente che l'ho fatto già altre volte perché ho la risposta pronta per ogni obiezione.

Non mi fa molta pena. Può sempre ordinarmi di uscire.

«Ne parlerò con il signor Lake» dice. È la prima, piccola concessione. «Ha regole molto precise per quel che riguarda il personale. E io non sono autorizzato ad assumere un paralegale che non corrisponda ai requisiti»

«Capisco» dico mestamente. Un altro calcio nei denti. Ormai mi sono abituato. Ho scoperto che gli avvocati, per quanto abbiano da fare, provano una simpatia innata per i neolaureati che non trovano lavoro. Una simpatia limitata.

«Forse dirà di sì, e in questo caso lei avrà il posto.» Dice così per scaricarmi con le buone.

«C'è un'altra cosa» continuo, facendomi coraggio. «Ho già un caso. Molto promettente.»

Si insospettisce. «Che genere di caso?» domanda.

«Malafede da parte di un'assicurazione.»

«Il cliente è lei?»

«No, io sono l'avvocato. Mi è capitato per caso.»

«Quanto può valere?»

Gli porgo un riepilogo di due pagine sul caso Black, debitamente modificato perché appaia più sensazionale. Ho lavorato diverso tempo su questa sinossi: l'ho ritoccata ogni volta che qualche avvocato l'ha letta e mi ha detto di no.

Barry X. la legge attentamente, più attentamente di quanto abbiano fatto gli altri finora. La rilegge mentre io ammiro le pareti di mattoni e sogno di avere un ufficio come il suo.

«Non male» sentenzia quando ha finito. Ha una certa luce negli occhi e penso che sia più interessato di quanto lascia capire. «Mi faccia indovinare. Lei vuole un posto e una fetta di quanto può eventualmente rendere questo caso.»

«No. Voglio soltanto il posto. Il caso è suo. Mi piacerebbe lavorarci e dovrò trattare con il cliente. Ma l'onorario sarà tutto suo.»

«Una parte dell'onorario. Il signor Lake incassa quasi tutto.» Lo dice con un sorriso.

In tutta sincerità, a me non interessa come si spartiscono i soldi. Voglio soltanto un posto. Il pensiero di lavorare per Jonathan Lake in questo ambiente lussuoso mi fa venire le vertigini.

Ho deciso di tenermi la signora Birdie. Come cliente non promette molto perché non spende un centesimo in avvocati. Con ogni probabilità vivrà fino a centoventi anni, quindi non posso usarla come carta risolutiva. Sono sicuro che ci sono avvocati abilissimi in grado di mostrarle tutti i modi possibili per pagarli, ma allo studio Lake non interesserebbe. Qui sono specializzati in cause. Non si occupano di redigere testamenti e di verificare l'asse patrimoniale.

Mi alzo di nuovo. Gli ho portato via anche troppo tempo. «Mi ascolti» dico con tutta la sincerità possibile, «so che ha molto da fare. Ma io sono quello che dico di essere. Può informarsi in facoltà. Telefoni a Madeline Skinner, se vuole.»

«Madeline la Matta... c'è ancora?»

«Sì, e in questo momento è la mia migliore amica. Garantirà per me.»

«Lo farò. Mi metterò in contatto con lei al più presto possibile.»

Lo farà.

Perdo due volte la strada mentre cerco la porta principale.

Nessuno mi sorveglia, quindi prendo tempo, ammiro i grandi uffici sparsi nell'ex magazzino. A un certo punto mi fermo accanto alla biblioteca e alzo lo sguardo verso tre piani di ballatoi e strette gallerie. Non ci sono due uffici che si somiglino. Le sale riunioni sono inserite qua e là. Segretarie, impiegate e fattorini si muovono in silenzio sui pavimenti di pino.

Sarei disposto a lavorare qui anche per molto meno di ventunmila dollari l'anno.

Parcheggio in sordina dietro la Cadillac e scendo dalla macchina senza far rumore. Non ho nessuna voglia di trapiantare i crisantemi. Giro in punta di piedi intorno alla casa e mi trovo davanti una montagna di enormi sacchi di plastica bianca. Sono dozzine. Pacciame di corteccia di pino, a tonnellate. Ogni sacco pesa quarantacinque chili. Ora ricordo che qualche giorno fa la signora Birdie ha parlato di ripacciamare tutte le aiole, ma non avevo idea che si trattasse di questo.

Sfreccio verso la scala che porta al mio appartamento, ma mentre sto per arrivarci ecco che mi chiama: «Rudy, Rudy caro, venga a prendere il caffè». È ferma accanto al monumento di sacchi e sfoggia un gran sorriso con quei denti gialli e grigi. È veramente felice che sia tornato. È quasi buio e le piace prendere il caffè nel patio mentre il sole scompare.

«Certo» rispondo. Appoggio la giacca sulla ringhiera e mi tolgo la cravatta.

«Come va, caro?» cinguetta. Ha cominciato a chiamarmi "caro" circa una settimana fa. Adesso è "caro questo" e "caro quello".

«Bene. Sono stanco. Mi fa male la schiena.» Sono diversi giorni che alludo al mal di schiena, ma finora non ci ha mai fatto caso.

Prendo la solita sedia mentre lei, in cucina, prepara la sua esiziale bevanda. È pomeriggio inoltrato, le ombre scendono sul prato dietro la casa. Conto i sacchi di pacciame: in file di otto per quattro, e otto in altezza. Sono duecentocinquantasei. A quarantacinque chili per sacco, in totale sono più di undicimilacinquecento chili di pacciame da spargere. E dovrò spargerlo io.

Beviamo il caffè. Io lo sorbisco a piccoli sorsi e lei vuol sapere cosa ho fatto oggi. Mento e dico che ho parlato con diversi avvocati a proposito di varie cause e poi ho studiato per l'esame di ammissione all'ordine. E domani sarà lo stesso. Tanto, tanto da fare: problemi da avvocati. Non ho certo il tempo di trasportare una tonnellata di pacciame.

Siamo rivolti tutti e due verso i sacchi bianchi, ma nessuno li guarda. E io evito di guardare negli occhi la signora Birdie.

«Quando comincerà a lavorare come avvocato?» mi chiede.

«Non lo so con certezza» rispondo. Poi spiego per la decima volta che nelle prossime settimane dovrò studiare moltissimo, mi seppellirò nei libri in facoltà, e spero di superare l'esame di ammissione all'ordine. Finché non l'avrò superato, non potrò esercitare la professione.

«Che bella cosa!» commenta, e rimane assorta per un momento. «Davvero, dobbiamo cominciare la pacciamatura» dice, indicando con la testa e con gli occhi.

Per un momento non so cosa rispondere. Poi: «Certo che è tanto».

«Oh, non sarà un problema. Le darò una mano.»

Questo significa che indicherà con il badile e continuerà a snocciolare una serie interminabile di chiacchiere.

«Sì, be', magari domani. Ormai è tardi e ho avuto una giornata faticosa.»

Riflette per un secondo. «Speravo che potessimo cominciare questo pomeriggio» dice. «L'aiuterò io.»

«Non ho ancora cenato» ribatto.

«Le preparo un sandwich» propone pronta. Per la signora Birdie un sandwich consiste in una fettina trasparente di tacchino preconfezionato fra due fette sottili di pane bianco senza grassi. Neppure una goccia di senape o di maionese. Neppure l'ombra di lattuga o formaggio. Ce ne vorrebbero quattro solo per attenuare un po' le fitte della fame.

Si alza e si avvia verso la cucina mentre squilla il telefono. Non ho ancora una linea separata nel mio appartamento, anche se me l'aveva promessa entro due settimane. Per ora ho solo una derivazione, e ciò significa totale mancanza di riservatezza per le mie telefonate. Lei mi ha chiesto di limitare al minimo le chiamate perché ha bisogno di averlo sempre a disposizione. Ma suona molto di rado.

«Per lei, Rudy» mi grida dalla cucina. «È un avvocato.»

È Barry X. Dice che ha parlato con Jonathan Lake e che possiamo proseguire il discorso. Mi chiede se posso andare subito nel suo ufficio, perché tanto si ferma a lavorare tutta la sera. E vuole che porti la pratica. Vuol vedere l'intera pratica del mio caso di malafede.

Mentre parliamo, adocchio la signora Birdie che prepara con cura un sandwich al tacchino e quando riattacco lo sta tagliando in due.

«Devo scappare, signora Birdie» annuncio in fretta. «C'è una novità. Devo vedere questo avvocato per un caso importante.»

«E la pacciamatura...?»

«Mi dispiace. La farò domani.» La lascio lì in piedi, con mezzo sandwich per mano e l'espressione delusa, come se non potesse credere che non cenerò con lei.

Barry viene ad aprirmi la porta che è chiusa a chiave anche se nello studio c'è ancora molta gente al lavoro. Lo seguo nel suo ufficio e il mio passo è un po' più svelto di quanto lo sia stato per molti giorni. Non posso fare a meno di ammirare i tappeti, le librerie e gli oggetti d'arte e penso che sto per diventare parte di questo mondo. Io, membro dello studio legale Lake, il più grande fra quelli che si occupano di cause in tribunale.

Mi offre un panino dolce avanzato dalla sua cena. Spiega che mangia alla scrivania tre pasti al giorno. Ricordo che è divorziato, e ora capisco perché. Non ho fame.

Mette in funzione il registratore e piazza il microfono sul bordo della scrivania più vicino a me. «Registreremo tutto. E domani lo farò battere a macchina dalla mia segretaria. Va bene?»

«Benissimo» rispondo. Va bene qualunque cosa.

«L'assumerò come paralegale per dodici mesi. Lo stipendio sarà ventunmila dollari l'anno, pagabile in dodici ratei di eguale importo il quindici di ogni mese. Non avrà diritto all'assicurazione sanitaria e ad altre indennità accessorie prima di aver lavorato qui per un anno. Al termine dei dodici mesi, valuteremo il nostro rapporto e in quell'occasione esamineremo la possibilità di assumerla come avvocato anziché come paralegale.»

«Benissimo.»

«Avrà un ufficio e assumeremo una segretaria che l'aiuterà. L'orario minimo è sessanta ore la settimana, a partire dalle otto del mattino fino a quando sarà. Nessuno degli avvocati dello studio lavora meno di sessanta ore settimanali.»

«Non è un problema.» Sarei disposto a lavorarne anche novanta. Servirà a tenermi lontano dalla signora Birdie e dal suo pacciame di corteccia di pino.

Barry controlla con cura gli appunti. «E noi diventeremo il collegio di difesa del... uh, come si chiama quel caso?»

«Black. Black contro Great Eastern.»

«Bene. Noi rappresenteremo i Black contro la Great Eastern Life Insurance Company. Lei lavorerà alla pratica ma non avrà diritto agli onorari, se ci saranno.»

«È giusto.»

«Le viene in mente altro?» chiede Barry parlando in direzione del microfono.

«Quando comincio?»

«Subito. Vorrei poter esaminare il caso questa notte, se ha tempo.»

«Certamente.»

«Nient'altro?»

Deglutisco con un certo sforzo. «All'inizio del mese ho presentato istanza di insolvenza. È una storia lunga.»

«Lo sono tutte. Articolo sette o tredici?»

«Sette.»

«Allora non intaccherà il suo assegno mensile. Inoltre studierà per gli esami di ammissione nel tempo libero, d'accordo?»

«D'accordo.»

Spegne il registratore e mi offre di nuovo un panino. Lo rifiuto. Lo seguo giù per una scala a spirale fino a una piccola biblioteca.

«Qui è facile perdersi» dice Barry.

«Incredibile» commento girando meravigliato lo sguardo sul labirinto di stanze e corridoi.

Sediamo a un tavolo e cominciamo a disporre davanti a noi

la documentazione del caso Black. Mi sembra favorevolmente impressionato dalla mia capacità organizzativa. Chiede i documenti, e io li trovo subito. Vuol sapere date e nomi. Li so a memoria. Faccio copie di tutto: una per la sua pratica, una per la mia.

Ho tutto, tranne la procura dei Black. Mi sembra sorpreso, e gli spiego in quale circostanza mi sono trovato a rappresentarli.

Dovremo farci dare la procura, dice Barry più di una volta.

Esco dopo le dieci. Mi sorprendo a sorridere nello specchietto retrovisore mentre attraverso la città. Domattina telefonerò subito a Booker per dargli la notizia. Poi porterò un mazzo di fiori a Madeline Skinner per ringraziarla.

Sarà un posto umile, ma non potrò far altro che salire. Datemi un anno di tempo e guadagnerò più di Sara Plankmore e S. Todd e N. Elizabeth e F. Franklin e cento altri stronzi che ho evitato durante l'ultimo mese. Datemi solo un po' di tempo.

Mi fermo da Yogi's a bere qualcosa con Prince. Gli dò la meravigliosa notizia e lui mi abbraccia come un orso sbronzo. Dice che gli dispiace che me ne vada. E io gli dico che mi piacerebbe restare ancora un mese e magari lavorare anche durante i fine settimana fino al termine dell'esame d'ammissione. A lui va bene.

Vado a sedere in solitudine in un séparé in fondo al locale, bevo una birra fresca e giro lo sguardo sui pochi presenti. Non mi vergogno più. Per la prima volta dopo parecchie settimane non sono oppresso dall'umiliazione. Sono pronto a entrare in azione, pronto a iniziare la carriera. Sogno che un giorno affronterò Loyd Beck in un'aula di tribunale.

12

Da quando ho cominciato a esaminare i casi e il materiale che mi ha dato Max Leuberg, non ho fatto altro che meravigliarmi di tutto ciò che tante ricchissime assicurazioni hanno combinato per fregare la gente comune. Per un dollaro sono disposte a imbrogliare, a mettere in atto gli intrighi più sporchi. E mi sono stupito nel vedere quanto pochi siano gli assicurati che hanno fatto causa. Molti di loro non consultano neppure un avvocato. Gli si fa notare le clausole incomprensibili, gli addenda e le appendici dei contratti e si convincono che sbagliavano quando pensavano di essere protetti dalla polizza. Uno studio stima che meno del cinque per cento dei rifiuti di risarcimento in malafede è stato visto da un avvocato. Chi si assicura con queste polizze di solito non è istruito. Spesso ha paura degli avvocati non meno che delle assicurazioni. La sola idea di entrare in un tribunale per testimoniare davanti a un giudice basta per indurre al silenzio.

Io e Barry Lancaster impieghiamo quasi due giorni interi per studiare la pratica Black. Nel corso degli anni lui si è occupato di diversi casi di malafede, con risultati piuttosto vari. Ripete spesso che a Memphis le giurie sono così conservatrici che è difficile ottenere un verdetto equo. È un discorso che sento da tre anni. Per essere una città del Sud, Memphis presenta una forte presenza sindacale, e di solito le città dove i sindacati sono influenti producono verdetti consistenti a favore di chi agisce in giudizio. Ma per qualche ragione sconosciuta, qui capita di rado. Jonathan Lake ha ottenuto un certo numero di verdetti milionari, ma adesso preferisce intentare questo genere di cause negli altri stati.

Devo ancora conoscere il signor Lake. È chissà dove per una causa molto importante e non pensa certo a incontrarsi con l'ultimo assunto.

Il mio ufficio provvisorio è in una piccola biblioteca su un soppalco affacciato sul primo piano. Ci sono tre tavoli rotondi e otto scaffali di testi, tutti riguardanti casi di negligenza da parte di medici. Durante il mio primo giorno di lavoro, Barry mi ha mostrato un bell'ufficio in fondo al corridoio dove c'è il suo e mi ha spiegato che diventerà mio tra un paio di settimane. Ha bisogno di una mano di pittura e c'è qualcosa che non va nell'impianto elettrico. Cosa si può pretendere da un magazzino? mi ha chiesto più di una volta.

Non ho conosciuto nessun altro dello studio. Sono sicuro che è così perché sono soltanto un paralegale, non un avvocato. Non sono qualcosa di nuovo o di speciale. I paralegali vanno e vengono.

Hanno tutti parecchio da fare e non c'è un grande cameratismo. Barry parla poco degli altri avvocati e ho la netta impressione che ogni piccola unità di combattimento stia molto sulle sue. E ho anche la sensazione che lavorare sotto la supervisione di Jonathan Lake non sia molto divertente.

Ogni mattina Barry arriva in ufficio alle otto in punto e io ho deciso di aspettarlo alla porta d'ingresso finché non avrò la chiave. Forse ci vorranno settimane, ha detto. E una macchina della verità.

Mi ha parcheggiato nel soppalco, mi ha dato le istruzioni ed è andato nel suo ufficio. Durante i primi due giorni, ogni due ore è venuto a vedere cosa stavo facendo. Ho copiato tutto il materiale della pratica Black. A sua insaputa, ho fatto fotocopie anche per me, e me le sono portate a casa al termine del secondo giorno, infilate nella bella borsa nuova che mi ha regalato Prince.

Ho seguito le direttive di Barry e ho preparato la bozza di una lettera piuttosto severa per la Great Eastern, nella quale ho esposto tutti i fatti pertinenti e i relativi misfatti compiuti dalla società. Quando la segretaria ha finito di batterla a macchina, era di quattro pagine. Barry ha effettuato un intervento chirurgico radicale e mi ha rimandato nel mio angolo. È molto orgoglioso della sua capacità di condensare gli argomenti.

Durante una pausa, il terzo giorno, ho trovato finalmente il coraggio di chiedere alla segretaria come procedeva la stesura del mio contratto di lavoro. Era molto occupata, ma ha promesso che avrebbe controllato.

Alla fine del terzo giorno, io e Barry abbiamo lasciato il suo ufficio poco dopo le nove. Avevamo ultimato la lettera per la Great Eastern, un capolavoro di tre pagine da spedire per raccomandata con ricevuta di ritorno. Barry non parla mai della vita fuori dall'ufficio. Ho proposto di andare a farci una birra e un sandwich, ma si è affrettato a declinare l'invito.

Sono andato da Yogi's per uno spuntino. Il locale era pieno di ragazzi di varie confraternite studentesche, tutti sbronzi, e Prince in persona serviva al banco. La cosa non lo entusiasmava. L'ho sostituito e gli ho detto di andare a giocare al buttafuori. Ne è stato felice.

Però è andato al tavolo preferito dove il suo avvocato, Bruiser Stone, fumava una Camel dietro l'altra e raccoglieva scommesse per un incontro di pugilato. Quella mattina Bruiser era riapparso sul giornale per dichiarare che non sapeva niente di niente. La polizia ha trovato un cadavere in un cassonetto dietro un locale topless, un paio di anni fa. Il defunto era un delinquente del luogo, proprietario di una fetta del giro porno della città, ed evidentemente voleva inserirsi anche nei locali delle tette al vento. Aveva messo i piedi nel territorio sbagliato con le intenzioni sbagliate, e ci aveva rimesso le penne. Bruiser non farebbe mai una cosa del genere, ma la polizia sembra piuttosto sicura che lui sappia chi è stato.

In questi ultimi tempi è venuto spesso da Yogi's a confabulare sottovoce con Prince.

Grazie a Dio ho trovato un lavoro. Mi ero quasi rassegnato all'idea di chiedere un posto a Bruiser.

Oggi è venerdì, il quarto giorno del mio impiego presso lo studio Lake. Ho detto a diverse persone dove lavoro, ed è piacevole il modo in cui butto là quel nome. Ha un suono appagante. Nessuno ha bisogno di chiedere precisazioni. Basta che lo nomini perché tutti pensino al vecchio, magnifico magazzino sede del grande Jonathan Lake e della sua schiera di avvocati battaglieri.

C'è mancato poco che Booker si mettesse a piangere. Ha comprato bistecche e una bottiglia di vino analcolico. Charlene ha cucinato e abbiamo festeggiato fino a mezzanotte.

Non avevo previsto di svegliarmi prima delle sette, questa mattina, ma sento scuotere fragorosamente la porta dell'appartamento. È la signora Birdie che squassa la maniglia e chiama: «Rudy! Rudy!».

Apro, e lei entra a passo di carica. «Rudy, è sveglio?» Mi squadra nella piccola cucina. Indosso calzoncini da ginnastica e una T-shirt, nulla di indecente. Ho appena aperto gli occhi, ho i capelli spettinati. Sono sveglio... o quasi.

È appena sorto il sole ma lei ha già il grembiule sporco di terriccio e le scarpe infangate. «Buongiorno» le dico, sforzandomi di nascondere l'irritazione.

Sfoggia il solito sorriso giallo e grigio. «L'ho svegliata?» cinguetta.

«No, mi stavo appunto alzando.»

«Bene. Dobbiamo metterci al lavoro.»

«Al lavoro? Ma...»

«Sì, Rudy. Ha dimenticato il pacciame per troppo tempo ed è ora di darsi da fare. Marcirà tutto se non ci sbrighiamo.»

Sbatto gli occhi e cerco di concentrare la vista. «Oggi è venerdì» mormoro in tono incerto.

«No, è sabato» scatta lei.

Ci guardiamo in faccia per qualche secondo. Dò un'occhiata all'orologio. È un'abitudine che ho preso dopo tre soli giorni di lavoro. «È venerdì, signora Birdie. Venerdì. Oggi devo andare in ufficio.»

«È sabato» ripete lei, ostinata.

Continuiamo a guardarci. Lei lancia un'occhiata ai miei calzoncini. Io scruto le sue scarpe fangose.

«Senta, signora Birdie» dico gentilmente «sono certo che oggi è venerdì e fra un'ora e mezzo devo essere in ufficio. Provvederemo alla pacciamatura questo fine settimana.» Ovviamente sto cercando di rabbonirla. Ho già deciso di essere alla mia scrivania anche domattina.

«Marcirà.»

«Non certo prima di domani.» Sarà vero che il pacciame nei sacchi può marcire? Non credo.

«Domani volevo curare le rose.»

«Bene, perché non si occupa delle rose oggi mentre io sono in ufficio? Domani metteremo il pacciame.»

Rimugina per qualche istante. Adesso mi fa pena. Curva le spalle e si rattrista. È difficile capire se si sente imbarazzata. «Promesso?» chiede docilmente.

«Promesso.»

«Aveva detto che avrebbe lavorato in giardino se le avessi fatto pagare poco d'affitto.»

«Sì, lo so.» Come potrei dimenticarlo? Me lo ha già rammentato una dozzina di volte.

«Bene, allora siamo d'accordo» dice come se avesse ottenuto quello che voleva. Va alla porta e scende la scala continuando a borbottare. Chiudo senza far rumore e mi domando a che ora verrà a chiamarmi domattina.

Mi vesto e vado in ufficio. C'è già mezza dozzina di macchine e il magazzino è parzialmente illuminato. Non sono ancora le sette. Aspetto in macchina finché ne arriva un'altra, e faccio in modo di raggiungere all'ingresso un uomo di mezza età. Tiene in mano una borsa e regge un bicchiere di caffè mentre cerca le chiavi.

Sembra sorpreso di vedermi. Questo non è un quartiere ad alta densità criminale, ma siamo pur sempre a Memphis e la gente è nervosa.

«Buongiorno» dico con calore.

«'giorno» grugnisce lui. «Posso esserle utile?»

«Sì, signore. Sono il nuovo paralegale di Barry Lancaster e sono venuto al lavoro.»

«Si chiama?»

«Rudy Baylor.»

Le sue mani si fermano per un momento. Aggrotta la fronte. Sporge il labbro inferiore e scuote la testa. «Non mi dice niente. Sono il capo del personale. Nessuno mi ha parlato di lei.»

«Sono stato assunto quattro giorni fa, lo giuro.»

Infila la chiave nella serratura mentre si guarda timorosamente alle spalle. Pensa che io sia un ladro o un assassino. Eppure porto giacca e cravatta e ho un'aria perbene.

«Mi dispiace ma il signor Lake ha regole molto precise per quanto riguarda la sicurezza. Nessuno può entrare prima dell'apertura al pubblico se non figura sul libro paga.» Entra quasi d'un balzo. «Dica a Barry di telefonarmi questa mattina» conclude sbattendomi la porta in faccia.

Non ho intenzione di star qui sui gradini in attesa che arrivi qualcun altro iscritto sul libro paga. Risalgo in macchina, percorro qualche isolato e mi fermo in un delicatessen dove compro il giornale del mattino, un panino dolce e un caffè. Passo un'ora respirando fumo di sigarette e ascoltando chiacchiere, poi torno al parcheggio. Le macchine, adesso, sono più numerose. Belle macchine. Macchine tedesche e altre, egualmente lustre, tutte importate. Scelgo con cura un posto accanto a una Chevrolet.

La receptionist mi ha visto andare e venire un paio di volte, ma finge di non conoscermi. Non ho intenzione di informarla che adesso sono un dipendente, proprio come lei. Chiama Barry che autorizza il mio ingresso nel labirinto.

Lui dev'essere in tribunale alle nove per discutere certe istanze per un caso di inaffidabilità di vari prodotti, quindi ha fretta. Sono deciso a discutere la questione della mia iscrizione sul libro paga, ma ho scelto male il momento. Posso aspettare un giorno o due. Barry sta infilando i fascicoli in una grossa borsa e per un momento mi viene l'idea di andare con lui in tribunale questa mattina.

Ma ha altri progetti. «Voglio che vada a parlare con i Black e torni con la procura firmata. Bisogna farlo subito.» Calca la voce sulla parola "subito", per farmi capire dove devo andare.

Mi passa una cartelletta smilza. «Qui c'è la procura. L'ho preparata ieri sera. Gli dia un'occhiata. Dev'essere firmata da tutti e tre i Black... Dot, Buddy e Donny Ray, dato che è maggiorenne.»

Annuisco, ma preferirei prendere un sacco di botte piuttosto che passare la mattina con i Black. Conoscerò finalmente Donny Ray: è un incontro che avevo sperato di rimandare all'infinito. «E poi?» chiedo.

«Sarò tutto il giorno in tribunale. Può trovarmi nell'aula del giudice Anderson.» In quel momento il suo telefono squilla e lui mi fa cenno di andare come se il mio tempo fosse scaduto.

L'idea di radunare i Black intorno al tavolo di cucina per fargli firmare la procura non mi attira. Sarei costretto a stare a vedere mentre Dot attraversa il giardino dietro la casa e raggiunge la Fairlane disastrata, inveisce per tutto il percorso e poi convince con le buone il vecchio Buddy a staccarsi dai suoi gatti e dal gin. Probabilmente lo farà scendere dalla macchina tirandolo per l'orecchio. Potrebbe essere molto spiacevole. Poi dovrò starmene seduto ad aspettare mentre Dot sparisce nelle stanze sul retro per preparare Donny Ray. E infine dovrò trattenere il respiro mentre lui viene a conoscere il suo avvocato.

Per evitare il più possibile tutto questo, mi fermo al telefono pubblico di una stazione di servizio della Gulf e chiamo Dot. È una vergogna. Lo studio Lake dispone degli apparecchi elettronici più moderni e io sono costretto a servirmi di un telefono a pagamento. Grazie al cielo, mi risponde Dot. Non so immaginare una conversazione telefonica con Buddy. Non credo che abbia un radiotelefono sulla Fairlane.

Come al solito Dot è sospettosa, ma accetta di parlarmi per qualche minuto. Non le raccomando di riunire il clan, ma insisto sulla necessità di avere le firme di tutti. E naturalmente le dico che ho molta fretta. Sono uscito per un momento dal tribunale, vede. E i giudici mi stanno aspettando.

I dobermann ringhiano dietro la rete metallica della casa accanto quando parcheggio sul vialetto dei Black. Dot è in piedi sotto il portico, e tiene la sigaretta con il filtro a pochi centimetri dalle labbra mentre una nebbiolina azzurrognola si disperde pigramente sul prato. Mi sta aspettando da un po'.

Sfoggio un gran sorriso forzato e la saluto con frasi espansive. Le rughe intorno alla sua bocca si attenuano appena. La seguo nel soggiorno umido e zeppo di mobili, passo davanti al divano malconcio sotto una collezione di ritratti che mostrano i Black come una famiglia felice e cammino sulla moquette lisa dove piccoli tappeti nascondono i buchi. Arriviamo in cucina: non c'è nessuno ad aspettarmi.

«Caffè?» chiede Dot indicando il mio posto al tavolo.

«No, grazie. Solo un po' d'acqua.»

Riempie un bicchiere di plastica con l'acqua del rubinetto e me lo mette davanti. Ci voltiamo lentamente a guardare dalla finestra.

«Non sono riuscita a farlo rientrare» dice senz'ombra di risentimento. Immagino che in certi giorni Buddy rientri e in certi altri no.

«Perché?» domando, come se fosse possibile trovare la ragione di un comportamento del genere.

Lei si limita a scrollare le spalle. «Ha bisogno di Donny Ray, vero?»

«Sì.»

Esce dalla cucina e mi lascia in compagnia dell'acqua tiepida e della visione di Buddy. Per la verità è difficile vederlo perché il parabrezza non viene lavato da decenni e un'orda di gatti gioca sul cofano. In testa ha un berretto, probabilmente con i copriorecchie di lana, e si porta lentamente la bottiglia alle labbra. La bottiglia è avvolta in un sacchetto di carta marrone. Beve un sorso, con calma.

Sento Dot parlare a voce bassa al figlio. Attraversano il soggiorno ed entrano in cucina. Sto per conoscere Donny Ray.

Nessun dubbio che è in punto di morte, qualunque sia la causa. È orribilmente scarno ed emaciato, ha le guance incavate e la pelle bianca come il gesso. Era già minuto prima di ammalarsi e adesso sta curvo e non è più alto della madre. I capelli e le sopracciglia sono nerissimi, in netto contrasto con la carnagione. Ma sorride e mi tende una mano ossuta. Gliela stringo con fermezza.

Dot gli cinge la vita e lo aiuta gentilmente a sedere su una sedia. Donny Ray indossa jeans abbondanti e una T-shirt bianca che ricade sulla figura scheletrita.

«Lieto di conoscerla» dico, cercando di evitare lo sguardo dei suoi occhi infossati.

«La mamma parla bene di lei» risponde. La voce è debole e stridula, ma le parole sono chiare. Non avrei mai pensato che Dot dicesse qualcosa di gentile sul mio conto. Lui si appoggia il mento alle mani, come se non riuscisse a reggere la testa. «La mamma dice che farà causa a quei farabutti della Great

Eastern e li costringerà a pagare.» Le sue parole sono più disperate che rabbiose.

«Proprio così» rispondo. Apro il fascicolo e prendo una copia della lettera inviata da Barry X. alla Great Eastern. La passo a Dot che è in piedi alle spalle di Donny Ray. «Abbiamo inoltrato questa» spiego, da avvocato efficiente. Inoltrato, non spedito. Suona meglio, come se fossimo ormai entrati in azione. «Prevediamo che non daranno una risposta soddisfacente, quindi li citeremo fra pochi giorni. Probabilmente chiederemo almeno un milione.»

Dot dà un'occhiata alla lettera e la posa sul tavolo. Mi aspettavo un fuoco di fila di domande: perché non abbiamo già fatto causa? Temevo che nascesse una discussione. Ma Dot massaggia con delicatezza le spalle di Donny Ray e guarda tristemente dalla finestra. So che misurerà le parole per non mettere in agitazione il figlio.

Anche Donny Ray è rivolto verso la finestra. «Papà non viene?» domanda.

«Ha detto di no» risponde lei.

Prendo la procura e la consegno a Dot. «Dev'essere firmata prima che possiamo depositare la citazione. È fatta da voi, che siete i clienti, al mio studio legale. È un mandato di rappresentanza.»

Lo tiene fra le mani, diffidente. Consiste di due sole pagine. «Cosa c'è scritto?»

«Oh, il solito. La formula è sempre la stessa. Voi ci assumete come avvocati, noi ci occupiamo del caso, ci addossiamo le spese, e incassiamo un terzo della cifra che sarà recuperata.»

«E allora perché ci vogliono due pagine scritte in piccolo?» chiede Dot e intanto prende una sigaretta dal pacchetto sul tavolo.

«Non accenderla!» scatta Donny Ray girando la testa. Mi guarda e dice: «Non c'è da meravigliarsi se sto per morire».

Senza esitare Dot mette la sigaretta fra le labbra mentre continua a esaminare il documento, ma non la accende. «E dobbiamo firmare tutti e tre?»

«Appunto.»

«Be', lui ha detto che non entra in casa» risponde.

«Allora portaglielo tu» esclama irritato Donny Ray. «Prendi una penna, esci e fagli firmare questa maledetta procura.»

«Non ci avevo pensato» commenta Dot.

«L'abbiamo fatto altre volte.» Donny Ray abbassa la testa e se la gratta. Quelle parole brusche lo hanno sfinito.

«Be', forse potrei fare così» dice lei. È ancora esitante.

«Vai, accidenti!» la incita Donny Ray, e Dot fruga in un cassetto e trova una penna. Il giovane alza la testa e l'appoggia alle mani. I polsi sono esili come manici di scopa.

«Torno subito» dice Dot, come se andasse a sbrigare una commissione in fondo alla strada e fosse preoccupata per il suo ragazzo. Si avvia a passo lento attraverso il patio avventurandosi fra le erbacce. Un gatto che sta sul cofano la vede arrivare e si tuffa sotto la macchina.

«Qualche mese fa» inizia Donny Ray, poi fa una lunga pausa. Respira con affanno e la testa ondeggia leggermente. «Qualche mese fa abbiamo dovuto far autenticare la sua firma da un notaio, ma lui non ha voluto muoversi. Mia madre ha trovato un notaio disposto a venire fin qui per venti dollari: ma quando è arrivato, mio padre non ha voluto entrare in casa e la mamma e il notaio, una donna, lo hanno raggiunto alla macchina passando in mezzo alle erbacce. Vede quel grosso gatto rosso sul cofano?»

«Uh-uh.»

«Lo chiamiamo Artigli, ed è una specie di gatto da guardia. Appena il notaio ha fatto per prendere le carte dalle mani di Buddy, che naturalmente era ubriaco e quasi incosciente, Artigli è saltato dalla macchina e l'ha aggredita. Ci è costato sessanta dollari per la visita medica. Più un paio di collant nuovi. Ha mai visto qualcuno malato di leucemia acuta?»

«Prima d'ora, no.»

«Peso un po' meno di cinquanta chili. Undici mesi fa ne pesavo settantadue. Hanno scoperto la leucemia in tempo per curarla. Ho un gemello identico, e il midollo osseo è compatibile. Il trapianto mi avrebbe salvato la vita, ma non abbiamo potuto permettercelo. Avevamo l'assicurazione, ma il resto lo sa. Immagino che sappia già tutto, vero?»

«Sì, conosco a fondo il suo caso, Donny Ray.»

«Bene» dice in tono di sollievo. Guardiamo Dot che scaccia i gatti. Artigli, accovacciato sulla macchina, finge di dormire. Non vuole avere rapporti con Dot Black. Le portiere sono aperte e Dot tende la procura. Sentiamo la sua voce penetrante.

«Lo so, penserà che sono matti» commenta Donny Ray come se mi leggesse nel pensiero. «Ma sono due brave persone che hanno preso troppi colpi dalla vita. Abbia pazienza con loro.»

«Sì, sono due brave persone.»

«Ormai sono spacciato all'ottanta per cento. Se avessi fatto il trapianto dieci mesi fa, o anche sei mesi fa, avrei avuto novanta probabilità su cento di guarire perfettamente. Novanta su cento. Strano come i dottori usano i numeri per dirci se vivremo o moriremo. Ormai è troppo tardi.» All'improvviso ansima per riprendere fiato, stringe i pugni e rabbrividisce. La faccia si colora di un rosa chiaro mentre aspira disperatamente l'aria, e per un attimo sento il bisogno di aiutarlo. Si batte i pugni sul petto, e ho paura che si sfondi le costole.

Alla fine riprende a respirare, esalando dal naso. In quel preciso momento comincio a odiare la Great Eastern Life Insurance Company.

Non mi vergogno più di guardarlo. È mio cliente, e conta su di me. Lo accetto senza riserve.

Il suo respiro è tornato normale per quanto è possibile, gli occhi sono rossi e umidi. Non capisco se piange o se si sta riprendendo dall'attacco. «Mi scusi» mormora.

Artigli soffia così forte che lo sentiamo anche noi. Giriamo lo sguardo in tempo per vederlo volare in aria e piombare fra le erbacce. Evidentemente il gatto da guardia ha dimostrato troppo interesse per la procura e Dot gli ha allungato una sberla. Ora Dot sta parlando minacciosamente al marito che si è rannicchiato ancora di più dietro il volante. Tende la mano all'interno della macchina, afferra i fogli, quindi torna a passo di carica verso di noi mentre i gatti si buttano al riparo in tutte le direzioni.

«Spacciato all'ottanta per cento» ripete Donny Ray con voce rauca. «Quindi non vivrò ancora molto. Qualunque cifra ottenga da questa causa, la prego, la usi per loro. Hanno avuto una vita molto dura.»

Sono così commosso che non riesco a rispondere.

Dot apre la porta e mette la procura sul tavolo. La prima pagina ha un piccolo strappo in basso e la seconda è macchiata. Spero che non sia cacca di gatto. «Ecco» dice. Missione compiuta. Buddy ha firmato: una firma assolutamente illeggibile.

Indico dove devono firmare Dot e Donny Ray, e l'accordo è concluso. Parliamo per qualche minuto poi comincio a sbirciare l'orologio.

Quando li lascio, Dot è seduta accanto al figlio. Gli accarezza il braccio e gli assicura che ora le cose andranno meglio.

13

Mi ero preparato a spiegare a Barry X. che sabato non avrei potuto lavorare per via di tutto quello che devo fare a casa. E mi ero preparato a proporgli di andare in ufficio qualche ora domenica pomeriggio, se avesse avuto bisogno di me. Ma mi sono preoccupato per niente. Barry va fuori città per il fine settimana, e dato che non oserei tentare di entrare nello studio senza la sua assistenza, la faccenda è chiusa.

Per qualche ragione inspiegabile, la signora Birdie non viene a scuotere la mia porta prima dell'alba. Si mette all'opera davanti al garage, sotto la mia finestra, e prepara gli attrezzi. Lascia cadere a terra rastrelli e badili. Scalpella le incrostazioni all'interno della carriola con un minuscolo piccone inadatto allo scopo. Affila due zappe, e intanto canta e gorgheggia. Io scendo dopo le sette. Si finge sorpresa di vedermi. «Oh, Rudy, buongiorno. Come va?»

«Benone, signora Birdie. E lei?»

«Magnificamente, magnificamente. Visto che splendida giornata?»

Il giorno è appena cominciato ed è ancora troppo presto per capire se è splendido. Direi, se mai, che è un po' afoso data l'ora. Non può mancare molto al caldo insopportabile dell'estate di Memphis.

Mi concede una tazza di caffè solubile e una fetta di pane tostato prima di cominciare a parlare del pacciame. Con sua grande gioia, entro subito in azione, seguo le istruzioni e carico sulla carriola il primo sacco da quarantacinque chili, la seguo intorno alla casa, giù per il viale e attraverso il prato anteriore, fino a un'aiola di fiori stenti vicino alla strada. Lei tiene il caffè fra le mani guantate e indica il posto esatto dove va messo il pacciame. Il percorso mi ha lasciato senza fiato, soprattutto l'ultimo tratto sull'erba umida, ma apro il sacco con energia e comincio a trasferire il pacciame con un forcone.

Quando finisco il primo sacco, dopo un quarto d'ora, ho la maglietta fradicia di sudore. La signora Birdie segue me e la carriola fino al limitare del patio, e lì ricarichiamo. Mi indica il sacco che vuole, e lo porto in un punto vicino alla cassetta della posta.

Durante la prima ora spargiamo cinque sacchi. Più di duecento chili di pacciame. Sento la fatica. Alle nove ci sono ventisei gradi. Alle nove e mezzo la convinco a fare una pausa per bere un po' d'acqua. E dopo essere rimasto seduto per dieci minuti stento ad alzarmi. In certi momenti mi viene un mal di schiena giustificabile, ma mi mordo la lingua e mi concedo solamente un equo quantitativo di smorfie. Lei non se ne accorge neppure.

Non sono pigro e al college, non molto tempo fa, ero in ottima forma. Facevo jogging e sport vari, ma poi ho cominciato legge e ho avuto a disposizione ben poco tempo per questo genere di attività negli ultimi tre anni. Dopo qualche ora di lavoro pesante mi sento spompato.

Per pranzo la signora Birdie mi presenta due dei suoi insipidi sandwich al tacchino e una mela. Mangio nel patio, molto lentamente, sotto il ventilatore. Mi duole la schiena, ho le gambe indolenzite e mi tremano addirittura le mani mentre mangiucchio come un coniglio.

Aspetto che lei finisca in cucina e alzo lo sguardo al di là del piccolo prato verde, oltre il monumento di sacchi di pacciame, verso il mio appartamento sopra il garage. Ero così fiero di me quando ho concordato la modesta somma di centocinquanta dollari al mese per l'affitto. Ma sono stato davvero tanto furbo? Chi ha guadagnato di più con questo accordo? Ricordo che mi vergognavo un po' all'idea di approfittare della cara vecchietta. Adesso vorrei ficcarla dentro un sacco di pacciame vuoto.

Stando a un vecchissimo termometro inchiodato al garage, all'una la temperatura è salita a trentaquattro gradi. Alle due mi si blocca la schiena e spiego alla signora Birdie che devo riposare. Mi guarda con aria mesta, poi si volta lentamente e osserva il mucchio di sacchi bianchi che non sembra per niente diminuito. L'abbiamo appena intaccato. «Be', se proprio è necessario.»

«Solo un'ora» la supplico.

Si convince, ma alle tre e mezzo sto di nuovo spingendo la carriola con lei alle calcagna.

Dopo otto ore di dura fatica, ho vuotato esattamente settantanove sacchi di pacciame, meno di un terzo di quelli che lei ha ordinato.

Poco dopo il pranzo ho cominciato a buttare là che alle sei mi aspettano da Yogi's. È una bugia, ovviamente. Devo servire al bar dalle otto alla chiusura. Ma lei non può saperlo, e sono deciso a liberarmi del pacciame prima che faccia buio. Alle cinque mi fermo, le dico che ne ho abbastanza, la schiena mi fa male e devo andare a lavorare. Salgo a fatica la scala mentre lei mi osserva tristemente dal prato. Per quel che m'importa, può anche sfrattarmi.

Il rombo maestoso del tuono mi sveglia la domenica mattina sul tardi. Rimango sdraiato tutto rigido sulle lenzuola mentre la pioggia martella il tetto. La mia testa funziona benissimo: ho smesso di bere ieri sera quando è cominciato il mio turno. Ma il resto del corpo sembra imprigionato nel cemento e non riesce a muoversi. Il minimo spostamento mi causa fitte dolorose. Mi fa male perfino respirare.

A un certo momento, durante la sfacchinata di ieri, la signora Birdie mi ha chiesto se volevo seguire il servizio religioso con lei, questa mattina. Andare in chiesa non è previsto nel contratto d'affitto, ma avevo pensato: perché no? Se questa vecchia così sola vuole che vada in chiesa con lei, è il minimo che posso fare. Di certo non mi danneggerà.

Poi ho chiesto quale chiesa frequenta. Il Tabernacolo dell'Abbondanza di Dallas, ha risposto. In diretta, via satellite. Lei prega con il reverendo Kenneth Chandler nell'intimità della sua casa.

Mi sono scusato. Lei mi è parsa offesa, ma si è ripresa subito.

Quando ero bambino, prima che mio padre soccombesse

all'alcol e mi spedisse alla scuola militare, ogni tanto andavo in chiesa con mia madre. Lui venne con noi un paio di volte; ma non faceva altro che mugugnare e quindi io e la mamma preferivamo che restasse a casa a leggere il giornale. Era una piccola chiesa metodista con un pastore molto cordiale, il reverendo Howie, che raccontava aneddoti divertenti e dava a tutti la sensazione di essere benvoluti. Ricordo che mia madre era sempre lieta quando ascoltavamo i suoi sermoni. C'erano molti bambini alla scuola domenicale e io non protestavo quando venivo ripulito e vestito a festa la domenica mattina e condotto in chiesa.

Una volta mia madre dovette sottoporsi a un piccolo intervento chirurgico e rimase per tre giorni in ospedale. Naturalmente le signore della chiesa sapevano dell'operazione, e per tre giorni la nostra casa fu inondata di stufati, torte, sformati, pani, pentole e piatti pieni di tanta roba che io e mio padre non saremmo riusciti a mangiarla neppure in un anno. Le signore si organizzarono per prendersi cura di noi. Facevano a turno per occuparsi del vitto, pulivano la cucina, accoglievano le nuove ospiti che portavano altre vivande. Per i tre giorni della permanenza in ospedale di mia madre e per tre giorni dopo il suo ritorno a casa, ci fu sempre almeno una signora che stava con noi per sovrintendere alla cucina.

Mio padre detestava quella specie di tortura. Innanzi tutto, con la casa piena di signore della chiesa non poteva bere di nascosto. Credo che loro sapessero quanto gli piaceva attaccarsi alla bottiglia e da quando erano riuscite a insediarsi in casa nostra erano decise a coglierlo sul fatto. Inoltre, si aspettavano che si comportasse da padrone di casa compìto, cosa che mio padre non sapeva fare assolutamente. Dopo le prime ventiquattr'ore cominciò a passare gran parte del tempo in ospedale, ma non esattamente per circondare di premure la moglie sofferente. Stava nella sala d'aspetto dei visitatori e lì guardava la televisione e beveva bibite analcoliche corrette con i liquori.

Ricordo con piacere quel breve periodo. La nostra casa non aveva mai visto tanto calore umano, tanti cibi deliziosi. Le signore mi circondavano di premure come se mia madre fosse morta e io mi crogiolavo alle loro attenzioni. Era come se fossero le zie e le nonne che non avevo mai conosciuto.

Poco dopo la guarigione di mia madre, il reverendo Howie fu cacciato per aver fatto qualcosa che non sono mai riuscito a comprendere con precisione, e la congregazione si spaccò. Qualcuno insultò mia madre, perciò non andammo più in chiesa. Credo che lei e Hank, il nuovo marito, assistano alle funzioni solo sporadicamente.

Per un po' di tempo sentii la mancanza della chiesa, poi presi l'abitudine di non andarci più. Ogni tanto i miei amici che la frequentavano m'invitavano a tornare, ma ormai ero diventato troppo sofisticato per andare in chiesa. Una ragazza che mi ero fatta al college qualche volta mi portava a messa il sabato sera, figurarsi; sono troppo protestante per capire tutti i rituali.

La signora Birdie ha accennato timidamente all'eventualità di lavorare in giardino questo pomeriggio. Le ho spiegato che era il Sabbath, il giorno sacro al Signore, e che giudicavo riprovevole lavorare la domenica.

Non è riuscita a trovare una risposta adeguata.

14

Da tre giorni cade una pioggia intermittente che mi costringe a sospendere l'attività di giardiniere. Martedì dopo l'imbrunire mi rintano nel mio appartamento. Sto studiando per l'esame d'ammissione quando suona il telefono. È Dot Black, e capisco subito che qualcosa non va. Altrimenti non mi avrebbe chiamato.

«Ho appena ricevuto una telefonata» mi dice «da un certo signor Barry Lancaster. Ha detto che è il mio avvocato.»

«È vero, Dot. È un avvocato importante del mio studio legale. Lavora con me.» Immagino che Barry abbia voluto semplicemente controllare qualche dettaglio.

«Be', non è quello che ha detto lui. Mi ha chiamato per sapere se io e Donny Ray possiamo andare domani nel suo ufficio perché ha bisogno che firmiamo certe cose. Ho chiesto di lei, e il signor Lancaster mi ha detto che non lavora nello studio. Voglio sapere cosa sta succedendo.»

Voglio saperlo anch'io. Balbetto per un attimo, parlo di un malinteso. Un nodo mi attanaglia lo stomaco. «È uno studio legale molto grande, Dot, e io sono nuovo, lo sa. Con ogni probabilità si è scordato di me.»

«No, no. Sa benissimo chi è. Ha detto che lavorava là, ma adesso non più. Non ci capisco più niente.»

Me ne rendo conto. Mi lascio cadere su una sedia e cerco di riflettere. Sono quasi le nove. «Senta, Dot, non faccia niente. Mi lasci il tempo di chiamare il signor Lancaster e scoprire cosa sta combinando. La richiamerò subito.»

«Voglio sapere come stanno le cose. Avete fatto causa a quei farabutti?»

«La richiamo fra un minuto, d'accordo? A più tardi.» Riattacco, compongo in fretta il numero dello studio Lake. Ho la spiacevole sensazione di essere caduto in una trappola.

La receptionist del turno serale mi passa Barry X. Decido di mostrarmi cordiale, di stare al gioco per capire cosa vuole.

«Barry, sono Rudy. Ha visto la mia ricerca?»

«Sì, mi sembra ottima.» Ha la voce stanca. «Senta, Rudy, forse abbiamo un piccolo problema con la sua posizione.»

Il nodo mi sale alla gola. Sento il cuore stringersi, i polmoni saltano un respiro. «Ah sì?» riesco a dire.

«Già. Sembra una cosa seria. Questo pomeriggio ho parlato con Jonathan Lake, e non intende approvare la sua assunzione.»

«Perché?»

«Non gli piace l'idea di un avvocato che svolge funzioni di paralegale. E adesso che ci penso, per la verità non è una buona idea. Vede, il signor Lake pensa, e io sono d'accordo, che un avvocato in una posizione del genere avrebbe la tendenza a tentare di inserirsi nello spazio di qualche associato. E non è il nostro modo di operare. Non va bene per gli affari.»

Chiudo gli occhi. Avrei voglia di piangere. «Non capisco» dico.

«Mi dispiace. Ho fatto del mio meglio ma non ha voluto sentir ragioni. Per essere sincero, mi ha fatto addirittura una sfuriata perché avevo pensato di assumerla.»

«Voglio parlare con Jonathan Lake» dico con tutta la fermezza di cui sono capace.

«È assolutamente impossibile. È troppo occupato. E poi non vorrebbe ascoltarla. Non c'è speranza che cambi idea.»

«Figlio di puttana.»

«Senta, Rudy, noi...»

«Figlio di puttana!» Sto gridando al telefono, e mi fa sentire un po' meglio.

«Si calmi, Rudy.»

«Lake è in ufficio?» chiedo.

«Forse sì. Ma non vorrà...»

«Sarò lì fra cinque minuti» urlo, e sbatto giù il ricevitore.

Dopo dieci minuti freno davanti al magazzino, con grande stridore di pneumatici. Ci sono tre macchine nel parcheggio, e le luci dello studio sono accese. Barry non mi sta aspettando.

Busso, ma nessuno viene ad aprire. So che mi sentono ma sono troppo vigliacchi per uscire. Probabilmente chiameranno la polizia se non me ne vado.

Ma non posso andarmene. Mi sposto sul lato nord del magazzino e busso a un'altra porta, poi faccio lo stesso all'uscita di sicurezza sul retro. Mi fermo sotto la finestra dell'ufficio di Barry e grido. Ha le luci accese, ma mi ignora. Torno all'ingresso principale e ricomincio a bussare.

Una guardia del servizio di sicurezza esce dall'ombra e mi afferra per la spalla. Mi si piegano le ginocchia per lo spavento. Lo guardo. È alto circa due metri, è nero e porta un berretto nero.

«Se ne vada, figliolo» dice gentilmente con voce profonda. «Se ne vada prima che chiami la polizia.»

Mi divincolo e me ne vado.

Rimango a lungo seduto nell'oscurità sul divano malconcio che mi ha prestato la signora Birdie, e cerco di farmi un quadro della situazione. Non ci riesco. Bevo due birre tiepide, impreco e piango. Medito vendetta. Penso addirittura di uccidere Jonathan Lake e Barry X. Quei luridi farabutti si sono messi d'accordo per rubarmi il caso. E adesso, cosa racconto ai Black? Come faccio a spiegarmi?

Mi aggiro per l'appartamento e attendo che spunti il sole. Ieri sera ho perfino riso quando ho pensato di riprendere il mio elenco degli studi legali e di ricominciare a bussare a tutte le porte. Rabbrividisco al pensiero di chiamare Madeline Skinner. «Sono di nuovo io, Madeline. Eccomi di ritorno.»

Finalmente mi addormento sul sofà. Qualcuno mi sveglia poco dopo le nove. Non è la signora Birdie. Sono due poliziotti in borghese. Mostrano i distintivi attraverso la porta aperta, e li invito a entrare. Porto i calzoncini da ginnastica e una T-shirt. Mi bruciano gli occhi. Li stropiccio e cerco di capire perché, così all'improvviso, ho attirato su di me la polizia.

Potrebbero essere gemelli: sono tutti e due sulla trentina, non molto più vecchi di me. Portano jeans e scarpe di tela, hanno baffi neri e si comportano come due attori televisivi di serie B. «Possiamo sedere?» chiede uno mentre prende una sedia e si accomoda. Il suo collega fa lo stesso. Si piazzano subito in posizione.

«Prego» dico io. «Accomodatevi.»

«Anche lei» dice uno dei due.

«Perché no?» Siedo in fondo al tavolo, in mezzo a loro. Si girano verso di me e continuano a recitare. «Allora, cosa diavolo succede?» chiedo.

«Conosce Jonathan Lake?»

«Sì.»

«Sa dov'è il suo ufficio?»

«Sì.»

«C'è andato ieri sera?»

«Sì.»

«A che ora?»

«Fra le nove e le dieci.»

«Perché c'è andato?»

«È una storia lunga.»

«Abbiamo tutto il tempo di questo mondo.»

«Volevo parlare con Jonathan Lake.»

«E gli ha parlato?»

«No.»

«Perché?»

«Le porte erano chiuse a chiave. Non ho potuto entrare.»

«Ha tentato di fare irruzione?»

«No.»

«È sicuro?»

«Sì.»

«È tornato allo studio dopo mezzanotte?»

«No.»

«È sicuro?»

«Sì. Chiedetelo al guardiano.»

Si scambiano un'occhiata. Qualcosa deve aver colpito nel segno. «Ha visto il guardiano?»

«Sì. Mi ha detto di andarmene e me ne sono andato.»

«Può descriverlo?»

«Sì.»

«Lo descriva.»

«Nero, grande e grosso, alto probabilmente due metri. Uniforme, berretto, pistola, tutto l'armamentario. Chiedetelo a lui, vi confermerà che me ne sono andato quando me l'ha detto.»

«Non possiamo chiederglielo.» Si scambiano un'altra occhiata.

«E perché?» domando. Sento che sta per arrivare una mazzata.

«Perché è morto.» Mi scrutano con attenzione mentre reagisco. Sono sinceramente sconvolto. Sento i loro sguardi penetranti.

«E come... uhm... com'è morto?»

«Nell'incendio.»

«Quale incendio?»

Nessuno dei due fiata. Annuiscono insospettiti mentre guardano il tavolo. Uno tira fuori dalla tasca un bloc-notes come un cronista alle prime armi. «La piccola macchina là fuori, la Toyota. È sua?»

«Lo sapete benissimo. Avete i computer.»

«È andato allo studio con quella, ieri sera?»

«No, l'ho spinta per tutta la strada. Quale incendio?»

«Non faccia il furbo, chiaro?»

«Chiaro. Mettiamoci d'accordo. Io non farò il furbo se non farà il furbo neppure lei.»

L'altro interviene. «Abbiamo un possibile avvistamento della sua macchina nei pressi dello studio alle due di questa mattina.»

«Non è vero. Non poteva essere la mia macchina.» In questo momento è impossibile sapere se quei due dicono la verità. «Quale incendio?» ripeto.

«Stanotte lo studio legale Lake è bruciato. È andato completamente distrutto.»

«Completamente» rincara l'altro.

«E voi siete della squadra incendi dolosi» dico. Sono ancora stordito, ma anche inviperito perché pensano che io sia coinvolto. «E Barry Lancaster vi ha detto che sarei il sospetto ideale come responsabile dell'incendio.»

«Ci occupiamo di incendi dolosi. E anche di omicidi.»

«Quante persone sono state uccise?»

«Solo il guardiano. La prima chiamata è arrivata questa mattina alle tre e lo studio era deserto. Evidentemente il guardiano è rimasto intrappolato quando è crollato il tetto.»

Quasi quasi mi farebbe piacere se Jonathan Lake fosse morto col guardiano, poi penso a quei bellissimi uffici con i quadri e i tappeti.

«State perdendo tempo» dico, ancora più arrabbiato all'idea che sospettino di me.

«Il signor Lancaster ha detto che era molto agitato quando è andato allo studio legale ieri sera.»

«È vero. Ma non agitato al punto da incendiare il magazzino. Vi giuro che state perdendo tempo.»

«Ha detto che era stato appena licenziato e che voleva affrontare il signor Lake.»

«Verissimo tutto quanto. Ma questo non costituisce per forza un movente per incendiargli lo studio. Cercate di ragionare.»

«Un omicidio commesso nel corso di un incendio doloso può comportare la pena di morte.»

«Ma non scherziamo! Sono dalla vostra parte. Andate a cercare l'assassino e mandiamolo pure a morte. Basta che mi lasciate fuori da questa storia.»

Immagino che la mia indignazione sia abbastanza convincente perché fanno marcia indietro nello stesso momento. Uno pesca dal taschino della camicia un foglio piegato. «Ho qui un rapporto che risale a un paio di mesi fa, quando era ricercato per distruzione di proprietà privata. Qui si parla di un vetro rotto in uno studio legale del centro.»

«Avevo ragione. I vostri computer funzionano.»

«Un comportamento piuttosto insolito per un avvocato.»

«Ho visto di peggio. E non sono avvocato. Sono un paralegale o qualcosa di simile. Ho appena finito l'università. E le accuse sono state ritirate, come c'è scritto sicuramente in quella stampata. E se pensate che il fatto di aver rotto un vetro in aprile abbia qualche legame con l'incendio di questa notte, allora il vero incendiario può stare tranquillo. È al sicuro. Non lo beccherete mai.»

A questo punto uno dei due si alza di scatto e l'altro lo imita prontamente. «Farebbe bene a parlare con un avvocato» dice uno puntandomi contro l'indice. «In questo momento è il principale sospettato.»

«Sì, sì. Come ho detto, se io sono il principale sospettato, il vero assassino è fortunato. Siete molto lontani da lui.»

Sbattono la porta e spariscono. Aspetto mezz'ora, poi salgo in macchina. Procedo per qualche isolato e manovro con prudenza per avvicinarmi al magazzino. Parcheggio, proseguo a piedi per un altro isolato, e m'infilo in un negozio. Vedo le macerie fumanti a due isolati di distanza. È rimasto in piedi soltanto un muro. Dozzine di persone si aggirano qua e là, gli avvocati e le segretarie additano questo e quello, i vigili del fuoco calpestano ogni cosa con gli stivaloni pesanti, i poliziotti tendono i nastri gialli per delimitare la scena del reato. L'odore di legno bruciato è pungente e una nube grigiastra aleggia bassa sull'intera zona.

La costruzione aveva pavimenti e soffitti di legno e, a parte poche eccezioni, anche le pareti erano di pino. Se si aggiunge l'enorme numero di libri sparsi un po' dovunque e le tonnellate di scartoffie archiviate, è facile capire come mai è andata in cenere. La cosa più sconcertante è che in tutto il magazzino c'era un sistema antincendio automatico a pioggia. Dappertutto c'erano le tubature colorate, spesso inserite ad arte come elemento della decorazione.

Per ragioni ovvie, Prince non è un tipo mattiniero. Di solito chiude Yogi's alle due, poi si stravacca sul sedile posteriore della Cadillac. Firestone, da sempre suo autista e, pare, anche guardia del corpo, lo porta a casa. Qualche volta anche lui era troppo ubriaco per guidare e in quelle occasioni li ho portati a casa tutti e due io.

Di solito Prince è nel suo ufficio prima delle undici perché Yogi's ha molti clienti a pranzo. Lo trovo a mezzogiorno; è seduto alla scrivania, esamina le carte e cerca di liberarsi dai postumi della sbronza. Divora analgesici e ingurgita acqua minerale fino alle cinque, l'ora magica: poi scivola nel suo mondo piacevole di rum e tonic.

L'ufficio è una stanza senza finestre sotto la cucina, lontana da occhi indiscreti e accessibile solo varcando tre porte prive di scritte e scendendo una scala nascosta. È un quadrato perfetto, e le pareti sono coperte dalle foto di Prince che stringe la mano a politicanti locali e altri tipi fotogenici. C'è anche una quantità di ritagli di giornale incorniciati che lo mostrano sospettato, accusato, incriminato, arrestato, processato e invariabilmente assolto. Gli piace vedersi sulla carta stampata.

Come al solito è di pessimo umore. In questi anni ho imparato a stargli alla larga finché non ha bevuto il terzo drink, di solito verso le sei di sera. Quindi sono in anticipo di sei ore. Mi fa cenno di entrare. Mi chiudo la porta alle spalle.

«Cos'è successo?» grugnisce. Ha gli occhi iniettati di sangue.

«Ho qualche grana» dichiaro.

«E sarebbe una novità?»

Gli parlo della scorsa notte: il posto perduto, l'incendio, i poliziotti. Tutto. Metto in risalto il fatto che c'è di mezzo un morto e che i poliziotti se ne preoccupano parecchio. Non so immaginare come mai sono il principale sospettato, ma loro sembrano convinti.

«Così lo studio di Lake è bruciato» mormora Prince. Un bell'incendio doloso è la cosa più adatta per illuminare la sua mattinata. «Non mi è mai stato molto simpatico.»

«Non è morto. È temporaneamente fuori attività, tutto qui. Ma ricomincerà.» E questa è una delle ragioni principali dei miei timori. Jonathan Lake distribuisce un pozzo di soldi ai politici. Coltiva relazioni importanti allo scopo di poter chiedere favori. Se è convinto che io sia coinvolto nell'incendio, o se è alla ricerca di un capro espiatorio momentaneo, allora i poliziotti mi piomberanno addosso.

«Giuri che non sei stato tu?»

«Oh, andiamo, Prince.»

Riflette, si accarezza la barba, e capisco subito che è felice di trovarsi in mezzo alla faccenda. Criminalità, morte, intrighi, politica: gli ingredienti abituali della malavita. Se c'entrassero anche le ballerine in topless e qualche bustarella alla polizia, Prince tirerebbe fuori una bottiglia di quello buono per festeggiare.

«Sarà meglio che parli con un avvocato» dice continuando ad accarezzarsi i baffi. Purtroppo è proprio questa la ragione della mia presenza. Avevo pensato di chiamare Booker, ma gli ho causato già abbastanza disturbo. E attualmente è alle prese con lo stesso problema che affligge me: non abbiamo ancora dato l'esame di ammissione, perciò non siamo veri avvocati.

«Non posso permettermelo» dico, e aspetto la battuta successiva del suo copione. Se in questo momento avessi un'alternativa, sarei felice di afferrarla.

«Lascia fare a me» dice. «Chiamerò Bruiser.»

Annuisco e rispondo: «Grazie. Credi che mi aiuterà?».

Prince sogghigna e allarga le braccia in un gesto espansivo. «Bruiser farà tutto quello che gli chiedo, o no?»

«Hai ragione» rispondo docile. Prende un telefono e fa il numero. Ascolto mentre ringhia con un paio di persone e si fa passare Bruiser. Parla con le frasi rapide e secche di un uomo che sa di avere i telefoni sotto controllo. Sibila quanto segue: «Bruiser, sono Prince... Sì, sì. Ho bisogno di vederti al più presto... Una cosetta che riguarda uno dei miei dipendenti... Sì, sì. No, da te. Fra mezz'ora. D'accordo.» E riattacca.

Compiango il povero tecnico dell'Fbi che sta cercando di ricavare qualche dato incriminante da una conversazione come questa.

Firestone ci aspetta con la Cadillac alla porta sul retro e io e Prince prendiamo posto sul sedile posteriore. La macchina è nera e i vetri sono azzurrati. Prince vive nel buio. In tre anni non l'ho mai visto impegnarsi in un'attività all'aperto. Passa le vacanze a Las Vegas e non esce mai dai casinò.

Ascolto un lungo racconto dei grandi trionfi legali di Bruiser; quasi tutti riguardano Prince. Stranamente comincio a tranquillizzarmi. Sono in buone mani.

Bruiser ha studiato legge alle serali e ha finito a ventidue anni; secondo Prince è un primato. Erano ottimi amici da bambini, e alle superiori hanno giocato un po' d'azzardo, bevuto parecchio, fatto il filo alle ragazze e a botte con i ragazzi. Vivevano nella zona più dura di Memphis, la parte sud. Potrebbero scrivere un libro sulle loro avventure. Poi Bruiser è andato al college e Prince ha comprato un camion per trasportare la birra. Da cosa nasce cosa.

Lo studio legale è in un centro commerciale di mattoni rossi, con una tintoria a un'estremità e un noleggio di video all'altra. Bruiser è un investitore saggio, spiega Prince, ed è proprietario del complesso. Di fronte c'è una friggitoria aperta tutta la notte e accanto il Club Amber, uno sgargiante locale topless con il neon stile Las Vegas. È un quartiere industriale della città, vicino all'aeroporto.

A parte la scritta STUDIO LEGALE dipinta in nero su una porta a vetri al centro della galleria, niente fa pensare alla professione esercitata lì dentro. Una segretaria con jeans attillati e labbra molto rosse ci accoglie con un sorriso a trentadue denti, ma non rallentiamo il passo. Seguo Prince attraverso l'atrio. «Quella lavorava dall'altra parte della strada» mormora lui. Forse allude alla friggitoria, ma ne dubito.

L'ufficio di Bruiser è straordinariamente simile a quello di Prince. Niente finestre, niente sole: è grande, quadrato, con tante fotografie di personaggi importanti ma sconosciuti che abbracciano Bruiser e ci sorridono. Una parete è riservata alle armi da fuoco, fucili e moschetti di ogni genere, e trofei di gare di tiro al bersaglio. Dietro l'enorme poltrona girevole di Bruiser, in alto, troneggia un grande acquario. Nell'acqua torbida nuotano pesci che sembrano squali in miniatura.

Bruiser è al telefono. Ci fa cenno di accomodarci dall'altra parte della grande scrivania. Ci sediamo e Prince si affretta a informarmi: «Quelli lì sono squali veri». E indica la parete sopra la testa di Bruiser. Squali vivi nello studio di un avvocato. Che scherzo. Prince sogghigna.

Sbircio Bruiser e cerco di evitare di guardarlo negli occhi. Il telefono sembra piccolissimo accanto alla sua testa enorme. I lunghi capelli quasi grigi gli scendono sulle spalle in strati ispidi. La barba a punta, completamente grigia è folta e lunga e nasconde quasi del tutto il telefono. Gli occhi sono scuri e vivaci, circondati da rotoli di pelle olivastra. Ho pensato spesso che dev'essere di origine mediterranea.

Gli ho servito da bere mille volte, ma non ho mai parlato per davvero con lui. Non ho mai desiderato farlo. Non vorrei neppure adesso ma, ovviamente, ho poche possibilità di scelta.

Bruiser ringhia poche parole e riattacca. Prince fa le presentazioni e Bruiser mi assicura che mi conosce bene. «Certo, conosciamo Rudy da un pezzo» dice. «Qual è il problema?»

Prince mi guarda e io comincio il mio racconto.

«L'ho visto stamattina sul giornale» m'interrompe Bruiser

quando arrivo all'incendio. «Ho già ricevuto cinque telefonate. Non ci vuole molto perché gli avvocati comincino a chiacchierare.»

Sorrido e annuisco perché mi sento in dovere di farlo, quindi passo a riferire la visita dei poliziotti. Concludo senza altre interruzioni e attendo il parere del mio avvocato.

«Un paralegale?» chiede Bruiser, chiaramente perplesso.

«Ero alla disperazione.»

«E adesso dove lavori?»

«Non lo so. In questo momento mi preoccupa soprattutto il rischio di essere arrestato.»

Bruiser sorride. «Ci penso io» dice con aria soddisfatta. Prince mi ha assicurato molte volte che Bruiser conosce più poliziotti del sindaco. «Lasciatemi fare qualche telefonata.»

«Deve stare nascosto, no?» chiede Prince come se fossi un pericoloso delinquente evaso.

«Sì, è meglio.» Non so perché, ma sono certo che questo consiglio è stato ripetuto molte volte qui dentro. «Cosa sai degli incendi dolosi?»

«Niente. All'università non ce l'hanno insegnato.»

«Be', io mi sono occupato di diversi casi. A volte passano giorni prima che capiscano se l'incendio è stato doloso o no. Con una costruzione vecchia come quella può essere successo di tutto. Se è doloso, non arresteranno nessuno per un po' di tempo.»

«Non voglio che mi arrestino. Soprattutto perché sono innocente. Non ho bisogno che la stampa parli di me.» Mentre lo dico, lancio un'occhiata alla parete tappezzata degli articoli che lo riguardano.

«Non ti dò torto» commenta impassibile. «Quando devi fare l'esame d'ammissione all'ordine?»

«Il mese prossimo.»

«E poi?»

«Non lo so. Mi guarderò intorno.»

Il mio amico Prince interviene all'improvviso. «Non potrebbe esserti utile qui, Bruiser? Diavolo, hai un mucchio di avvocati. Uno in più, che differenza può fare? È un ottimo studente, lavora sodo, è intelligente. Posso garantire per lui. Questo ragazzo ha bisogno di lavorare.»

Mi volto a guardarlo e Prince mi sorride come se fosse Babbo Natale. «Questo è il posto ideale per te» dichiara giovialmente. «Imparerai cosa fanno gli avvocati veri.» Ride e mi allunga una pacca sul ginocchio.

Tutti e due guardiamo Bruiser che rotea gli occhi mentre cerca affannosamente qualche scusa. «Uh, certo. Sono sempre in cerca di giovani avvocati capaci.»

«Visto?» dice Prince.

«Per la precisione due dei miei associati si sono appena messi in proprio. Quindi ho due uffici liberi.»

«Visto?» ripete Prince. «Te l'avevo detto che tutto si sarebbe sistemato.»

«Ma non è esattamente un posto con uno stipendio» dichiara Bruiser. Sembra che si stia affezionando all'idea. «Nossignore. Non è il mio sistema. Io voglio che i miei associati paghino per se stessi e producano i loro onorari.»

Sono troppo sbalordito per reagire. Io e Prince non avevamo parlato di un'eventuale assunzione. Non avevo chiesto il suo aiuto. Non voglio Bruiser Stone come principale. Ma non posso offenderlo, con i poliziotti che mi girano intorno e alludono senza tante perifrasi alla pena di morte. Non riesco a trovare la forza di dire a Bruiser che è abbastanza disonesto per difendermi, ma troppo disonesto perché accetti di lavorare per lui.

«Come funziona?» chiedo.

«È molto semplice e funziona, almeno dal mio punto di vista. E tieni presente che in vent'anni ho provato di tutto. Ho avuto un mucchio di soci e dozzine di associati. L'unico sistema che funziona è quello dove l'associato deve produrre parcelle sufficienti per coprire il suo stipendio. Sei in grado di farcela?»

«Posso tentare» dico io, e alzo le spalle, incerto.

«Sicuro che puoi» commenta Prince.

«Prendi mille dollari al mese e tieni per te un terzo delle parcelle che produci. I mille dollari vengono dedotti dal tuo terzo. Un altro terzo va al fondo che copre le spese generali e di segreteria, cose del genere. L'altro terzo viene a me. Se non copri l'anticipo mensile, mi devi la differenza. Tengo il conto fino a quando ti capita un mese redditizio. Capisci?»

Rifletto per qualche secondo su questo sistema ridicolo. C'è una sola cosa peggiore della disoccupazione: è un lavoro dove perdi soldi e i tuoi debiti si accumulano mese per mese. Mi vengono in mente molte domande calzanti e destinate a restare senza risposta, e sto per farne una quando Prince risponde: «Mi sembra giusto. Un'ottima offerta». Mi dà un'altra pacca sul ginocchio. «Così puoi guadagnare davvero parecchio.»

«È l'unico sistema che adotto» dice Bruiser per la seconda o terza volta.

«Quanto guadagnano i suoi associati?» chiedo. Non mi aspetto una risposta sincera.

Bruiser aggrotta la fronte. Sta riflettendo. «Dipende. Dipende dal rendimento. L'anno scorso uno è arrivato vicino agli ottantamila dollari, un altro si è fermato a venti.»

«E tu nei hai guadagnati trecentomila» conclude Prince con una risata cordiale.

«Magari.»

Bruiser mi osserva con attenzione. Mi sta offrendo l'unico posto di lavoro rimasto in tutta la città e gli pare di capire che non sono ansioso di accettare.

«Quando comincio?» chiedo cercando goffamente di mostrarmi entusiasta.

«Da questo momento.»

«Ma l'esame d'ammissione...»

«Non preoccuparti. Oggi stesso comincerai a produrre parcelle. Ti insegno io come si fa.»

«Hai molto da imparare» gli fa eco Prince, quasi fuori di sé per la soddisfazione.

«Ti pagherò mille dollari oggi stesso» prosegue Bruiser, come se fosse l'ultimo dei grandi mecenati. «Ti metterò sulla strada giusta. Ti mostrerò l'ufficio, ti farò inserire.»

«Magnifico» commento con un sorriso forzato. In questo momento non posso far altro. Non dovrei neppure essere qui, ma ho paura e bisogno d'aiuto. Finora non si è parlato di quanto dovrò pagare a Bruiser per i suoi servizi. Non è il tipo dell'anima generosa che ogni tanto fa un favore ai poveri.

Non mi sento molto bene. Sarà per il sonno perduto, per lo shock d'essere stato svegliato dalla polizia. Forse è perché sono in questo ufficio e guardo gli squali che nuotano e mi faccio imbrogliare da uno dei più abili imbroglioni della città.

Due mesi fa ero uno studente del terzo anno di legge, con un lavoro promettente presso uno studio serio, ansioso di intraprendere la professione, di darmi da fare nell'associazione locale degli avvocati, di iniziare una carriera e fare tutto ciò che avrebbero fatto i miei amici. Adesso sono qui, così debole e vulnerabile che ho acconsentito a vendermi per la somma miserabile e incerta di mille dollari al mese.

Bruiser riceve una telefonata urgente: con ogni probabilità è una ballerina in topless arrestata per adescamento. Ci alziamo. Mi bisbiglia che devo tornare nel pomeriggio.

Prince è così fiero che sembra sul punto di scoppiare. Mi ha salvato dalla condanna a morte e mi ha trovato un lavoro. Per quanto mi sforzi, non riesco a sentirmi ottimista mentre Firestone guizza in mezzo al traffico per riportarci da Yogi's.

15

Decido di nascondermi in facoltà. Passo un paio d'ore acquattato fra gli scaffali del seminterrato, a consultare un'abbondante casistica sulla malafede delle assicurazioni. Un modo per ammazzare il tempo.

Quando esco, mi dirigo pian piano verso l'aeroporto e arrivo da Bruiser alle tre e mezzo. La zona è anche peggio di quanto mi era sembrato poche ore fa. La strada è a cinque corsie e fiancheggiata da piccole fabbriche, terminali per merci, piccoli bar bui e club dove vanno a rilassarsi gli operai. È molto vicina al punto dove gli aerei cominciano le manovre di avvicinamento e i reattori urlano sopra la mia testa.

Il centro commerciale di Bruiser si chiama Greenway Plaza, e mentre sto seduto in macchina nel parcheggio pieno di cartacce, noto oltre alla tintoria e al noleggio video un negozio di bevande alcoliche e un piccolo caffè. Anche se è difficile capirlo perché le vetrate sono scure e le porte chiuse, mi pare che lo studio legale occupi sei o sette vani contigui proprio al centro. Stringo i denti e apro la porta.

La segretaria in denim è visibile al di là del divisorio. Ha i capelli platinati e una figura notevole, con le sporgenze e le rientranze messe magnificamente in risalto.

Le spiego il motivo della mia presenza. Mi aspetto che mi inviti ad andarmene, invece si comporta da persona educata. Con voce calda e intelligente, per niente da puttanella, mi chiede di compilare i moduli per l'assunzione. Rimango sbalordito nel constatare che lo Studio Legale di J. Lyman Stone offre ai dipendenti un'ottima assicurazione sanitaria. Leggo con grande attenzione le frasi stampate in piccolo perché temo che Bruiser nasconda clausolette tali da permettergli di affondare ancora di più gli artigli nella mia carne.

Ma non ci sono sorprese. Chiedo all'impiegata se posso vedere Bruiser, e lei mi dice di attendere. Siedo in una delle sedie di plastica allineate contro la parete. La reception è stata concepita avendo come modello un ufficio assistenziale: pavimento di piastrelle sciupate, uno strato sottile di sporcizia sul predetto pavimento, sedie a buon mercato, pareti formate di pannelli sottili, un grande assortimento di riviste. La segretaria, Dru, batte a macchina e al tempo stesso risponde al telefono. Il telefono squilla spesso e lei è molto efficiente; molte volte riesce a continuare a battere sui tasti mentre parla con i clienti.

Alla fine mi spedisce a parlare con il mio nuovo principale. Bruiser è alla scrivania ed esamina i miei moduli di assunzione con l'attenzione di un ragioniere. Mi sorprende il suo interesse per i dettagli. Mi saluta, poi riparla delle condizioni finanziarie del nostro accordo, e infine mi mette davanti un contratto. È personalizzato dal mio nome negli spazi in bianco. Lo leggo e lo firmo. C'è la clausola dei trenta giorni di preavviso nell'eventualità che uno dei due intenda troncare il rapporto di lavoro. La ritengo una fortuna per me, ma intuisco che Bruiser ce l'ha messa per un'ottima ragione.

Spiego la mia recente disavventura per insolvenza. Domani dovrò presentarmi in tribunale per il primo incontro con i creditori. Si chiama Esame del Debitore, e gli avvocati di parte avversa hanno il diritto di frugare nella mia biancheria sporca. Possono farmi virtualmente tutte le domande che vogliono sulla mia situazione finanziaria e sulla mia vita in generale. Sarà un incontro in sordina. Anzi, è addirittura probabile che non ci sia nessuno a torchiarmi.

A causa dell'udienza, tuttavia, è mio interesse restare disoccupato ancora per qualche giorno. Chiedo a Bruiser di tenere in sospeso i moduli e di rimandare il pagamento del primo stipendio fino a dopo l'udienza. La proposta sa un po' di truffa, e a Bruiser piace. Nessun problema.

Mi conduce a fare un rapido giro dello studio. È esattamente come immaginavo: piccolo, formato da stanze aggiunte via

via che si espandeva da un vano all'altro e i muri divisori venivano abbattuti. Ci addentriamo nel labirinto. Mi presenta a due donne molto indaffarate in un ufficetto affollato da computer e stampanti. Non credo che abbiano mai ballato sui tavoli. «Adesso abbiamo sei ragazze, credo» dice Bruiser mentre procediamo. Qui una segretaria è semplicemente una ragazza.

Mi presenta poi a un paio di avvocati, simpatici e mal vestiti, rintanati in uffici pieni di roba. «Adesso abbiamo cinque avvocati» mi spiega mentre entriamo in biblioteca. «Ne avevamo sette, ma era un casino. Io preferisco quattro o cinque. Più ne assumo, più problemi mi danno. Lo stesso vale per le ragazze.»

La biblioteca è lunga e stretta, con i libri che vanno dal pavimento al soffitto senza un ordine apparente. Il tavolo al centro è carico di volumi aperti e di fogli appallottolati. «Certuni sono veri porci» borbotta fra sé. «Come ti sembra il mio studio?»

«Mi pare che vada benissimo» rispondo. Non sto mentendo: è un sollievo che qui venga praticata veramente la professione legale. Bruiser sarà un delinquente ben ammanigliato che fa affari sporchi e investimenti disonesti, ma è pur sempre un avvocato. Il suo studio freme dell'attività operosa di una professione legittima.

«Non è lussuoso come quelli dei pezzi grossi del centro» commenta lui, e non ha l'aria di giustificarsi. «Però è tutto pagato. L'ho comprato quindici anni fa. Il tuo ufficio è qui.» Tende la mano per indicare la strada e lasciamo la biblioteca. Due porte più avanti, accanto a un distributore di bibite analcoliche, c'è una stanza vistosamente usata con una scrivania, qualche sedia, schedari e foto di cavalli alle pareti. Sulla scrivania stanno un telefono, un registratore, un mucchio di bloc-notes. È tutto in ordine. Nell'aria aleggia l'odore di disinfettante come se fosse stato pulito da meno di un'ora.

Mi consegna un portachiavi con due chiavi. «Questa è dell'ingresso, quest'altra del tuo ufficio. Sei libero di andare e venire a tutte le ore. Ma di notte sii prudente. Non è il quartiere più tranquillo della città.»

«Dobbiamo parlare» dico mentre prendo le chiavi.

Bruiser dà un'occhiata all'orologio. «Per molto?»

«Dammi mezz'ora. È urgente.»

Alza le spalle e io lo seguo nel suo ufficio dove accomoda l'abbondante didietro sulla poltrona di pelle. «Cosa c'è?» chiede con aria sbrigativa mentre estrae dal taschino una penna di marca e l'accosta all'immancabile bloc-notes. Comincia a scrivere appena comincio a parlare.

Gli faccio un riepilogo rapido ma completo del caso Black, e impiego dieci minuti. Nel contempo colmo le lacune per quanto riguarda l'interruzione del mio rapporto con lo studio Lake. Spiego che Barry Lancaster si è servito di me per rubarmi il caso. E questo mi porta alla manovra con Bruiser. «Dobbiamo depositare la citazione oggi stesso» gli dico in tono serio. «Tecnicamente il caso è di Lancaster, e credo che si muoverà molto presto.»

Bruiser mi fissa con quegli occhi neri. Penso di aver colpito la sua attenzione. L'idea di battere sul tempo lo studio Lake gli piace. «E i clienti?» chiede. «Hanno firmato la procura a Lake.»

«Sì, ma adesso vado da loro. Mi ascolteranno.» Prendo dalla borsa una bozza della citazione contro la Great Eastern: io e Barry abbiamo impiegato ore per metterla a punto. Bruiser la legge meticolosamente.

Poi gli porgo una lettera di revoca della procura che ho battuto a macchina per Barry X. Lancaster e che dovrà essere firmata dai tre Black. Bruiser legge anche quella.

«Un buon lavoro, Rudy» commenta, e io mi sento un grande avvocato. «Fammi indovinare. Depositi la citazione questo pomeriggio e ne porti una copia ai Black. Gliela mostri, poi gli fai firmare la revoca della procura.»

«Proprio così. Mi occorrono solo il tuo nome e la tua firma sulla citazione. Sbrigherò tutto il lavoro e ti terrò informato.»

«E così fregherai lo studio Lake, no?» chiede Bruiser. Riflette e si tira un baffo. «L'idea mi piace. Quanto può valere la causa?»

«Con ogni probabilità quello che deciderà la giuria. Non credo che si arriverà a una transazione stragiudiziale.»

«E hai intenzione di occupartene in aula?»

«Un aiuto mi farebbe comodo. Comunque, credo che ci vorranno un anno o due.»

«Ti presenterò a Deck Shifflet, uno dei miei associati. Prima lavorava per una grande società di assicurazioni e adesso esamina per conto mio una quantità di polizze.»

«Benone.»

«L'ufficio è nel corridoio, accanto al tuo. Cambia la stesura, metti il mio nome e provvederemo a depositarla oggi. Tu devi solo assicurarti che i clienti stiano con noi.»

«I clienti sono con noi» gli assicuro e mi sembra di vedere Buddy che accarezza i suoi gatti e scaccia i tafani a bordo della Fairlane, Dot seduta sotto il portico a fumare e tener d'occhio la cassetta delle lettere come se da un momento all'altro dovesse arrivare l'assegno della Great Eastern, e Donny Ray che si sostiene la testa con le mani.

«Ora cambiamo argomento» dico, e mi schiarisco la gola. «Si sa qualcosa dalla polizia?»

«Finora niente» dice soddisfatto Bruiser, come se la sua bacchetta magica avesse dimostrato il suo valore una volta di più. «Ho parlato con qualcuno che conosco. Non sono neppure sicuri che l'incendio sia doloso. Forse ci vorranno giorni.»

«Non verranno ad arrestarmi nel cuore della notte?»

«No. Hanno promesso che mi telefoneranno, se si metteranno a cercarti. Gli ho assicurato che ti costituirai, pagherai la cauzione eccetera. Ma non si arriverà a tanto. Sta' tranquillo.»

Infatti mi sento più tranquillo. Sono convinto che Bruiser Stone sia in grado di strappare promesse alla polizia.

«Grazie» dico.

Cinque minuti prima della chiusura entro nella Cancelleria Distrettuale e deposito la citazione di quattro pagine contro la Great Eastern Life Insurance Company e Bobby Ott, l'agente che ha stipulato la polizza. I miei clienti, i Black, chiedono duecentomila dollari di danni e un risarcimento punitivo di dieci milioni. Non ho idea di quanto valga la Great Eastern e passerà molto tempo prima che lo scopra. Ho sparato alla cieca i dieci milioni perché suonano bene. Gli avvocati lo fanno sempre.

Il mio nome non compare, com'è ovvio. L'avvocato dei tre danneggiati è ufficialmente J. Lyman Stone, e la sua firma svolazzante abbellisce l'ultima pagina conferendo all'azione il peso dell'autorità. Consegno al vicecancelliere l'assegno dello studio per le spese di deposito, e partiamo.

Abbiamo fatto causa ufficialmente alla Great Eastern!

Attraverso di corsa la città, raggiungo North Memphis, arrivo nel quartiere Granger dove trovo i miei clienti più o meno come li ho lasciati qualche giorno fa. Buddy è fuori. Dot va a chiamare Donny Ray che è nella sua stanza. Ci sediamo al tavolo e loro ammirano la copia della citazione che gli ho portato. Sono molto colpiti dalle grosse cifre. Dot continua a ripetere "dieci milioni" come se avesse il biglietto vincente della lotteria.

Alla fine sono costretto a spiegare come sono andate le cose con quelli dello studio Lake. Un conflitto di strategia. Non si sono mossi in fretta come avrei voluto. Non approvavano la mia linea dura. E così via.

A loro non interessa. La citazione è stata depositata e ne hanno la prova. Possono leggerla e rileggerla quanto vogliono. Mi chiedono cosa succederà adesso, e fra quanto potranno sapere qualcosa. Che speranze ci sono di un rapido accordo? Sono domande che mi lasciano senza fiato. So che ci vorrà molto tempo, e mi sembra una crudeltà nascondergielo.

Li convinco a firmare una lettera indirizzata a Barry X. Lancaster, il loro vecchio avvocato, una lettera che in poche frasi gli revoca la procura. C'è anche la nuova procura per lo studio legale J. Lyman Stone. Parlo molto in fretta e spiego la necessità di quella nuova infornata di scartoffie. Seduti agli stessi posti al tavolo di cucina, io e Donny Ray stiamo a guardare mentre Dot riattraversa il prato invaso dalle erbacce e litiga col marito perché firmi.

Li lascio di umore migliore di quanto li abbia trovati. Sono piuttosto soddisfatti perché hanno citato in giudizio la società di assicurazioni che odiano da tanto tempo. Finalmente hanno reagito: i loro diritti sono stati calpestati e mi hanno convinto che hanno subito un torto. Sono entrati a far parte della schiera di milioni di americani che fanno causa ogni anno. In un certo senso, questo li fa sentire patriottici.

Sono a bordo della mia macchinetta in piena ora di punta, e penso alla follia delle ultime ventiquattr'ore. Ho appena firmato un contratto di lavoro non più solido delle sabbie mobili. Mille dollari al mese sono una somma irrisoria, tuttavia mi fa paura. Non è uno stipendio bensì un prestito, e non so né cosa conta di fare Bruiser né come farò a cominciare subito a produrre onorari. Se aspetto di incassare quel che mi spetta per il caso Black... be', dovranno passare ancora molti mesi.

Per un po' continuerò a lavorare da Yogi's. Prince continua a pagarmi in contanti: cinque dollari l'ora più la cena e qualche birra.

Certi studi legali della città pretendono che i loro nuovi associati indossino ogni giorno abiti dignitosi, guidino macchine presentabili, abitino in case rispettabili e addirittura frequentino i country club alla moda. Naturalmente li pagano molto più di quel che mi passa Bruiser, ma li caricano anche di una quantità di impegni sociali superflui.

Per me non è così. Posso vestirmi come voglio, guidare quel che voglio, frequentare i posti che voglio e nessuno ci troverà da ridire. Anzi, mi chiedo cosa dirò la prima volta che uno dei miei colleghi vorrà fare una scappata dall'altra parte della strada per ballare su un tavolo.

Sono diventato padrone di me stesso. Mi sento pervadere da una meravigliosa sensazione d'indipendenza mentre il traffico scorre lentamente. Posso sopravvivere! Lavorerò sodo con Bruiser e con ogni probabilità imparerò più che in uno studio legale del centro. Sopporterò i commenti e le frecciate degli altri per il fatto che lavoro in un posto così malmesso. Posso resistere. Mi farò crescere il pelo sullo stomaco. Avevo un po' di puzza sotto il naso, qualche tempo fa, quando mi sentivo al sicuro con Brodnax e Speer, e poi con Lake, e per punizione manderò giù qualche rospo.

È buio quando parcheggio accanto al Greenway Plaza. Quasi tutte le macchine se ne sono andate. Dall'altra parte della strada, le luci brillanti del Club Amber hanno attratto la solita orda di camioncini e di macchine a noleggio. Il neon vortica intorno al tetto dell'edificio e illumina l'area.

A Memphis sono esplosi lo spogliarello e il topless, ed è difficile capire come mai. È una città conservatrice con una quantità di chiese, nel cuore della cosiddetta Fascia della Bibbia. Qui chi vuol essere eletto a una carica qualunque si affretta ad abbracciare principi morali intransigenti e di solito viene ricompensato dagli elettori. Non riesco a immaginare un candidato che usa la mano leggera con questo genere di attività e riesce a farsi eleggere.

Guardo un gruppo di uomini d'affari scendere da una macchina ed entrare nel Club Amber con passo un po' traballante. Sono un americano e quattro giapponesi: senza dubbio stanno per coronare una giornata di intense trattative con qualche drink e una piacevole rassegna dei più recenti sviluppi americani nel settore della chirurgia plastica al silicone.

La musica è già molto alta. Il parcheggio si va riempiendo in fretta.

Raggiungo la porta principale dello studio e l'apro. Gli uffici sono deserti. Diavolo, è molto probabile che siano tutti dall'altra parte della strada. Da questo pomeriggio ricavo la netta impressione che lo studio di J. Lyman Stone non sia un posto di drogati del lavoro.

Tutte le porte sono chiuse, immagino a chiave. Nessuno si fida degli altri. Ho deciso che chiuderò anche il mio ufficio.

Mi fermerò qualche ora. Devo chiamare Booker e aggiornarlo sulle mie ultime avventure. Stiamo trascurando la preparazione per l'esame d'ammissione all'ordine. Per tre anni abbiamo continuato a spronarci e motivarci a vicenda. L'esame incombe davanti a noi come un appuntamento con il plotone d'esecuzione.

16

Sopravvivo alla notte senza essere arrestato, ma anche senza dormire molto. A un certo momento, fra le cinque e le sei, mi arrendo ai pensieri confusi che mi turbinano nella mente e mi alzo. Nelle ultime quarantott'ore non ne ho dormite neppure quattro.

Il numero telefonico è nell'elenco abbonati, e lo compongo alle sei meno cinque. Sono arrivato alla seconda tazza di caffè. Sento dieci squilli prima che una voce assonnata dica: «Pronto».

«Barry Lancaster, per favore» dico.

«Sono io.»

«Barry, sono Rudy Baylor.»

Si schiarisce la gola e mi pare di vederlo mentre si alza di scatto a sedere sul letto. «Cosa c'è?» chiede in tono molto più brusco.

«Mi scusi se disturbo a quest'ora, ma volevo parlare di un paio di cosette.»

«Quali?»

«Ecco, ieri i Black hanno fatto causa alla Great Eastern. Le manderò una copia della citazione non appena vi sarete insediati in un ufficio nuovo. Hanno firmato anche la revoca della sua procura, quindi lei è fuori. Non ha più motivo di preoccuparsi di loro.»

«Come ha fatto a depositare la citazione?»

«Non è affar suo.»

«Un corno!»

«Le manderò copia della citazione e capirà. Lei è tanto intelligente. Ha già un nuovo indirizzo oppure è ancora valido quello vecchio?»

«La nostra casella postale non ha subito danni.»

«Benissimo. Comunque, le sarei grato se mi lasciasse fuori dalla storia dell'incendio doloso. Io non c'entro affatto, e se si ostina a complicarmi la vita sarò costretto a farle causa.»

«Sono sbalordito.»

«Ci credo. La smetta di gettar fango sul mio conto.» Riattacco senza lasciargli il tempo di rispondere. Resto a fissare il telefono per cinque minuti, ma non mi chiama. Che vigliacco.

Sono ansioso di vedere cosa dice dell'incendio il giornale del mattino. Faccio la doccia, mi vesto e me la filo protetto dal buio. C'è poco traffico mentre mi dirigo a sud, verso l'aeroporto e il Greenway Plaza, che sto cominciando a sentire come casa mia. Parcheggio nel posto che ho lasciato sette ore fa. Il Club Amber è buio e silenzioso, il parcheggio è invaso da cartacce e lattine di birra.

Il vano contiguo a quello che credo ospiti il mio ufficio è affidato a una robusta tedesca di nome Trudy che gestisce un modesto caffè. L'ho conosciuta ieri sera quando sono andato a farmi un sandwich. Mi ha detto che apre alle sei per servire caffè e ciambelle.

Sta appunto versando il caffè quando entro. Chiacchieriamo per qualche istante mentre lei mette a tostare il mio bagel e mi dà il caffè. C'è già una dozzina di uomini affollati intorno ai tavolini e Trudy ha tanti pensieri. Per esempio, l'uomo che consegna le ciambelle è in ritardo.

Prendo il giornale e mi siedo accanto alla vetrata mentre sorge il sole. Sulla prima pagina della cronaca cittadina c'è una foto del magazzino del signor Lake che brucia. Un breve pezzo racconta la storia dell'edificio, dice che è andato distrutto completamente e che secondo Lake i danni ammontano a tre milioni di dollari. «La ristrutturazione è stata un atto d'amore durato cinque anni» ha dichiarato. «Sono desolato.»

Continua pure a piangere, vecchio mio. Dò una scorsa rapida e non vedo la parola "doloso". Poi leggo più lentamente. La polizia non parla: le indagini sono ancora in corso, è troppo presto per fare ipotesi. Le solite chiacchiere.

Non mi aspettavo di vedere il mio nome citato come quello

di un possibile sospettato, ma provo comunque un senso di sollievo.

Sono in ufficio e cerco di sembrare indaffarato mentre mi domando cosa dovrei fare per produrre mille dollari d'onorario nei prossimi trenta giorni, e in quel momento Bruiser entra a passo di carica. Mi mette sulla scrivania un foglio e io lo agguanto.

«È una copia del rapporto della polizia» borbotta, e intanto si sta già avviando verso la porta.

«Parla di me?» domando inorridito.

«Ma no! È il rapporto su un incidente automobilistico accaduto stanotte all'angolo di Airways e Shelby, a pochi isolati da qui. Forse c'è di mezzo un guidatore ubriaco. Pare che sia passato col rosso.» Bruiser tace e mi fissa.

«E noi rappresentiamo uno dei...»

«Non ancora! E qui intervieni tu. Va' ad assicurarti la causa. Informati. Fa' firmare la procura. Indaga. Sembra che ci sia qualche bella lesione.»

Sono completamente confuso, e lui mi lascia in quello stato. La porta sbatte e lo sento parlare brusco nel corridoio mentre si allontana.

Il rapporto sull'incidente è pieno di informazioni: i nomi dei guidatori e dei passeggeri, indirizzi, numeri telefonici, lesioni, danni ai veicoli, dichiarazioni dei testimoni. Un diagramma mostra come l'agente ritiene che siano andate le cose e un altro come ha trovato le macchine. I due guidatori, entrambi feriti, sono stati ricoverati in ospedale, e quello che è passato col rosso era quasi sicuramente ubriaco.

È una lettura interessante, ma cosa devo farne? L'incidente è successo ieri sera alle dieci e dieci, e Bruiser ci ha messo le mani stamattina presto. Lo rileggo e resto a fissarlo a lungo.

Un colpetto battuto alla porta mi strappa al mio stato confusionale. «Avanti» dico.

La porta si socchiude e si affaccia un ometto esile. «Rudy?» chiede. La voce è alta, nervosa.

«Sì, prego.»

Si insinua nel varco e quasi furtivamente raggiunge la sedia davanti alla mia scrivania. «Sono Deck Shifflet» dice, e siede senza tendere la mano e senza sorridere. «Bruiser mi ha detto che vuoi parlarmi di un caso.» Si guarda alle spalle come se qualcuno potesse essere entrato dopo di lui e stesse ascoltando.

«Lieto di conoscerti» dico. Difficile capire se Deck ha quarant'anni o cinquanta. Ha perso quasi tutti i capelli e quei pochi che restano sono impiastricciati di brillantina e incollati alla cute. Quelli intorno alle orecchie sono sottili e quasi tutti grigi. Porta occhiali con montatura metallica e lenti quadrate, spesse e sporche. Difficile capire anche se è la testa troppo grossa o il corpo troppo piccolo: comunque, non sono adatti l'una all'altro. La fronte è divisa in due metà rotonde che s'incontrano al centro, dove una ruga profonda le unisce per poi precipitare verso il naso.

Il povero Deck è uno degli uomini più brutti che abbia mai visto. La pelle porta i segni delle devastazioni dell'acne giovanile. Il mento in pratica non esiste. Quando parla arriccia il naso e il labbro superiore si solleva mettendo in mostra quattro incisivi della stessa grandezza.

Il colletto della camicia bianca, un po' macchiata e con due taschini, è liso. Il nodo della modesta cravatta rossa di maglia è grande come il mio pugno.

«Sì» dico, cercando di non guardare i due occhi enormi che mi scrutano da dietro le lenti. «È un caso che riguarda un'assicurazione. Tu sei uno degli associati?»

Il naso e il labbro si arricciano. I denti luccicano. «Più o meno. Non proprio. Vedi, io non sono ancora avvocato. Ho fatto l'università e tutto, ma non sono passato all'esame d'ammissione.»

Ah, uno spirito affine. «Davvero?» dico. «Quando hai finito gli studi di legge?»

«Cinque anni fa. Vedi, ho qualche problema con l'esame. L'ho ripetuto sei volte.»

Preferirei che non l'avesse detto. «Cavoli» mormoro. Sinceramente, non sapevo che un individuo potesse ripetere l'esame tante volte. «Mi dispiace.»

«Tu quando lo fai?» chiede, e si guarda intorno nervosamente. È seduto sull'orlo della sedia come se prevedesse di dover fuggire da un momento all'altro. Con il pollice e l'indice della destra si pizzica la pelle sul dorso della sinistra.

«Il mese prossimo. È molto difficile, eh?»

«Sì, molto difficile, direi. Non l'ho più fatto dall'anno scorso. Non so neppure se riproverò.»

«Dove hai studiato legge?» gli chiedo. È un dialogo che m'innervosisce. Non sono sicuro di aver voglia di parlare del caso Black. Lui cosa c'entra? Che fetta si prenderà?

«In California.» Lo dice con un tic rabbioso. Gli occhi si spalancano e si chiudono. Le sopracciglia danzano. Le labbra palpitano. «Scuola serale. Allora ero sposato e lavoravo cinquanta ore la settimana. Non avevo molto tempo per gli studi, e per finirli ho impiegato cinque anni. Mia moglie mi ha lasciato. Mi sono trasferito qui.» La voce si smorza, le frasi si accorciano e per qualche secondo mi lascia così in sospeso.

«Be', e da quanto lavori per Bruiser?»

«Sono quasi tre anni. Mi tratta come gli associati. Io trovo i casi, li seguo, gli dò la sua parte. E tutti sono contenti. Di solito m'incarica di controllare i casi delle assicurazioni via via che arrivano. Ho lavorato diciotto anni per la Mutual Pacific. Mi sono stufato. Ho studiato legge.» Le parole si smorzano di nuovo.

Io attendo. «Cosa succede se devi andare in aula?»

Sorride con l'aria di vergognarsi un po'. «Be', qualche volta ci sono andato. Finora nessuno ha trovato da ridire. Ci sono tanti avvocati, sai, che è impossibile star dietro a tutti. Se c'è una causa, ci va Bruiser. Oppure uno degli associati.»

«Bruiser ha detto che nello studio ci sono cinque avvocati.»

«Sicuro. Io, Bruiser, Nicklass, Toxer e Ridge. Però non direi che è un vero studio. Qui ognuno lavora per proprio conto. Te ne accorgerai. Trovi i clienti e i casi, e tieni per te un terzo dell'incasso lordo.»

La sua franchezza mi colpisce e insisto. «È un buon affare per gli associati?»

«Dipende da quello che vuoi» risponde, e si volta indietro come se temesse che Bruiser lo stesse ascoltando. «C'è tanta concorrenza. Per me va bene così perché posso guadagnare quarantamila dollari l'anno esercitando la professione senza essere abilitato. Ma non dirlo a nessuno.»

Non ci penso minimamente.

«Cosa c'entri con me e il mio caso contro l'assicurazione?» gli chiedo.

«Oh, già. Bruiser mi pagherà se si arriverà a una transazione. Lo aiuto con le sue pratiche, e sono l'unico ad avere la sua fiducia. Nessun altro, qui dentro, è autorizzato a toccarle. Ha già licenziato diversi avvocati che cercavano di intrufolarsi. Io sono innocuo. Devo restare per forza, almeno finché non avrò superato l'esame.»

«Gli altri avvocati come sono?»

«Gente a posto. Vanno e vengono. Bruiser non assume quelli che si sono laureati fra i primi del corso, sai. Pesca i giovani per la strada. Lavorano per un anno o due, trovano clienti e contatti, poi si mettono in proprio. Gli avvocati sono sempre in movimento.»

E lo dice a me?

«Posso fare una domanda?» chiedo, ben sapendo che è un'imprudenza.

«Certo.»

Gli passo il rapporto sull'incidente, e lui gli dà una scorsa. «Te l'ha dato Bruiser, vero?»

«Sì, pochi minuti fa. Cosa si aspetta che faccia?»

«Che ti occupi del caso. Trova la vittima, fagli firmare la procura per lo studio legale J. Lyman Stone, quindi prepara tutto.»

«Come faccio a trovarlo?»

«Be', sembra che sia finito all'ospedale. Di solito è il posto migliore per trovarli.»

«Tu vai negli ospedali?»

«Certo. Ci vado sempre. Vedi, Bruiser ha qualche contatto alla centrale di polizia. Alcuni sono contatti ottimi, tizi che sono cresciuti con lui. Gli passano quasi tutte le mattine i rapporti sugli incidenti. Lui li distribuisce nello studio, e si aspetta che andiamo ad assicurarci i clienti. Non occorre essere astrofisici.»

«Che ospedale?»

Gli occhi tondi roteano e Deck scuote la testa disgustato. «Cosa ti hanno insegnato all'università?»

«Non molto, certo non a rincorrere le ambulanze.»

«Allora è meglio che impari in fretta. Se no farai la fame.

Guarda: questo è il numero telefonico di casa dell'automobilista ferito. Chiami il numero, quando ti risponde qualcuno di' che sei della Divisione Soccorso del Dipartimento Antincendi di Memphis, o qualcosa del genere, e che devi parlare con l'automobilista ferito, comunque si chiami. Lui non può venire al telefono perché è all'ospedale, giusto? Quale ospedale? Ne hai bisogno per il computer. Te lo diranno. È un sistema che funziona sempre. Usa un po' di fantasia. La gente è credulona.»

Mi sento un po' nauseato. «E poi?»

«E poi vai all'ospedale e parli con l'interessato. Ehi, scusa se te lo dico, ma sei proprio un novellino. Ti spiego cosa devi fare. Prendi un sandwich e mangia in macchina: andremo insieme all'ospedale per fargli firmare la procura.»

Preferirei non farlo. Per la verità, vorrei andarmene di qui e non rimetterci più piede. Ma in questo momento non ho nient'altro da fare. «D'accordo» dico esitando.

Lui si alza di scatto. «Aspettami all'entrata. Io telefono per sapere il nome dell'ospedale.»

L'ospedale è il St. Peter's Charity Hospital, una specie di zoo dove ricoverano quasi tutti gli incidentati. È di proprietà del municipio e fra le altre cose assicura assistenza gratuita a innumerevoli pazienti privi di mezzi.

Deck lo conosce bene. Attraversiamo in fretta la città a bordo del suo malconcio minivan, l'unico bene che gli è stato accordato dopo il divorzio, divorzio causato da anni di alcolismo. Adesso è guarito, ed è socio degli Alcolisti Anonimi; ha smesso anche di fumare. Però gli piace giocare d'azzardo, e lo ammette: lo preoccupano i nuovi casinò che stanno spuntando nel Mississippi, appena al di là del confine.

La ex moglie e i due figli stanno ancora in California.

Vengo a conoscenza di tutti questi dettagli in meno di dieci minuti mentre mastico un hot dog. Deck guida con una mano, mangia con l'altra, e fra tic e sussulti e smorfie continua a parlare mentre attraversiamo mezza Memphis. Un po' d'insalata di pollo gli rimane incollata all'angolo della bocca. Non ce la faccio a guardarlo.

Parcheggiamo nel lotto riservato ai dottori perché Deck ha

un tesserino che lo qualifica come medico. Sembra che il guardiano lo conosca bene: ci fa segno di passare.

Deck mi guida subito al banco delle informazioni nell'atrio principale, superaffollato. Dopo pochi secondi si procura il numero della camera di Dan Van Landel, il nostro potenziale cliente. Deck cammina male e zoppica un po', ma io fatico a stargli dietro mentre marcia verso gli ascensori. «Non comportarti da avvocato» mi bisbiglia mentre aspettiamo in mezzo a un gruppo di infermiere.

E chi potrebbe sospettare che Deck è avvocato? Saliamo senza fiatare fino al settimo piano e usciamo con una marea di gente. Deck, ahimè, l'ha fatto molte volte.

Nonostante la forma bizzarra del testone, l'andatura claudicante e tutte le altre sue caratteristiche che danno nell'occhio, nessuno bada a noi. Ci avviamo in un corridoio affollato fino al punto in cui ne incrocia un altro a un'affollata guardiola delle infermiere. Deck sa come trovare la camera 886. Viriamo a sinistra passando tra infermiere, tecnici e un dottore che consulta un grafico. Lungo una parete sono allineate le barelle a ruote senza lenzuola. Il pavimento di piastrelle è consunto e ha bisogno di una pulizia seria. Arriviamo alla quarta porta a sinistra e, senza bussare, entriamo in una stanza a due letti. È quasi buio. Il primo letto è occupato da un uomo con le lenzuola tirate fino al mento. Sta guardando una telenovela al minuscolo televisore appeso sopra il letto.

Ci guarda con orrore come se venissimo per portargli via un rene e mi vergogno di essere qui. Non abbiamo nessun motivo per violare la privacy di questa gente con tanta spietatezza.

Deck non rallenta neppure. È difficile credere che questo sfacciato impostore sia il furetto entrato quasi furtivamente nel mio ufficio meno di un'ora fa. Allora aveva paura della sua ombra. Adesso mi sembra intrepido.

Facciamo qualche passo e raggiungiamo il varco nel divisorio pieghevole. Deck esita un attimo per vedere se con Dan Van Landel c'è qualcuno. È solo e Deck si avvicina. «Buon pomeriggio, signor Van Landel» dice in tono sincero.

Van Landel è prossimo alla trentina anche se è difficile definire l'età perché ha la faccia bendata. Ha un occhio gonfio, quasi completamente chiuso, e una lacerazione fra l'altro e lo zigomo, un braccio è fratturato e una gamba in trazione.

È sveglio, e perciò non dobbiamo toccarlo né gridare. Mi fermo ai piedi del letto, vicino all'entrata, pregando che non ci sorprenda un'infermiera, un dottore o un parente.

Deck si tende verso di lui. «Mi sente, signor Van Landel?» chiede con il tono compassionevole di un prete.

Van Landel è praticamente legato al letto e non si può muovere. Sono sicuro che vorrebbe sollevarsi a sedere, ma l'abbiamo inchiodato. Non riesco a immaginare il suo stato di shock. Lui è lì che guarda il soffitto, probabilmente ancora stordito e sofferente ed ecco che in una frazione di secondo si trova di fronte una delle facce più bizzarre che gli sia mai capitato di vedere.

Batte le palpebre e cerca di mettere a fuoco. «Chi è?» borbotta a denti stretti. Sono stretti perché gli hanno messo un apparecchio per rinsaldarli.

No, non è leale.

Deck sorride mettendo in mostra i quattro lustri incisivi. «Deck Shifflet, dello studio legale di Lyman Stone» dice con straordinaria sicurezza del fatto suo, come se la sua presenza fosse doverosa. «Non ha ancora parlato con un'assicurazione, vero?»

Proprio così. Deck chiarisce subito chi sono i cattivi della vicenda. Non certo noi. Sono quelli delle assicurazioni. È un passo da gigante per conquistare la fiducia del potenziale cliente. Noi contro loro.

«No» mormora Van Landel.

«Bene. Non gli parli. Cercheranno di darle una fregatura. Abbiamo visto il rapporto sull'incidente. È un caso chiarissimo: l'altro è passato col rosso. Fra circa un'ora» continua Deck, e consulta l'orologio con aria d'importanza, «saremo sul posto, faremo fotografie, parleremo con i testimoni e tutto quel che serve. Dobbiamo sbrigarci prima che gli investigatori dell'assicurazione arrivino ai testimoni. Succede spesso che li corrompono per ottenere testimonianze false, sa, mascalzonate del genere. Dobbiamo muoverci in fretta, ma abbiamo bisogno della sua autorizzazione. Ha un avvocato?»

Trattengo il respiro. Se Van Landel dice che ha un fratello avvocato, posso andarmene subito.

«No» risponde.

Deck parte all'attacco. «Bene. Come ho detto, dobbiamo agire in fretta. Il mio studio si occupa di incidenti d'auto più di qualunque altro di Memphis, e otteniamo liquidazioni cospicue. Le assicurazioni hanno paura di noi. E non vogliamo un soldo d'anticipo. Di solito prendiamo un terzo della somma recuperata.» E mentre sferra il colpo decisivo, estrae lentamente una procura da un bloc-notes. È un atto sbrigativo: una pagina, tre capoversi, quanto basta per prenderlo all'amo. Deck glielo sventola in faccia in modo che Van Landel deve prenderlo. Lo tiene con la mano sana e cerca di leggerlo.

Poveretto! Ha appena vissuto la notte più terribile della sua vita, può ritenersi fortunato se è ancora vivo, e adesso, con gli occhi appannati, completamente stordito, dovrebbe esaminare un documento legale e prendere una decisione intelligente.

«Potete aspettare che arrivi mia moglie?» chiede in tono quasi implorante.

Stiamo per essere scoperti? Mi aggrappo alla sponda del letto e involontariamente urto un cavo; il cavo fa muovere una puleggia che gli solleva la gamba di altri due centimetri. «Ahhh!» geme.

«Mi scusi» dico in fretta, e ritiro di scatto le mani. Deck mi guarda come se volesse strozzarmi, poi ritrova l'autocontrollo. «Dov'è sua moglie?» chiede.

«Ahhh!» geme di nuovo il poveraccio.

«Mi scusi» ripeto perché non posso farne a meno. Ho i nervi tesi come corde di violino.

Van Landel mi fissa impaurito. Affondo le mani nelle tasche.

«Tornerà fra poco» dice. Ogni sillaba tradisce la sofferenza.

Deck ha una soluzione per tutto. «Parlerò con sua moglie più tardi, nel mio ufficio. Ho bisogno che mi fornisca molte informazioni.» Deck infila abilmente il bloc-notes sotto il foglio, in modo che sia più agevole firmare, e toglie il cappuccio alla penna.

Van Landel mormora qualcosa, poi prende la penna e scarabocchia il suo nome. Deck infila la procura nel blocco e gli porge un biglietto da visita che lo identifica come un paralegale dello studio di J. Lyman Stone.

«Ora, un paio di cose» dice. Ha un tono autoritario. «Non parli con nessuno, tranne il suo medico. Quelli delle assicurazioni l'assedieranno, anzi con ogni probabilità verranno oggi stesso per cercare di farle firmare moduli e altro. Può darsi che le offrano una transazione. Non gli dica nulla in nessun caso prima che io l'abbia approvato. Ha il mio numero. Può chiamarmi ventiquattr'ore su ventiquattro. Dietro c'è il numero di Rudy Baylor, che è qui con me, e può telefonargli quando vuole. Ci occuperemo insieme del caso. Qualche domanda?»

«Bene» conclude Deck prima che Van Landel possa borbottare o gemere. «Rudy tornerà domattina con diversi documenti. Dica a sua moglie di telefonarci nel pomeriggio. È molto importante che le parliamo.» Batte la mano sulla gamba sana del ferito. È meglio che andiamo prima che cambi idea. «Le faremo ottenere un mucchio di soldi» lo assicura Deck.

Lo salutiamo e usciamo in fretta. Quando arriviamo nel corridoio, Deck dice con orgoglio: «Ecco come si fa, Rudy. È uno scherzo».

Giriamo intorno a una donna su una sedia a rotelle e ci fermiamo per far passare un paziente che stanno portando via su una barella. «E se quello avesse avuto un avvocato?» domando mentre ricomincio a respirare normalmente.

«Non abbiamo niente da perdere, Rudy. Non dimenticarlo. Siamo venuti qui senza niente. Se ci avesse scacciati, per una ragione qualunque, cosa avremmo perso?»

Un po' di dignità, un po' di amor proprio. Il suo ragionamento è del tutto logico. Non dico nulla. Cammino a passi lunghi e svelti e cerco di non guardarlo mentre mi zoppica dietro. «Come vedi, Rudy, all'università non ti insegnano quello che è necessario sapere. Nient'altro che testi e teorie e nobili idee sulla professione legale presentata come un'attività per gentiluomini. Una vocazione sublime, governata da pagine e pagine di etica.»

«Cos'ha l'etica che non va?»

«Oh, niente, credo. Io penso che l'avvocato debba battersi per il cliente, astenersi dal rubare, cercare di non mentire; insomma, i principi fondamentali.»

Deck che parla di etica. Abbiamo passato ore a dissertare sui dilemmi morali e deontologici, e adesso Deck riduce il Canone dell'Etica ai Tre Principi Fondamentali: battiti per il cliente, non rubare, cerca di non mentire.

Svoltiamo a sinistra e infiliamo un altro corridoio. Il St. Peter's è un labirinto di ampliamenti e annessioni. Deck ha voglia di tenere lezione: «Ma quello che non ti insegnano all'università può danneggiarti. Prendi quel Van Landel. Ho avuto l'impressione che trovarti nella sua stanza ti rendesse nervoso.»

«Non ti sei sbagliato.»

«Non c'era motivo.»

«Ma è contrario all'etica cercare casi. È come correre dietro alle ambulanze.»

«Giusto. Ma chi se ne frega? Meglio noi che un altro. Ti assicuro che entro le prossime ventiquattr'ore un altro avvocato contatterà Van Landel e cercherà di fargli firmare una procura. È il sistema, Rudy, è la concorrenza, il mercato. Ci sono in giro troppi avvocati.»

Come se non lo sapessi. «Credi che resterà con noi?» chiedo.

«È probabile. Finora ci è andata bene. L'abbiamo preso nel momento giusto. Di solito ci sono cinquanta probabilità contro cinquanta; ma quando firmano sulla linea punteggiata ci sono ottanta probabilità su cento che restino. Dovrai chiamarlo fra un paio d'ore, parlare con la moglie, offrirti di tornare questa sera per discutere il caso con loro.»

«Io?»

«Ma certo. È facile. Ho diverse pratiche analoghe che puoi esaminare. Non ci vuole un neurochirurgo.»

«Ma non sono sicuro...»

«Vai tranquillo, Rudy. Non aver paura di questo ospedale. Ormai Van Landel è nostro cliente. Hai il diritto di fargli visita, e nessuno può impedirtelo. Non possono buttarti fuori. Vai tranquillo.»

Beviamo caffè in bicchieri di plastica in un grill al secondo piano. Deck preferisce questa piccola cafeteria sia perché è vicina all'ala dell'ortopedia, sia perché è il risultato di recenti lavori di rinnovamento che pochi avvocati conoscono. Gli avvocati, spiega a voce bassa mentre scruta ogni paziente, hanno l'abitudine di oziare nelle cafeterie degli ospedali dove possono sperare di catturare qualche persona incidentata. Lo dice con un certo disprezzo per un simile comportamento. Deck manca totalmente di senso del ridicolo.

In parte, il mio lavoro come giovane associato dello studio legale J. Lyman Stone consisterà nel ronzare qui intorno e brucare in questi pascoli. C'è anche una grande cafeteria al pianterreno del Cumberland Hospital, a due isolati di distanza. E l'ospedale dell'Amministrazione Veterani ha tre cafeterie. Naturalmente Deck sa dove sono e mi fa partecipe di queste conoscenze.

Mi suggerisce di cominciare dal St. Peter's perché ha il reparto traumatologico più grande. Su un tovagliolo disegna una piantina per rivelarmi l'ubicazione di altri potenziali terreni di caccia: la cafeteria principale, la tavola calda vicino al reparto maternità al primo piano, un caffè accanto all'ingresso. La notte, dice, è utile per studiare la preda perché spesso i pazienti si annoiano nelle loro stanze e, se sono in grado di muoversi, scendono a fare uno spuntino. Non molti anni or sono, uno degli associati di Bruiser era nella cafeteria principale all'una del mattino quando attaccò bottone con un ragazzo ustionato.

Un anno dopo il caso si concluse con una ricca transazione. Purtroppo il ragazzo aveva revocato la procura a Bruiser e si era rivolto a un altro avvocato.

«E così ci è scappato» sospira Deck come un pescatore deluso.

17

La signora Birdie va a letto quando finisce il telefilm della vecchia serie M*A*S*H, alle undici. Mi ha invitato diverse volte a farle compagnia dopo cena davanti alla tv, ma finora sono sempre riuscito a inventare una buona scusa.

Siedo sulla scala davanti all'appartamento e aspetto che in casa sua le luci si spengano. Vedo la sua silhouette andare da una porta all'altra, controllare le serrature e abbassare le veneziane.

Immagino che i vecchi si abituino a stare soli, anche se nessuno si aspetta di passare in solitudine gli ultimi anni della vita, lontano dalle persone care. Quando era più giovane era sicura di trascorrere questi anni circondata dai nipoti, ne sono certo. I figli avrebbero abitato vicino e ogni giorno avrebbero fatto un salto per vedere come stava la mamma, portando fiori, biscotti, regali. La signora Birdie non voleva vivere da sola gli ultimi anni, in una vecchia casa popolata di ricordi sbiaditi.

Parla raramente dei figli o dei nipoti. In giro ci sono alcune foto, ma a giudicare dagli abiti sono vecchie. Sono qui da qualche settimana, e non mi risulta che abbia avuto contatti con la famiglia.

Mi sento in colpa perché la sera non le tengo compagnia, ma ho le mie ragioni. Lei guarda uno stupido telefilm dopo l'altro e non li sopporto. Lo so perché ne parla di continuo. E poi devo studiare per l'esame d'ammissione.

Ho un'altra ragione valida per tenermi a distanza. La signora Birdie ha accennato con notevole energia che la casa ha bisogno di una tinteggiatura e se riuscirà a finirla con la pacciamatura avrà il tempo per l'altro progetto.

Oggi ho scritto e spedito una lettera a un avvocato di Atlanta, firmata con il mio nome e la qualifica di paralegale dello studio J. Lyman Stone, per chiedere notizie sull'eredità di tale Anthony L. Murdine, secondo e ultimo marito della signora Birdie. Scavo a poco a poco, ma senza troppa fortuna.

La luce si spegne nella sua camera da letto. Io scendo la scala traballante e attraverso, scalzo, in punta di piedi, il prato umido fino a raggiungere l'amaca sbrindellata appesa in modo precario fra due alberelli. Ieri notte mi sono dondolato per un'ora senza che mi succedesse niente di male. Fra gli alberi, l'amaca fa una figura splendida al chiaro di luna. Mi dondolo dolcemente. La notte è tiepida.

Sono di malumore dopo l'incontro con Van Landel oggi in ospedale. Ho cominciato gli studi di legge meno di tre anni fa con la tipica, nobile aspirazione di poter usare un giorno quanto apprendevo per migliorare nel mio piccolo la società, intraprendere una professione onorevole governata da canoni etici sottoscritti, così credevo, da tutti gli avvocati. Ci credevo veramente. Sapevo di non poter cambiare il mondo, ma sognavo di lavorare in un ambiente ad alta pressione popolato da persone intelligenti e fedeli a una serie di principi rispettabili. Volevo lavorare con impegno, affermarmi e attirare clienti con una reputazione solida, non con la pubblicità. E lungo il cammino, via via che fossero cresciuti le mie capacità e i miei onorari, avrei potuto occuparmi di casi e clienti che nessuno voleva senza preoccuparmi di venir pagato. Non sono sogni rari per le matricole di legge.

Sia detto a onore della facoltà, abbiamo passato ore e ore a studiare e discutere l'etica. Si dava grande importanza all'argomento, al punto di farci credere che la categoria vegliasse gelosamente su una serie di direttive. Ora la verità mi deprime. Durante l'ultimo mese ho visto un avvocato dopo l'altro esercitarsi nel tiro a segno contro la mia mongolfiera. Mi sono ridotto a fare il bracconiere nei bar degli ospedali per mille dollari al mese. Mi rattrista e mi nausea pensare a ciò che sono diventato e ancora non riesco a credere alla rapidità della mia caduta.

Al college il mio miglior amico era Craig Balter. Per due anni abbiamo diviso la stessa stanza. L'anno scorso sono andato al suo matrimonio. All'inizio del college Craig aveva una meta: insegnare storia alle superiori. Era molto bravo e per lui il college era fin troppo facile. Discutevamo a lungo di ciò che avremmo fatto nella vita. Io pensavo che si sottovalutasse decidendo di insegnare, e lui si arrabbiava quando comparavo la mia futura professione con la sua. Io avrei imboccato la strada del successo e dei lauti guadagni. Lui sarebbe finito in un'aula con uno stipendio soggetto a fattori che non avrebbe potuto controllare.

Craig ha conseguito una specializzazione e ha sposato una maestra. Adesso insegna storia e sociologia. La moglie è incinta e fa la maestra d'asilo. Hanno una bella casa in campagna con giardino e qualche ettaro di terreno e sono le persone più felici che conosco. Fra tutti e due guadagnano probabilmente intorno ai cinquantamila dollari l'anno.

Ma a Craig il denaro non interessa. Fa ciò che ha sempre desiderato fare. Io, invece, non so cosa sto facendo. Il lavoro di Craig è straordinariamente appagante perché influisce sulle menti dei giovani. Può immaginare quelli che saranno i risultati del suo impegno. Io, invece, domani andrò in ufficio nella speranza di agganciare, di riffe o di raffe, qualche cliente ignaro che affoga nei guai. Se gli avvocati guadagnassero quanto gli insegnanti, nove facoltà di legge su dieci chiuderebbero i battenti da un giorno all'altro.

La situazione deve migliorare. Ma prima che ciò succeda, esistono ancora due possibilità disastrose. Potrei essere arrestato o comunque coinvolto nell'incendio dello studio di Lake. E potrei essere respinto all'esame.

Questi due pensieri mi trattengono a dondolarmi sull'amaca fino al mattino.

Bruiser è venuto in ufficio presto, con gli occhi arrossati e i postumi di una sbronza, ma vestito come si conviene a un avvocato di successo: elegante abito di lana, camicia di cotone bianco perfettamente stirata, ricca cravatta di seta. La criniera fluente ha l'aria di essere stata sottoposta questa mattina a un bucato supplementare. È lucente e pulitissima.

Sta per andare in tribunale a discutere varie istanze preliminari in un processo per traffico di droga, ed è tutto nervi e azione. Mi ha convocato per impartirmi istruzioni.

«Buon lavoro con Van Landel» dice, semisepolto fra carte e pratiche. Dru si aggira dietro di lui, al sicuro. Gli squali la guardano famelici. «Ho parlato pochi minuti fa con l'assicurazione. L'investitore ha una buona copertura. La responsabilità appare evidente. Il giovanotto è conciato male?»

Stanotte ho passato un'ora straziante all'ospedale con Van Landel e la moglie. Avevano tante domande da fare: adesso il loro pensiero principale era quanto potevano spuntare. Avevo poche risposte concrete, ma mi sono destreggiato ammirevolmente con il linguaggio legale. Finora, ci stanno. «Un braccio, una gamba e qualche costola rotti, lacerazioni in abbondanza. Il suo dottore dice che resterà all'ospedale una decina di giorni.»

Bruiser sorride. «Non mollare. Indaga. Ascolta Deck. Si potrebbe arrivare a una transazione soddisfacente.»

Sarà soddisfacente per Bruiser, ma io non sarò partecipe della ricompensa. Per me, il caso non conterà come produzione di onorari.

«Alla polizia vogliono una tua dichiarazione sull'incendio» mi dice prendendo un fascicolo. «Gli ho parlato ieri sera. La faranno qui, in questo ufficio e alla mia presenza.»

Lo dice come se avessero già combinato tutto e io non avessi scelta. «E se rifiutassi?» provo a obiettare.

«Penso che ti porterebbero alla centrale per interrogarti. Se non hai niente da nascondere, ti consiglio di fare la dichiarazione. Ci sarò io. Potrai consultarti con me. Parla con loro, e vedrai che ti lasceranno in pace.»

«Allora pensano che sia stato un incendio doloso?»

«Ne sono ragionevolmente sicuri.»

«Cosa vogliono da me?»

«Vogliono sapere dov'eri, cosa facevi, orari, luoghi, alibi, cose del genere.»

«Non sono in grado di rispondere a tutte le domande, ma posso dire la verità.»

Bruiser sorride. «Allora la verità ti farà libero.»

«Posso metterlo per iscritto?»

«Lo faremo questo pomeriggio alle due.»

Annuisco ma non dico niente. È strano che nelle mie condizioni di vulnerabilità abbia una fiducia totale in Bruiser Stone, un uomo di cui altrimenti non mi fiderei affatto.

«Ho bisogno di un po' di tempo libero, Bruiser» dico.

Resta con le mani sospese in aria e mi fissa. Dru, che è in un angolo e spulcia in uno schedario, si ferma a guardare la scena. Uno degli squali sembra aver sentito le mie parole.

«Hai appena cominciato» osserva lui.

«Lo so. Ma l'esame d'ammissione all'ordine è imminente, e sono indietro con lo studio.»

Inclina la testa e si accarezza la barba. Ha gli occhi molto duri quando beve e si sta divertendo. Adesso sono due laser. «Quanto tempo ti occorre?»

«Ecco, vorrei venire tutte le mattine e lavorare fino a mezzogiorno o giù di lì. Poi, rispettando ovviamente la mia agenda delle cause e degli appuntamenti, vorrei scappare in biblioteca a studiare.» Il tentativo di fare lo spiritoso cade nel vuoto, non si regge.

«Potresti studiare con Deck» dice Bruiser con un sorriso. È una battuta e io rido come uno stupido. «Ti dirò io cosa devi fare» riprende ridiventando serio. «Lavori fino a mezzogiorno, poi prendi i libri e vai alla cafeteria del St. Peter's. Studia pure, ma tieni anche gli occhi aperti. Voglio che superi l'esame, però in questo momento m'interessa di più trovare casi nuovi. Prendi un cellulare, così potrò contattarti in qualunque momento. Va bene?»

Perché ho parlato? Mi prenderei a calci per aver accennato all'esame. «Certo» dico e aggrotto la fronte.

Stanotte, mentre mi dondolavo sull'amaca, pensavo che con un pizzico di fortuna avrei potuto evitare il St. Peter's. E adesso Bruiser mi spedisce proprio là.

I due agenti che erano venuti nel mio appartamento si presentano a Bruiser e gli chiedono il permesso di interrogarmi. Sediamo tutti e quattro intorno a un piccolo tavolo rotondo nell'angolo del suo ufficio. Al centro ci sono due registratori in funzione.

Diventa subito una faccenda noiosa. Ripeto le stesse cose che ho detto a quei due buffoni la prima volta che ci siamo visti, e loro sprecano una quantità enorme di tempo ridiscutendo ogni minimo particolare. Cercano di spingermi a qualche discrepanza su dettagli del tutto insignificanti («mi pare che avesse detto che portava una camicia blu scura, adesso dice che era semplicemente blu»), ma io dico la verità assoluta. Non devo raccontar menzogne per nascondere qualcosa, e dopo un'ora sembrano capire che il loro uomo non sono io.

Bruiser si scoccia e più volte li sollecita ad andare avanti. Per un po' gli obbediscono. Sinceramente, credo che abbiano paura di lui.

Alla fine se ne vanno e Bruiser dice che la faccenda è chiusa. Non sospettano più di me; cercano solo di coprirsi le spalle. Domattina parlerà col loro tenente e farà in modo che mi lascino perdere.

Lo ringrazio, e lui mi consegna un telefono cellulare che, una volta piegato, sta nel palmo della mano. «Tienilo sempre con te» mi raccomanda. «Soprattutto mentre studi per l'esame. Potrei aver bisogno urgente di te.» Di colpo, il cellulare diventa più pesante. Per mezzo di questo aggeggio sarò soggetto ventiquattr'ore su ventiquattro ai capricci di Bruiser.

Mi rispedisce nel mio ufficio.

Torno alla tavola calda vicino all'ala di ortopedia ben deciso a nascondermi in un angolo, studiare, tenere a portata di mano il maledetto cellulare e ignorare chi mi sta intorno.

Il vitto non è abominevole. Dopo sette anni di mensa universitaria, qualunque cosa mi sembra buona. Mangio un sandwich al formaggio con peperoncino e patatine fritte. Sistemo il materiale per l'esame su un tavolo d'angolo, con le spalle al muro.

Per prima cosa mangio: divoro il sandwich mentre scruto gli altri clienti. Quasi tutti fanno parte del personale ospedaliero: dottori in camice, infermiere in uniforme bianca, tecnici di laboratorio con la giacca corta. Stanno seduti in piccoli gruppi e discutono di malattie e terapie che non ho mai sentito nominare. Dovrebbero tenere molto alla salute e a una nutrizione corretta, e invece mangiano porcherie innominabili. Patate fritte, hamburger, *nachos*, pizze. Osservo un gruppo di giovani medici accalcati attorno alle loro cibarie e mi domando cosa penserebbero se sapessero che in mezzo a loro c'è un avvocato, uno che si prepara per l'esame d'ammissione all'ordine e che un giorno potrebbe fargli causa.

Non credo che se la prenderebbero. Ho il diritto di stare qui come ce l'hanno loro.

Nessuno bada a me. Ogni tanto un paziente entra zoppicando e appoggiandosi alle grucce o viene sospinto sulla sedia a rotelle da un portantino. Non vedo altri avvocati in agguato, pronti ad attaccare.

Alle sei del pomeriggio pago la prima tazza di caffè e mi smarrisco in un tormentoso riepilogo analitico dei contratti e delle proprietà immobiliari, due argomenti che mi fanno rivivere gli orrori del primo anno di università. Tiro avanti. Ho procrastinato finora, e non c'è un domani. Passa un'ora prima che torni a fare di nuovo il pieno di caffè. La folla si è diradata, e vedo due incidentati seduti fianco a fianco sul lato opposto della sala. Tutti e due sono fasciati e ingessati. Deck si butterebbe. Io no.

Dopo un po', e con mia grande sorpresa, decido che questo posto mi piace. È tranquillo e nessuno mi conosce. L'ideale per studiare. Il caffè non è malvagio e le seconde dosi costano la metà. Sono lontano dalla signora Birdie perciò non devo preoccuparmi del lavoro manuale. Il mio principale vuole che io stia qui e anche se dovrei andare a caccia di selvaggina, non saprà mai come sono andate le cose. Non ho una quota di produzione: non si può pretendere che io procuri ogni settimana un numero X di casi.

Il cellulare emette un bip fastidioso. È Bruiser, tanto per controllare. Ho avuto fortuna? No, rispondo mentre guardo, sul lato opposto del locale, le due vittime ideali che stanno su due sedie a rotelle e parlano delle rispettive lesioni. Bruiser dice che ha parlato col tenente, le cose si mettono bene. È sicuro che seguiranno altre piste, altri sospetti. Buona pesca! mi augura con una risata. Chiude la comunicazione. Senza dubbio va da Yogi's a bere qualcosa di forte in compagnia di Prince.

Studio per un'altra ora, poi lascio il tavolo e vado al settimo piano per far visita a Dan Van Landel. Soffre, ma è disposto a parlare. Gli dò la buona notizia: abbiamo contattato l'assicurazione dell'altro automobilista, e c'è una polizza bella grassa.

Ha tutti gli elementi in suo favore, spiego ripetendo quello che mi ha detto Deck: responsabilità chiarissima (l'automobilista era ubriaco), ottima copertura assicurativa e belle lesioni. "Belle" significa diverse ossa fratturate che potrebbero facilmente portare alla situazione magica di menomazione permanente.

Dan riesce a sorridere. È come se stesse già contando i soldi. Deve ancora aver a che fare con Bruiser al momento della spartizione della torta.

Lo saluto con la promessa di tornare domani. Dato che sono stato assegnato al servizio in ospedale, potrò far visita a tutti i miei clienti. Un servizio impeccabile.

La tavola calda è affollata quando torno e mi piazzo nel mio angolo. Ho lasciato i libri sul tavolo, e uno ha un titolo vistoso, *Rassegna legale Elton*. Ha attirato l'attenzione di un gruppo di giovani medici seduti al tavolo vicino. Mi guardano di traverso quando mi siedo. Tacciono di colpo, e da questo capisco che stavano parlando dei miei libri. Se ne vanno quasi subito. Vado a prendere un altro caffè e mi smarrisco nelle meraviglie della procedura processuale federale.

La folla si dirada di nuovo. Sono passato al caffè decaffeinato e mi stupisco di aver studiato tanto nelle ultime quattro ore. Bruiser richiama alle nove e tre quarti. Mi sembra che stia telefonando da un bar. Vuole che vada nel suo ufficio domani alle nove per discutere un punto di diritto sul quale deve imperniare una memoria per il processo in corso, quello per droga. Prometto che ci sarò.

A me non farebbe piacere scoprire che il mio avvocato si è fatto ispirare le teorie legali da usare in mia difesa mentre tracannava liquori in un topless bar.

Ma Bruiser è il mio avvocato.

Alle dieci sono rimasto solo nella tavola calda. Resta aperta tutta la notte, perciò la cassiera non bada a me. Sono alle prese con la terminologia delle riunioni preliminari quando sento lo sternuto delicato di una donna giovane. Alzo gli occhi e a due tavolini di distanza vedo una paziente in sedia a rotelle, l'unica persona, oltre a me, seduta nel locale. La gamba destra è ingessata dal ginocchio in giù ed è protesa, così posso vedere il fondo del gesso candido. Sembra fresco, per quanto ne so di questo genere di cose.

È molto giovane e molto carina. Non posso fare a meno di fissarla per qualche istante prima di riabbassare gli occhi sugli appunti. Poi torno a guardarla. Ha i capelli scuri annodati sulla nuca. Gli occhi castani sembrano umidi. I lineamenti sono forti, gradevoli nonostante un vistoso livido sulla mascella a sinistra. È un brutto livido, di quelli lasciati solitamente da un pugno. Indossa l'inevitabile camicia bianca da ospedale e sotto quell'indumento mi sembra quasi fragile.

Un vecchio in giacca rosa, uno dei tanti volontari del St. Peter's, posa sul tavolo davanti a lei un bicchiere di plastica pieno di spremuta d'arancia. «Ecco, Kelly» dice come un buon nonno.

«Grazie» risponde lei con un sorriso.

«Hai detto mezz'ora?» le chiede il vecchio.

Lei annuisce e si morde il labbro inferiore. «Mezz'ora» risponde.

«Posso fare qualcos'altro?»

«No. Grazie.»

Il vecchio le dà una pacca incoraggiante sulla spalla e si allontana.

Restiamo soli. Mi sforzo di non fissarla, ma è impossibile. Abbasso gli occhi sul materiale che sto studiando, poi non resisto più e li rialzo lentamente. Non è girata verso di me: guarda dall'altra parte, quasi ad angolo retto. Solleva il bicchiere e io noto i polsi fasciati. Lei deve ancora vedermi. Anzi, sono convinto che non vedrebbe nessuno neppure se il locale fosse pieno. Kelly è chiusa nel suo piccolo mondo.

Direi che ha una caviglia fratturata. Il livido al viso soddisferebbe i requisiti di lesioni multiple secondo i criteri di Deck, anche se non presenta lacerazioni. I polsi fasciati mi sconcertano. Per quanto sia carina, non provo la tentazione di mettere in atto le mie tecniche di aggancio. Mi sembra molto triste e non voglio aggravare la sua infelicità. All'anulare sinistro porta un cerchietto d'oro. Non può avere più di diciotto anni.

Mi sforzo di concentrare l'attenzione sullo studio per cinque minuti ininterrotti ma la vedo asciugarsi gli occhi con un tovagliolo di carta. Inclina leggermente la testa verso destra mentre le lacrime scorrono. E tira su col naso.

Mi rendo conto subito che le sue lacrime non hanno nulla a che fare col dolore della caviglia fratturata. Non sono causate da dolore fisico.

La mia fantasia di avvocato si scatena. Forse c'è stato un incidente d'auto, il marito è rimasto ucciso e lei è ferita. È troppo giovane per avere figli e i suoi parenti vivono molto lontani. È sola e piange il marito morto. Potrebbe diventare un caso redditizio.

Scaccio questi terribili pensieri e cerco di concentrarmi sul testo che ho davanti. Lei continua a piangere in silenzio. Qualche cliente viene e va, ma nessuno si siede ai tavoli. Finisco il caffè, mi alzo e passo davanti a lei per raggiungere il banco. Le lancio un'occhiata, lei mi lancia un'occhiata. I nostri sguardi s'incontrano per un secondo interminabile, e per poco non vado a sbattere contro una sedia metallica. Mi tremano un po' le mani mentre pago il caffè. Respiro a fondo e mi fermo al suo tavolo.

Lei alza lentamente i begli occhi pieni di lacrime. Deglutisco e chiedo: «Senta, non sono un impiccione, ma posso fare qualcosa? Ha molti dolori?». Indico l'ingessatura.

«No» risponde lei con un filo di voce. Poi mi rivolge un sorriso abbagliante. «Grazie, comunque.»

«Oh, di niente» rispondo. Guardo il mio tavolo, lontano meno di sei metri. «Io sono lì a studiare per l'esame d'ammissione all'ordine degli avvocati. Se ha bisogno di qualcosa...» Alzo le spalle come se non sapessi cosa fare: sa, sono un tipo premuroso, mi scusi se mi sono permesso, ma sono a disposizione.

«Grazie» ripete lei.

Torno a sedere, ma adesso ho chiarito che sono un individuo quasi legittimo e studio grossi tomi nella speranza di potermi presto dedicare a una professione nobile. Senza dubbio lei è vagamente impressionata. Mi immergo nello studio e ignoro le sue sofferenze.

Passano i minuti. Giro una pagina e nello stesso tempo la guardo. Lei mi guarda, e per un attimo il mio cuore si ferma. La ignoro completamente, poi non resisto e alzo la testa. È di nuovo sprofondata nella sofferenza. Stringe forte il tovagliolo. Le lacrime le scorrono sulle guance.

Mi si spezza il cuore a vederla soffrire così. Vorrei sederle accanto, magari cingerle le spalle con un braccio e parlare di tante cose. Se è sposata, dove diavolo è il marito? Lancia un'occhiata nella mia direzione, ma penso che neppure mi veda.

Il vecchio dalla giacca rosa compare puntualmente alle dieci e mezzo, e lei cerca di ricomporsi. Il volontario le accarezza la testa, le rivolge parole gentili che non riesco a sentire, gira con delicatezza la sedia a rotelle. Mentre se ne va, Kelly mi rivolge una lunga occhiata e un sorriso tremulo.

Provo la tentazione di seguirla a distanza, di scoprire la sua camera, ma mi trattengo. Più tardi penso di cercare il vecchio volontario per chiedergli qualche particolare. Ma non lo faccio. Mi sforzo di dimenticarla. È ancora una bambina.

La sera dopo entro nella tavola calda e mi piazzo allo stesso tavolo. Ascolto le stesse chiacchiere delle stesse persone frettolose. Vado a far visita ai Van Landel e svio le loro domande interminabili. Cerco con gli occhi la presenza di altri eventuali squali che si nutrono in queste acque torbide e ignoro alcuni possibili clienti che attendono di esser presi all'amo. Studio per ore. Sono concentrato, anzi, non lo sono mai stato tanto.

E tengo d'occhio l'orologio. Quando si avvicinano le dieci, mi deconcentro e comincio a guardarmi intorno. Mi sforzo di restare calmo e interessato allo studio, ma mi sorprendo a trasalire ogni volta che entra un nuovo cliente. Due infermiere mangiano a un tavolo; a un altro, un tecnico tutto solo legge un libro.

Lei arriva alle dieci e cinque. Il solito vecchio la spinge al posto che gli indica. Sceglie lo stesso tavolino di ieri sera e mi sorride mentre il volontario manovra la sedia a rotelle. «Spremuta d'arancia» dice Kelly. Ha ancora i capelli tirati all'indietro, ma se non sbaglio si è data un po' di mascara e di eyeliner. E anche un rossetto chiaro. L'effetto è sensazionale. Ieri sera non mi ero accorto che aveva la faccia completamente senza trucco. Stasera, con un po' di trucco, è di una bellezza eccezionale. Gli occhi sono limpidi, radiosi, liberi dalla tristezza.

Il volontario le mette davanti il suo succo d'arancia e ripete le stesse parole di ieri sera. «Ecco, Kelly. Mezz'ora?»

«Facciamo tre quarti d'ora» dice lei.

«Come vuoi» risponde il volontario, e se ne va.

Lei beve un sorso di spremuta e guarda il piano del tavolo senza vederlo. Oggi ho pensato molto a lei, e ho deciso come comportarmi. Aspetto qualche minuto, fingo che lei non ci sia e mi dò da fare con la *Rassegna legale Elton*, poi mi alzo adagio come se fosse il momento della pausa per il caffè.

Mi fermo accanto al suo tavolo. «Mi sembra che stasera stia molto meglio.»

Si aspettava che dicessi qualcosa del genere. «Mi sento meglio, sì» risponde, mettendo in mostra quel sorriso, quei denti perfetti. Un viso incantevole nonostante il brutto livido.

«Posso portarle qualcosa?»

«Vorrei una coca. Il succo d'arancia è un po' amaro.»

«Certo» dico, e mi allontano. Sono emozionato. Al distributore automatico scelgo due bibite analcoliche abbondanti, le pago, le porto al tavolo di Kelly. Guardo la sedia vuota davanti a lei come se fossi incerto.

«Si sieda, prego» dice.

«È sicura?»

«Prego. Sono stanca di parlare con le infermiere.»

Siedo e appoggio i gomiti sul tavolino. «Mi chiamo Rudy Baylor» dico. «E lei è Kelly...?»

«Kelly Riker. Lieta di conoscerla.»

«È un piacere.» Da sei metri di distanza è carina, ma adesso che posso guardarla senza sotterfugi da poco più di un metro, è impossibile non restare a bocca aperta. Gli occhi sono di un castano delicato e hanno una luce maliziosa. È deliziosa.

«Mi scusi se l'ho infastidita ieri sera» dico per avviare la conversazione. Ci sono tante cose che voglio sapere.

«Non mi ha infastidita. Mi dispiace di aver dato spettacolo.»

«Perché viene qui?» chiedo come se lei fosse un'estranea e io invece avessi tutti i diritti di essere presente nel locale.

«Per uscire un po' dalla mia camera. E lei?»

«Studio per l'esame d'ammissione all'ordine degli avvocati e questo è un posto tranquillo.»

«Allora diventerà avvocato?»

«Già. Ho finito l'università qualche settimana fa, ho un posto in uno studio legale e appena avrò superato l'esame sarò pronto a partire.»

Lei beve con la cannuccia e fa una piccola smorfia quando sposta il peso sulla sedia. «Una brutta frattura, eh?» le chiedo e indico la gamba.

«È la caviglia. Ci hanno messo un perno metallico.»

«Com'è successo?» È una domanda ovvia, e immaginavo che per lei non fosse un problema.

Invece lo è. Esita, i suoi occhi si riempiono di lacrime. «Un incidente domestico» dice, come se avesse imparato a memoria la vaga spiegazione.

Un incidente domestico. Cosa diavolo significa? È caduta dalle scale?

«Oh» dico come se fosse tutto chiaro. Mi preoccupano un po' i polsi perché sono fasciati, non ingessati. Non sembrano fratturati o slogati. Forse lacerati.

«È una storia lunga» mormora lei fra un sorso e l'altro, e sfugge il mio sguardo.

«Da quanto è qui?» le chiedo.

«Un paio di giorni. Vogliono vedere se il perno è ben diritto. Se no, dovranno rifare tutto.» S'interrompe e giocherella con la cannuccia. «Non è un posto un po' strano per studiare?»

«Non proprio. È tranquillo. C'è tutto il caffè che voglio. Resta aperto tutta la notte. Ho visto che porta la fede.» Quel particolare mi infastidisce più di tutto il resto.

La guarda come se non fosse sicura di averla ancora al dito. «Sì» dice. E fissa la cannuccia. Porta soltanto la fede, senza l'accompagnamento del solito anello con brillante.

«Allora dov'è suo marito?»

«Lei fa troppe domande.»

«Sono avvocato o sto per diventarlo. È una deformazione professionale.»

«Perché vuole saperlo?»

«Perché è strano che sia sola e ferita in ospedale, e che lui non ci sia.»

«È venuto prima.»

«E adesso è a casa con i bambini?»

«Non abbiamo bambini. E lei?»

«No. Non ho né moglie né figli.»
«Quanti anni ha?»
«Fa troppe domande» le rifaccio il verso con un sorriso. Le brillano gli occhi. «Venticinque. E lei?»
Riflette per un secondo. «Diciannove.»
«È molto giovane per essere sposata.»
«Non l'ho voluto io.»
«Oh, mi scusi.»
«Non è colpa sua. Sono rimasta incinta quando avevo appena compiuto diciotto anni, mi sono sposata e ho avuto un aborto spontaneo una settimana dopo il matrimonio. Da allora la mia vita è sempre andata in discesa. Basta per soddisfare la sua curiosità?»
«No. Sì. Mi scusi. Di cosa vuol parlare?»
«Del college. In che college ha studiato?»
«All'Austin Peay. Poi alla facoltà di legge dell'Università Statale di Memphis.»
«Ho sempre sognato di andare al college, ma non ce l'ho fatta. Lei è di Memphis?»
«Sono nato qui ma sono cresciuto a Knoxville. E lei?»
«In una cittadina a un'ora da qui. Ce ne siamo andati quando sono rimasta incinta. La mia famiglia si sentiva umiliata. Quella di lui è una famiglia di straccioni. Dovevamo andarcene.»
C'è una grossa questione di famiglia che cova sotto la cenere, e mi piacerebbe tenermi alla larga. Kelly ha parlato due volte della gravidanza, e avrebbe potuto evitarlo. Ma si sente sola, e vuol parlare.
«E così vi siete trasferiti a Memphis?»
«Siamo scappati a Memphis. Siamo andati a sposarci da un giudice di pace, una cerimonia in piena regola, e poi ho perduto il bambino.»
«Che lavoro fa suo marito?»
«Guida un carrello elevatore a forche. Beve parecchio. È un atleta finito, ma sogna ancora di giocare a baseball in una grande squadra.»
Non avevo chiesto tutte queste informazioni. Ne deduco che lui era una promessa dello sport, alle superiori, e lei la più carina delle ragazze pompon. La coppia americana ideale, primi classificati al concorso di Mister e Miss alle superiori di Po-

dunk, i più belli, i più promettenti finché una notte si ritrovano senza il preservativo. Ecco il disastro. Per qualche ragione decidono di non ricorrere all'aborto. Forse finiscono le superiori, forse no. Carichi di vergogna fuggono da Podunk e cercano riparo nell'anonimato della grande città. Dopo l'aborto spontaneo il grande amore si logora e i due si rendono conto che è cominciata la realtà.

Lui sogna ancora gloria e fortuna in una grande squadra. Lei ha nostalgia degli anni spensierati che si sono appena conclusi e sogna il college che non frequenterà mai.

«Mi dispiace» dice Kelly. «Non avrei dovuto parlare così.»

«È abbastanza giovane per poter andare al college» dico io.

Ride del mio ottimismo come se il suo sogno fosse sepolto da molto tempo. «Non ho finito le superiori.»

E adesso cosa dovrei rispondere? Dovrei farle un banale discorsetto incoraggiante? Studi a una scuola serale, se davvero lo vuole ce la farà?

«Lavora?» chiedo invece.

«Ogni tanto. Che specie di avvocato vuole diventare?»

«Mi piacciono i dibattimenti in aula. Vorrei passare la mia carriera in tribunale.»

«A difendere i criminali?»

«Anche. Hanno diritto di essere giudicati equamente e hanno diritto a una buona difesa.»

«Anche gli assassini?»

«Sì, ma in maggioranza non possono pagarsi un buon avvocato.»

«E gli stupratori e i molestatori di bambini?»

Aggrotto la fronte e taccio per un secondo. «No.»

«Gli uomini che picchiano le mogli?»

«No, mai.» Lo dico perché ne sono convinto, e anche perché le sue lesioni mi insospettiscono. Kelly approva le mie preferenze in fatto di clienti.

«Però il Diritto penale è una specializzazione piuttosto rara» spiego. «Con ogni probabilità mi occuperò soprattutto di cause civili.»

«Citazioni e cose del genere?»

«Appunto. I processi che non sono penali.»

«E i divorzi?»

«Preferirei evitarli. Sono davvero molto sgradevoli.»

Kelly si sforza di far parlare soprattutto me, di girare alla larga dal suo passato e soprattutto dal suo presente. A me va bene così. Le lacrime possono riapparire da un momento all'altro, e non voglio rovinare la conversazione. Voglio che duri.

Mi chiede delle mie esperienze al college: gli studi, le feste, le confraternite studentesche, la vita nei dormitori, gli esami, i professori, i viaggi. Ha visto un sacco di film e ha un'immagine romantica di quattro anni ideali in un campus un po' strano, dove le foglie diventano gialle e rosse in autunno, gli studenti infagottati nei maglioni tifano per la squadra di football, e nascono nuove amicizie destinate a durare per tutta la vita. Questa povera bambina è sfuggita a Podunk quasi a stento, ma nutriva sogni meravigliosi. La sua grammatica è perfetta, il suo vocabolario è più ricco del mio. Confessa con una certa riluttanza che si sarebbe classificata prima o seconda della sua classe, se non fosse stato per il romanzo adolescenziale con Cliff. Il signor Riker.

Non fatico molto ad abbellire i giorni di gloria dei miei studi universitari, e ometto vari dettagli essenziali come le quaranta ore settimanali dedicate alla consegna di pizze a domicilio per poter proseguire gli studi.

Lei vuole saperne di più sul mio studio legale, e io le sto facendo un incredibile quadro riveduto e corretto di J. Lyman e dei suoi uffici quando il mio cellulare squilla due tavoli più in là. Mi scuso spiegando a Kelly che è una chiamata dall'ufficio.

È Bruiser: è da Yogi's, ubriaco e in compagnia di Prince. Li diverte molto l'idea che io stia qui mentre loro bevono e scommettono su tutti gli avvenimenti sportivi in onda alla televisione. In sottofondo c'è un gran chiasso. «Come va la pesca?» grida Bruiser.

Sorrido a Kelly che è indubbiamente impressionata dalla telefonata. Abbasso la voce e spiego che proprio in questo momento sto parlando con una possibile cliente. Bruiser scoppia a ridere, poi passa il microfono a Prince, più ubriaco di lui. Prince racconta una barzelletta sugli avvocati priva della battuta finale, qualcosa che riguarda la caccia alle ambulanze. Poi si lancia in un discorso del tipo «Cosa ti avevo detto?» e si vanta di avermi mandato da Bruiser che può insegnarmi più di cinquanta professori. La conversazione si protrae per un pezzo, e intanto arriva il vecchio volontario per riportare Kelly nella sua stanza.

Muovo qualche passo verso il suo tavolino, copro il telefono con la mano e dico: «È stato un piacere conoscerla».

Mi sorride e risponde: «Grazie per la coca e per la chiacchierata.»

«A domani sera?» chiedo mentre Prince mi strilla all'orecchio.

«Può darsi.» Strizza l'occhio e mi sento mancare le ginocchia.

Evidentemente il volontario dalla giacca rosa frequenta questo posto da un tempo sufficiente per saper riconoscere uno come me. Si acciglia e spinge via Kelly. Lei tornerà.

Premo un tasto del cellulare e interrompo Prince a metà frase. Se mi chiamano di nuovo, non risponderò. Se più tardi se ne ricorderanno, il che è molto dubbio, darò la colpa alla Sony.

18

Deck ama le sfide, soprattutto quando si tratta di rimestare nel fango per mezzo di colloqui telefonici sussurrati con le sue talpe innominate. Gli fornisco scarni dettagli su Kelly e Cliff Riker, e in meno di un'ora entra nel mio ufficio con un sogghigno trionfale.

Legge i suoi appunti. «Kelly Riker è stata ricoverata al St. Peter's tre giorni fa, esattamente a mezzanotte, per lesioni varie. La polizia era stata chiamata da vicini non identificati che avevano segnalato un furioso litigio familiare. Gli agenti l'hanno trovata molto malconcia su un divano del soggiorno. Cliff Riker era ubriaco, fuori di sé e inizialmente deciso a trattare i poliziotti nello stesso modo in cui aveva trattato la moglie. Brandiva una mazza di alluminio da softball, evidentemente la sua arma preferita. Lo hanno sopraffatto, arrestato e denunciato per aggressione. Lei è stata trasportata in ambulanza all'ospedale. Ha rilasciato una breve dichiarazione alla polizia: ha spiegato che il marito era rincasato ubriaco dopo una partita di softball, era scoppiata una discussione futile, avevano litigato e lui aveva avuto la meglio. Ha precisato che l'ha colpita due volte alla caviglia con la mazza, e due volte al viso con un pugno.»

Questa notte non ho dormito pensando a Kelly Riker, ai suoi occhi castani e alle sue gambe abbronzate; e l'idea che sia stata percossa in quel modo mi dà la nausea. Deck spia la mia reazione, perciò cerco di restare impassibile. «Ha i polsi fasciati» dico, e Deck gira con orgoglio la pagina. Ha un altro rapporto proveniente da un'altra fonte, ripescato dagli archivi del

Servizio Soccorso del Dipartimento antincendio di Memphis. «Non ci sono molti particolari sui polsi. A un certo momento, durante l'aggressione, il marito glieli ha bloccati contro il pavimento e ha tentato di violentarla. Evidentemente non era dell'umore giusto, doveva aver bevuto qualche birra di troppo. Quando i poliziotti l'hanno trovata, lei era nuda, avvolta in una coperta. Non aveva potuto scappare perché aveva la caviglia fratturata.»

«E a lui cos'è successo?»

«Ha passato la notte in cella. Poi la famiglia ha pagato la cauzione. Dovrebbe comparire in tribunale entro una settimana, ma non succederà niente.»

«Perché?»

«È molto probabile che la moglie ritiri la denuncia. Rifaranno pace e lei starà col fiato sospeso fino alla prossima volta.»

«Come puoi sapere che...»

«Perché è già successo. Otto mesi fa la polizia ha ricevuto una chiamata dello stesso tipo. Tutto eguale, ma quella volta lei è stata più fortunata. Aveva solo pochi lividi. Senza dubbio, la mazza non era a portata di mano. Gli agenti li hanno separati, gli hanno dato qualche consiglio, hanno pensato che tanto erano ragazzini, sposi novelli, e avrebbero rifatto pace. Poi tre mesi fa è entrata in scena la mazza, e lei ha passato una settimana al St. Peter's con un paio di costole fratturate. L'episodio è stato segnalato per competenza alla Sezione maltrattamenti domestici della polizia di Memphis, che ha insistito per una punizione severa. Ma lei ama il suo ragazzone e rifiuta di testimoniare contro di lui. E tutto finisce lì. Succede spesso.»

Ci vuole qualche momento prima che il significato di queste parole si imprima nella mia mente. Sospettavo che ci fossero guai in famiglia, ma niente di tanto orribile. Com'è possibile che un uomo prenda una mazza d'alluminio e picchi la moglie? Com'è possibile che Cliff Riker riempia di pugni un viso così bello?

«Succede spesso» ripete Deck, come se mi leggesse nel pensiero.

«Nient'altro?» chiedo.

«No. Sta' attento a non farti coinvolgere.»

«Grazie» dico. Mi sento debole e confuso. «Grazie.»
Deck si alza. «Non c'è di che.»

Non mi sorprende che Booker stia studiando molto più di me in vista dell'esame. E com'è nel suo carattere, si preoccupa per me. Ha programmato un ripasso-maratona per questo pomeriggio in una sala riunioni dello studio Shankle.

Come mi ha raccomandato, mi presento puntuale a mezzogiorno. Gli uffici sono moderni e c'è un'attività febbrile. La cosa più insolita è che sono tutti neri. Durante l'ultimo mese ho visitato molti studi legali, e ricordo di aver visto una sola segretaria nera e neppure un avvocato. Qui, invece, non si vede una faccia bianca.

Booker mi guida in una rapida visita. Sebbene sia l'ora di pranzo, c'è un gran movimento. Word processor, fotocopiatrici, fax, telefoni, voci... nei corridoi il baccano è notevole. Le segretarie mangiano in fretta alle scrivanie, invariabilmente coperte da mucchi di lavoro arretrato. Gli avvocati e i paralegali sono abbastanza gentili ma devono correre di qua e di là. E per tutti vale un rigoroso codice d'abbigliamento: abito scuro e camicia bianca per gli uomini, vestiti molto semplici per le donne... niente colori sgargianti e niente pantaloni.

Mi passano davanti agli occhi le immagini dello studio di J. Lyman Stone, ma le scaccio.

Booker mi spiega che Marvin Shankle ci tiene molto alla disciplina. Veste bene, è estremamente professionale sotto ogni aspetto e osserva un pesante orario di lavoro. Si aspetta che i soci e il personale non siano da meno.

La sala riunioni è in un angolo tranquillo. Io ho avuto l'incarico di provvedere al pranzo e tiro fuori i sandwich che ho preso da Yogi's. Sono gratis. Per cinque minuti, non più, parliamo della famiglia e degli amici dell'università. Booker mi rivolge qualche domanda sul mio lavoro ma so destreggiarmi. Gli ho già detto tutto. O quasi. Preferisco che non sappia del mio nuovo avamposto al St. Peter's e dell'attività che vi devo svolgere.

Booker è diventato un vero avvocato. Lancia un'occhiata all'orologio dopo il tempo assegnato ai convenevoli, poi dà il via allo splendido pomeriggio che ha programmato per noi.

Lavoreremo senza sosta per sei ore, a parte le brevi pause per il caffè e per andare in bagno. Alle sei in punto usciremo di qui perché qualcun altro ha prenotato la sala.

Dalle dodici e un quarto all'una e mezzo ripassiamo il sistema fiscale federale dell'imposta sul reddito. Parla quasi sempre lui perché ha capito le tasse meglio di me. Lavoriamo usando il materiale della rassegna dell'Ordine, e le tasse sono un labirinto adesso come lo erano nell'autunno dell'anno scorso.

All'una e mezzo mi permette di andare in bagno e di prendere un po' di caffè. Poi, fino alle due e mezzo, la palla passa a me e parlo delle norme federali sulle prove. Molto esaltante. Il vigore ad alto contenuto di ottani di Booker è contagioso, e superiamo trionfalmente un mucchio di materiale molto tedioso.

La prospettiva di essere respinti all'esame d'ammissione è l'incubo di tutti i giovani associati, ma mi rendo conto che per Booker sarebbe un vero disastro. Per essere sincero, per me non sarebbe invece la fine del mondo. Sarebbe uno strazio per il mio amor proprio, ma mi riprenderei. Studierei con maggiore impegno e mi ripresenterei fra sei mesi. A Bruiser non importerebbe nulla, purché accalappiassi qualche cliente ogni mese. Un bel caso di ustioni, e non pretenderebbe neppure che ritentassi l'esame.

Ma per Booker potrebbero essere guai. Sospetto che Marvin Shankle gli renderebbe la vita insopportabile se fosse respinto la prima volta. Se fosse respinto due volte, con ogni probabilità verrebbe buttato fuori.

Alle due e mezzo in punto entra Marvin Shankle e Booker mi presenta. Shankle ha poco più di cinquant'anni, è snello e in forma. I capelli sono un po' brizzolati attorno alle orecchie. La voce è gentile, ma gli occhi sono penetranti. Ho l'impressione che sia capace di vedere attraverso i muri. Negli ambienti legali del Sud è una leggenda e conoscerlo è un onore.

Booker ha combinato una specie di lezione. Per quasi un'ora ascoltiamo religiosamente Shankle affrontare i fattori fondamentali per le cause dei diritti civili e della discriminazione nelle assunzioni. Prendiamo appunti, facciamo qualche domanda, ma soprattutto ascoltiamo.

Poi lui va a una riunione e per mezz'ora restiamo soli a ripassare la legge antitrust e i monopoli. Alle quattro, altra lezione.

Il nuovo oratore è Tyrone Kipler, un socio che ha studiato a Harvard ed è costituzionalista. Parte adagio, e si carica un po' solo quando Booker lo tempesta di domande. Intanto, io mi immagino in agguato fra i cespugli nel cuore della notte e di balzare fuori come un matto mulinando una mazza da baseball degna del grande Babe Ruth per massacrare di botte Cliff Riker. Per restare sveglio giro intorno al tavolo, mi imbottisco di caffè e cerco di concentrarmi.

Al termine dell'ora Kipler è animato e battagliero e noi gli facciamo cento domande. Lui s'interrompe a metà di una frase, guarda affannosamente l'orologio e annuncia che deve scappare. Un giudice lo aspetta chissà dove. Lo ringraziamo per il tempo che ci ha dedicato, poi scappa.

«Abbiamo un'ora» annuncia Booker. Sono le cinque e cinque. «Cosa vogliamo fare?»

«Andiamo a farci una birra.»

«Mi dispiace, ma puoi scegliere fra proprietà immobiliare ed etica professionale.»

Avrei bisogno di un'etica, ma sono stanco e non ho voglia di sentirmi rammentare quanto siano gravi i miei peccati. «Vada per la proprietà immobiliare.»

Booker attraversa la sala e prende i testi.

Sono quasi le otto quando mi trascino attraverso il labirinto di corridoi del St. Peter's e scopro che il mio tavolo preferito è occupato da un medico e da un'infermiera. Prendo il caffè e siedo al tavolo vicino. L'infermiera è molto carina ma anche molto depressa, e a giudicare dai loro bisbigli direi che la relazione è naufragata. Lui ha sessant'anni, i capelli trapiantati e il mento rifatto. Lei ne ha trenta ed evidentemente non verrà elevata al rango di moglie. Per il momento rimarrà un'amante. La discussione sussurrata è molto seria.

Non ho voglia di studiare. Ne ho avuto abbastanza per quel giorno, ma sono motivato dal fatto che Booker è ancora in ufficio a ripassare e prepararsi per l'esame.

Dopo qualche minuto, i due amanti se ne vanno all'improvviso. Lei è in lacrime, lui freddo e spietato. Mi assesto sulla mia sedia, al mio tavolo, tiro fuori gli appunti, cerco di studiare.

E aspetto.

Kelly arriva qualche minuto dopo le dieci, ma c'è un altro che spinge la sua sedia a rotelle. Mi lancia uno sguardo freddo e indica un tavolo al centro del locale. L'uomo la parcheggia lì. Lo guardo. Lui mi guarda.

Presumo che sia Cliff. È alto circa quanto me, non più di un metro e ottantacinque; è robusto e ha un accenno di pancia. Ma le spalle sono ampie e i bicipiti risaltano sotto una T-shirt troppo aderente, scelta apposta per ostentare i muscoli. I jeans sono attillati. Ha i capelli bruni, ricci e troppo lunghi per essere alla moda. Gli avambracci e la faccia sono abbondantemente pelosi. È il tipo che ha cominciato a radersi alle elementari.

Ha gli occhi verdastri e bei lineamenti, ma dimostra ben più di diciannove anni. Gira intorno alla caviglia che ha fratturato con la mazza da softball e si dirige al banco per prendere da bere. Kelly sa che la sto fissando. Si guarda attorno lentamente e all'ultimo istante mi strizza l'occhio. Manca poco che rovesci il caffè.

Non occorre grande immaginazione per indovinare le parole che si sono scambiati ultimamente quei due. Minacce, scuse, suppliche, altre minacce. A quanto pare, stasera si è messa male. Sono tutti e due scuri in viso. Sorseggiano i drink in silenzio. Ogni tanto si scambiano una parola o due, ma sono come due innamorati adolescenti in pieno broncio settimanale. Una frase breve qua, una risposta ancora più laconica là. Si guardano solo se è necessario, ma per lo più fissano il pavimento e le pareti. Mi nascondo dietro un libro.

Kelly si è messa in modo da potermi sbirciare senza farsi sorprendere. Lui mi volta quasi la schiena. Ogni tanto si guarda intorno, ma senza muoversi molto. Ho il tempo di grattarmi la testa e di ruminare i miei testi prima che mi metta gli occhi addosso.

Dopo dieci minuti di virtuale silenzio, lei dice qualcosa che provoca una risposta accalorata. Vorrei tanto poter sentire. All'improvviso lui freme e ringhia. Kelly risponde per le rime. Il volume sale e mi rendo conto che stanno discutendo se lei testimonierà o no in tribunale contro di lui. Pare che non abbia ancora deciso. E che questo lo irriti. Ha poca pazienza, il che non sorprende in un tipo un po' rozzo e molto macho, e lei gli dice di non urlare. Cliff si guarda intorno e si sforza di abbassare la voce. Non riesco a sentire cosa dice.

Dopo averlo provocato, Kelly lo calma anche se lui è ancora molto seccato e continua a bollire mentre per un po' si ignorano.

Poi Kelly ricomincia. Mormora qualcosa e lui irrigidisce la schiena. Gli tremano le mani e snocciola una serie di oscenità. Litigano per un minuto prima che lei smetta di parlare e lo ignori completamente. Cliff non sopporta di essere ignorato, quindi grida più forte. Lei gli dice di tacere perché sono in un locale pubblico. Lui alza la voce ancora di più e spiega cosa farà se Kelly non lascerà perdere, dice che potrebbe finire in prigione e via di seguito.

Kelly ribatte qualcosa che non sento. All'improvviso lui dà una sberla al bicchiere di plastica e balza in piedi. La coca vola per metà del locale, fa piovere spruzzi effervescenti sugli altri tavoli e sul pavimento e soprattutto addosso a lei, che chiude gli occhi e comincia a piangere. Sento Cliff che si allontana bestemmiando nel corridoio.

Mi alzo d'istinto, ma lei si affretta a scuotere la testa. Torno a sedere. La cassiera ha seguito la scena e accorre portando una salvietta. La dà a Kelly che si asciuga gli spruzzi di coca dal viso e dalle braccia.

«Mi dispiace» dice alla cassiera.

Ha la camicia fradicia. Domina le lacrime e si asciuga il gesso e le gambe. Sono vicino a lei, ma non posso aiutarla. Immagino che tema che lui torni e ci sorprenda a parlare.

In questo ospedale ci sono molti posti dove ci si può sedere per bere una coca o un caffè, ma Kelly ha portato il marito qui apposta perché lo vedessi. Sono quasi sicuro che lo ha provocato perché potessi essere testimone del suo caratteraccio.

Ci guardiamo a lungo mentre lei, metodicamente, si asciuga il viso e le braccia. Le lacrime le scorrono sulle guance e asciuga anche quelle. Possiede l'inspiegabile capacità femminile di far sgorgare le lacrime mentre in apparenza non piange. Non singhiozza e non geme. Non le fremono le labbra, le mani non tremano. Sta lì seduta, in un altro mondo, e mi fissa con occhi vitrei mentre si passa sulla pelle la salvietta bianca.

Passa diverso tempo, ne perdo la nozione. Arriva un inserviente zoppicante che pulisce per terra intorno a lei. Entrano tre infermiere che parlano a voce alta e ridono; poi la vedono e tacciono. Sgranano gli occhi, bisbigliano e ogni tanto guardano me.

Cliff se n'è andato da tanto tempo che presumo non tornerà, e l'idea di comportarmi da gentiluomo è eccitante. Le infermiere escono e Kelly mi chiama muovendo l'indice. Ora posso avvicinarmi.

«Mi dispiace» dice mentre mi accoscio accanto a lei.

«Tutto a posto.»

Poi dice qualcosa che non dimenticherò mai. «Vuoi accompagnarmi in camera mia?»

In un altro ambiente, queste parole potrebbero avere conseguenze profonde e per un momento i miei pensieri volano verso una spiaggia esotica dove i due giovani amanti decidono finalmente di abbandonarsi alla passione.

Naturalmente la sua camera è un cubicolo la cui porta può venire aperta in qualunque momento da chiunque. Possono entrare perfino gli avvocati.

Spingo con prudenza la sedia a rotelle di Kelly intorno ai tavoli e fuori, nel corridoio. «Quarto piano» dice girando la testa. Non ho nessuna fretta: sono orgoglioso di essere tanto cavalleresco. Mi fa piacere constatare che gli uomini si voltano a guardarla mentre passiamo.

In ascensore restiamo soli per pochi secondi. M'inginocchio accanto a lei. «Tutto bene?» chiedo.

Non piange più. Ha ancora gli occhi umidi e un po' arrossati, ma si domina. Annuisce e risponde: «Grazie». Mi prende la mano e la stringe forte. «Grazie ancora.»

L'ascensore si ferma con un sobbalzo. Entra un dottore, e Kelly si affretta a lasciare la mia mano. Resto dietro la sedia a rotelle come un marito premuroso. Vorrei tenerle ancora la mano.

Secondo l'orologio del quarto piano sono le undici. A parte qualche infermiera e qualche inserviente, il corridoio è silenzioso e deserto. Al banco, un'infermiera mi guarda due volte mentre passiamo. La signora Riker se n'è andata con un uomo e adesso torna con un altro.

Giriamo a sinistra e mi indica la sua stanza. È una piacevole sorpresa scoprire che è una stanza privata, con finestra e bagno. Le luci sono accese.

Non so fino a che punto Kelly sia in grado di muoversi, ma in questo momento è ridotta all'impotenza. «Devi aiutarmi» mormora. Lo dice una volta sola. Mi chino verso di lei e mi passa le braccia intorno al collo. Si stringe un po' più del necessario ma non mi lamento. È gradevole tenerla contro di me, e mi accorgo subito che non porta il reggiseno.

La sollevo con delicatezza, ed è un compito facile perché non pesa più di cinquanta chili con l'ingessatura e tutto. La porto sul letto e impiego il più possibile; faccio attenzione alla gamba fratturata e l'adagio molto lentamente. Ci lasciamo con riluttanza. Le nostre facce sono separate da pochi centimetri quando entra l'infermiera, con le suole di gomma che cigolano un po' sul pavimento di piastrelle.

«Cos'è successo?» esclama indicando la camicia macchiata.

Noi due ci stiamo ancora districando. «Oh, è stato un incidente» spiega Kelly.

L'infermiera non si ferma un momento. Fruga in un cassetto sotto il televisore e prende una camicia da notte piegata. «Bene, deve cambiarsi» dice, e la butta sul letto accanto a Kelly. «E ha bisogno di una spugnatura.» Si ferma per un secondo, mi indica con un cenno della testa e dice: «Si faccia aiutare da lui».

Respiro a fondo. Mi sento mancare.

«Posso fare da sola» risponde Kelly, e mette la camicia sul comodino.

«L'ora delle visite è finita» mi avverte l'infermiera. «Dovete salutarvi, figlioli.» Esce cigolando. Io chiudo la porta e torno accanto al letto. Ci guardiamo.

«Dov'è la spugna?» chiedo. Ridiamo. Agli angoli della bocca di Kelly, quando ride, si formano due fossette profonde.

«Siedi qui» mi invita battendo la mano sul bordo del letto. Mi siedo accanto a lei con i piedi penzoloni. Non ci tocchiamo. Lei si tira fino alle ascelle un lenzuolo bianco, come per nascondere le macchie.

Mi rendo conto della situazione. Una moglie maltrattata è pur sempre una donna sposata finché non ha ottenuto il divorzio. O finché non ammazza quel mascalzone.

«Cosa pensi di Cliff?» chiede.
«Volevi che lo vedessi, no?»
«Credo di sì.»
«Bisognerebbe spararigli.»
«Non è un po' troppo per una sfuriata?»
Taccio per un momento e distolgo lo sguardo. Ho deciso di non giocare con lei. Dato che stiamo parlando, dobbiamo essere sinceri.
Cosa ci faccio qui?
«No, Kelly, non è troppo. Se un uomo picchia la moglie con una mazza d'alluminio, merita che gli sparino.» La osservo con attenzione mentre parlo, e non batte ciglio.
«Come fai a saperlo?» mi chiede.
«La cosiddetta pista delle scartoffie. I rapporti della polizia e delle ambulanze, le registrazioni dell'ospedale. Cos'hai intenzione di aspettare? Che ti spacchi la testa con la mazza? Potrebbe ucciderti, lo sai. Un paio di colpi forti al cranio...»
«Basta! Non dire altro.» Kelly guarda la parete e quando si volta verso di me ha ricominciato a piangere. «Non sai di cosa stai parlando.»
«Allora dimmelo tu.»
«Se volessi discuterne, avrei affrontato l'argomento. Non hai il diritto di scavare nella mia vita.»
«Chiedi il divorzio. Domani ti porterò le carte. Devi farlo subito, finché sei in ospedale in cura per l'ultimo pestaggio. È la prova migliore. E sarà uno scherzo ottenerlo: fra tre mesi sarai libera.»
Scuote la testa come se mi giudicasse uno stupido. Probabilmente lo sono.
«Non capisci.»
«Sono sicuro di non capire. Ma riesco a vedere il quadro generale. Se non ti sbarazzi di quel porco, tra un mese potresti essere morta. Ho i nomi e i numeri telefonici di tre gruppi che assistono le donne maltrattate.»
«Maltrattate?»
«Sicuro, maltrattate, Kelly. Non lo sai? Il perno che ti hanno messo nella caviglia significa che sei una donna maltrattata. Il livido sulla guancia prova che tuo marito ti picchia. Puoi chiedere aiuto. Presenta istanza di divorzio e chiedi aiuto.»

Riflette per un secondo. Nella stanza scende il silenzio. «Il divorzio sarebbe inutile. Ho già tentato.»

«Quando?»

«Qualche mese fa. Non lo sapevi? Sono sicura che in tribunale c'è la documentazione. Dov'è finita?»

«E com'è andata la causa?»

«Ho ritirato l'istanza.»

«Perché?»

«Perché ero stanca di prendere ceffoni. Mi avrebbe ammazzata se non l'avessi ritirata. Dice che mi ama.»

«Questo è evidente. Posso chiederti una cosa? Hai un padre, un fratello?»

«Perché?»

«Perché se mio genero picchiasse mia figlia, gli spezzerei l'osso del collo.»

«Mio padre non sa niente. I miei genitori sono ancora furiosi per la mia gravidanza. Non lo dimenticheranno mai. Hanno disprezzato Cliff dal momento in cui ha messo piede per la prima volta in casa nostra, e dopo che è scoppiato lo scandalo hanno tagliato i ponti. Non parlo con loro da quando me ne sono andata da casa.»

«Non hai un fratello?»

«No. Non ho nessuno che veglia su di me. Finora.»

Ci vuole un po' di tempo perché assorba il colpo. «Farò tutto ciò che vuoi» le dico. «Ma devi chiedere il divorzio.»

Si asciuga le lacrime con le dita e io le passo un fazzoletto di carta. «Non posso chiedere il divorzio.»

«Perché?»

«Mi ammazzerà. Me lo ripete sempre. Vedi, quando ho presentato l'istanza, l'altra volta, avevo un avvocato incapace. L'avevo pescato sulle pagine gialle o qualcosa del genere. Pensavo che tanto erano tutti eguali. E lui ha pensato che sarebbe stato simpatico mandare il messo a consegnare i documenti a Cliff mentre era al lavoro, davanti ai colleghi, i compagni di bevute e della sua squadra di softball. Cliff si è sentito umiliato. È stata la prima volta che sono finita all'ospedale. Una settimana dopo ho ritirato l'istanza di divorzio, e lui continua a minacciarmi. Mi ammazzerà.»

Leggo il terrore nei suoi occhi. Si sposta leggermente e aggrotta la fronte come se una fitta acuta le avesse assalito la caviglia. Geme, poi dice: «Puoi metterci sotto un cuscino?».

Scendo subito dal letto. «Certo.» Kelly mi indica due cuscini appoggiati sulla sedia.

«Uno di quelli» dice. Naturalmente bisognerà togliere il lenzuolo. L'aiuto.

Esita un secondo, si guarda intorno, dice: «Passami anche la camicia da notte».

Mi accosto al comodino con passo incerto e le consegno la camicia. «Ti serve una mano?» chiedo.

«No. Basta che ti volti.» Si sta già sfilando la camicia macchiata. Le volto le spalle molto lentamente.

Kelly impiega un sacco di tempo. Quasi per il gusto di farlo, butta ai miei piedi, sul pavimento, la camicia macchiata di coca. È a meno di mezzo metro da me, completamente nuda a parte le mutandine e l'ingessatura. In tutta sincerità, credo che se mi voltassi a guardarla non se la prenderebbe. È un pensiero che mi dà le vertigini.

Chiudo gli occhi e mi domando: Cosa ci faccio qui?

«Rudy, mi porti la spugna?» mi chiede con voce soave. «È nel bagno. Inzuppala con l'acqua calda. E porta anche un asciugamani, per favore.»

Mi volto. È seduta in mezzo al letto e si stringe al petto il lenzuolo. Non ha toccato la camicia pulita.

Non posso fare a meno di fissarla. «Là dentro» mi dice con un cenno della testa. Entro nel piccolo bagno e trovo la spugna. Mentre la inzuppo, osservo Kelly nello specchio sopra il lavabo. Attraverso la porta aperta le vedo la schiena. Tutta la schiena. È liscia e abbronzata, ma fra le spalle c'è un brutto livido.

Decido che provvederò io a lavarla. È ciò che vuole, ne sono sicuro. È sofferente e vulnerabile. Le piace flirtare e vuole che ammiri il suo corpo. Io fremo.

Poi un suono di voci. L'infermiera è ritornata. Quando rientro, si sta aggirando nella stanza. Si ferma e mi rivolge un sorriso un po' maligno, come se ci avesse colti quasi sul fatto.

«È ora di andare» annuncia. «Manca poco alle undici e mezzo e questo non è un albergo.» Mi toglie la spugna dalle mani. «Ci penso io. Ora vada.»

Resto lì a sorridere a Kelly e a sognare di toccarle le gambe. L'infermiera mi prende con fermezza per il gomito e mi sospinge alla porta. «Vada, ho detto» mi rimprovera in tono di finta esasperazione.

Alle tre del mattino raggiungo furtivamente l'amaca e mi dondolo nella notte silenziosa con la mente altrove. Guardo le stelle che palpitano al di là dei rami e rievoco ognuno dei suoi movimenti deliziosi, sento la sua voce turbata, sogno quelle gambe.

Spetta a me proteggerla. Non ha nessun altro al mondo. Si aspetta che la soccorra, che l'aiuti a tornare se stessa. Tutti e due sappiamo cosa succederà poi.

La sento mentre mi si aggrappa al collo e si stringe a me per quei pochi secondi preziosi. Sento il peso piuma del suo corpo abbandonato con naturalezza fra le mie braccia.

Vuole che la veda, che la massaggi con una spugna calda. So che lo vuole. E stasera intendo farlo.

Guardo il sole sorgere fra gli alberi e mi addormento contando le ore che mi separano dal momento in cui la rivedrò.

19

Sono nel mio ufficio e studio per l'esame perché non ho altro da fare. E in effetti non dovrei fare nient'altro perché non sono ancora abilitato a esercitare la professione e non lo sarò prima di aver superato l'esame.

Faccio fatica a concentrarmi. Perché mi sto innamorando di una donna sposata pochi giorni prima dell'esame? Dovrei avere la mente il più possibile lucida, libera da pensieri e distrazioni, concentrata su un'unica meta.

Kelly è una perdente, ne sono convinto. È una ragazza distrutta e ferita, con tante cicatrici che potrebbero restare per sempre. E il marito è un individuo pericoloso. L'idea che un altro uomo tocchi la sua bella ragazza pompon lo manderebbe senza dubbio in bestia.

Rifletto su tutto questo. Ho i piedi sulla scrivania, le mani intrecciate dietro la testa e guardo nel vuoto quando la porta si spalanca all'improvviso e Bruiser entra a passo di carica.

«Cosa stai facendo?» abbaia.

«Studio» rispondo mentre mi rimetto in posizione.

«Mi pareva che studiassi nel pomeriggio.» Sono le dieci e mezzo. Bruiser si mette a camminare su e giù davanti alla scrivania.

«Senti, Bruiser, oggi è venerdì. L'esame comincia mercoledì prossimo. Ho paura.»

«Allora vai a studiare all'ospedale. E trova un cliente. Non ne vedo uno nuovo da tre giorni.»

«È difficile studiare e cercare di accalappiare clienti nello stesso tempo.»

«Deck ci riesce.»

«Già. Deck, l'eterno studente.»

«Mi ha appena telefonato Leo F. Drummond. Ti dice niente?»

«No. Perché?»

«È un socio anziano di Tinley Britt. È un magnifico avvocato difensore, si occupa di ogni genere di cause di carattere commerciale. Perde molto di rado. È un grande avvocato di un grande studio.»

«So tutto di Tinley Britt.»

«Be', adesso li conoscerai anche meglio. Rappresentano la Great Eastern. Drummond è il capo del collegio di difesa.»

In questa città ci sono almeno cento studi legali che rappresentano società di assicurazione. E devono esserci mille di queste società. Che probabilità c'erano che proprio quella che odio di più, la Great Eastern, si facesse rappresentare dallo studio che ogni giorno maledico di tutto cuore, Tinley Britt?

Chissà perché, la prendo bene. Non sono molto sorpreso.

All'improvviso capisco perché Bruiser cammina avanti e indietro come un orso in gabbia e parla in fretta. È preoccupato. Per colpa mia ha fatto causa per dieci milioni di dollari a una grande società rappresentata da un avvocato che lo intimidisce. È un'idea divertente. Mai avrei pensato che Bruiser Stone avesse paura di qualcuno.

«Cos'ha detto?»

«Voleva solo tastare il terreno. Mi ha detto che il caso è stato assegnato a Harvey Hale, suo compagno di stanza a Harvard quando studiavano legge trent'anni fa, e che, caso mai non lo sapessi, era un superbo avvocato difensore delle assicurazioni prima che gli venisse un attacco di cuore e il suo medico gli ordinasse di cambiare carriera. Si è fatto eleggere giudice, e come tale non si sogna certo di attaccare l'assioma della difesa che un verdetto giusto ed equo non supera i diecimila dollari.»

«Scusa se ti ho fatto una domanda stupida.»

«Così abbiamo di fronte Leo F. Drummond e i suoi formidabili collaboratori e loro hanno il giudice che preferiscono. Avrai il tuo da fare.»

«Io? E tu?»

«Oh, darò una mano. Ma la causa è tua. Ti seppelliranno

sotto una montagna di scartoffie.» Si avvia alla porta. «Ricorda che si fanno pagare un tanto all'ora. Più carte sfornano, più ore mettono in conto.» Mi ride in faccia e sbatte la porta. Sembra felice all'idea che io stia per essere conciato per le feste da quei colossi.

Mi ha abbandonato. Da Tinley Britt ci sono più di cento avvocati e all'improvviso mi sento molto solo.

Io e Deck mangiamo una scodella di zuppa da Trudy's. I clienti di mezzogiorno sono tutti operai. Il locale puzza di unto, sudore e carne fritta. È il posto dove preferisce mangiare Deck perché qui ha accalappiato diversi casi, soprattutto incidenti sul lavoro. Uno si è concluso con una transazione di trentamila dollari, e lui ha guadagnato un terzo del venticinque per cento: duemilacinquecento dollari.

Frequenta anche diversi bar della zona, e lo confessa mentre sta un po' chino sulla zuppa. Si toglie la cravatta, cerca di sembrare uno dei clienti abituali e beve una soda. Ascolta gli operai mentre si lubrificano dopo il lavoro. È in grado di indicarmi dove sono i bar "buoni", i pascoli grassi, li chiama. Mi dà molti consigli sul modo di procurarmi casi nuovi e trovare clienti.

E, sì, ogni tanto va anche nei locali topless, ma solo per stare con la clientela. Bisogna girare un po', ripete più di una volta. Ama i casinò del Mississippi e sottoscrive la convinzione miope che sono posti indesiderabili perché i poveracci ci vanno per giocarsi i soldi della spesa. Ma potrebbe esserci qualche opportunità. La criminalità continuerà a salire, la gente avrà bisogno di avvocati. Là fuori ci sono molte sofferenze potenziali, e lui lo sa. È sulle tracce di qualcosa d'interessante.

Mi terrà informato.

Ceno ancora al St. Peter's, nella "garza alla griglia" come viene soprannominata. Sento un gruppo di interni chiamarla così. Insalata di pasta in una ciotola di plastica. Ogni tanto studio e tengo d'occhio l'orologio.

Alle dieci arriva il vecchio volontario con la giacca rosa, ma è solo. Si ferma, si guarda intorno, mi vede e si avvicina. È molto serio ed evidentemente è assai poco entusiasta di ciò che deve fare.

«Il signor Baylor?» chiede in tono educato. Tiene in mano una busta e quando annuisco la posa sul tavolo. «Da parte della signora Riker» dice curvandosi un po'. Poi si allontana.

È una normale busta per le lettere, bianca e priva di diciture. L'apro ed estraggo un biglietto di auguri. C'è scritto:

Caro Rudy,
il dottore mi ha dimessa questa mattina, quindi ora sono a casa. Grazie di tutto. Prega per noi. Sei meraviglioso.

C'è la firma, poi un poscritto: «Per favore, non telefonare, non scrivere e non cercare di vedermi. Mi causeresti soltanto guai. Ancora grazie».

Sapeva che sarei stato qui ad aspettare. Con tutti i pensieri libidinosi che mi sono frullati nella testa durante le ultime ventiquattr'ore, non mi è mai venuto in mente che potesse lasciare l'ospedale. Ero certo che questa sera ci saremmo rivisti.

Mi aggiro senza meta nei corridoi interminabili cercando di scuotermi. Sono deciso a rivederla. Ha bisogno di me perché non c'è nessun altro che possa aiutarla.

Arrivo a un telefono pubblico, cerco sull'elenco il numero di Cliff Riker e lo compongo. Un messaggio registrato mi informa che l'apparecchio non è più collegato.

20

Arriviamo al mezzanino dell'albergo mercoledì mattina presto e veniamo radunati con grande efficienza in una sala da ballo più grande di un campo di football. Ci registrano e ci catalogano. Le tasse d'iscrizione le abbiamo pagate da un pezzo. C'è un chiacchiericcio nervoso, ma socializziamo assai poco. Abbiamo tutti una fifa maledetta.

Delle duecento persone o giù di lì che affrontano l'esame d'ammissione, almeno la metà hanno finito gli studi alla Statale di Memphis il mese scorso. Sono i miei amici e i miei nemici. Booker siede a un tavolo molto lontano da me. Abbiamo deciso di non stare vicini. Sara Plankmore Wilcox e S. Todd sono in un angolo, nella parte opposta della sala. Si sono sposati sabato scorso. Che splendida luna di miele. Lui è un bel giovane con l'aria di chi è uscito da una scuola preparatoria privata e le pose arroganti dell'aristocratico. Mi auguro che lo boccino. E anche Sara.

L'atmosfera competitiva è tangibile, molto simile a quella delle prime settimane all'università, quando eravamo tremendamente ansiosi l'uno per i progressi iniziali degli altri. Rivolgo cenni di saluto a qualche conoscente, e spero che boccino anche loro perché so che sperano che succeda lo stesso a me. La professione legale è fatta così.

Quando siamo tutti seduti ai tavoli pieghevoli sparsi a debita distanza, ci impartiscono istruzioni per sette minuti. Poi vengono distribuiti i testi dell'esame: sono le otto in punto.

Il testo incomincia con una sezione intitolata Multi-State, una serie interminabile di domande trabocchetto a risposte multiple sulle leggi comuni a tutti gli stati. È assolutamente impossibile capire se sono preparato. La mattina si trascina lentamente. Pranzo con Booker a un tranquillo buffet dell'albergo, ma non ci scambiamo una parola sull'esame.

La cena è un sandwich al tacchino nel patio in compagnia della signora Birdie.

L'esame termina alle cinque del pomeriggio di venerdì, e si conclude con un gemito. Siamo troppo esausti per festeggiare. Ritirano i fogli per l'ultima volta e ci dicono che possiamo andare. Si parla di bere qualcosa di fresco da qualche parte, in ricordo dei bei tempi, e in sei ci ritroviamo da Yogi's. Stasera Prince non c'è e non si vede neppure l'ombra di Bruiser. Per me è un sollievo perché mi seccherebbe che i miei amici mi vedessero assieme al mio principale. Farebbero molte domande sulla nostra attività. Datemi un anno di tempo e mi troverò un lavoro migliore.

Già dopo il primo semestre all'università abbiamo imparato che è meglio non discutere mai degli esami. Se si fanno confronti, ci si accorge di aver sbagliato troppe cose.

Mangiamo la pizza e beviamo qualche birra, ma siamo troppo stanchi per combinare guai. Mentre andiamo a casa, Booker mi confessa che l'esame lo ha fatto star male fisicamente. È certo di essere stato bocciato.

Dormo dodici ore filate. Ho promesso alla signora Birdie che oggi mi occuperò dei lavori, se non pioverà, e quando finalmente mi sveglio il mio appartamento è inondato dalla luce fulgida del sole. È una giornata calda, umida, afosa, il tipico luglio di Memphis. Dopo tre giorni passati a sforzare gli occhi, l'immaginazione e la memoria in una sala priva di finestre, sono disposto a sudare un po' e a sporcarmi le mani di terra. Esco di casa senza farmi vedere e dopo venti minuti parcheggio nel vialetto dei Black.

Donny Ray aspetta sotto il portico. Indossa jeans, scarpe di tela, calzini scuri, maglietta bianca e un berretto da baseball di misura regolamentare che sembra troppo grande sopra la faccia smunta. Cammina appoggiandosi a un bastone, ma devo sostenerlo con una mano sotto il gomito per aiutarlo a reggersi. Io e Dot lo guidiamo lungo lo stretto marciapiede e lo sistemiamo con cura sul sedile anteriore della mia macchina. Per Dot è un sollievo che il figlio stia fuori casa per qualche ora; è la prima volta che esce dopo molti mesi, mi spiega. Lei resta con Buddy e i gatti.

Donny Ray sta seduto col bastone fra le gambe, e vi tiene appoggiato il mento mentre attraversiamo la città. Mi ringrazia, ma non parla molto.

Ha finito le superiori tre anni prima, a diciannove anni. Il suo gemello Ron si era diplomato un anno prima. Non ha mai tentato di farsi accettare in un college. Per due anni ha fatto il commesso in un negozio, ma ha lasciato il posto dopo una rapina. La sua storia lavorativa è frammentaria, e non ha mai lasciato la casa e la famiglia. Secondo la documentazione che ho studiato finora, Donny Ray non ha mai guadagnato più del salario minimo.

Ron, invece, ha proseguito gli studi e adesso segue un corso per laureati a Houston. Anche lui è single, non si è mai sposato, e torna di rado a Memphis. I due ragazzi, mi ha detto Dot, non sono mai stati molto legati. Donny Ray stava in casa, leggeva e costruiva modellini di aerei. Ron andava in giro in bicicletta e una volta era entrato a far parte di una banda di dodicenni. Tutti bravi ragazzi, mi ha assicurato Dot. La pratica documenta in modo inequivocabile che il midollo osseo di Ron sarebbe stato perfettamente compatibile con Donny Ray.

La mia macchinetta malconcia avanza sobbalzando. Donny Ray guarda fisso davanti a sé. La visiera del berretto è abbassata sulla fronte. Parla solo quando gli rivolgo la parola. Parcheggiamo dietro la Cadillac della signora Birdie, e gli spiego che vivo in questa casa vecchia e ancora bella, in questo quartiere esclusivo. Non so se la rivelazione lo impressiona, ma ne dubito. Lo aiuto ad aggirare il mucchio dei sacchi di pacciame e lo scorto in un angolo ombroso del patio.

La signora Birdie sapeva che l'avrei portato, e attende impaziente con una limonata appena preparata. Non ho finito le presentazioni che assume il controllo della visita. Biscotti normali? Al cioccolato? Qualcosa da leggere? Gli sistema i cuscini sulla panchina e continua a cinguettare beata. Ha un cuore d'oro. Le ho spiegato che ho conosciuto i genitori di Donny

Ray ai Cypress Gardens, perciò è particolarmente premurosa con lui. Fa parte del suo gregge.

Quando Donny Ray è ben sistemato in un angolino fresco, lontano dal sole che gli scotterebbe la pelle cerea, la signora Birdie annuncia che è ora di metterci al lavoro. Fa una pausa teatrale e guarda il prato dietro casa, si gratta il mento come se riflettesse profondamente, quindi posa gli occhi sul pacciame. Dà qualche ordine in modo che Donny Ray la senta, e io mi metto all'opera.

Poco dopo sono zuppo di sudore, ma questa volta non mi dispiace. Durante la prima ora la signora Birdie trova da ridire sull'umidità, poi decide che ci occuperemo dei fiori intorno al patio quando farà più fresco. Sento che parla senza interruzioni a Donny Ray, il quale dice poco ma si gode l'aria pura. A un certo punto, mentre torno con la carriola, li vedo giocare a dama. Un'altra volta, lei gli sta seduta accanto e gli mostra un album di fotografie.

Ho pensato molte volte di chiedere alla signora Birdie se sarebbe disposta ad aiutare Donny Ray. Credo che la cara vecchietta farebbe un assegno per il trapianto, ammesso che abbia i soldi. Ma non l'ho chiesto per due ragioni. Innanzi tutto per il trapianto è troppo tardi. E in secondo luogo sarebbe umiliante per lei se i soldi non li avesse. Ha già anche troppi sospetti sul mio interesse per le sue ricchezze. Non posso chiederle nulla.

Poco dopo che a Donny Ray era stata diagnosticata la leucemia acuta, è stato fatto un modesto tentativo di raccogliere fondi per la terapia. Dot ha attivato diversi amici, che hanno stampato la faccia di Donny Ray sui cartoni per il latte in vendita nei caffè e nei supermercati di tutta North Memphis. Però non hanno tirato su molto, mi ha detto. Allora hanno affittato un Circolo Ricreativo locale e hanno organizzato una gran festa a base di pescigatto e insalate aromatiche e hanno addirittura chiamato un disc jockey di musica country. Come risultato, ci hanno rimesso ventotto dollari.

Il primo ciclo di chemioterapia è costato quattromila dollari; due terzi li ha assorbiti il St. Peter's, il resto l'hanno messo insieme alla meglio. Cinque mesi dopo, la leucemia si è manifestata di nuovo.

Mentre spalo e spingo la carriola e sudo, concentro le energie mentali nell'odio per la Great Eastern. Non occorre molta fatica ma avrò bisogno di molto zelo e di molta convinzione quando comincerà la guerra con Tinley Britt.

Il pranzo è una sorpresa gradevole. La signora Birdie ha preparato zuppa di pollo; non è esattamente ciò che vorrei in una giornata come questa, ma è sempre meglio dei soliti sandwich di tacchino. Donny Ray ne mangia mezza scodella, poi dice che ha bisogno di fare un sonnellino. Gli piacerebbe sdraiarsi sull'amaca. Lo accompagniamo attraverso il prato e lo aiutiamo ad adagiarsi. Ci sono più di trenta gradi, ma chiede una coperta.

Siamo seduti all'ombra, beviamo altre limonate e discutiamo del caso tristissimo di Donny Ray. Parlo alla signora Birdie della causa contro la Great Eastern e sottolineo il fatto che ho chiesto dieci milioni di dollari. Lei mi rivolge qualche domanda di carattere generale sull'esame, quindi rientra in casa.

Quanto torna, mi consegna una busta con l'intestazione di un avvocato di Atlanta. Riconosco il nome dello studio legale.

«Me lo può spiegare?» domanda piazzandosi davanti a me con le mani sui fianchi.

L'avvocato le ha scritto allegando copia della lettera che gli avevo scritto io. Gli avevo spiegato che ora rappresento la signora Birdie Birdsong, che lei mi ha chiesto di prepararle un testamento nuovo e che mi occorrono informazioni circa l'asse ereditario del defunto marito. Nella sua lettera, l'avvocato le chiede semplicemente se può rivelargli tali informazioni. Sembra piuttosto indifferente, come se si limitasse a eseguire un ordine.

«È tutto nero su bianco» dico. «Sono il suo avvocato e cerco di raccogliere informazioni.»

«Non mi aveva detto che avrebbe scavato ad Atlanta.»

«Cosa c'è di male? C'è forse qualche segreto, signora Birdie? Perché fa tanto la misteriosa?»

«Il giudice ha messo i sigilli alla pratica» ribatte lei e scuote le spalle, come se questo chiudesse la faccenda.

«E cosa c'è nella pratica?»

«Una quantità di robaccia.»

«Riguarda lei?»
«Santo cielo, no!»
«E va bene. Sul conto di chi?»
«La famiglia di Tony. Vede, il fratello era scandalosamente ricco, là in Florida. Aveva avuto diverse mogli e diversi figli. In famiglia erano tutti matti. C'era una grande battaglia per i suoi testamenti. I testamenti erano quattro, mi pare. Non ne so molto, ma una volta ho sentito dire che alla fine gli avvocati si sono fatti pagare sei milioni di dollari. Una parte del denaro è passata a Tony, che è vissuto quanto bastava per ereditarla secondo la legge della Florida. Tony non lo sapeva neppure, perché è morto prima. Ha lasciato solo una moglie: me. È tutto quello che so.»

Non è importante come aveva fatto Tony ad avere quella somma. Però mi piacerebbe sapere quanto ha ereditato la signora Birdie. «Vuole che parliamo del suo testamento?»
«No. Più tardi» mi risponde lei prendendo i guanti da giardinaggio. «Mettiamoci al lavoro.»

Qualche ora dopo sono in compagnia di Dot e Donny Ray sul terrazzo invaso dalle erbacce davanti alla cucina dei Black. Buddy, grazie a Dio, è a letto. Donny Ray è esausto dopo la giornata trascorsa a casa della signora Birdie.

È sabato sera e l'odore del carbone dolce e del barbecue pervade l'aria afosa. Le voci degli chef improvvisati e dei loro ospiti filtrano dagli steccati di legno e dalle siepi ben curate.

È più facile ascoltare che parlare. Dot preferisce fumare e bere un caffè solubile decaffeinato e ogni tanto rievoca qualche pettegolezzo inutile su uno dei vicini. O su uno dei cani dei vicini. Il pensionato che abita alla porta accanto si è tagliato un dito con una sega elettrica, e Dot ne parla non meno di tre volte.

Non m'interessa. Posso stare ad ascoltare per ore. Sono ancora intontito dall'esame. Non ci vuole molto per divertirmi. E quando riesco a dimenticare il diritto, c'è sempre Kelly a occupare i miei pensieri. Devo ancora trovare un modo innocuo per contattarla, ma ci riuscirò. Mi serve solo un po' di tempo.

21

Il Palazzo di Giustizia della contea di Shelby è un edificio moderno di dodici piani situato nel centro della città. Il principio ispiratore è: giustizia in un'unica tappa. Ospita moltissime aule, e uffici per cancellieri e impiegati amministrativi, la procura distrettuale e lo sceriffo. C'è perfino una prigione.

Il tribunale penale è formato da dieci divisioni, dieci giudici con calendari diversi, insediati in aule diverse. I piani di mezzo brulicano di avvocati, poliziotti, imputati e relativi familiari. È una giungla proibitiva per un avvocato alle prime armi, ma Deck sa destreggiarsi. C'è venuto diverse volte. Va a fare qualche giro.

Mi indica la porta della IV Divisione e dice che ci rivedremo lì fra un'ora. Varco la porta a due battenti e siedo su una panca in fondo. Il pavimento è coperto di moquette, i mobili sono moderni e deprimenti. C'è una folla di avvocati, numerosi come formiche. Sulla destra c'è una zona d'attesa con una dozzina di arrestati in tuta arancio che aspettano di comparire davanti al giudice. Una rappresentante della pubblica accusa maneggia un mucchio di pratiche e le fruga per cercare l'imputato giusto.

In seconda fila vedo Cliff Riker. È con il suo avvocato e confabulano su un incartamento. La moglie non è in aula.

Entra il giudice e tutti si alzano. Sbriga qualche caso, fissa qualche cauzione, stabilisce le date dei futuri processi. Gli avvocati si consultano, annuiscono e parlano sottovoce a vostro onore.

Viene chiamato Cliff, che raggiunge con aria baldanzosa il

podio davanti al banco del giudice. Viene chiamato anche il suo avvocato. La rappresentante dell'accusa annuncia che le imputazioni contro Cliff Riker sono state lasciate cadere per mancanza di prove.

«Dov'è la vittima?» la interrompe il giudice.

«Ha deciso di non presentarsi» risponde la rappresentante dell'accusa.

«Perché?» insiste il giudice.

Perché è bloccata su una sedia a rotelle, vorrei urlare.

La rappresentante dell'accusa alza le spalle come se non lo sapesse e soprattutto come se non le importasse nulla. L'avvocato di Cliff alza le spalle a sua volta come se lo sorprendesse che la moglie non sia venuta a esibire le lesioni.

La rappresentante dell'accusa è oberata di lavoro; ha dozzine di casi da sbrigare prima di mezzogiorno. Fa un rapido riepilogo dei fatti, dell'arresto e della mancanza di prove perché la vittima non intende testimoniare.

«È la seconda volta» commenta il giudice, e guarda male Cliff. «Perché non divorzia prima di ammazzarla?»

«Stiamo cercando un aiuto, vostro onore» dice Cliff con un tono che si è addestrato a rendere patetico.

«Be', fatelo al più presto. Se vedrò di nuovo queste accuse, non le archivierò. Chiaro?»

«Sì, signore» risponde Cliff, come se lo addolorasse molto causare tanti fastidi. La documentazione viene presentata al giudice che firma e scuote la testa. Le accuse vengono archiviate.

Anche questa volta non si è sentita la voce della vittima. È a casa con una caviglia fratturata, ma non è questo che l'ha tenuta lontana. Si nasconde perché non vuole che il marito la picchi ancora. Mi chiedo quale prezzo ha pagato per lasciar cadere le accuse.

Cliff stringe la mano al suo avvocato e si avvia trionfante; mi passa accanto e se ne va, libero di fare tutto ciò che vuole, inattaccabile da un'incriminazione perché nessuno aiuta Kelly.

In questa giustizia tipo catena di montaggio c'è una logica frustrante. Poco lontano da me ci sono stupratori, assassini, spacciatori di droga, in tuta arancio e manette. Il sistema ha appena il tempo di processare questi delinquenti e di amministrare un minimo di giustizia. Come si può pretendere che si occupi dei diritti di una moglie maltrattata?

La settimana scorsa, mentre affrontavo l'esame, Deck ha fatto qualche telefonata. Ha trovato l'indirizzo nuovo e il nuovo numero telefonico dei Riker. Si sono appena trasferiti in un grande complesso nella zona sud-est di Memphis. Una camera da letto, quattrocento dollari al mese. Cliff lavora per una società di trasporti poco lontana dal nostro studio, un terminal non sindacalizzato. Deck sospetta che guadagni circa sette dollari l'ora. Il suo avvocato è uno da quattro soldi. In città ce n'è un milione.

Ho detto a Deck la verità su Kelly. Mi ha risposto che per lui era importante saperlo perché quando Cliff mi farà saltare le cervella con una doppietta, lui potrà raccontare com'è successo.

Deck mi ha anche consigliato di lasciarla perdere. Mi causerebbe soltanto guai.

Sulla scrivania trovo un biglietto; devo andare subito da Bruiser. Sta parlando al telefono, quello di destra. C'è un altro telefono alla sua sinistra e altri tre sparsi nell'ufficio. Uno in macchina. Uno nella borsa. Più quello che ha dato a me per potermi contattare ventiquattr'ore su ventiquattro.

Mi accenna di sedere, rotea gli occhi neri e arrossati come se avesse a che fare con un matto e borbotta nel ricevitore una risposta affermativa. Gli squali dormono o sono nascosti dietro le rocce. Il filtro dell'acquario mormora e gorgoglia.

Deck mi ha confidato che Bruiser guadagna fra i trecento e i cinquecentomila dollari l'anno. È difficile crederlo, quando si guarda questa stanza ingombra. Tiene in giro quattro associati in caccia di casi di lesioni. (E adesso ci sono anch'io.) Lo scorso anno Deck è riuscito ad accalappiare cinque casi che hanno fruttato a Bruiser centocinquantamila dollari. Guadagna parecchio con i processi per droga, e nel mondo degli stupefacenti si è fatto la reputazione di un avvocato di cui ci si può fidare. Ma secondo Deck il grosso del reddito di Bruiser Stone deriva dagli investimenti. È coinvolto, in una misura che nessuno conosce e che il governo federale cerca affannosamente di scoprire, nel giro dei locali topless di Memphis e Nashville.

È un'industria dove abbondano i contanti e quindi è impossibile sapere quanto tiene per sé.

Ha divorziato tre volte, come mi ha raccontato Deck mentre mangiavamo sandwich untuosi da Trudy's, e ha tre figli adolescenti che, cosa tutt'altro che sorprendente, vivono con le rispettive madri. Apprezza la compagnia delle ballerine giovani, beve e gioca troppo e per quanto denaro riesca ad arraffare, non gli basta mai.

Sette anni fa è stato arrestato e incriminato per racket, ma la procura federale non aveva speranze. Dopo un anno, il procedimento era stato archiviato. Deck mi ha rivelato che è preoccupato per le attuali indagini federali sulla malavita di Memphis. Sono indagini che hanno portato più volte a galla il suo nome e quello del suo migliore amico, Prince Thomas. Deck ha detto che Bruiser si comporta in modo un po' insolito: beve troppo, si arrabbia più in fretta e fa sfuriate in ufficio più del normale.

A proposito dei telefoni, Deck è certo che l'Fbi tiene sotto controllo tutti quelli dei nostri uffici, incluso il mio. E pensa che ci siano microspie nei muri. L'hanno fatto altre volte, dice con l'aria di chi la sa lunga. Ed è meglio essere prudenti anche da Yogi's.

Ieri pomeriggio mi ha lasciato con questo pensiero consolante. Se supero l'esame d'ammissione e riesco a guadagnare qualcosa, me ne andrò in fretta.

Finalmente Bruiser riattacca e si passa la mano sugli occhi stanchi. «Da' un'occhiata a questo» dice spingendo verso di me un imponente mucchio di carte.

«Cos'è?»

«La Great Eastern ha risposto. Adesso capirai perché è così spiacevole citare le grandi società. Hanno un sacco di soldi e possono pagare battaglioni di avvocati che producono montagne di scartoffie. Probabilmente Leo F. Drummond si fa pagare dalla Great Eastern duecentocinquanta dollari l'ora.»

È un'istanza perché la citazione dei Black venga respinta; c'è allegata una memoria di sessantatré pagine. E c'è la notifica che fissa l'udienza per l'istanza davanti all'onorevole giudice Harvey Hale.

Bruiser mi osserva con calma. «Benvenuto sul campo di battaglia.»

Un nodo mi stringe la gola. Ci vorranno giorni per rispondere come si deve. «Impressionante» dico. Ho la gola secca. Non so da che parte cominciare.

«Leggi attentamente ogni virgola, rispondi all'istanza, scrivi una memoria. Al più presto. Non è terribile come sembra.»

«Ah, no?»

«No, Rudy. È normale routine. Imparerai. Quei mascalzoni presenteranno tutte le istanze conosciute più qualcuna di loro invenzione, e tutte con lunghissime memorie allegate. E vorranno correre in tribunale ogni santa volta per avere un'udienza sulle loro adorate istanze. Non gli interessa se saranno accolte o respinte: tanto, guadagneranno comunque una barca di soldi. E inoltre questa tattica allontanerà la data del dibattimento in aula. Ne hanno fatto un'arte, e i loro clienti pagano. Il problema è che nel frattempo ti ridurranno i nervi a pezzi.»

«Sono stanco già adesso.»

«È una brutta gatta da pelare. Drummond schiocca le dita, ordina "Voglio un'istanza di archiviazione" e tre associati si chiudono in biblioteca, due paralegali tirano fuori le vecchie memorie dai computer. E zac! In un attimo ecco una bella memoria arricchita da ricerche meticolose. Poi Drummond la legge e la rilegge, la esamina meticolosamente a duecentocinquanta dollari l'ora, e magari la fa leggere anche a un socio. Poi la revisiona, la taglia e la modifica, perciò gli associati tornano in biblioteca e i paralegali davanti ai computer. È una rapina, ma la Great Eastern ha denaro a palate e non si fa un problema di dover pagare uno studio come Tinley Britt.»

Mi sento come se avessi sfidato un esercito. Due telefoni squillano contemporaneamente e Bruiser afferra il più vicino. «Datti da fare» mi ordina. Poi, nel microfono: «Sì?».

Sollevo il mucchio di carte con entrambe le mani, lo trasferisco nel mio ufficio e chiudo la porta. Leggo l'istanza di archiviazione con la memoria allegata, ben presentata e battuta alla perfezione, una memoria che mi sembra piena di argomentazioni convincenti contro quasi tutto ciò che ho detto nella citazione. Il linguaggio è ricco e chiaro, immune dal gergo legale per quanto è possibile, scritto in modo ammirevole. Le posizioni esposte sono suffragate da una quantità di pareri autorevoli che sembrano tutti calzanti. Ci sono note in calce a ogni pagina e perfino un sommario del contenuto, un indice analitico e una bibliografia.

L'unica cosa che manca è un'ordinanza già pronta che il giudice dovrebbe firmare per concedere alla Great Eastern tutto ciò che vuole.

Dopo la terza lettura mi scuoto e comincio a prendere appunti. Potrebbe esserci qualche scappatoia. Lo shock e lo spavento si attenuano. Richiamo alla mente il mio immenso disgusto per la Great Eastern e per ciò che ha fatto al mio cliente. E mi rimbocco le maniche.

Leo F. Drummond può anche essere un mago dei tribunali, e può avere ai suoi ordini schiere di collaboratori. Ma io, Rudy Baylor, non ho altro da fare, sono sveglio e ho voglia di lavorare. Se vuole cominciare la guerra delle scartoffie contro di me, benissimo, lo seppellirò.

Deck ha fatto già sei volte l'esame d'ammissione all'ordine. L'aveva quasi superato al terzo tentativo, in California; ma al punteggio necessario gli mancavano due punti. L'ha fatto tre volte nel Tennessee senza avvicinarsi mai a un risultato positivo, e me l'ha confidato con la massima sincerità. Non sono sicuro che ci tenga a superare l'esame. Guadagna quarantamila dollari l'anno andando a caccia di casi per conto dello studio di Bruiser e non è oppresso da vincoli etici. (Questi, naturalmente, non preoccupano neppure Bruiser.) Deck non deve pagare quote d'iscrizione, preoccuparsi di tenersi aggiornato, frequentare seminari, comparire davanti ai giudici, sentirsi in colpa al punto di offrirsi per il gratuito patrocinio, per non parlare poi delle spese generali.

Deck è una sanguisuga. Finché ha un avvocato con un nome che può usare e un ufficio dove lavorare, tutto va bene.

Sa che non ho molto da fare, perciò ha preso l'abitudine di venire nel mio ufficio verso le undici. Chiacchieriamo una mezz'ora, poi andiamo da Trudy's a mangiare un boccone. Mi sono abituato a lui. È soltanto Deck, un ometto senza pretese che vuole essermi amico.

Siamo in un angolo e pranziamo da Trudy's fra gli scaricatori, e Deck parla a voce così bassa che lo sento appena. A volte, soprattutto nelle sale d'aspetto dell'ospedale, è di una sfacciataggine insopportabile; altre volte è timido come un topolino. Mormora qualcosa che vuol farmi sapere, e intanto si sbircia alle spalle come se temesse di venire aggredito.

«C'è un tale che lavorava nello studio, un certo David Roy, ed era diventato intimo di Bruiser. Contavano insieme i loro soldi, erano attaccati come due ladri. Roy venne radiato dall'ordine per certe irregolarità amministrative, quindi non può più esercitare come avvocato.» Deck si ripulisce con le dita le labbra sporche di insalata di tonno. «Ma non ha importanza. Roy attraversa la strada e apre un locale topless. Il locale brucia. Ne apre un altro, e brucia anche quello. Poi un altro ancora. E scoppia la guerra nel giro delle tette. Bruiser è troppo furbo per cacciarsi in mezzo, resta sempre fra le quinte. E lo stesso vale per il tuo amico Prince Thomas. La guerra continua per un paio d'anni. Ogni tanto ci scappa il morto. Ci sono altri incendi. Roy e Bruiser litigano di brutto. L'anno scorso i federali inchiodano Roy, e in giro si mormora che canterà. Sai cosa voglio dire.»

Annuisco. Tengo la testa abbassata come Deck. Nessuno può sentirci, ma qualcuno ci guarda incuriosito perché stiamo così piegati sopra il tavolo.

«Be', ieri David Roy ha testimoniato al gran giurì. Sembra che si sia accordato con i federali.»

È la battuta conclusiva. Deck si raddrizza, rotea gli occhi come se a questo punto tutto mi fosse chiaro.

«E allora?» chiedo brusco.

Aggrotta la fronte, si guarda intorno con aria diffidente, poi spara: «È molto probabile che canti anche su Bruiser. Forse su Prince Thomas. Ho addirittura sentito dire che c'è una taglia sulla sua testa».

«Una taglia?»

«Sì. Parla piano.»

«E chi ce l'avrebbe messa?» Senza dubbio non il mio principale.

«Prova a indovinare.»

«Non dirmi che è Bruiser.»

Mi rivolge un sorriso furbo a labbra strette, poi aggiunge: «Non sarebbe la prima volta». Addenta un boccone enorme del sandwich e lo mastica adagio, annuendo. Aspetto che abbia finito di inghiottire.

«Cosa stai cercando di dirmi?» chiedo.

«Tieni tutte le porte aperte.»

«Non ne ho.»

«Può darsi che te ne debba andare.»

«Sono appena arrivato.»

«La situazione potrebbe diventare scottante.»

«E tu?» domando.

«Può darsi che debba andarmene anch'io.»

«E gli altri?»

«Non preoccuparti per loro perché non si preoccupano per te. Io sono il tuo unico amico.»

Queste parole mi assillano per ore. Deck sa più di quello che mi ha detto, ma dopo qualche altro pranzo verrò a conoscenza di tutto. Sospetto che stia cercando un posto dove sistemarsi se arrivasse il disastro. Ho incontrato gli altri avvocati dello studio – Nicklass, Toxer e Ridge – ma stanno sulle loro e hanno poco da dire. Tengono sempre chiuse a chiave le porte dei loro uffici. Deck non li ha in simpatia e posso solo immaginare quali siano i loro sentimenti nei suoi confronti. Secondo Deck, Toxer e Ridge sono amici e potrebbero pensare di mettersi presto in proprio. Nicklass è alcolizzato e si troverebbe in difficoltà.

L'eventualità peggiore sarebbe che Bruiser venisse incriminato, arrestato e processato. Il procedimento durerebbe almeno un anno. Però potrebbe ancora lavorare e dirigere il suo studio. Non possono radiarlo dall'ordine fino al verdetto di colpevolezza.

Sta tranquillo, mi dico.

E se mi ritroverò in mezzo a una strada, non sarà la prima volta. Sono sempre riuscito a cascare in piedi.

Mi dirigo verso la casa della signora Birdie e passo davanti a un parco. Sotto i riflettori si stanno svolgendo almeno tre partite di softball.

Mi fermo a un telefono pubblico accanto a un autolavaggio

e compongo il numero. Kelly risponde al terzo squillo. «Pronto?» La voce mi vibra in tutto il corpo.

«C'è Cliff?» chiedo, con voce più bassa di un'ottava. Se risponde sì, riattaccherò.

«No. Chi parla?»

«Rudy» dico con la mia voce normale. Trattengo il respiro, e mi aspetto di sentire un "clic" seguito dal segnale. Ma mi aspetto anche di sentire parole sommesse, cariche di nostalgia. Diavolo, non so cosa aspettarmi.

C'è un breve silenzio, ma lei non riattacca. «Ti avevo pregato di non chiamarmi» dice, senza traccia di collera o di ansia.

«Scusami. Non ho saputo trattenermi. Sono in pensiero per te.»

«Non possiamo.»

«Cosa non possiamo?»

«Addio.» Questa volta sento il "clic" e il segnale.

Ho dovuto raccogliere tutto il mio coraggio per chiamarla, e adesso vorrei non averlo mai fatto. Certe persone hanno più fegato che cervello. So che suo marito è un pazzo, una testa calda, ma non so fino a che punto sia capace di arrivare. Se è geloso, e sono sicuro che lo è perché è un diciannovenne di campagna, una mancata promessa dello sport, sposato con una bella ragazza, e immagino che sospetti di ogni sua mossa. Ma sarebbe perfino capace di metterle il telefono sotto controllo?

È un'eventualità assai remota, ma è sufficiente a tenermi sveglio.

Dormo da meno di un'ora quando squilla il telefono. Sono quasi le quattro del mattino, stando all'orologio digitale. Cerco brancolando il ricevitore nell'oscurità.

È Deck. È eccitatissimo e parla concitatamente dal radiotelefono della macchina. Sta venendo da me, è a meno di tre isolati. È una cosa urgente, importantissima, un disastro colossale. Sbrigati! Vestiti! Mi raccomanda di aspettarlo sul marciapiede fra meno di un minuto.

Lo trovo che mi aspetta a bordo del minivan malconcio. Salto a bordo e lui sfreccia via, lasciando una striscia di gomma sull'asfalto. Non mi ha dato neppure il tempo di lavarmi i denti. «Cosa diavolo facciamo?» chiedo.

«Un grosso incidente sul fiume» annuncia in tono solenne come se la cosa lo rattristasse molto. Ma è normale amministrazione. «Stanotte, poco dopo le undici, una chiatta che trasportava petrolio si è sganciata dal rimorchiatore ed è andata alla deriva verso valle fino a sbattere contro un battello a ruote noleggiato per il ballo di una scuola superiore. A bordo c'erano circa trecento ragazzi. Il battello a pale è colato a picco presso Mud Island, vicino alla riva.»

«È terribile, Deck. Ma noi cosa diavolo dovremmo fare?»

«Controllare. Bruiser ha ricevuto una telefonata e ha chiamato me. Eccomi qui. È un disastro enorme, forse il più grande che ci sia mai stato a Memphis.»

«E dovremmo esserne contenti?»

«Non capisci? Bruiser non se lo lascerà scappare.»

«Benone. Digli che infili tutta quella ciccia in una muta da sub e s'immerga per recuperare i cadaveri.»

«Potrebbe essere una miniera d'oro.» Deck sta correndo attraverso la città. Non ci scambiamo più una parola. Un'ambulanza ci sfreccia accanto e il cuore mi batte più forte. Un'altra ambulanza ci taglia la strada.

Riverside Drive è bloccata da dozzine di macchine della polizia, con tutte le luci che lampeggiano nella notte. Camion dei vigili del fuoco e altre ambulanze sono parcheggiati in fila. Un elicottero sta librato verso valle. Ci sono gruppi di persone immobili, e ce ne sono altre che corrono qua e là e gridano e tendono le mani per indicare. Presso la riva è visibile il braccio di una gru.

Giriamo intorno al nastro giallo che delimita l'area e raggiungiamo la folla ammassata vicino all'acqua. Il disastro è successo qualche ora prima e l'urgenza si è attenuata. Adesso tutti attendono. Molti sono raccolti in piccoli gruppi inorriditi e stanno seduti sulle banchine selciate: guardano e piangono mentre sommozzatori e infermieri cercano i corpi. Ci sono ecclesiastici che pregano con i familiari. Dozzine di ragazzi storditi, in smoking e abito da ballo fradici, stanno insieme, si tengono per mano e fissano l'acqua. Una fiancata del battello a ruote sporge per tre metri dalla superficie e i soccorritori vi stanno aggrappati: quasi tutti portano mute nere e blu e attrezzature da sub. Altri lavorano usando come base tre pontoni legati insieme.

Si sta svolgendo una specie di rito, ma ci vuole un po' per poterlo comprendere. Un tenente della polizia s'incammina lentamente lungo una passerella che parte da un pontone galleggiante e arriva sul selciato. La folla, già silenziosa, ammutolisce del tutto. Il tenente si ferma accanto a una macchina di pattuglia e i cronisti si raccolgono intorno a lui. Molti dei presenti restano seduti, si avvolgono più strettamente nelle coperte, chinano la testa in preghiere fervide. Sono i genitori, i parenti, gli amici. Il tenente dice: «Mi dispiace, ma abbiamo identificato il corpo di Melanie Dobbins».

Le parole echeggiano nel silenzio che subito viene infranto dalle esclamazioni soffocate e dai gemiti dei familiari della ragazza. Si accasciano tutti insieme. Gli amici si inginocchiano e si scambiano abbracci desolati. Poi risuona un grido di donna.

Gli altri si voltano a osservare, ma prorompono in momentanei sospiri di sollievo. Il tragico annuncio che attendono è inevitabile, ma rimandato. C'è ancora speranza. Di lì a poco scoprirò che ventun ragazzi si sono salvati perché sono rimasti risucchiati in una sacca d'aria.

Il tenente si allontana e torna al pontile dove stanno estraendo un corpo dall'acqua.

Poi si svolge lentamente un altro rituale, meno tragico ma molto più disgustoso. Diversi uomini dalle facce meste cercano di avvicinare furtivamente i familiari addolorati. Sono armati di biglietti da visita che cercano di rifilare ai parenti o agli amici delle vittime. Si accostano nel buio, e si tengono d'occhio con diffidenza. Sarebbero disposti a uccidere pur di ottenere la procura a rappresentare le famiglie. E si accontentano di un terzo della futura liquidazione dei danni.

Deck prende atto di tutto molto prima che io mi renda conto di quanto sta succedendo. Indica con un cenno un punto vicino alle famiglie, ma mi rifiuto di muovermi. Si allontana tra la folla e si dilegua nell'oscurità in cerca di una miniera d'oro.

Volto le spalle al fiume e poco dopo corro per le vie centrali di Memphis.

22

La commissione invia i risultati degli esami per raccomandata. All'università si raccontano aneddoti di novellini che, dopo una lunga attesa, sono crollati accanto alla cassetta della posta o si sono messi a correre in mezzo alla strada sventolando la lettera come scemi. Una quantità di storie, storie che mi sembravano divertenti, allora.

Sono passati trenta giorni e non mi è arrivata nessuna lettera. Ho dato l'indirizzo di casa perché non voglio che qualcuno la apra e la legga nello studio di Bruiser.

Il trentunesimo giorno è un sabato, un giorno in cui mi viene concesso di dormire fino alle nove prima che la mia tiranna venga a bussare brandendo un pennello. Ha scoperto all'improvviso che il garage sotto il mio appartamento ha bisogno di una mano di tinta, anche se a me sembra che stia bene così com'è. Mi attira giù dal letto con l'annuncio che ha già preparato uova e bacon, diventeranno freddi se non mi sbrigo.

Il lavoro procede bene. Dipingere dà risultati immediati e gradevoli. Posso constatare i progressi. Il sole è nascosto dalle nubi, perciò vado avanti con un ritmo tranquillo.

Alle sei la signora Birdie mi comunica che è ora di smettere perché ho lavorato abbastanza, e rivela che per cena ha una splendida sorpresa: preparerà una pizza vegetariana!

Ho lavorato da Yogi's fino all'una di questa mattina e non ho voglia di tornarci per un po'. Perciò questo sabato sera non ho niente da fare, come al solito. Il peggio è che non ho pensato di programmare qualcosa. Purtroppo, perfino l'idea di mangiare una pizza vegetariana in compagnia di una vecchia ottantenne mi sembra accettabile.

Faccio la doccia e mi vesto. Un odore insolito emana dalla cucina quando entro in casa. La signora Birdie sta spignattando. Mi confida che non ha mai fatto la pizza, come se questo dovesse farmi felice.

Non è male. Gli zucchini e i peperoni gialli sono un po' troppo cotti, ma non ha lesinato il formaggio caprino e i funghi. E sto morendo di fame. Mangiamo in soggiorno guardando un film con Gary Cooper e Audrey Hepburn. La signora Birdie piange quasi sempre.

Il secondo è un film con Bogart e la Bacall, e comincio a sentire l'indolenzimento ai muscoli. Ho sonno. La signora Birdie, invece, sta seduta sull'orlo di un divano e trattiene il fiato mentre assorbe ogni battuta di un film che vede e rivede da cinquant'anni.

All'improvviso si alza di scatto. «Ho dimenticato una cosa!» Corre in cucina e la sento frugare fra le carte. Torna in soggiorno sventolando un foglio, si ferma teatralmente davanti a me e proclama: «Rudy! Ha superato l'esame!».

Ha in mano un foglio bianco, e io mi lancio a prenderlo. È della Commissione Esami di Diritto del Tennessee; naturalmente è indirizzato a me, e in neretto, al centro, troneggiano le solenni parole: "Congratulazioni. Ha superato l'esame di ammissione all'Ordine".

Giro su me stesso, guardo la signora Birdie e per una frazione di secondo provo l'impulso di schiaffeggiarla per questa sfacciata violazione della mia privacy. Avrebbe dovuto dirmelo prima, e non aveva nessun diritto di aprire la busta. Ma sfoggia tutti i denti gialli e grigi in un gran sorriso. Ha le lacrime agli occhi, si copre le guance con le mani ed è euforica quasi quanto me. La mia rabbia lascia subito il posto alla gioia.

«Quando è arrivata?» chiedo.

«Oggi, mentre stava dipingendo. Il postino ha bussato, ha chiesto di lei ma ho risposto che aveva da fare, e così ho firmato.»

Firmare la ricevuta è una cosa. Aprire la lettera è un'altra.

«Non doveva aprirla» dico, ma non sono irritato. È impossibile irritarsi in un momento simile.

«Mi scusi. Credevo che ci tenesse. Non è emozionante?»

Sì, lo è. Vado in cucina sorridendo come uno scemo e respiro a pieni polmoni. La vita è meravigliosa! Il mondo è splendido!

«Dobbiamo festeggiare» dice la signora Birdie con un sorrisetto malizioso.

«Tutto quello che vuole» dico io. Ho voglia di correre nel prato e di gridare alle stelle.

Lei fruga in fondo a un armadietto, sorride e tira fuori una bottiglia dalla forma strana. «L'ho tenuta da parte per le occasioni speciali.»

«Cos'è?» chiedo mentre prendo la bottiglia. Da Yogi's non ho mai visto niente del genere.

«Grappa di melone. È molto forte.» Ridacchia. In questo momento sarei disposto a bere qualunque cosa. Lei trova due tazzine da caffè eguali (in casa sua non si servono mai drink). Le riempie a metà. È un liquore denso e vischioso. L'odore mi ricorda qualcosa che ho sentito nello studio del dentista.

Brindiamo al mio successo facendo tintinnare le tazze della Banca del Tennessee e beviamo il primo sorso. Ha il sapore di uno sciroppo per la tosse a uso pediatrico e brucia come vodka pura. Lei fa schioccare le labbra. «Meglio sederci» dice.

Dopo qualche sorso, la signoria Birdie russa sul divano. Io tolgo l'audio al film e verso un'altra tazza. In effetti è forte e dopo il bruciore iniziale le papille gustative non ne risentono. Lo bevo nel patio, sotto la luna, e sorrido al cielo, riconoscente per la meravigliosa notizia.

Gli effetti della grappa al melone durano fin dopo il levar del sole. Faccio la doccia, esco di casa, m'infilo in macchina, percorro velocemente il vialetto a marcia indietro fino alla strada.

Vado in un caffè per yuppie che serve bagel e ottimi caffè. Compro un voluminoso giornale della domenica e lo apro su un tavolino, in fondo. Ci sono diverse notizie che mi interessano da vicino.

Per il quarto giorno consecutivo la prima pagina è occupata

da notizie sul disastro del battello a ruote. Sono morti quarantun ragazzi, e gli avvocati hanno già cominciato le cause per il risarcimento.

Il secondo pezzo, pubblicato in cronaca, è una nuova puntata di un'inchiesta sulla corruzione della polizia, e in particolare sulle connessioni fra l'industria del topless e le forze dell'ordine. Bruiser è nominato diverse volte come avvocato di Willie McSwane, un pezzo grosso delle attività illecite locali. È nominato anche come avvocato di Bennie Thomas, conosciuto come Prince, proprietario di taverne e già incriminato per reati federali. Infine, Bruiser viene nominato come probabile bersaglio delle indagini dell'Fbi.

Ho la sensazione che il treno stia per venirmi addosso. È un mese che il gran giurì federale si riunisce senza soste. Il giornale ne parla quasi tutti i giorni, e Deck diventa sempre più nervoso.

La terza notizia mi coglie di sorpresa. Nell'ultima pagina della rubrica "economia e affari" c'è un trafiletto intitolato *161 ammessi all'Ordine degli avvocati*. È un comunicato stampa di poche righe della Commissione d'esame, seguito dall'elenco alfabetico dei promossi.

Accosto il giornale agli occhi e leggo affannosamente. Eccomi! È tutto vero. Non si è trattato di un errore. Ho superato l'esame! Dò una rapida scorsa agli altri nomi: molti li conosco bene da tre anni.

Cerco quello di Booker Kane, ma non c'è. Controllo e ricontrollo, poi lascio cadere le spalle, avvilito. Poso il giornale sul tavolo e leggo ogni nome a voce alta. Niente Booker Kane.

C'è mancato poco che lo chiamassi, ieri sera, dopo che la signora Birdie si è ricordata di consegnarmi la lettera con la grande notizia. Ma non l'ho fatto. Dato che ero stato promosso, ho aspettato che fosse lui a chiamarmi, e ho pensato che se non l'avesse fatto entro qualche giorno avrei capito che era stato bocciato.

Ora non so cosa fare. Mi sembra di vederlo in questo momento, mentre aiuta Charlene a vestire i bambini per andare in chiesa e si sforza di sorridere e di convincere se stesso e la moglie che è solo un contrattempo, che la prossima volta ce la farà.

Ma so che è distrutto. Soffre, freme di rabbia contro se stesso per aver fallito. È preoccupato per la reazione di Marvin Shankle e ha paura di andare in ufficio domani.

Booker è tremendamente orgoglioso e ha sempre creduto di poter raggiungere tutto ciò che si prefigge. Vorrei andare da lui per cercare di fargli coraggio, ma so che sarebbe inutile.

Domani mi telefonerà per farmi i rallegramenti. In apparenza la prenderà bene e dirà di essere certo di farcela la prossima volta.

Rileggo l'elenco e mi accorgo che non c'è il nome di Sarah Plankmore, neppure come Sara Plankmore Wilcox. S. Todd Wilcox ha superato l'esame, la sposina no.

Rido a voce alta. Sono meschino e dispettoso, infantile e vendicativo, addirittura spregevole. Ma non riesco a trattenermi. Si è fatta mettere incinta per potersi sposare e scommetto che la tensione è stata troppo forte. Per tre mesi ha avuto troppo da fare, per organizzare il matrimonio e scegliere i colori per la nursery. Deve aver trascurato gli studi.

Ah. Ah. Ah. Sono io, quello che ride per ultimo.

L'ubriaco che ha investito Dan Van Landel era assicurato per danni a terzi fino a un limite di centomila dollari. Deck ha convinto l'assicurazione che i danni subiti di Van Landel sono superiori a tale cifra, e l'ha spuntata. L'assicurazione ha consentito a pagare più del massimale. Bruiser è entrato in scena solo all'ultimo momento per minacciare di far causa. L'ottanta per cento del lavoro l'ha fatto Deck; io ho fatto al massimo il quindici per cento. E riconosciamo tacitamente a Bruiser il resto del merito. Ma secondo la divisione dei compensi in uso nello studio, io e Deck non spartiremo i profitti, e questo perché Bruiser ha idee molto chiare per quanto riguarda la produzione degli onorari. Van Landel è un caso tutto suo perché ne ha sentito parlare per primo. Io e Deck siamo andati all'ospedale per far firmare la procura, ma questo rientra nei compiti dei dipendenti dello studio. Se avessimo scoperto il caso per primi e ottenuto la procura, allora meriteremmo una parte del compenso.

Bruiser ci convoca nel suo ufficio e chiude la porta. Si congratula con me per l'esito dell'esame. Anche lui è stato promosso al primo tentativo. Immagino che questo debba dare a Deck l'impressione di essere ancora più stupido, ma lui non lascia trasparire nulla: sta lì seduto, si passa la lingua sui denti e come al solito tiene la testa inclinata da una parte. Bruiser accenna alla transazione Van Landel. Stamattina ha ricevuto l'assegno di centomila dollari e nel pomeriggio verranno i Van Landel a incassare. Pensa che forse anche noi dovremmo beneficiare dell'accordo.

Io e Deck ci scambiamo un'occhiata nervosa.

Per pura bontà d'animo, vuole compensarci. La sua parte è un terzo della somma, cioè trentatremila dollari, ma non la terrà tutta per sé. La dividerà con noi. «Vi darò un terzo delle mie spettanze, e ve lo dividerete a metà.»

In silenzio, io e Deck facciamo i conti. Un terzo di trentatremila dollari è undicimila; diviso due fa cinquemilacinquecento.

Riesco a restare impassibile e a dire: «Grazie, Bruiser. Sei molto generoso».

«Non c'è di che» risponde lui come se fosse munifico per abitudine. «Consideralo un regalo per la promozione.»

«Grazie.»

«Sì, grazie» dice Deck. Siamo sbalorditi, ma pensiamo anche che Bruiser terrà per sé ventiduemila dollari per sei ore di lavoro. Più o meno tremilacinquecento dollari all'ora.

Tuttavia, dato che non mi aspettavo un centesimo, mi sento improvvisamente ricco.

«Ottimo lavoro, ragazzi. Adesso vediamo di trovare altri clienti.»

Annuiamo all'unisono. Col pensiero sto contando e spendendo il mio tesoro. E senza dubbio Deck fa altrettanto.

«Siamo pronti per domani?» mi chiede Bruiser. Domattina alle nove dibatteremo, davanti all'onorevole giudice Harvey Hale, l'istanza di archiviazione presentata dalla Great Eastern. Bruiser ha avuto uno sgradevole colloquio col giudice a tale proposito, e l'idea dell'udienza non ci entusiasma.

«Credo di sì» rispondo nervosamente. Ho preparato e depositato una memoria di confutazione di una trentina di pagine, e Drummond e compagnia hanno presentato le loro controdeduzioni. Bruiser ha telefonato a Hale per obiettare e il dialogo è andato male.

«Può darsi che lasci a te il compito di occuparti di una parte della discussione, quindi tieniti pronto» mi dice Bruiser. Deglutisco con uno sforzo. Il nervosismo si sta trasformando in panico.

«Mettiti al lavoro» aggiunge. «Sarebbe imbarazzante perdere un caso per un'istanza di archiviazione.»

«Ci sto lavorando anch'io» dichiara Deck.

«Bene. Andremo in tribunale tutti e tre. Loro saranno in venti, ovviamente.»

L'inattesa ricchezza fa scattare il desiderio di avere qualcosa di meglio dalla vita. Io e Deck decidiamo di rinunciare al solito pranzo da Trudy's, zuppa e sandwich, e di andare invece in una steakhouse poco lontana. Ordiniamo costate di prima scelta.

«Bruiser non ha mai spartito i soldi in questo modo» attacca Deck. È agitatissimo. Ci siamo seduti in un séparé in fondo a una sala semibuia. Nessuno può sentirci, ma siamo comunque tesi. «Sta per succedere qualcosa, Rudy. Ne sono sicuro. Toxer e Ridge se ne vanno. I federali puntano su Bruiser. Lui distribuisce denaro a piene mani. Sono preoccupato, molto preoccupato.»

«D'accordo, ma perché? Non possono arrestarci.»

«Non è questo che mi preoccupa. Sono in pensiero per il mio lavoro.»

«Non capisco. Se Bruiser venisse incriminato e arrestato, uscirebbe su cauzione nel giro di qualche minuto. Lo studio resterà aperto.»

Deck è irritato. «Senti, e se arrivassero con mandati e seghe elettriche? Possono farlo, sai? È già successo, in casi di racket. I federali si divertono ad attaccare gli studi legali, sequestrare pratiche e portar via i computer. Non gliene frega niente di te e di me.»

Per essere sincero, non ci avevo mai pensato. Credo che la sorpresa mi si legga in faccia. «Ovvio che possono bloccare la sua attività» continua Deck accalorandosi. «E lo farebbero con piacere. Tu e io ci andremmo di mezzo e non gliene fregherebbe niente a nessuno.»

«Allora cosa proponi?»

«Filiamo!»

Sto per domandargli cosa intende, ma è abbastanza chiaro. Deck è diventato mio amico, ma vuole molto di più. Sono stato ammesso all'ordine e quindi posso fornirgli l'ombrello. Deck vuole un socio! Prima che io abbia il tempo di fiatare, parte all'attacco: «Quanti soldi hai?».

«Uhm... cinquemilacinquecento dollari.»

«Anch'io. Undicimila in tutto. Se sborsiamo duemila dollari ciascuno, fanno quattromila. Possiamo prendere in affitto un ufficio piccolo per cinquecento dollari al mese, e il telefono e il resto costeranno altri cinquecento. Potremmo comprare qualche mobile, niente di lussuoso. Tireremo avanti in economia per sei mesi e vedremo come va. Io procurerò i casi, tu ti presenterai in tribunale e faremo a metà dei guadagni. Tutto a metà: spese, onorari, profitti, lavoro, orari...»

Mi sento messo al tappeto ma reagisco fulmineamente. «Niente segretaria?»

«Non ne abbiamo bisogno» risponde in fretta. Deck deve aver riflettuto a lungo sul progetto. «Almeno all'inizio. Tutti e due possiamo rispondere al telefono e servirci di una segreteria telefonica. Io so battere a macchina, e anche tu. E quando avremo da parte un po' di soldi, assumeremo una ragazza.»

«Quanto ci sarà di spese generali?»

«Meno di duemila dollari. Affitto, telefono, luce e acqua, cancelleria, copie e cento altre cosette. Ma possiamo risparmiare. Staremo attenti alle spese generali e incasseremo altri soldi. È semplice.» Mi scruta mentre bevo il tè freddo, quindi si tende di nuovo verso di me. «Ascolta, Rudy, secondo me abbiamo appena lasciato ventiduemila dollari sul tavolo. L'intero onorario spettava a noi, e sarebbe bastato per coprire le spese generali di un anno. Mettiamoci in proprio, così ci terremo tutto il guadagno.»

L'etica professionale vieta agli avvocati di mettersi in società con chi avvocato non è. Faccio per parlarne, ma mi rendo conto che è inutile. Deck troverà una dozzina di modi per aggirare il problema.

«L'affitto mi sembra un po' basso» commento tanto per dire qualcosa e per vedere fino a che punto ha approfondito le ricerche.

Deck socchiude gli occhi e sorride. I denti da castoro luccicano. «Ho già trovato il posto. È in un vecchio palazzo in Madison, sopra un negozio d'antiquariato. Quattro stanze, il bagno, esattamente a metà strada fra il carcere e il St. Peter's.»

La posizione ideale! Il sogno di tutti gli avvocati. «È un brutto quartiere» commento.

«Perché credi che chiedano così poco?»

«È in buone condizioni?»

«Abbastanza. Dovremo ridipingere le pareti.»

«Come pittore sono bravissimo.»

Arrivano le insalate e mi riempio la bocca di lattuga. Deck rigira la sua nel piatto, ma mangia poco. I suoi pensieri turbinano troppo in fretta perché possa concentrarsi sul pasto.

«Devo andarmene, Rudy. So molte cose che non posso dire, okay? Quindi, fidati se ti dico che Bruiser sta per fare un brutto capitombolo. La fortuna lo ha abbandonato.» S'interrompe e pesca una noce. «Se non vuoi metterti con me, questo pomeriggio parlerò con Nicklass.»

Nicklass è l'unico rimasto dopo Toxer e Ridge, e so che Deck non lo vede di buon occhio. E poi, sospetto che dica la verità su Bruiser. Basta guardare i giornali due volte la settimana per capire che è in un grosso guaio. Deck è stato il dipendente più fedele che ha avuto negli ultimi anni, e il fatto che abbia intenzione di abbandonarlo mi spaventa.

Mangiamo in silenzio. Entrambi pensiamo alle prossime mosse. Quattro mesi fa l'idea di esercitare la professione con un tipo come Deck sarebbe stata impensabile, ridicola. Ma adesso non riesco a inventare pretesti convincenti per evitare che diventi mio socio.

«Non vuoi saperne di metterti in società con me?» chiede Deck in tono lamentoso.

«Devo riflettere, Deck. Lasciami il tempo di respirare. È come se mi avessi dato una botta in testa.»

«Hai ragione. Ma dobbiamo muoverci in fretta.»

«Cosa sai?»

«Quanto basta per convincermi. Ti prego, non farmi altre domande.»

«Dammi qualche ora. Vorrei dormirci sopra.»

«Mi sembra giusto. Domani dobbiamo andare in tribunale,

quindi troviamoci un po' prima. Da Trudy's. Non possiamo certo parlarne in ufficio. Tu dormici sopra, e domattina dimmi cos'hai deciso.»

«D'accordo.»

«Quante pratiche hai?»

Rifletto per qualche istante. Ho una grossa pratica sul caso Black, una piuttosto smilza sulla signora Birdie e una poco promettente su un risarcimento per un operaio passatami da Bruiser la settimana scorsa. «Tre.»

«Non lasciarle in ufficio. Portale a casa.»

«Subito?»

«Subito. Questo pomeriggio. E se in ufficio c'è qualcos'altro che secondo te potrebbe servirti, porta via subito anche quello. Però non farti scoprire, chiaro?»

«C'è qualcuno che ci sorveglia?»

Deck trasale e si guarda intorno, poi annuisce lentamente e rotea gli occhi dietro gli occhiali storti.

«Chi?»

«I federali, credo. L'ufficio è sorvegliato.»

23

Il fatto che Bruiser abbia annunciato quasi distrattamente che potrebbe affidarmi una parte del dibattito durante l'udienza per il caso Black mi tiene sveglio quasi tutta la notte. Non so se è stato il solito bluff del mentore saggio, ma mi preoccupa molto più della prospettiva di mettermi in società con Deck.

È ancora buio quando arrivo da Trudy's. Sono il primo cliente. Il caffè è appena fatto e le ciambelle sono ancora calde. Chiacchieriamo per un momento, ma Trudy ha molto da fare.

Anch'io. Non guardo i giornali e sprofondo nei miei appunti. Ogni tanto lancio un'occhiata in direzione del parcheggio vuoto, per accertarmi se ci sono agenti a bordo di macchine prive di contrassegno, occupati a fumare sigarette senza filtro e a bere caffè tiepido, esattamente come nei film. Certe volte Deck è del tutto credibile, ma in certi momenti mi sembra matto da legare.

Arriva in anticipo anche lui. Prende il caffè pochi minuti dopo le sette e siede di fronte a me. Il locale, adesso, è quasi pieno.

«Dunque?» dice. È la prima parola che pronuncia.

«Proviamo per un anno» rispondo. Ho deciso: firmeremo un impegno per un solo anno, e includerà anche una clausola che preveda un mese di preavviso nell'eventualità che uno dei due non sia soddisfatto.

Deck scopre gli incisivi lucidi e non riesce a nascondere l'emozione. Mi tende la mano. Per lui è un momento importante. Vorrei pensarla allo stesso modo.

Ho anche deciso che cercherò di tenerlo a freno, di impedirgli di precipitarsi ogni volta sul luogo di un disastro. Se lavoreremo con impegno e faremo l'interesse dei clienti, potremo guadagnare di che vivere dignitosamente e magari ampliare l'attività. Incoraggerò Deck a studiare per l'esame d'ammissione e a rispettare di più la professione.

Certo, dovrò andare per gradi.

Non sono un ingenuo. Pretendere che Deck stia lontano dagli ospedali sarebbe come aspettarsi che un alcolizzato si tenga alla larga dai bar. Ma ci proverò.

«Hai portato via le tue pratiche?» mormora guardando la porta. Sono appena entrati due camionisti.

«Sì. E tu?»

«È una settimana che continuo a portar via materiale di nascosto.»

Preferisco non sentire il resto. Parlo dell'udienza per il caso Black e Deck torna a parlare della nostra nuova iniziativa. Alle otto andiamo in ufficio. Deck tiene d'occhio le macchine ferme nel parcheggio come se fossero tutte stracariche di federali.

Alle otto e un quarto Bruiser non è ancora arrivato. Io e Deck stiamo discutendo diverse tesi esposte nella memoria di Drummond. Qui dentro, con i telefoni sotto controllo e le microspie nelle pareti, parliamo soltanto della causa in corso.

Sono le otto e mezzo e Bruiser non si vede. Aveva detto che sarebbe venuto in ufficio alle otto per esaminare la pratica. L'aula del giudice Hale è in centro, nel tribunale della contea di Shelby, a venti minuti di distanza con un traffico imprevedibile. Deck, controvoglia, telefona a casa di Bruiser, ma non risponde nessuno. Dru ci dice che lo aspettava alle otto. Prova a chiamarlo con il radiotelefono della macchina, ma il risultato non cambia. Forse ci starà aspettando in tribunale, dice.

Io e Deck mettiamo la documentazione nella mia borsa e usciamo dallo studio alle nove meno un quarto. Lui conosce il percorso più breve, dice. Così guida mentre io sudo. Ho le mani madide e la gola secca. Se Bruiser mi pianta in asso in questa udienza non lo perdonerò mai. Anzi, lo odierò in eterno.

«Sta' tranquillo» mi esorta Deck mentre, curvo sul volante, procede a zigzag tra le altre macchine e passa con il rosso. Perfino lui può capire che ho paura. «Sono sicuro che troveremo Bruiser in tribunale.» Ma lo dice senza la minima convinzione. «E anche se non ci sarà, te la caverai benissimo. È solo un'istanza, voglio dire, non c'è la giuria.»

«Sta' zitto e guida, Deck, va bene? E cerca di non farci ammazzare tutti e due.»

«Calma, calma.»

Siamo in centro, in mezzo al traffico, e io sbircio inorridito l'orologio. Sono le nove in punto. Deck costringe due pedoni a schizzar via, quindi sfreccia attraverso un piccolo parcheggio. «Vedi quella porta?» e indica l'angolo del tribunale, una costruzione massiccia che occupa un isolato intero.

«Sì.»

«Entra, sali una rampa di scale, l'aula è la terza sulla destra.»

«Credi che Bruiser ci sarà?» chiedo con un filo di voce.

«Sicuro» mi risponde, ma è una bugia. Inchioda i freni, urta il marciapiede e io mi precipito fuori. «Ti raggiungo appena ho parcheggiato» grida. Salgo di corsa una scalinata di cemento, varco la porta, salgo un'altra rampa, e mi trovo fra le aule della giustizia.

Il tribunale della contea di Shelby è vecchio, maestoso e conservato benissimo. Pavimenti e pareti sono di marmo, le porte a due battenti sono di mogano lucido. Il corridoio è ampio, buio, silenzioso, fiancheggiato da panche di legno allineate sotto i ritratti di giuristi insigni.

Rallento il passo e mi fermo davanti all'aula dell'onorevole giudice Harvey Hale. Ottava Divisione del Tribunale Distrettuale, stando alla targa di ottone accanto all'ingresso.

Davanti all'aula non c'è traccia di Bruiser e quando spingo piano la porta e guardo all'interno, la prima cosa che noto è la mancanza della sua figura massiccia. Non c'è.

Ma l'aula non è deserta. Sbircio la corsia coperta di moquette rossa, spingo lo sguardo oltre le file delle panche imbottite, oltre il cancelletto della barriera, e vedo che sono parecchi ad aspettarmi. Lassù, avvolto nella toga nera e insediato su una grande poltrona di cuoio bordeaux, c'è un tipo antipatico che mi guarda con una smorfia. Immagino sia il giudice Harry Hale. L'orologio appeso al muro dietro di lui indica che sono le nove e dodici minuti. Il giudice si regge il mento con una mano e con l'altra tamburella spazientito sul banco.

Alla mia sinistra, al di là della barriera che separa il settore riservato agli spettatori dal banco del giudice, dalla giuria e dai tavoli degli avvocati, vedo un gruppo di uomini che allungano il collo per guardarmi. Sorprendentemente, hanno tutti lo stesso aspetto e sono vestiti allo stesso modo: capelli corti, abito scuro, camicia bianca, cravatta a righe, faccia severa, sorrisetto di disprezzo.

Nell'aula c'è un profondo silenzio. Mi sento un intruso. Sembra che perfino la stenografa e il messo del tribunale abbiano un atteggiamento di disapprovazione.

Con i piedi pesanti, le ginocchia che tremano e il morale a terra, raggiungo il cancelletto. Ho la gola secca. La mia voce suona arida e fiacca. «Mi perdoni, signore, ma sono qui per l'udienza della causa Black.»

L'espressione del giudice non cambia. Continua a tamburellare con le dita. «E lei chi è?»

«Ecco, mi chiamo Rudy Baylor. Lavoro per Bruiser Stone.»

«Dov'è il signor Stone?» chiede il giudice.

«Non lo so. Dovevamo vederci qui.» Noto un certo movimento alla mia sinistra, nel manipolo degli avvocati, ma non guardo. Il giudice Hale smette di tamburellare con le dita, solleva il mento dalla mano e scuote la testa con fare esasperato. «La cosa non mi sorprende» commenta al microfono.

Dato che io e Deck abbiamo intenzione di sganciarci, sono deciso a tenere per me il caso Black. È mio. Nessun altro può averlo. In quel momento il giudice non può sapere che sono io, non Bruiser, l'avvocato che manderà avanti la causa. Anche se ho paura, decido che è il momento opportuno per impormi.

«Immagino che chiederà un rinvio» dice il giudice.

«No, signore. Sono pronto per discutere l'istanza» rispondo con tutta la fermezza possibile. Varco il cancelletto e poso il fascicolo sul tavolo alla mia destra.

«Lei è avvocato?» chiede Hale.

«Sì, ho appena superato l'esame d'ammissione.»

«Ma non ha ricevuto l'abilitazione?»

Non so perché questo cavillo non mi sia venuto in mente prima. Forse ero così fiero di me che mi è sfuggito. Oggi avrebbe dovuto parlare Bruiser, e mi avrebbe lasciato intervenire perché facessi un po' di pratica. «No, signore. Presteremo giuramento la settimana prossima.»

Uno dei miei nemici si schiarisce rumorosamente la gola perché il giudice lo guardi. Mi volto e vedo un signore distinto in abito blu che si sta alzando dalla sedia con aria drammatica. «Con il permesso della corte» dice col tono di chi ha pronunciato questa frase un milione di volte. «Sia messo a verbale che mi chiamo Leo F. Drummond di Tinley Britt, avvocato della Great Eastern Life.» Lo dice con solennità rivolgendosi al vecchio amico e compagno di stanza a Harvard. La stenografa del tribunale ha ripreso a limarsi le unghie.

«E obiettiamo all'idea che questo giovanotto si occupi del caso.» Drummond tende il braccio verso di me. Le sue parole sono lente e pesanti. Lo odio già adesso. «Non ha neppure l'abilitazione.»

Lo odio per quel tono di superiorità e per i suoi stupidi cavilli. Qui si tratta di una semplice istanza, non di un dibattimento.

«Vostro onore, avrò l'abilitazione la settimana prossima» dico con voce sdegnata.

«Non basta, vostro onore» ribatte Drummond, e spalanca le braccia per sottolineare che gli sembra ridicolo. Che faccia di bronzo!

«Ho superato l'esame d'ammissione, vostro onore.»

«Non conta» scatta Drummond.

Lo guardo. È in piedi in mezzo ad altri quattro, tre dei quali sono seduti al suo tavolo e tengono davanti a sé i bloc-notes. Il quarto è seduto dietro di loro. E tutti mi guardano male.

«Invece conta, signor Drummond. Provi a chiederlo a Shell Boykin» ribatto. Drummond fa una smorfia e trasale. Anzi, al tavolo della difesa trasalgono tutti.

È un colpo basso ma non ho saputo resistere. Shell Boykin è uno dei due studenti della mia classe che hanno avuto il privilegio di essere assunti da Tinley Britt. Ci siamo disprezzati reciprocamente per tre anni e il mese scorso abbiamo dato l'esame insieme. Il suo nome non figurava sul giornale domenica scorsa e sono sicuro che per il grande studio legale è molto imbarazzante che una delle sue giovani e brillanti reclute sia stata bocciata.

La smorfia di Drummond si accentua e io la ricambio con un sorriso. Durante quei pochi secondi, mentre stiamo in piedi a scrutarci, imparo una lezione preziosa. È soltanto un uomo. Anche se è un avvocato leggendario con una quantità di vittorie all'attivo, non è altro che un uomo. Non è in procinto di attraversare la corsia per prendermi a ceffoni, perché io lo prenderei a calci. Non può farmi niente, né lui né la sua piccola schiera di satelliti.

Le aule dei tribunali sono eguali da una parte e dall'altra. Il mio tavolo è grande quanto il suo.

«Sedetevi!» ringhia nel microfono vostro onore. «Tutti e due.» Mi siedo. «Una sola domanda, signor Baylor. Chi si occuperà di questa causa per conto del suo studio legale?»

«Io, vostro onore.»

«E il signor Stone?»

«Non saprei dirlo. Ma il caso è mio, i clienti sono miei. Il signor Stone ha depositato gli atti per conto mio in attesa che superassi l'esame.»

«Sta bene. Procediamo. A verbale» conclude il giudice e guarda la stenografa che sta già lavorando sulla sua macchina. «Questa è l'istanza della difesa che chiede l'archiviazione, quindi tocca per primo al signor Drummond. Accorderò a ognuna delle parti un quarto d'ora per le argomentazioni, quindi mi riserverò di decidere. Non voglio restare qui tutta la mattina. Siamo d'accordo?»

Tutti annuiscono. Il tavolo della difesa sembra il tiro a segno di un luna park con tutte le anitre di legno che ondeggiano all'unisono. Leo F. Drummond si avvia verso il podio mobile al centro dell'aula e attacca la sua argomentazione. È lento e meticoloso e dopo pochi minuti diventa noiosissimo. Sta riepilogando i punti fondamentali già esposti nella lunga memoria, secondo la quale la Great Eastern è stata chiamata in giudizio a torto perché la sua polizza assicurativa non prevede trapianti di midollo osseo. Poi c'è da discutere se Donny Ray Black sia da considerare incluso nella polizza dato che è adulto e non fa più parte della famiglia.

Per essere sincero, mi aspettavo di più. Credevo di assistere a un'esibizione magica da parte del grande Leo F. Drummond. Prima di ieri, avevo atteso con curiosità questa schermaglia iniziale. Volevo essere spettatore di un bello scontro fra Drummond, l'avvocato raffinato, e Bruiser, il gladiatore dei tribunali.

Invece, se non fossi così nervoso mi addormenterei. Drummond continua senza soste per altri quindici minuti. Il giudice tiene gli occhi bassi: sta leggendo qualcosa, probabilmente una rivista. Venti minuti. Deck dice di aver saputo che Drummond mette in conto duecentocinquanta dollari per ogni ora di lavoro in studio e trecentocinquanta quando va in tribunale. Sono tariffe molto inferiori a quelle di New York e di Washington, ma per Memphis sono altissime. Drummond ha ottime ragioni per parlare lentamente e ripetersi. Quando si mettono in conto certi compensi, conviene essere meticolosi e anche, se capita, tediosi.

I tre associati scribacchiano affannati sui blocchi; senza dubbio cercano di trascrivere tutto ciò che ha da dire il loro capo. È una scena quasi comica e in circostanze diverse forse riderei. Prima hanno fatto le ricerche, poi hanno scritto la memoria, quindi l'hanno riscritta diverse volte e hanno risposto alla mia e adesso trascrivono le argomentazioni di Drummond, le quali sono tratte di peso dalle loro stesse memorie. Ma li pagano per questo. Deck calcola che Tinley Britt si faccia pagare il lavoro degli associati centocinquanta dollari l'ora se in ufficio e probabilmente qualcosa di più se in tribunale. Ammettendo che abbia ragione, i tre giovani cloni stanno scribacchiando senza una giustificazione al mondo per duecento dollari l'ora... ciascuno. Seicento dollari. Più trecentocinquanta per Drummond. La scena cui sto assistendo costa circa mille dollari l'ora.

Il quarto uomo, seduto dietro gli associati, è più anziano. Ha circa l'età di Drummond. Non scrive su un blocco, quindi non può essere un avvocato. Con ogni probabilità è un rappresentante della Great Eastern, forse uno dei suoi avvocati interni.

Mi dimentico di Deck finché non mi batte leggermente sulla spalla con un bloc-notes. È dietro di me e si sporge al di sopra della barriera divisoria. Vuol farmi sapere qualcosa. Ha scritto sul blocco: "Quello lì è di una noia mortale. Attieniti alla tua memoria e non superare i dieci minuti. Bruiser si è visto?".

Scuoto la testa senza voltarmi. Come se Bruiser potesse essere in aula e restare invisibile.

Dopo trentun minuti Drummond conclude il suo monologo. Ha gli occhiali da lettura in bilico sulla punta del naso. È il professore che tiene lezione in aula. Torna pavoneggiandosi al tavolo, immensamente soddisfatto della sua logica brillante e delle sue straordinarie capacità di sintesi. I cloni inclinano le teste all'unisono e mormorano parole di omaggio per la sua superba esposizione. Che branco di leccapiedi! Non mi sorprende che Drummond si sia montato la testa.

Poso il mio blocco sul podio e alzo gli occhi verso il giudice Hale che per il momento sembra molto interessato a ciò che sto per dire. A questo punto ho una paura maledetta, ma non posso far altro che andare avanti.

È una causa semplicissima. Il rifiuto della Great Eastern ha privato il mio cliente dell'unica terapia che poteva salvargli la vita. Il comportamento della società d'assicurazione ucciderà Donny Ray Black. Noi abbiamo ragione e loro hanno torto. Mi conforta l'immagine della sua faccia scarna, del suo corpo emaciato. Mi fa infuriare.

Gli avvocati della Great Eastern saranno pagati con una montagna di soldi per confondere le acque, oscurare i fatti, mettere su una falsa pista prima il giudice e più tardi la giuria. È il loro mestiere. Ecco perché Drummond ha sproloquiato per trentun minuti senza dire niente.

La mia versione dei fatti e del diritto sarà sempre più breve. Le mie memorie e le mie argomentazioni resteranno chiare e calzanti. E senza dubbio qualcuno lo apprezzerà.

Comincio, nervosamente, con alcune osservazioni fondamentali sulle istanze di archiviazione in generale e il giudice Hale mi guarda incredulo come se fossi lo scemo più scemo che abbia mai dovuto ascoltare. Ha un'espressione scettica, ma almeno tiene la bocca chiusa. Cerco di evitare il suo sguardo.

Le istanze di archiviazione vengono accolte molto raramente quando c'è un chiaro disaccordo fra le parti in causa. Sarò nervoso e impacciato, ma sono sicuro che la spunteremo.

Procedo con scrupolo in base ai miei appunti senza rivelare niente di nuovo. Vostro onore si annoia molto presto con me come si è annoiato con Drummond e riprende a leggere.

Quando finisco, Drummond chiede cinque minuti per confutare le mie affermazioni e il suo amico gli indica di accostarsi al podio.

Drummond disserta per altri undici minuti preziosi, chiarisce quello che aveva in mente ma lo fa in modo da tenere tutti gli astanti all'oscuro. Poi torna a sedersi.

«Vorrei parlare agli avvocati nel mio ufficio» dice Hale. Si alza e sparisce dietro il banco. Non so dove sia il suo ufficio, perciò mi alzo e aspetto che Drummond mi preceda. È molto compìto, quando ci incontriamo vicino al podio, anzi mi passa un braccio sulle spalle e mi dice che ho fatto un ottimo lavoro.

Il giudice si è già tolto la toga quando entriamo nel suo ufficio. È in piedi dietro la scrivania e indica due sedie. «Prego, accomodatevi.» È una stanza scura e maestosa: tende pesanti chiuse, moquette bordeaux, file di grossi tomi su scaffali che salgono dal pavimento al soffitto.

Ci sediamo. Il giudice riflette un po'. Quindi: «Questa causa mi preoccupa, signor Baylor. Non direi che è immotivata, ma per essere sincero non sono molto convinto del merito. Sono veramente stanco di questo genere di liti».

S'interrompe e mi guarda come se fossi tenuto a rispondere subito. Ma io non so cosa dire.

«Sono propenso ad accogliere l'istanza di archiviazione» dice Hale. Apre un cassetto e tira fuori un assortimento di boccette di pillole. Le allinea sulla scrivania. S'interrompe e mi guarda. «Forse potrebbe ripresentare la citazione davanti a un tribunale federale, vede. La sottoponga a un'altra sede. Non voglio che intasi il mio calendario.» Conta le pillole: almeno una dozzina, estratte da quattro cilindretti di plastica.

«Scusatemi, devo andare in bagno» dice. Varca una porticina sulla destra e la chiude rumorosamente.

Rimango muto e perplesso, e fisso le boccette augurandomi che prima o poi il giudice si strozzi con le pillole. Drummond non ha detto una parola ma, come a un segnale, si alza e va ad appoggiarsi sull'orlo della scrivania. Mi guarda. È tutto calore, tutto sorrisi.

«Senta, Rudy, io sono un avvocato che costa parecchio e appartengo a uno studio molto costoso» attacca a voce bassa e confidenziale. «Quando ci affidano un caso come questo, per prima cosa facciamo qualche conto e proiettiamo le spese per la difesa. Presentiamo la stima al nostro cliente, prima ancora di alzare un dito. Mi sono occupato di molti casi, e sono in grado di centrare il bersaglio.» Si sposta leggermente e si prepara alla battuta conclusiva. «Ho detto alla Great Eastern che la difesa di questo caso attraverso un regolare processo verrà a costare fra i cinquanta e i settantacinquemila dollari.»

Si aspetta che io lasci capire che mi sembra una cifra impressionante, ma continuo a guardargli la cravatta. In distanza, sento lo scroscio dello sciacquone.

«Perciò la Great Eastern mi ha autorizzato a offrire a lei e ai suoi clienti una transazione per settantacinquemila dollari.»

Respiro a fondo. Una dozzina di pensieri caotici mi turbina nella mente: il più vistoso è la cifra di venticinquemila dollari. Il mio onorario! Mi sembra già di vederlo.

Un momento! Se il suo caro amico Harvey ha intenzione di archiviare il caso, perché mi sta offrendo questa somma?

E alla fine capisco. È il solito gioco del poliziotto buono e del poliziotto cattivo. Harvey mi spaventa a morte, poi Leo si fa avanti con il guanto di velluto. Non posso fare a meno di domandarmi quante volte hanno giocato questa specie di staffetta, qui dentro.

«Nessuna ammissione di responsabilità, sia chiaro» dice Drummond. «È un'offerta in via eccezionale, valida solo per le prossime quarantotto ore: prendere o lasciare finché è sul tavolo. Se rifiuta, ci sarà la terza guerra mondiale.»

«Perché?»

«Un semplice problema economico. La Great Eastern risparmia una certa somma e in più non corre il rischio di un verdetto demenziale. Non gli va di essere citata, capisce? I dirigenti non amano perder tempo in deposizioni e comparizioni in tribunale. Sono molto discreti. Vorrebbero evitare questo tipo di pubblicità. Le assicurazioni sono un campo popolato di tagliagole, e non vogliono che la concorrenza venga a saperlo. Hanno molte buone ragioni per addivenire a una transazione. E i suoi clienti hanno molte buone ragioni per accettare la somma e sparire. In gran parte è esentasse, lo sa.»

È suadente. Potrei discutere il merito del caso e spiegare che razza di porci sono i suoi clienti, ma lui continuerebbe a sorridere e ad annuire. Resterebbe imperturbabile. In questo momento Leo F. Drummond vuole che accetti l'offerta; e se dicessi cose abominevoli sul conto di sua moglie non farebbe una piega.

La porticina si apre e vostro onore esce dal gabinetto personale. Adesso è Leo ad avere la vescica che scoppia, e si scusa. Hanno fatto la staffetta. C'è un turbine di polvere.

«Ho la pressione alta» dice Hale fra sé mentre siede dietro la scrivania e raccoglie le boccette. Non abbastanza, vorrei ribattere.

«Purtroppo non ha molte carte in mano, figliolo. Forse potrei convincere Leo a fare una proposta di transazione. Fa parte del mio lavoro, vede. Altri giudici considerano le cose in modo diverso, ma io no. Mi piace essere partecipe della transazione fin dal primo momento. Serve a smuovere le acque. Quei ragazzi potrebbero essere disposti a pagarle qualcosa per evitare di pagare a Leo mille dollari al minuto.» Ride, come se fosse divertente. Poi diventa paonazzo in faccia e tossisce.

Mi sembra quasi di vedere Leo che, nel gabinetto, sta con un orecchio incollato alla porta e ascolta. Non mi meraviglierei se là dentro ci fosse un microfono.

Continuo a fissare il giudice finché gli lacrimano gli occhi. Quando smette, rispondo: «Drummond mi ha appena offerto il costo della difesa».

Hale è un pessimo attore. Si sforza di sembrare stupito. «Quanto?»

«Settantacinquemila.»

Lui rimane a bocca aperta. «Caspita! Senta, figliolo, se non accetta al volo è matto.»

«Lo pensa davvero?» chiedo, deciso a stare al gioco.

«Settantacinquemila? Accidenti, è un mucchio di soldi. Da Leo non me lo sarei aspettato.»

«Veramente generoso.»

«Accetti, figliolo. Mi occupo di queste cose da moltissimo tempo, e farà bene a darmi ascolto.»

La porta si apre e Leo ci raggiunge. Vostro onore lo fissa, poi esclama: «Settantacinquemila!». A sentirlo, si direbbe che la somma debba uscire dal bilancio del suo ufficio.

«Lo dice anche il mio cliente» spiega Leo. Ha le mani legate. Non può far niente.

Continuano a palleggiare ancora per un po'. Io non riesco a pensare in modo coerente, quindi parlo poco. Esco dall'ufficio con Leo che mi tiene il braccio intorno alla spalla.

Trovo Deck nel corridoio. È attaccato al telefono; siedo su una panca a pochi passi e cerco di riordinare le idee. Si aspettavano che comparisse Bruiser. Avrebbero fatto la staffetta anche con lui? No, non credo. Come hanno potuto tendermi un'imboscata così in fretta? Con ogni probabilità, per lui avevano preparato un'altra strategia.

Sono convinto di due cose: primo, Hale fa sul serio quando parla di archiviare la citazione. È un vecchio malandato che fa il giudice da molto tempo e ormai non se la prende più per niente. Non gliene frega niente che sia giusto o ingiusto. E potrebbe essere molto difficile far accettare la causa in un altro tribunale. La mia citazione è in pericolo. Drummond è troppo ansioso di arrivare a una transazione. Ha paura, e ce l'ha perché il suo cliente si è fatto sorprendere con le mani nel sacco mentre commetteva una porcheria.

Deck ha fatto undici telefonate nei venti minuti precedenti, e non ha trovato traccia di Bruiser. Mentre corriamo allo studio, rievoco l'intera scena nell'ufficio di Hale. Deck, opportunista come sempre, vuole che prendiamo i soldi e filiamo. Mi espone un'ottima argomentazione: ormai nessuna somma potrà salvare Donny Ray, quindi dovremmo arraffare quello che ci offrono e cercare di rendere la vita più facile a Dot e Buddy.

Sostiene di aver sentito molte cose orrende a proposito di cause finite con decisioni sbagliate nell'aula di Hale. Per essere un giudice, sostiene a gran voce la necessità di riformare il sistema giudiziario per quanto riguarda gli illeciti civili. Detesta quelli che presentano citazioni, Deck me lo ripete più volte. Sarà molto difficile ottenere un dibattimento equo. Prendiamo i soldi e filiamo, insiste.

Quando entriamo, Dru sta piangendo nell'ingresso. È isterica perché tutti cercano Bruiser. Il mascara le cola sulle guance mentre geme e impreca. Non è da lui, continua a ripetere. Dev'essere successo qualcosa.

Dato che è un poco di buono, Bruiser frequenta altri personaggi discutibili e pericolosi. Non mi sorprenderei se trovassero il suo cadavere infilato nel portabagagli di una macchina all'aeroporto, e Deck mi dà ragione. I delinquenti ce l'hanno con lui.

Anch'io comincio a cercarlo. Telefono da Yogi's per sentire Prince. Lui saprà dov'è Bruiser. Parlo con Billy, il direttore che conosco bene, e dopo pochi minuti scopro che anche Prince sembra sparito. Hanno telefonato dappertutto, ma senza risultato. Billy è preoccupato e nervoso. I federali se ne sono appena andati. Cosa sta succedendo?

Deck passa da un ufficio all'altro per convocare le truppe. Ci incontriamo nella sala riunioni, io, Deck, Toxer e Ridge, quattro segretarie e due tirapiedi che non ho mai visto. Nicklass, l'altro avvocato, non è in città. Tutti parlano dell'ultima volta che hanno visto Bruiser. Hanno notato qualcosa di sospetto? Cos'avrebbe dovuto fare oggi? Chi avrebbe dovuto incontrare? Chi ha parlato con lui per ultimo? Nella sala regna un'atmosfera di panico e di confusione per niente alleviata dal pianto incessante di Dru. Lei sa soltanto che è successo qualcosa.

La riunione si scioglie e torniamo in silenzio nei rispettivi uffici. Chiudiamo le porte a chiave. Deck, naturalmente, mi segue. Per un po' parliamo del più e del meno, attenti a non dire cose che non vogliamo vengano risapute, ammesso che lì ci siano microspie. Alle undici e mezzo usciamo da una porta sul retro e andiamo a pranzo.

Non rimetteremo più piede qui dentro.

24

Credo che non saprò mai se Deck era effettivamente informato di quanto stava per accadere o se ha strabilianti capacità profetiche. È un individuo poco complicato e quasi tutti i suoi pensieri sono vicini alla superficie. Ma a parte le apparenze, c'è in lui un nucleo oscuro che si aggrappa con decisione ai segreti. Sospetto che lui e Bruiser fossero in confidenza molto più di quanto molti di noi immaginassero, che la generosità di Bruiser a proposito della transazione Van Landel fosse il frutto degli intrallazzi di Deck e che Bruiser stesse lanciando messaggi in codice circa il proprio futuro.

Comunque, quando il mio telefono squilla alle tre e venti del mattino non ne sono molto sorpreso. È Deck, e mi dà un duplice annuncio. Innanzi tutto i federali hanno fatto irruzione nei nostri uffici poco dopo mezzanotte, in secondo luogo Bruiser è scappato. Ma c'è di più. I nostri uffici sono stati messi sotto sigillo per ordine del tribunale ed è probabile che i federali vogliano parlare con tutti coloro che ci lavoravano. La cosa più sorprendente è che Prince Thomas è sparito con il suo avvocato e amico.

Pensa un po', dice Deck al telefono con una risata, a quei due grossi maiali con i lunghi capelli grigi e la barba, che cercano di squagliarsela all'aeroporto senza farsi riconoscere.

Pare che oggi stesso verranno formulate le incriminazioni, poco dopo il sorgere del sole. Deck propone di incontrarci nel nostro ufficio nuovo verso mezzogiorno; dato che non saprei dove andare, acconsento.

Resto a fissare il soffitto buio per mezz'ora, poi mi arrendo.

Attraverso a piedi nudi il prato umido e mi lascio cadere sull'amaca. Un personaggio come Prince ispira una quantità di leggende pittoresche. Amava il denaro, e durante il mio primo giorno di lavoro da Yogi's una cameriera mi confidò che l'ottanta per cento di quello che incassava era in nero. I dipendenti si divertivano a spettegolare e a calcolare la quantità di contanti che Prince riusciva a mettersi in tasca di nascosto.

Svolgeva anche altre attività. Un testimone di un processo per racket svoltosi un paio d'anni fa aveva affermato che il novanta per cento del reddito prodotto da un topless bar era in contanti e che, di questa somma, il sessanta per cento non era mai stato denunciato. Se Bruiser e Prince erano davvero proprietari di uno o più locali del genere, avevano per le mani una miniera d'oro.

Si diceva che Prince avesse una casa in Messico, conti in banca nei Caraibi, un'amante nera in Giamaica, un'hacienda in Argentina e non ricordo cos'altro. Nel suo ufficio c'era una porta misteriosa e dietro quella, a quanto si vociferava, c'era una stanzetta piena di scatoloni zeppi di biglietti da venti e cento dollari.

Se è fuggito, mi auguro che si sia messo in salvo. Spero che abbia portato via una parte ingente dei suoi contanti e che non lo prendano mai. Non m'interessa quello di cui possono accusarlo: per me è un amico.

Dot mi fa sedere al tavolo della cucina, sulla stessa sedia, e mi serve il caffè solubile nella stessa tazza. È presto e l'odore del grasso del bacon è molto intenso. Buddy è già fuori, dice Dot agitando le braccia. Non guardo.

Donny Ray sta declinando in fretta, mi comunica. Negli ultimi due giorni non si è alzato dal letto.

«Ieri siamo andati in aula per la prima volta» le spiego.

«Di già?»

«Non è stato un dibattimento o cose del genere. C'era solo un'istanza preliminare. La società d'assicurazione sta cercando di far archiviare la citazione, e c'è stata una bella battaglia.» Mi sforzo di semplificare, ma non sono sicuro che le mie parole arrivino a segno. Dot guarda oltre i vetri sporchi, guarda il prato ma non la Fairlane. Sembra che la cosa non le interessi.

È un pensiero che, stranamente, mi dà conforto. Se il giudice Hale farà ciò che prevedo, e se non potremo ripresentare la citazione presso un altro tribunale, il caso sarà chiuso. Forse tutta la famiglia si è arresa. Forse non se la prenderanno con me quando sbatteremo il muso.

Mentre venivo qui in macchina ho deciso di non parlare del giudice Hale e delle sue minacce. Servirebbe soltanto a complicare la discussione. Avremo tutto il tempo di parlarne più tardi, quando non ci saranno altri argomenti di conversazione.

«L'assicurazione ha proposto una transazione.»

«Che proposta ha fatto?»

«Una certa somma.»

«Quanto?»

«Settantacinquemila dollari. Calcolano che più o meno è quanto pagheranno ai loro avvocati per difendersi, e quindi la offrono a noi per chiudere la questione.»

Dot arrossisce visibilmente e stringe i denti. «Quei figli di puttana credono di poterci comprare, giusto?»

«Sì, è proprio quello che pensano .»

«Donny Ray non ha bisogno di soldi. Aveva bisogno di un trapianto di midollo osseo l'anno scorso. Adesso è troppo tardi.»

«Sono d'accordo.»

Lei prende il pacchetto di sigarette dal tavolo e ne accende una. Ha gli occhi rossi e umidi. Mi sbagliavo. Non si è arresa. Vuole il sangue dei suoi nemici. «Cosa dovremmo farcene dei settantacinquemila dollari? Donny Ray morirà e resteremo soli, io e lui.» Indica la Fairlane con un cenno.

«Figli di puttana» aggiunge.

«Sono d'accordo.»

«Immagino che avrà risposto che accetteremo, vero?»

«No, naturalmente. Non posso concludere una transazione senza la vostra approvazione. Abbiamo tempo fino a domattina per decidere.» Ancora una volta penso al rischio di un'archiviazione. Avremo il diritto di appellarci contro qualunque decisione avversa del giudice Hale. Forse ci vorrà un anno o più, ma avremo una possibilità. Anche in questo caso, però, preferisco non discuterne subito.

Restiamo a lungo in silenzio. Riflettiamo e aspettiamo. Cerco di organizzare i miei pensieri. Dio solo sa cosa passa nella mente di Dot. Povera donna.

Spegne la sigaretta in un portacenere e dice: «Sarà meglio che ne parliamo con Donny Ray».

La seguo attraverso il soggiorno buio e in un breve corridoio. La porta della camera di Donny Ray è chiusa e c'è un cartello: VIETATO FUMARE. Dot bussa leggermente ed entriamo. È una stanza linda e ordinata, e ha odore di antisettico. Un ventilatore gira in un angolo. La finestra con la zanzariera è aperta. Ai piedi del letto c'è un televisore e sul comodino una schiera di bottiglie di medicinali liquidi e in pillole.

Donny Ray è disteso, rigido come un palo, con un lenzuolo rimboccato intorno al corpo fragile. Sorride quando mi vede e batte una mano sul letto per invitarmi a sedergli accanto. Mi siedo. Dot si piazza dall'altra parte.

Donny Ray si sforza di continuare a sorridere per convincermi che si sente bene, che oggi va meglio. È solo un po' stanco, ecco. La voce è bassa e tesa, e a volte le parole si sentono appena. Ascolta con attenzione mentre gli riferisco l'udienza di ieri ed espongo la proposta di transazione. Dot gli tiene la mano destra.

«Aumenteranno la somma?» chiede lui. È un interrogativo che io e Deck abbiamo discusso ieri a pranzo. La Great Eastern ha compiuto un balzo straordinario passando da zero a settantacinquemila. Sospettiamo che sia disposta ad arrivare fino a centomila, ma non mi azzardo a essere tanto ottimista di fronte ai miei clienti.

«Ne dubito» rispondo. «Ma possiamo tentare. Al massimo diranno di no.»

«Lei quanto incasserà?» chiede Donny Ray. Gli spiego il contratto: mi tocca il trenta per cento.

Lui guarda la madre: «Sarebbero cinquantamila dollari per te e papà».

«E cosa ce ne faremmo, di cinquantamila dollari?» ribatte Dot.

«Finite di pagare la casa. Comprate una macchina nuova. Mettete qualcosa da parte per la vecchiaia.»

«Non voglio i loro maledetti soldi.»

Donny Ray chiude gli occhi e si assopisce. Guardo le bottiglie dei medicinali. Quando si sveglia mi tocca il braccio, cerca di stringerlo e chiede: «Vuole la transazione, Rudy? Parte della somma è sua».

«No, non voglio la transazione» dico in tono convinto. Lo guardo, poi guardo Dot. Mi ascoltano attenti. «Non avrebbero fatto la proposta se non fossero preoccupati. E io ho intenzione di smascherarli.»

Un avvocato ha il dovere di dare al cliente il consiglio migliore senza tener conto del proprio interesse finanziario. Sono certo che riuscirei a convincere i Black ad accettare. Con poca fatica potrei fargli capire che il giudice Hale è intenzionato a farci mancare la terra sotto i piedi, che in questo momento la somma è sul tavolo ma presto sparirà per sempre. Potrei dipingere un quadro catastrofico: sono stati calpestati tante volte che ci crederebbero.

Sarebbe facile. E io me ne andrei con venticinquemila dollari, un onorario che in questo momento non riesco neppure a immaginare. Ma vinco la tentazione. L'ho già combattuta questa mattina mentre stavo sdraiato sull'amaca e ho dato ascolto alla mia coscienza.

Non ci vorrebbe molto, in questo momento, per allontanarmi dalla professione legale. Compirò un altro passo e me ne andrò prima di svendere i miei clienti.

Lascio Dot e Donny Ray nella stanza del ragazzo e mi auguro di non dover tornare domani per riferire che la citazione è stata archiviata.

Ci sono almeno quattro ospedali raggiungibili a piedi dal St. Peter's. Ci sono anche una facoltà di medicina e una di odontoiatria e gli studi di innumerevoli dottori. A Memphis la comunità medica gravita in un'area di sei isolati fra Union e Madison. In Madison Avenue c'è un palazzo di otto piani, proprio di fronte al St. Peter's: si chiama Peabody Medical Arts Building. Un passaggio coperto scavalca Madison Avenue, di modo che i dottori possano andare e tornare dai loro studi all'ospedale. Non ci stanno altro che dottori, e uno di loro è Eric Craggdale, chirurgo ortopedico. Ha lo studio al secondo piano.

Ieri ho fatto una serie di telefonate anonime al suo studio e ho saputo quello che mi interessa. Attendo nell'immenso atrio del St. Peter's, al piano rialzato, e tengo d'occhio il parcheggio del Peabody Medical Arts Building. Alle undici meno venti vedo una vecchia Rabbit Volkswagen arrivare da Madison Avenue e fermarsi nel parcheggio affollato. Ne scende Kelly.

Come prevedevo, è sola. Ho telefonato al posto di lavoro del marito un'ora fa, ho chiesto di parlare con lui e quando ha risposto ho riattaccato. Scorgo appena la sommità della sua testa mentre si arrabatta per uscire dalla macchina. Ha le grucce, cammina zoppicando fra le file delle auto, ed entra nel palazzo.

Salgo un piano con la scala mobile e attraverso Madison Avenue per il passaggio coperto. Sono nervoso, ma mi muovo con calma.

La sala d'attesa è affollata. Lei è seduta con le spalle al muro e sfoglia una rivista. La caviglia fratturata è chiusa in un'ingessatura che le permette di camminare. La sedia alla sua destra è vuota e la occupo prima che Kelly si accorga che sono io.

In un primo istante rimane sbalordita, poi sorride. Si guarda intorno nervosa. Nessuno bada a noi.

«Continua a leggere» le bisbiglio mentre apro un "National Geographic". Kelly solleva una copia di "Vogue" fin quasi all'altezza degli occhi e chiede: «Cosa ci fai qui?».

«Mi fa male la schiena.»

Scuote la testa e torna a guardarsi intorno. La signora accanto a lei vorrebbe girare la testa per osservarci, ma ha il collo bloccato da un collare semirigido. Nessuno di noi due conosce qualcuno dei presenti, perché dovremmo preoccuparci?

«Chi è il tuo medico?» chiede Kelly.

«Craggdale» rispondo.

«Divertente.» Kelly Riker era bella anche in ospedale, nonostante la camicia da notte semplicissima, il livido sulla guancia e l'assenza di trucco. Adesso non riesco a staccarle gli occhi dal viso. Indossa una camicia di cotone bianco leggermente inamidata, del tipo che una studentessa di un college misto si farebbe prestare dal suo ragazzo, e calzoncini rimboccati. I capelli scuri le ricadono sulle spalle.

«È bravo?» domando.
«È un medico come un altro.»
«Sei già stata da lui?»
«Non cominciare, Rudy. Non ho intenzione di parlarne. E credo che dovresti andar via.» La voce è bassa ma decisa.
«Ecco, sai, ci ho pensato. Anzi, ho pensato molto a te e a quel che dovrei fare.» Mi interrompo mentre passa un uomo su una sedia a rotelle.
«E allora?» chiede.
«Ancora non lo so.»
«Credo che dovresti andare.»
«Non puoi parlare sul serio.»
«E invece sì.»
«No. Vuoi che ti ronzi intorno, che mi tenga in contatto e telefoni ogni tanto. Così la prossima volta che lui ti romperà qualche osso avrai qualcuno che s'interesserà a te. È questo che vuoi.»
«Non ci sarà una prossima volta.»
«Perché?»
«Perché lui è cambiato. Sta cercando di smettere di bere. Ha promesso che non mi picchierà più.»
«E tu gli credi?»
«Sì.»
«L'aveva già promesso.»
«Perché non te ne vai? E non telefonare, chiaro? Riusciresti solo a peggiorare le cose.»
«Perché? Perché peggiorerebbe le cose?»
Esita per un attimo, abbassa la rivista e mi guarda. «Perché col passare dei giorni penso sempre meno a te.»
È piacevole sapere che mi ha pensato. Mi frugo in tasca e prendo un biglietto da visita col mio vecchio indirizzo, quello dello studio che adesso è stato sigillato per ordine del governo federale. Scrivo il mio numero di telefono sul retro e glielo porgo. «D'accordo. Non ti chiamerò più. Se avrai bisogno di me, questo è il mio numero di casa. Se ti farà del male, voglio saperlo.»
Kelly prende il biglietto. Le dò un bacio sulla guancia, in fretta, e lascio la sala d'aspetto.

Al quinto piano del palazzo ha sede un gruppo di oncologi. Il dottor Walter Kord è il medico curante di Donny Ray: ciò significa che, arrivati a questo punto gli fornisce qualche compressa e medicinali vari, e aspetta che muoia. Era stato lui a prescrivere la chemioterapia, all'inizio, e a fare le analisi che hanno indicato in Ron Black il donatore ideale di midollo osseo per il gemello. Sarà un testimone fondamentale durante il dibattimento, ammesso che si arrivi a tanto.

Lascio una lettera di tre pagine alla sua receptionist. Vorrei parlargli, con suo comodo, e preferibilmente senza dover pagare la visita. Di regola i medici odiano gli avvocati e quando accettano di parlare con noi costa parecchio. Ma io e Kord stiamo dalla stessa parte, e non ho niente da perdere a tentare di intavolare un dialogo.

Avanzo con grande trepidazione nella strada di questo quartiere piuttosto malfamato. Non bado al traffico e cerco inutilmente di leggere i numeri scrostati e sbiaditi sopra le porte. Il quartiere ha l'aria di essere stato abbandonato in passato per ottime ragioni, ma adesso sta risorgendo. Le costruzioni sono di due o tre piani, profonde circa mezzo isolato e con facciate di mattoni e vetrate. Molte sono unite, alcune sono divise da vicoletti. Parecchie sono chiuse con le assi, un paio è stato distrutto anni fa dagli incendi. Passo accanto a due ristoranti: uno ha i tavoli sul marciapiede sotto un tendone, ma non ha clienti. Poi ci sono una tintoria e un fiorista.

Il negozio di antiquariato si chiama The Buried Treasures ed è all'angolo. La costruzione ha un aspetto piuttosto pulito, con muri di mattoni dipinti di grigio e tendoni rossi sopra le vetrine. È a due piani, e il mio sguardo si solleva verso il secondo. Sospetto di aver trovato la mia nuova sede.

Non vedo altre porte, perciò entro nel negozio. Nel piccolo vestibolo scorgo una scala. In alto c'è una luce accesa.

Deck mi aspetta. Sorride con orgoglio. «Come ti sembra?» chiede entusiasta prima che io abbia il tempo di guardarmi intorno. «Quattro stanze, quasi novanta metri quadrati, più il bagno. Niente male» dichiara e mi batte la mano sulla spalla. Poi gira su se stesso e spalanca le braccia: «Ho pensato che questa potrebbe diventare l'anticamera. Ci starà la segretaria quando ne assumeremo una. Basta una mano di tinta. Tutti i pavimenti sono di legno duro» continua battendo il piede come se non avessi visto il pavimento. «Le stanze sono alte tre metri e sessanta. Le pareti sono intonacate, dipingerle sarà facile.» Mi fa cenno di seguirlo. Varchiamo una porta aperta e passiamo in un breve corridoio. «Una stanza per parte. Questa è la più grande, quindi ho pensato che servirà a te.»

Entro nel mio ufficio nuovo e ho una piacevole sorpresa. È circa quattro metri e mezzo per quattro e mezzo, e ha una finestra che guarda sulla strada. È vuoto, pulito e ha un bel pavimento.

«E là c'è il terzo locale. Pensavo di utilizzarlo come sala riunioni. Io lavorerò qui, ma non farò disordine.» Sta cercando di conquistarmi e quasi mi fa pena. Sta' tranquillo, Deck, l'ufficio mi piace. Ottimo lavoro.

«Lì in fondo c'è il bagno. Dovremo pulirlo e ridipingerlo e forse chiamare un idraulico.» Deck torna nell'ingresso. «Allora, cosa ne dici?»

«Può andare, Deck. Chi è il proprietario?»

«Il rigattiere qui sotto. Ci sono il vecchio e la moglie. A proposito, hanno diversa roba che potrebbe servirci: tavoli, sedie, lampade, perfino schedari. Costano poco, non sono male e si intonano con l'ambiente, e in più potremo pagarli a rate. Marito e moglie sono contenti di avere qualcuno in casa. Credo che siano stati rapinati un paio di volte.»

«Consolante.»

«Eh, già. Dovremo essere prudenti.» Deck mi passa un campionario di tinte della Sherwin-Williams. «Secondo me è meglio usare una sfumatura di bianco. Si fa meno fatica a darla e costa meno. Quelli dei telefoni verranno domani. La luce c'è già. Da' un'occhiata qui.» Vicino alla finestra c'è un tavolino da bridge con varie carte sparse sul piano e un piccolo televisore in bianco e nero al centro.

Deck è già andato dal tipografo. Mi mostra diverse bozze per la nuova carta da lettere: ognuna porta il mio nome stampato in neretto in alto, e il nome di Deck nell'angolo come paralegale. «C'è una tipografia in fondo alla strada e fa prezzi ragionevoli. Può preparare la carta intestata in due giorni. Io direi che andrebbero bene cinquecento fogli e cinquecento buste. Ce n'è qualcuna che ti piace?»

«Le esaminerò questa sera.»

«Quando vuoi cominciare a pitturare?»

«Ecco, direi che...»

«Direi che possiamo farcela in una giornata, se lavoriamo d'impegno e se ce la caviamo con una sola mano di tinta. Questo pomeriggio comprerò il colore e il resto, e cercherò di cominciare. Domani potresti aiutarmi?»

«Certo.»

«Dovremo prendere qualche decisione. Cosa diresti di un fax? Lo compriamo subito oppure aspettiamo? Quello dell'azienda telefonica verrà domani, ricordi? E una fotocopiatrice? Io direi non subito. Potremo tenere i nostri originali e una volta al giorno andrò in copisteria. Ci occorrerà una segreteria telefonica, questo sì. Una di buona marca costa ottanta dollari. Se vuoi, ci penso io. E dobbiamo aprire un conto in banca. Conosco il direttore di una filiale della First Trust: ha detto che ci darà gratis trenta assegni al mese e un interesse del due per cento. Difficile trovare offerte migliori. Dobbiamo ordinare gli assegni perché ci sono da pagare diversi conti, lo sai.» D'un tratto guarda l'orologio. «Ehi, quasi dimenticavo!»

Preme un tasto del televisore. «Un'ora fa è arrivata la comunicazione ufficiale dell'incriminazione, cento e più capi diversi d'imputazione contro Bruiser, Bennie "Prince" Thomas, Willie McSwane e altri.»

«Chi è Willie McSwane?» chiedo.

«Sttt!» Il telegiornale di mezzogiorno è già cominciato e la prima immagine che vedo è un'inquadratura in diretta del nostro vecchio ufficio. Ci sono agenti di guardia alla porta che in questo momento non è sigillata. Il giornalista spiega che agli ex dipendenti dello studio è stato permesso di andare e venire, ma non possono asportare niente. Poi c'è un'inquadratura dell'interno del Vixens, un topless club chiuso dai federali. «Secondo l'atto d'incriminazione, Bruiser e Thomas avevano compartecipazioni in tre club» spiega Deck. Il giornalista gli fa eco. Poi ci sono immagini di repertorio del nostro ex principale che attende imbronciato in un corridoio del tribunale durante un vecchio processo. Sono stati emanati mandati d'arresto, ma il signor Stone e il signor Thomas sono irreperibili. L'agente responsabile dell'indagine, intervistato, esprime l'opinione che siano fuggiti. È in corso un'attiva operazione di ricerca.

«Scappa, Bruiser, scappa» incita Deck.

È una vicenda piccante perché coinvolge esponenti della malavita locale, un avvocato molto in vista, diversi poliziotti di Memphis e il giro dei locali topless. Ma è resa ancora più pepata dal fattore fuga. È evidente che Prince e Bruiser se la sono filata, e i giornalisti vanno a nozze. Ci sono inquadrature che mostrano l'arresto di vari poliziotti, un altro topless club, questa volta con le ballerine nude mostrate dalle cosce in giù, il procuratore federale che parla ai media per annunciare l'incriminazione.

Poi arriva un colpo che mi spezza il cuore. Hanno chiuso Yogi's, hanno avvolto le catene intorno alle maniglie delle porte e piazzato agenti di guardia. Ne parlano come del quartier generale di Prince Thomas, il pezzo grosso dell'attività illecita, e i federali sembrano sorpresi perché non hanno trovato somme in contanti quando hanno fatto irruzione questa notte.

«Scappa, Prince, scappa» mormoro.

Le varie notizie sul caso occupano quasi tutto il telegiornale di mezzogiorno.

«Chissà dove sono?» commenta Deck spegnendo il televisore.

Riflettiamo in silenzio per qualche secondo. «Cosa c'è lì dentro?» chiedo, e indico uno scatolone accanto al tavolo da bridge.

«Le mie pratiche.»

«Qualcosa d'interessante?»

«Abbastanza da pagare i conti per due mesi. Piccoli incidenti d'auto. Risarcimenti a operai. C'è anche un caso di morte che ho preso a Bruiser. No, per la precisione non l'ho preso: lui mi ha dato la pratica la settimana scorsa e mi ha detto di esaminare le polizze assicurative. Era rimasta nel mio ufficio e adesso è qui.»

Sospetto che nello scatolone ci siano altre pratiche che Deck ha prelevato dall'ufficio di Bruiser, ma non faccio domande.

«Credi che i federali vorranno parlare con noi?» chiedo invece.

«Ci ho già pensato. Noi non sappiamo niente e non abbiamo portato via nessuna pratica che può interessarli. Perché dovremmo preoccuparci?»

«Io sono preoccupato.»

«Anch'io.»

25

So che Deck stenta a dominare l'eccitazione in questi giorni. L'idea di avere un suo ufficio e di potersi tenere metà degli onorari senza essere abilitato a esercitare la professione lo esalta. Se non gli sto fra i piedi, sistemerà alla perfezione l'ufficio in una settimana. Non ho mai visto tanta energia. Forse è un po' troppo scatenato, ma lo lascio fare.

Comunque, quando il telefono squilla per la seconda volta consecutiva prima che spunti il sole e sento la sua voce, mi è difficile trattarlo con gentilezza.

«Hai visto il giornale?» mi chiede.

«Stavo dormendo.»

«Scusami. Non ci crederai. Bruiser e Prince occupano quasi tutta la prima pagina.»

«Non potevi aspettare un'ora, Deck?» gli domando. Sono deciso a fargli perdere questa brutta abitudine. «Se vuoi svegliarti alle quattro, liberissimo di farlo. Ma non chiamarmi prima delle sette, meglio ancora le otto.»

«Scusami. Ma c'è dell'altro.»

«E cosa?»

«Indovina chi è morto stanotte.»

Come diavolo faccio a sapere chi è morto stanotte a Memphis? «Ci rinuncio» replico brusco.

«Harvey Hale.»

«Harvey Hale!»

«Sicuro. Ha tirato le cuoia per un attacco di cuore. È crollato stecchito accanto alla sua piscina.»

«Il giudice Hale?»

«Proprio lui. Il tuo amico.»

Mi siedo sull'orlo del letto e cerco di snebbiarmi la mente. «Incredibile.»

«Già. Sei sconvolto, eh? C'è un bel pezzo commemorativo in prima pagina, e poi ancora in cronaca, con una grande foto in toga e un'aria molto distinta. Gran testa di cazzo.»

«Quanti anni aveva?» chiedo, come se avesse importanza.

«Sessantadue. Era giudice da undici anni. Precedenti illustri. Sul giornale c'è tutto. Devi assolutamente vederlo.»

«Sì, certo, Deck. A più tardi.»

Questa mattina il giornale sembra un po' più pesante del solito e sono sicuro che è così perché almeno per metà è dedicato alle prodezze di Bruiser Stone e Prince Thomas. Un articolo dietro l'altro. E nessuno li ha visti.

Dò una scorsa alla prima parte del giornale e passo alla cronaca cittadina, dove trovo una vecchia foto del molto onorevole Harvey Hale. Leggo le meste riflessioni dei colleghi, incluso l'amico ed ex compagno di stanza Leo F. Drummond.

Si avanzano ipotesi su chi potrebbe sostituirlo. Il governatore nominerà un successore che resterà in carica fino alle prossime elezioni regolari. La contea ha una popolazione per metà bianca e per metà nera, ma solo sette dei diciannove giudici dei tribunali distrettuali sono neri. E a qualcuno la cosa non va giù. Lo scorso anno, quando è andato in pensione un giudice bianco, si è cercato di ottenere che venisse sostituito da uno nero, ma è stato inutile.

Il principale candidato dell'anno scorso era il mio nuovo amico Tyrone Kipler, il socio dello studio di Booker, quello che ha studiato a Harvard e ci ha fatto il ripasso di Diritto costituzionale quando ci preparavamo per l'esame d'ammissione. Anche se Hale è morto da meno di ventiquattr'ore, scrive l'articolo, in testa ai probabili sostituti c'è proprio Kipler. Il sindaco di Memphis, che è nero e battagliero, ha dichiarato che lui e altri leader sosterranno Kipler con tutte le loro forze.

Il governatore era fuori città perciò non è stato possibile chiedere la sua opinione, ma è democratico e l'anno prossimo si presenterà per essere rieletto. Questa volta si adeguerà.

Alle nove in punto vado nella cancelleria distrettuale e sfoglio il fascicolo *Black contro Great Eastern*. Tiro un sospiro di sollievo. Prima della sua morte prematura, vostro onore Harvey Hale non ha firmato l'ordinanza di archiviazione. Siamo ancora in corsa.

C'è una corona funebre appesa alla porta della sua aula. Commovente.

Chiamo Tinley Britt da un telefono pubblico, chiedo di Leo F. Drummond e dopo pochi istanti sento la sua voce. Gli faccio le condoglianze per la perdita dell'amico e gli comunico che i miei clienti non accettano la proposta di transazione. Mi sembra sorpreso, ma non fa molti commenti. Pover'uomo, in questo momento ha tante cose a cui pensare.

«Secondo me è un errore, Rudy» mi dice in tono paziente come se fosse davvero dalla mia parte.

«Può darsi, ma sono stati i miei clienti a decidere, non io.»

«Oh, be'. Se vogliono la guerra, guerra sia» conclude con voce triste e monotona. Non aumenta l'offerta.

Io e Booker abbiamo parlato due volte per telefono dopo i risultati dell'esame. Come avevo previsto, gli attribuisce scarsa importanza, lo considera un piccolo insuccesso temporaneo. E come avevo previsto, è sinceramente contento per me.

Quando entro è già seduto in fondo al piccolo diner. Ci salutiamo come se non ci vedessimo da mesi. Ordiniamo tè e zuppa di gombo senza guardare il menu. I bambini stanno bene, Charlene pure.

È abbastanza euforico perché c'è l'eventualità che superi comunque l'esame. Non sapevo che ci fosse arrivato molto vicino, ma il suo punteggio complessivo era inferiore di un solo punto a quello necessario per la promozione. Ha presentato appello e la Commissione sta riconsiderando il suo esame.

Marvin Shankle ha preso male l'annuncio della bocciatura. Ha detto che sarà meglio per lui se la prossima volta ce la fa, altrimenti lo studio dovrà rimpiazzarlo. Non riesce a nascondere la tensione quando parla di Shankle.

«Che tipo è Tyrone Kipler?» chiedo.

Booker è convinto che abbia la nomina in tasca. Questa mattina Kipler ha parlato col governatore e sembra che tutto stia andando a posto. L'unico problema sarà il lato finanziario. Come socio dello studio Shankle guadagna fra i centoventicinque e i centocinquantamila dollari l'anno. Lo stipendio di un giudice è appena novantamila. Kipler ha moglie e figli, ma Marvin Shankle vuole che diventi giudice.

Booker ricorda il caso Black. Anzi, ricorda Dot e Buddy dal nostro primo incontro nel Cypress Gardens Senior Citizens Building. Lo aggiorno sugli sviluppi del caso. Ride quando gli dico che è finito all'Ottava Divisione della Corte Distrettuale, in attesa di un giudice che ne assuma la responsabilità. Racconto a Booker la mia esperienza nell'ufficio del defunto giudice Hale appena tre giorni fa, e gli spiego che lo stesso Hale e Drummond, gli ex compagni di Harvard, mi hanno trattato come una palla da tennis. Ascolta con attenzione mentre parlo di Donny Ray, del suo gemello e del trapianto che non è stato fatto per colpa della Great Eastern.

Ascolta e sorride. «Non preoccuparti» ripete più volte. «Se Tyrone avrà la nomina, saprà tutto sul caso Black.»

«Puoi parlargliene tu?»

«Parlargliene? Gli terrò una predica. Non può soffrire Tinley Britt e odia le assicurazioni, non fa altro che citarle in giudizio. Chi pensi che freghino, quelle? I bianchi del ceto medio?»

«Un po' tutti.»

«Forse hai ragione. Sarò felice di parlarne con Tyrone. E mi ascolterà.»

Arriva la zuppa di gombo e ci aggiungiamo tabasco. Booker ne aggiunge più di me. Gli parlo del mio nuovo ufficio, ma non del mio nuovo socio. Mi fa molte domande sul vecchio studio. In città non si discute d'altro che di Bruiser e Prince.

Gli riferisco tutto quello che so, con qualche fronzolo di abbellimento.

26

In quest'epoca di tribunali congestionati e di giudici oberati di lavoro, il compianto Harvey Hale lascia un calendario ben organizzato e privo di arretrati. E questo per diverse buone ragioni. Innanzi tutto era pigro e preferiva giocare a golf. In secondo luogo, si affrettava a respingere una citazione se offendeva la sua sacrosanta difesa di principio delle assicurazioni e delle grandi aziende. Appunto per questo molti avvocati evitavano che le citazioni finissero nelle sue mani.

Ci sono vari modi per dribblare certi giudici, piccoli trucchi usati da avvocati navigati che sono in buoni rapporti con le cancellerie. Non ho mai capito come mai Bruiser, che faceva l'avvocato da vent'anni e conosceva bene questo genere di manovre, mi avesse lasciato presentare la citazione per il caso Black senza prendere le misure opportune per evitare Harvey Hale. È un'altra questione che voglio discutere con lui, se mai tornerà a casa.

Ma Hale è morto e la vita torna a sorridermi. Tyrone Kipler erediterà un calendario che invoca prontezza d'azione.

Dopo anni di critiche da parte sia di profani sia di gente del mestiere, non molto tempo fa le norme di procedura sono state cambiate per cercare di accelerare i ritmi della giustizia. Sono state inasprite le norme contro le azioni giudiziarie infondate, e imposti termini obbligatori per le manovre prima dei dibattimenti. Ai giudici è stata conferita un'autorità più ampia per disciplinare le cause e sono stati sollecitati ad assumere maggiori iniziative nei negoziati per le transazioni. Sono stati varati regolamenti e leggi in quantità, il tutto con lo scopo di snellire il sistema della giustizia civile.

In questa massa di nuove norme figura anche una procedura comunemente chiamata "corsia preferenziale", ideata allo scopo di portare al dibattimento certi casi più in fretta di altri. Il termine "corsia preferenziale" è entrato immediatamente a far parte del gergo legale. Le parti interessate possono chiedere che al loro caso venga riservata una corsia preferenziale, ma succede di rado. È difficile che un convenuto accetti di arrivare in aula in tempi brevi. Perciò il giudice può decidere se accordare o meno la preferenza a sua discrezione. Di solito succede quando una questione è chiara, i fatti sono nettamente definiti ma controversi, ed è necessario soltanto il verdetto di una giuria.

Dato che quello dei Black contro la Great Eastern è il mio unico vero caso, voglio che imbocchi la corsia preferenziale. Lo spiego a Booker una mattina mentre prendiamo il caffè. Poi Booker lo spiega a Kipler. La macchina giudiziaria si è messa in moto.

Il giorno dopo aver ricevuto la nomina dal governatore, Tyrone Kipler mi convoca nel suo ufficio, lo stesso dove sono entrato poco tempo fa, quando lo occupava Harvey Hale. Adesso è cambiato. I libri e i souvenir di Hale stanno per essere imballati. Le tende sono spalancate. La scrivania è stata portata via e noi parliamo stando seduti su due sedie pieghevoli.

Kipler ha meno di quarant'anni, parla a voce bassa e non batte mai le palpebre. È incredibilmente brillante e tutti ritengono che diventerà giudice federale. Lo ringrazio per avermi aiutato a superare l'esame d'ammissione.

Parliamo del più e del meno. Parla bene di Harvey Hale, ma è stupito del suo calendario. Ha già esaminato tutti i casi aperti, e per qualcuno ha deciso un'accelerazione dei tempi. È pronto per entrare in azione.

«Così, lei pensa che il caso Black dovrebbe avere la corsia preferenziale?» mi chiede. Parla adagio, con calma.

«Sì, signore. La questione è semplice. Non ci saranno molte testimonianze.»

«Quante?»

Devo ancora preparare la prima. «Non ho le cifre esatte. Meno di dieci, comunque.»

«Avrà difficoltà con i documenti» dice Kipler. «Succede ogni volta quando ci sono di mezzo le assicurazioni. Ho fatto causa a parecchie, e non consegnano mai tutto il materiale. Ci vorrà un po' di tempo perché riusciamo a ottenere i documenti cui ha diritto.»

Mi piace che parli al plurale. E in questo non c'è niente di male. Fra gli altri ruoli, un giudice ha anche quello esecutorio. Ha il dovere di assistere tutte le parti quando cercano di procurarsi, prima del dibattimento, le prove cui hanno diritto. Kipler, comunque, sembra un tantino sbilanciato in nostro favore. Mi pare che anche in questo non ci sia niente di male... Drummond ha tenuto Hale al guinzaglio per molti anni.

«Presenti un'istanza per chiedere la corsia preferenziale» mi dice, e prende un appunto. «La difesa rifiuterà. Ci sarà un'udienza. A meno che la parte avversa non presenti argomentazioni molto persuasive, dovrebbe esserci il tempo sufficiente per le deposizioni, lo scambio dei documenti, gli interrogatori scritti eccetera. Quando gli accertamenti saranno completi, fisserò la data per il dibattimento.»

Respiro a fondo e deglutisco. Mi sembra una procedura anche troppo rapida. La prospettiva di affrontare in aula Leo F. Drummond e compagnia bella davanti a una giuria mi fa paura. «Saremo pronti» dico, anche se non ho la più pallida idea di quali dovranno essere i prossimi passi. Spero di sembrare più sicuro di me di quanto mi sento in questo momento.

Parliamo ancora un po', infine mi congedo. Kipler mi raccomanda di chiamarlo se ho qualche chiarimento da chiedere.

Un'ora dopo sono tentato di chiamarlo. Quando torno in ufficio trovo ad aspettarmi una voluminosa busta spedita da Tinley Britt. Leo F. Drummond, oltre a piangere l'amico defunto, si è dato da fare. La macchina sforna-istanze gira a mille.

Ha presentato un'istanza per la copertura delle spese, una sberla in faccia a me e al mio cliente. Siccome noi siamo poveri, Drummond sostiene di essere preoccupato per la nostra capacità di pagare i costi della causa. Potrebbe accadere, un giorno, se alla fine perdessimo e il giudice ci ordinasse di pagare le spese per entrambe le parti. Drummond ha presentato inoltre un'istanza per chiedere alla corte di imporre pene pecuniarie a me e ai miei clienti per aver intentato una lite futile.

La prima istanza è una montatura. La seconda è una carognata. Tutte e due sono presentate con memorie lunghe e perfette con note in calce, indici e bibliografie.

Mentre le rileggo attentamente, concludo che Drummond le ha presentate per provare qualcosa. Succede molto di rado che istanze del genere vengano accolte, perciò giungo alla conclusione che il loro scopo sia dimostrarmi quante scartoffie sia in grado di produrre Tinley Britt in pochissimo tempo, e per giunta su questioni inconsistenti. Dato che ogni parte è tenuta a rispondere alle istanze avversarie e dato che non intendo accettare una transazione, Drummond in pratica mi dice che sto per essere sepolto sotto una montagna di carta.

I telefoni devono ancora cominciare a squillare. Deck è andato in centro, e preferisco non domandarmi dove potrebbe aggirarsi. Ho tutto il tempo per giocare al gioco delle istanze. Sono motivato dal pensiero del mio povero cliente e della fregatura che gli hanno dato. Sono l'unico avvocato di Donny Ray, e ci vorrà ben altro che un mucchio di carte per convincermi a mollare.

Ho preso l'abitudine di chiamare Donny Ray tutti i pomeriggi, di solito verso le cinque. Dopo la prima telefonata, diverse settimane fa, Dot mi ha detto che per lui ha significato molto, e da allora ho cercato di farmi vivo ogni giorno. Parliamo di tante cose, ma non della sua malattia e della causa. Cerco di tenere a mente qualcosa di divertente che è successo durante il giorno per poterglielo raccontare. So che le mie telefonate sono diventate un momento importante della sua vita in declino.

Questo pomeriggio mi sembra abbastanza forte; dice che si è alzato dal letto e si è seduto sotto il portico, e gli piacerebbe andare da qualche parte per qualche ora, tanto per allontanarsi dalla casa e dai genitori.

Vado a prenderlo alle sette. Ceniamo in un barbecue poco lontano. La gente lo guarda, ma Donny Ray ha l'aria di non notarlo. Parliamo della sua infanzia, di episodi buffi dei tempi andati di Granger, quando c'erano bande di ragazzini che vagavano per le strade. Ridiamo un po' e per lui, probabilmente, è la prima volta dopo mesi. Ma parlare lo stanca. Quasi non tocca cibo.

Dopo l'imbrunire, arriviamo in un parco vicino alla zona della fiera. Su campi adiacenti si stanno svolgendo partite di softball. Scruto entrambi i campi mentre avanzo lentamente nel parcheggio. Cerco una squadra con le maglie gialle.

Ci fermiamo su un pendio erboso, sotto un albero, lungo la linea del campo di destra. Vicino a noi non c'è nessuno. Tiro fuori dal portabagagli due sedie pieghevoli prese a prestito nel garage della signora Birdie, e aiuto Donny Ray a sedere. È in grado di camminare da solo ed è deciso a farlo con la minore assistenza possibile.

È estate inoltrata, e nonostante l'ora ci sono almeno trentasei gradi. L'umidità è quasi visibile. Ho la camicia incollata alla schiena. La bandiera sfilacciata penzola dall'asta centrale e non si muove d'un centimetro.

Il campo è pianeggiante e ben tenuto, e tutt'intorno l'erba è folta e tagliata da poco. Il campo è di terra battuta. Ci sono tettoie, tribune, arbitri, il tabellone luminoso, il chiosco per bibite e spuntini fra i due campi. È la serie A, e si gioca un softball molto competitivo con ottimi giocatori. Almeno, loro ritengono di esserlo.

La partita si svolge fra i PFX Freight, in maglia gialla, e gli Army Surplus, in maglia verde con la scritta Gunners sulla schiena. È una cosa seria. Si danno da fare come matti, si gridano incoraggiamenti, ogni tanto piombano addosso agli avversari. Si gettano in tuffo, compiono scivolate, discutono con gli arbitri, lanciano le mazze in aria quando realizzano un fuoricampo.

Ho giocato a slow-pitch softball al college, ma non me ne sono mai innamorato. Qui sembra che lo scopo sia lanciare la palla oltre la recinzione. Tutto il resto non conta. Ogni tanto capita, e allora chi ha realizzato l'impresa si avventa pavoneggiandosi in un home run da far vergognare Babe Ruth. Quasi tutti i giocatori hanno poco più di vent'anni, sono in discreta forma, baldanzosi e bardati più dei professionisti: tutti hanno guantoni, ampie fasce ai polsi e le guance impiastricciate di nero.

Molti di loro stanno ancora aspettando che qualcuno li scopra. Continuano a sognare.

Ci sono diversi giocatori più anziani con la pancia e le gambe lente. Sono ridicoli quando cercano di sprintare da una base all'altra e di bloccare le palle volanti. Mi sembra quasi di sentire i muscoli lamentarsi. Ma sono ancora più impegnati dei giovani. Devono dimostrare qualcosa.

Io e Donny Ray parliamo poco. Gli compro popcorn e una bibita analcolica al chiosco. Mi ringrazia, e poi mi ringrazia ancora perché l'ho portato qui.

Seguo con particolare attenzione il terza base dei PFX, un tipo muscoloso, svelto di mani e di piedi. È fluido e concentrato, e scambia parolacce e insulti con la squadra avversaria. L'inning si conclude, e resto a osservare mentre si avvia verso la recinzione accanto alla sua tettoia e dice qualcosa alla sua ragazza. Kelly sorride. Da qui vedo le fossette e i denti. Cliff ride. Le dà un bacio frettoloso sulle labbra e va a raggiungere i compagni che si stanno preparando.

Sembrano due colombi. Lui è innamorato pazzo e ci tiene che i compagni lo vedano mentre la bacia. Non riescono quasi a staccarsi uno dall'altra.

Lei sta appoggiata alla recinzione. Ha accanto le grucce e porta al piede un'ingessatura più ridotta. È sola, lontana dalle tribune e dagli altri tifosi. Non può vedermi perché sono sul lato opposto del campo. E per prudenza porto un berretto.

Mi domando cosa farebbe se mi riconoscesse. Niente, con ogni probabilità. Mi ignorerebbe.

Dovrei essere contento di vederla felice, sana, in piena armonia con il marito. A quanto sembra lui ha smesso di pestarla, e ringrazio il cielo. L'immagine di Cliff che la picchia con una mazza mi fa star male. Ma è un'ironia pensare che potrò arrivare a Kelly solo se i maltrattamenti continueranno.

Non riesco a perdonarmi questo pensiero.

Cliff è al piatto. Schiaccia il terzo lancio, lo spedisce oltre i riflettori a sinistra, la palla sparisce. Un tiro davvero sorprendente; lui corre tutto fiero da una base all'altra e grida qualcosa a Kelly quando arriva alla terza. È un atleta di talento, ceruna giuria, e teme che io e i miei clienti non potremo sostenerlo se perdessimo e fossimo tenuti a pagare le spese.

«Mi permetta di interromperla per un momento, signor Drummond» interviene il giudice Kipler con aria pensierosa. Le parole sono misurate, la voce molto chiara. «Ho qui la sua istanza, e ho la memoria che la completa.» Le prende e le agita. «Ora, lei ha parlato per quattro minuti e ciò che ha detto è già qui, nero su bianco. Ha qualcosa di nuovo da aggiungere?»

«Ecco, vostro onore, ho il diritto di...»

«Sì o no, signor Drummond? Sono in grado di leggere e capire, e potrei precisare che lei scrive molto bene. Ma se non ha niente di nuovo da aggiungere, perché siamo qui?»

Sono sicuro che una cosa del genere non è mai capitata al grande Leo Drummond, ma si comporta come se fosse un'evenienza quotidiana. «Sto semplicemente cercando di aiutare la corte, vostro onore» risponde con un sorriso.

«Respinta» chiude seccamente Kipler. «Proceda.»

Drummond procede senza perdere il ritmo. «Bene, la nostra seconda istanza riguarda le sanzioni. Noi affermiamo...»

«Respinta» taglia corto Kipler.

«Col suo permesso...»

«Respinta.»

Alle mie spalle, Deck ridacchia. I quattro avvocati seduti all'altro tavolo abbassano le teste all'unisono e registrano con diligenza l'avvenimento. Immagino che tutti scrivano RESPINTA in lettere maiuscole.

«Ognuna delle parti ha chiesto sanzioni, e respingo entrambe le istanze» conclude Kipler guardando Drummond con fermezza. Anch'io rimango col naso un po' ammaccato.

Non è uno scherzo togliere la parola a un avvocato che parla per trecentocinquanta dollari l'ora. Drummond guarda male Kipler che se la gode un mondo.

Ma è un professionista dalla pelle dura. Non permetterà mai che un giudice distrettuale qualsiasi lo faccia irritare. «Sta bene, allora procedo. Vorrei parlare della nostra istanza per trasferire la causa alla corte federale.»

«Parliamone pure» acconsente Kipler. «Tanto per cominciare, perché non ha cercato di farlo quando c'era il giudice Hale?»

Drummond è preparato. «Vostro onore, il caso era nuovo e

stavamo ancora indagando sul coinvolgimento del convenuto Bobby Ott. Ora che abbiamo avuto a disposizione un po' di tempo, siamo dell'opinione che Ott sia stato incluso all'unico scopo di eludere la competenza della giurisdizione federale.»

«Quindi ha sempre voluto che la causa finisse alla corte federale, è così?»

«Sì, signore.»

«Anche quando era nelle mani di Harvey Hale?»

«È esatto, vostro onore» dichiara Drummond.

L'espressione di Kipler fa capire a tutti che non ci crede. Non ci crede nessuno, in aula. Ma si tratta di un dettaglio di scarsa importanza e Kipler ha dimostrato ciò che voleva.

Drummond procede con la sua argomentazione. Non si è minimamente scomposto. Ha visto andare e venire cento giudici, e non gli fanno paura. Ci vorranno molti anni e molti dibattimenti in molte aule prima che io riesca a non sentirmi intimidito da quei signori in toga.

Parla per circa dieci minuti esponendo parola per parola il contenuto della sua memoria quando Kipler lo interrompe. «Signor Drummond, mi scusi, ma ricorda che pochi minuti fa le ho chiesto se aveva qualcosa di nuovo da presentare alla corte questa mattina?»

Le mani di Drummond si fermano. A bocca aperta, fissa con durezza vostro onore.

«Lo ricorda?» insiste Kipler. «È successo meno di un quarto d'ora fa.»

«Credevo che fossimo qui per discutere le istanze» ribatte Drummond con vivacità. La voce calma rivela qualche incrinatura.

«Oh, certo. Se ha qualcosa di nuovo da aggiungere o qualche punto nebuloso da chiarire, sarò lieto di ascoltare. Ma lei sta solo ripetendo quanto è scritto qui.»

Con la coda dell'occhio guardo alla mia sinistra e intravedo diverse facce scure. Il loro eroe viene fatto a pezzi. Non è una cosa piacevole.

Mi rendo conto che i miei avversari prendono la faccenda più seriamente del normale. L'estate scorsa, quando lavoravo presso uno studio specializzato in liti, ho avuto a che fare con parecchi avvocati e ogni caso era molto simile all'altro. Si lavora con impegno, si mette in conto al cliente la somma più alta possibile, ma non ci si scalda più di tanto per l'esito. C'è sempre una dozzina di casi nuovi che ti aspettano.

Intuisco un'atmosfera di panico, e sono certo che non è causata dalla mia presenza. Nelle liti con le assicurazioni è normale che gli studi legali incaricati della difesa assegnino due avvocati a ogni caso. Vanno sempre a coppie. Indipendentemente dai fatti, dalle richieste e dalla mole di lavoro, ne assegnano sempre due.

Ma... cinque? Mi sembra un'esagerazione. Sta succedendo qualcosa. Hanno paura.

«La richiesta di trasferire il caso alla corte federale è respinta, signor Drummond. Il caso rimane di competenza di questa corte» afferma Kipler in tono deciso. E firma. I miei avversari la prendono male, anche se cercano di non farlo capire.

«C'è altro?» chiede Kipler.

«No, vostro onore.» Drummond raccoglie le carte e lascia il podio. Lo seguo con la coda dell'occhio. Si accosta al tavolo della difesa, lancia un'occhiata ai due dirigenti e leggo nei suoi occhi un'espressione inequivocabile: è paura. Mi sento accapponare la pelle.

Kipler cambia marcia. «Ora, l'attore ha presentato altre due istanze. La prima chiede una corsia preferenziale per il caso, la seconda che venga anticipata la deposizione di Donny Ray Black. In un certo senso sono collegate. Quindi, signor Baylor, perché non le abbiniamo?»

Mi alzo. «Certamente, vostro onore.» Figurarsi se mi sognerei di suggerire una soluzione diversa!

«Può concludere in dieci minuti?»

Dopo aver appena assistito a quella carneficina, scelgo un'altra strategia. «Ecco, vostro onore, le mie memorie parlano da sé. Non ho altro da aggiungere.»

Kipler sorride con approvazione al giovane avvocato così intelligente, e parte all'attacco della difesa. «Signor Drummond, lei si oppone alla corsia preferenziale per questo caso. Per quali motivi?»

Al tavolo della difesa c'è un po' di agitazione. Alla fine T. Pierce Morehouse si alza e si assesta la cravatta.

«Vostro onore, se mi è permesso, noi pensiamo che sarà necessario qualche tempo per prepararci per il dibattimento. La concessione della corsia preferenziale, secondo la nostra opinione, graverebbe eccessivamente su entrambe le parti.» Morehouse parla adagio scegliendo con cautela le parole.

«Sciocchezze» ribatte Kipler con un'occhiataccia.

«Prego?»

«Ho detto: sciocchezze. Lasci che le chieda una cosa, signor Morehouse. Nella sua qualità di avvocato difensore, ha mai accettato una corsia preferenziale per una causa?»

Morehouse trasale e si dondola sui piedi. «Ecco... uhm... certo, vostro onore.»

«Benissimo. Mi dica il caso e il relativo tribunale.»

T. Pierce guarda disperatamente B. Dewey Clay Hill III, che a sua volta guarda M. Alec Plunk Jr. Il signor Drummond non alza la testa e preferisce non distogliere gli occhi da un fascicolo senza dubbio importantissimo.

«Ecco, vostro onore, dovrei guardare in archivio.»

«Mi telefoni nel pomeriggio prima delle tre; se entro quell'ora non si farà vivo, le telefonerò io. Sono curioso di saperne di più sul caso per il quale ha accettato la corsia preferenziale.»

T. Pierce si curva in avanti ed esala un respiro profondo come se avesse ricevuto un calcio nello stomaco. Mi sembra quasi di sentire i computer di Tinley Britt che ronzano a mezzanotte, nella ricerca vana di questo caso. «Sì, vostro onore» risponde T. Pierce con un filo di voce.

«La corsia preferenziale è a mia discrezione, come sa. Perciò l'istanza dell'attore è accolta. La difesa dovrà rispondere entro sette giorni. Gli accertamenti cominceranno allora e si concluderanno entro centoventi giorni da oggi.»

Al tavolo della difesa scattano. Gli avvocati si passano le carte. Drummond e compagni bisbigliano e aggrottano la fronte. I dirigenti della Great Eastern confabulano dietro la barriera divisoria. È quasi divertente.

T. Pierce Morehouse si abbassa con il didietro a pochi centimetri dal sedile di pelle e si puntella con braccia e gomiti in vista della prossima istanza.

«L'ultima richiesta è di anticipare la deposizione di Donny Ray Black» dice vostro onore, e guarda il tavolo della difesa.

tamente migliore di tutti gli altri in campo. Non oso immaginarlo mentre brandisce la mazza contro di me.

Forse ha rinunciato a bere, e forse adesso, in stato di sobrietà, la finirà con i maltrattamenti. Forse per me è venuto il momento di chiamarmi fuori.

Dopo un'ora, Donny Ray ha sonno. Torniamo verso casa sua e parliamo della deposizione. Oggi ho presentato un'istanza per chiedere alla corte il permesso di raccogliere la sua deposizione, che potrà essere usata nel dibattimento, al più presto possibile. Fra poco il mio cliente sarà troppo indebolito per sopportare due ore di domande e risposte con un branco di avvocati, quindi dobbiamo affrettarci.

«È meglio farlo al più presto» dice Donny Ray a voce bassa mentre ci fermiamo nel vialetto di casa sua.

27

Sarebbe una scena comica se non fossi così nervoso. Sono sicuro che un osservatore esterno coglierebbe i lati umoristici; ma in aula nessuno sorride, tanto meno io.

Sono solo al mio tavolo con i mucchi di istanze e memorie ammonticchiati con ordine davanti a me. Gli appunti e i dati di riferimento sono in due blocchi, a portata di mano e piazzati strategicamente. Il paralegale è seduto dietro di me, non al tavolo dove potrebbe essere di qualche aiuto, ma su una sedia appena oltre la barriera divisoria e a un metro e mezzo da me; quindi mi sembra di essere del tutto solo.

E infatti mi sento molto isolato.

Dall'altra parte della corsia, il tavolo della difesa è fittamente popolato. Leo F. Drummond è seduto al centro, com'è ovvio, di fronte al banco del giudice, e gli associati lo circondano, due per parte. Drummond ha sessant'anni; ha studiato legge ad Harvard, ha alle spalle trentasei anni di esperienza in fatto di dibattimenti in aula. T. Pierce Morehouse ne ha trentanove, ha studiato a Yale, è socio di Tinley Britt e ha quattordici anni d'esperienza in tutti i tribunali. B. Dewey Clay Hill III ha trentun anni, si è laureato alla Columbia, non è ancora socio e ha sei anni di esperienza in aula. M. Alec Plunk Jr. ha ventotto anni, due anni d'esperienza, e sta facendo la prima sortita in questo caso perché, ne sono sicuro, ha studiato ad Harvard. Anche l'onorevole Tyrone Kipler, il giudice, si è laureato ad Harvard. Kipler è nero, Plunk pure. Gli avvocati neri laureati ad Harvard non sono frequenti a Memphis. Per caso Tinley Britt ne ha uno, e quindi eccolo qui, senza dubbio con lo scopo di cercare di stabilire un legame con vostro onore. E se le cose andranno secondo le previsioni, un giorno avremo anche una giuria. Metà degli elettori registrati di questa contea sono neri, quindi posso presumere che la giuria sarà metà e metà. M. Alec Plunk Jr. verrà utilizzato per allacciare un rapporto di tacita intesa e di fiducia con un certo numero di giurati.

Se in una giuria ci fosse una cambogiana, non ho il minimo dubbio che Tinley Britt frugherebbe nei suoi ranghi, ne scoverebbe una e la porterebbe in aula.

Il quinto componente del collegio della Great Eastern è Brandon Fuller Grone, meschinamente privo di numeri romani e di iniziali. Non riesco a capire perché non si autoproclami B. Fuller Grone, come si conviene a un avvocato di un grande studio legale. Ha ventisette anni, ha terminato due anni fa gli studi alla Statale di Memphis dove si è classificato primo del suo corso e ha lasciato dietro di sé ricordi indelebili. Era una leggenda quando ho cominciato a studiare legge, e per gli esami del primo anno ho seguito i suoi vecchi riassunti.

Se non conto i due anni che M. Alec Plunk Jr. ha passato come collaboratore di un giudice federale, intorno al tavolo della difesa sono raccolti cinquantotto anni di esperienza.

Io sono stato abilitato appena un mese fa. Il mio collaboratore è stato respinto per sei volte all'esame d'ammissione all'Ordine.

Ho fatto questi calcoli stanotte mentre scavavo nella biblioteca dell'università, un posto dal quale, sembra, non riesco a liberarmi. Lo studio di Rudy Baylor possiede in tutto diciassette testi di diritto, tutti residuati scolastici e virtualmente inutili.

Dietro gli avvocati sono seduti due individui con l'aria dura del dirigente d'azienda. Sospetto che siano pezzi grossi della Great Eastern. Uno ha un aspetto familiare. Mi pare che fosse presente quando ho discusso l'istanza di archiviazione. Allora non gli ho prestato molta attenzione e adesso quei due non mi ispirano grandi timori. Ho già tante cose per la testa.

Sono piuttosto teso, ma se sul banco del giudice ci fosse Harvey Hale sarei un relitto umano. Anzi, con ogni probabilità non sarei neppure qui.

Ma presiede l'onorevole Tyrone Kipler. Mi ha detto ieri al

telefono, durante una delle nostre recenti conversazioni, che questo sarà il suo primo giorno sul banco di giudice. Ha firmato qualche ordinanza e ha sbrigato altri modesti compiti di routine, ma questa sarà la prima discussione che dovrà arbitrare.

Il giorno dopo che Kipler ha prestato giuramento, Drummond ha presentato un'istanza per chiedere il rinvio del caso alla corte federale. Sostiene che Bobby Ott, l'agente che ha fatto firmare la polizza ai Black, è stato incluso fra i convenuti per ragioni del tutto errate. Secondo noi Ott risiede ancora nel Tennessee ed è un convenuto. I Black, residenti nel Tennessee, sono gli attori. Perché il caso sia trasferibile alla giurisdizione federale è necessario che fra le parti esista una completa diversità di residenza. Nel caso di Ott la diversità non esiste perché, affermiamo, vive qui; per questa ragione, e per questa soltanto, non può trattarsi di un caso federale. Drummond ha presentato una voluminosa memoria a sostegno della sua tesi, secondo la quale Ott non può essere un convenuto.

Finché c'era il giudice Harvey Hale, la corte distrettuale era la sede ideale per chiedere giustizia. Ma non appena il caso è passato nelle mani di Kipler la verità e l'equità si possono raggiungere solo in un tribunale federale. Il dettaglio più sorprendente dell'istanza di Drummond è il momento scelto per presentarla. Kipler l'ha presa come un affronto personale. Per quello che può valere, sono perfettamente d'accordo con lui.

Siamo pronti per discutere le istanze. Oltre alla richiesta di trasferire il caso, Drummond ne ha una per la copertura delle spese e una per la sanzione. Me la sono presa parecchio per la seconda, perciò ho presentato a mia volta un'istanza chiedendo sanzioni per la loro in quanto futile e offensiva. In moltissime cause la battaglia per le sanzioni, secondo Deck, diventa una guerra separata, ed è meglio non cominciarla. Sono piuttosto diffidente circa i consigli di Deck in queste faccende. Conosce i suoi limiti. Come ripete spesso: «Chiunque è capace di cucinare una trota. Il vero problema è prenderla».

Drummond si avvia solennemente verso il podio. Procediamo in ordine cronologico, quindi attacca con la sua istanza per la copertura delle spese, un mezzuccio di ripiego. Calcola il probabile costo dell'eventuale procedimento in aula davanti a vora con impegno, si mette in conto al cliente la somma più alta possibile, ma non ci si scalda più di tanto per l'esito. C'è sempre una dozzina di casi nuovi che ti aspettano.

Intuisco un'atmosfera di panico, e sono certo che non è causata dalla mia presenza. Nelle liti con le assicurazioni è normale che gli studi legali incaricati della difesa assegnino due avvocati a ogni caso. Vanno sempre a coppie. Indipendentemente dai fatti, dalle richieste e dalla mole di lavoro, ne assegnano sempre due.

Ma... cinque? Mi sembra un'esagerazione. Sta succedendo qualcosa. Hanno paura.

«La richiesta di trasferire il caso alla corte federale è respinta, signor Drummond. Il caso rimane di competenza di questa corte» afferma Kipler in tono deciso. E firma. I miei avversari la prendono male, anche se cercano di non farlo capire.

«C'è altro?» chiede Kipler.

«No, vostro onore.» Drummond raccoglie le carte e lascia il podio. Lo seguo con la coda dell'occhio. Si accosta al tavolo della difesa, lancia un'occhiata ai due dirigenti e leggo nei suoi occhi un'espressione inequivocabile: è paura. Mi sento accapponare la pelle.

Kipler cambia marcia. «Ora, l'attore ha presentato altre due istanze. La prima chiede una corsia preferenziale per il caso, la seconda che venga anticipata la deposizione di Donny Ray Black. In un certo senso sono collegate. Quindi, signor Baylor, perché non le abbiniamo?»

Mi alzo. «Certamente, vostro onore.» Figurarsi se mi sognerei di suggerire una soluzione diversa!

«Può concludere in dieci minuti?»

Dopo aver appena assistito a quella carneficina, scelgo un'altra strategia. «Ecco, vostro onore, le mie memorie parlano da sé. Non ho altro da aggiungere.»

Kipler sorride con approvazione al giovane avvocato così intelligente, e parte all'attacco della difesa. «Signor Drummond, lei si oppone alla corsia preferenziale per questo caso. Per quali motivi?»

Al tavolo della difesa c'è un po' di agitazione. Alla fine T. Pierce Morehouse si alza e si assesta la cravatta.

«Vostro onore, se mi è permesso, noi pensiamo che sarà necessario qualche tempo per prepararci per il dibattimento. La concessione della corsia preferenziale, secondo la nostra opinione, graverebbe eccessivamente su entrambe le parti.» Morehouse parla adagio scegliendo con cautela le parole.

«Sciocchezze» ribatte Kipler con un'occhiataccia.

«Prego?»

«Ho detto: sciocchezze. Lasci che le chieda una cosa, signor Morehouse. Nella sua qualità di avvocato difensore, ha mai accettato una corsia preferenziale per una causa?»

Morehouse trasale e si dondola sui piedi. «Ecco... uhm... certo, vostro onore.»

«Benissimo. Mi dica il caso e il relativo tribunale.»

T. Pierce guarda disperatamente B. Dewey Clay Hill III, che a sua volta guarda M. Alec Plunk Jr. Il signor Drummond non alza la testa e preferisce non distogliere gli occhi da un fascicolo senza dubbio importantissimo.

«Ecco, vostro onore, dovrei guardare in archivio.»

«Mi telefoni nel pomeriggio prima delle tre; se entro quell'ora non si farà vivo, le telefonerò io. Sono curioso di saperne di più sul caso per il quale ha accettato la corsia preferenziale.»

T. Pierce si curva in avanti ed esala un respiro profondo come se avesse ricevuto un calcio nello stomaco. Mi sembra quasi di sentire i computer di Tinley Britt che ronzano a mezzanotte, nella ricerca vana di questo caso. «Sì, vostro onore» risponde T. Pierce con un filo di voce.

«La corsia preferenziale è a mia discrezione, come sa. Perciò l'istanza dell'attore è accolta. La difesa dovrà rispondere entro sette giorni. Gli accertamenti cominceranno allora e si concluderanno entro centoventi giorni da oggi.»

Al tavolo della difesa scattano. Gli avvocati si passano le carte. Drummond e compagni bisbigliano e aggrottano la fronte. I dirigenti della Great Eastern confabulano dietro la barriera divisoria. È quasi divertente.

T. Pierce Morehouse si abbassa con il didietro a pochi centimetri dal sedile di pelle e si puntella con braccia e gomiti in vista della prossima istanza.

«L'ultima richiesta è di anticipare la deposizione di Donny Ray Black» dice vostro onore, e guarda il tavolo della difesa.

«Immagino che non vi opporrete» dice. «Chi di voi signori vuole rispondere?»

Ho allegato all'istanza una dichiarazione giurata del dottor Walter Kord: precisa in termini molto semplici che a Donny Ray non rimane molto da vivere. La risposta di Drummond è una sconcertante collezione di parole senza senso, dalle quali mi è parso di capire che ha semplicemente troppo da fare per prendersi tanto disturbo.

T. Pierce si rianima lentamente, allarga le mani, spalanca le braccia, comincia a dire qualcosa, ma Kipler attacca: «Non mi dica che conosce le condizioni del paziente meglio del suo medico».

«No, signore» risponde T. Pierce.

«E non mi dica che vi opponete all'istanza.»

Ormai è facile capire quale sarà la decisione di vostro onore, e T. Pierce si affretta a cambiare terreno. «È solo una questione di programmazione, vostro onore. Non abbiamo ancora presentato la nostra risposta.»

«E io so esattamente quale sarà, giusto? Non ci saranno sorprese. E avete avuto il tempo di preparare e depositare tutto il resto. Ora ditemi una data.» Kipler si rivolge a me. «Signor Baylor?»

«Per me qualunque giorno va bene, vostro onore» dico con un sorriso. È un vantaggio non avere nient'altro da fare.

I cinque della difesa si affrettano a consultare le loro agende nere come se fosse possibile individuare una data in cui potranno essere tutti a disposizione.

«Ho l'agenda piena, vostro onore» annuncia Drummond senza alzarsi. La vita di un avvocato importante è imperniata su un'unica realtà: l'agenda delle cause. Drummond sta dicendo a me e a Kipler con tutta l'arroganza possibile che nel prossimo futuro sarà troppo occupato per aver tempo da perdere con una deposizione.

I quattro lacchè si accigliano, annuiscono e si massaggiano in contemporanea il mento perché anche loro hanno le agende piene di udienze non rinviabili.

«Avete una copia della dichiarazione giurata del dottor Kord?» chiede Kipler.

«Ce l'ho io» risponde Drummond.

«L'ha letta?»
«Sì.»
«Intende metterne in discussione la validità?»
«Ecco, io... uhm...»
«Sì o no, signor Drummond? Intende contestarne la validità?»
«No.»
«Allora quel giovane sta per morire. Riconosce che dobbiamo mettere a verbale la sua testimonianza in modo che un giorno i giurati possano vedere e sentire quanto ha da dire?»
«Naturalmente, vostro onore. È solo che, ecco, al momento, la mia agenda è...»
«Va bene giovedì prossimo?» lo interrompe Kipler. Nell'aula scende un silenzio di tomba.
«Per me va bene, vostro onore» dico a voce alta. Gli avvocati della difesa mi ignorano.
«Allora fra una settimana» chiude Kipler, e li squadra con aria diffidente. Drummond ha trovato quello che stava cercando in un fascicolo e adesso è occupato a studiare un documento.
«Ho una causa che inizia lunedì alla corte federale, vostro onore. Questa è l'ordinanza preliminare, se vuole vederla. La durata prevista è di due settimane.»
«Dove?»
«Qui a Memphis.»
«Ci sono possibilità di una transazione?»
«Molto scarse.»
Kipler studia per un momento il suo calendario. «E sabato prossimo?»
«Per me va bene» ripeto. Tutti mi ignorano.
«Sabato?»
«Sì, il ventinove.»
Drummond guarda T. Pierce: adesso tocca a lui trovare un pretesto. Si alza lentamente reggendo fra le mani l'agenda nera degli appuntamenti come se fosse d'oro e annuncia: «Mi dispiace, vostro onore, ma per quel fine settimana sarò fuori città».
«Perché?»
«Per un matrimonio.»

«Il suo?»

«No. Di mia sorella.»

Da un punto di vista strategico hanno tutto l'interesse a rimandare la deposizione fino a quando Donny Ray Black morirà: così eviteranno che i giurati vedano la sua faccia smunta e ascoltino la sua voce sofferente. E senza dubbio, fra tutti e cinque, sono capacissimi di orchestrare tanti pretesti da tirare avanti finché io morirò di vecchiaia.

Il giudice Kipler lo sa. «La deposizione è fissata per sabato ventinove» dice. «Mi dispiace se è un fastidio per la difesa, ma Dio mio, siete abbastanza numerosi per occuparvene. Se ne mancheranno uno o due non sarà un dramma.» Chiude un registro, si appoggia sui gomiti, sorride ai difensori della Great Eastern e chiede: «C'è altro?».

Il suo sorriso è quasi crudele, ma non si comporta per malanimo. Ha appena respinto cinque delle loro sei istanze, ma il suo ragionamento è fondato. A me sembra perfetto. So che ci saranno altre udienze in quest'aula, altre istanze prima del dibattimento, e sono sicuro che anch'io prenderò la mia parte di batoste.

Drummond si alza, solleva le spalle, esamina il mucchio di carte che ha sul tavolo. Sono certo che vorrebbe dire qualcosa come: «Bella trovata, giudice». Oppure: «Perché non va fino in fondo e non assegna all'attore un milione di dollari?». Ma come al solito si comporta da vecchia volpe dei tribunali. «No, vostro onore, per il momento è tutto» risponde come se Kipler gli fosse stato di grande aiuto.

«Signor Baylor?» mi chiede vostro onore.

«No, signore» rispondo con un sorriso. Per oggi basta così. Ho massacrato i pezzi grossi nella prima schermaglia legale e non voglio chiedere troppo alla fortuna. Fra me e il vecchio Tyrone abbiamo tirato un bel po' di calci.

«Benissimo» conclude Kipler, e batte il mazzuolo. «La corte si aggiorna. E lei, signor Morehouse, non dimentichi di telefonarmi il nome del caso per il quale ha accettato la corsia preferenziale.»

T. Pierce si lascia sfuggire un gemito.

28

Il primo mese di attività con Deck ha prodotto risultati deludenti. Abbiamo incassato milleduecento dollari: quattrocento da Jimmy Monk, un taccheggiatore che Deck ha agganciato in tribunale, duecento per un caso di guida in stato di ubriachezza che Deck ha rastrellato con un metodo tuttora misterioso e cinquecento per un risarcimento spettante a un operaio che Deck ha sottratto dall'ufficio di Bruiser il giorno della nostra fuga. Gli altri cento dollari li abbiamo incassati perché ho preparato i testamenti di due anziani coniugi capitati per caso nel nostro studio. Erano in cerca di oggetti antichi, hanno sbagliato a svoltare al piano terra e mi hanno trovato mentre sonnecchiavo alla scrivania. Abbiamo chiacchierato amabilmente, poi da cosa è nata cosa, e hanno atteso che battessi a macchina i testamenti. Hanno pagato in contanti, e io l'ho riferito doverosamente a Deck, che tiene la contabilità. Il mio primo onorario l'ho guadagnato in modo ineccepibile dal punto di vista deontologico.

Abbiamo speso cinquecento dollari per l'affitto, quattrocento per la carta intestata e i biglietti da visita, cinquecentocinquanta per i vari allacciamenti e depositi di luce eccetera, ottocento per un impianto telefonico in leasing e la bolletta del primo mese, trecento per la prima rata delle scrivanie e di qualche altro mobile forniti dal padrone di casa, duecento per l'iscrizione all'albo, trecento per spese varie difficili da specificare, settecentocinquanta per un fax, quattrocento per l'installazione e il primo mese d'affitto di un modesto word processor, e cinquanta dollari per la pubblicità in una guida dei ristoranti locali.

Abbiamo speso in totale 4250 dollari: per fortuna, sono quasi tutte spese di avvio che non si ripeteranno. Deck ha calcolato tutto al centesimo. Prevede che, dopo l'inizio, avremo circa millenovecento dollari al mese di spese generali. E finge di essere entusiasta del modo in cui vanno le cose.

È difficile ignorare la sua euforia. Vive in ufficio. È single, lontano dai figli, in una città che non è la sua. Immagino che passi molto tempo divertendosi un po' qua e un po' là. L'unico svago di cui l'ho sentito parlare ha a che fare con i casinò del Mississippi.

Di solito arriva al lavoro circa un'ora dopo di me, e passa quasi tutte le mattine nel suo ufficio, attaccato al telefono per parlare con chissà chi. Sono sicuro che cerca di accalappiare qualche cliente, o si informa sugli incidenti, oppure tiene semplicemente i legami con i suoi contatti. Ogni mattina mi chiede se ho qualcosa da fargli battere a macchina. Abbiamo scoperto presto che è un dattilografo più bravo di me, ed è sempre pronto a preparare le mie lettere e i documenti. Si precipita a rispondere al telefono, esce per portarmi il caffè, spazza l'ufficio, va a fare le fotocopie in copisteria. Non ha orgoglio e vuole vedermi soddisfatto.

Non studia per l'esame. Ne abbiamo discusso una volta, ma si è affrettato a cambiare argomento.

Nella tarda mattinata di solito decide di andare in posti non bene identificati a occuparsi di qualche faccenda misteriosa. Sono certo che esiste una specie di alveare di intensa attività legale, forse al tribunale fallimentare o municipale, dove Deck trova qualcuno che ha bisogno di un avvocato. Non ne parliamo mai. E la sera fa il giro degli ospedali.

Sono bastati pochi giorni per tracciare i confini interni del nostro ufficio e definire i rispettivi territori. Deck pensa che dovrei passare quasi tutto il giorno nei vari tribunali a rastrellare clienti: mi accorgo che è deluso perché non sono più aggressivo. È stufo dei miei interrogativi a proposito dell'etica e delle tattiche. È un mondo duro e bellicoso, popolato da avvocati famelici che all'occorrenza si trasformano in tagliagole. Se stai seduto tutto il giorno senza far niente morirai di fame. Non c'è speranza che i casi "buoni" piovano proprio qui.

D'altra parte, Deck ha bisogno di me. Io sono abilitato a esercitare la professione. Anche se ci spartiamo i guadagni, la nostra non è una società fra eguali. Deck si considera sacrificabile, perciò si offre per il lavoro di manovalanza. È disposto a rincorrere le ambulanze, aggirarsi negli uffici federali e nascondersi nel pronto soccorso degli ospedali perché è contento di un accordo che gli assicura il cinquanta per cento. In nessun altro posto troverebbe di meglio.

Basta accalappiarne uno, continua a dire. È un discorso che si sente ripetere di continuo nella mia professione. Un caso sensazionale, e ti metti in pensione. È una delle ragioni che spingono tanti avvocati a fare cose squallide, come la pubblicità a colori sulle pagine gialle, i cartelloni, gli spazi sugli autobus cittadini e le sollecitazioni telefoniche. Ti turi il naso, ignori il lezzo di ciò che fai, non badi al disprezzo degli avvocati dei grandi studi, perché basta un caso, uno solo.

Deck è deciso a trovare il caso sensazionale per il nostro piccolo studio.

Mentre lui è in giro a setacciare Memphis, io mi dò da fare. Ci sono cinque piccoli municipi lungo i confini di Memphis. Ognuno di essi ha un tribunale municipale, e ognuno ha l'abitudine di nominare gli avvocati giovani per difendere gli imputati indigenti, rinviati a giudizio per reati di scarso peso. I giudici e i rappresentanti dell'accusa sono giovani e lavorano part-time; molti hanno studiato alla Statale di Memphis, e molti lavorano per meno di cinquecento dollari al mese. Hanno uffici in espansione in periferia e ogni settimana dedicano qualche ora alla giustizia penale. Sono andato a trovarli, ho sorriso e li ho complimentati, ho spiegato che avrei bisogno di qualche causa nei loro tribunali, ma i risultati mi lasciano perplesso. Ho difeso sei indigenti, rinviati a giudizio per varie accuse che vanno dal possesso di droga ai piccoli reati contro il patrimonio fino alla bestemmia. Per ogni caso mi pagheranno fino a un massimo di cento dollari, e dovrò chiuderli entro due mesi. Per incontrare i clienti, discutere le loro dichiarazioni di colpevolezza, accordarmi con i rappresentanti dell'accusa e andare in periferia per le apparizioni in aula, dedicherò almeno quattro ore a ogni caso. Sono venticinque dollari l'ora, e da questi vanno dedotte le spese generali e le tasse.

Ma almeno serve per tenermi occupato e incassare qualcosa. Incontro varia gente, distribuisco biglietti da visita, raccomando ai miei nuovi clienti di dire agli amici che io, Rudy Baylor, posso risolvere tutti i loro problemi legali. Rabbrividisco al pensiero dei problemi che affliggono i loro amici. Possono essere soltanto altri disastri: divorzi, insolvenze, altre imputazioni. È la vita di un avvocato.

Deck vuole che ci facciamo pubblicità appena potremo permettercelo. Pensa che dovremmo autoproclamarci maghi nel campo delle lesioni personali e comparire alla tv via cavo, far mandare in onda i nostri spot la mattina presto per raggiungere gli operai mentre fanno colazione, prima che escano e abbiano qualche incidente. E poi lui ascolta una stazione che trasmette musica rap nera, non perché gli piace ma perché è molto seguita e chissà come gli avvocati non la usano per farsi pubblicità. Ha scoperto una nicchia ideale. Gli avvocati del rap!

Che Dio ci aiuti!

Passo molto tempo nella cancelleria distrettuale, flirto con le assistenti, cerco di orientarmi. Gli archivi del tribunale sono accessibili al pubblico, e gli indici sono computerizzati. Quando ho capito come funziona il computer, ho ripescato diversi vecchi casi trattati da Leo F. Drummond. Il più recente risale a diciotto mesi fa, il più vecchio a otto anni. Nessuno riguarda la Great Eastern, ma tutti sono difese di varie società d'assicurazione. Tutti sono arrivati in aula e tutti hanno portato a verdetti favorevoli per i suoi clienti.

Nelle ultime tre settimane ho impiegato molte ore per studiare queste cause, ho riempito pagine e pagine di appunti, ho fatto centinaia di fotocopie. Ho preparato un lungo elenco di interrogatori, nella fattispecie le domande scritte che una parte invia all'altra; e questa deve rispondere per iscritto e sotto giuramento. Ci sono innumerevoli modi per formulare gli interrogatori, e io mi sorprendo a modellare i miei su quelli di Drummond. Mi sono destreggiato fra le cause e ho redatto un lungo elenco di documenti che intendo richiedere alla Great

Eastern. In alcuni casi l'avversario di Drummond sapeva il fatto suo, in altri faceva pena. Ma Drummond è sempre riuscito a spuntarla.

Studio le sue dichiarazioni, le memorie, le istanze, la documentazione scritta e le risposte presentate dalle controparti. Leggo le sue deposizioni mentre sono a letto, la notte. Imparo a memoria le sue disposizioni preliminari. Ho letto perfino le sue lettere alla corte.

Dopo un mese di allusioni sottili e di garbate insistenze, ho finalmente convinto Deck a fare una scappata ad Atlanta. Là ha passato due giorni a brigare e due notti in motel supereconomici. Il viaggio è stato fatto nell'interesse dello studio.

Oggi è tornato con la notizia che mi aspettavo. Il patrimonio della signora Birdie è un po' superiore ai quarantamila dollari. Il secondo marito aveva effettivamente ereditato da un fratello che viveva in Florida, ma la sua parte era inferiore al milione. Prima di sposare la signora Birdie, Anthony Murdine aveva avuto altre due mogli che l'avevano reso padre di sei figli. I figli, gli avvocati e il fisco hanno divorato quasi tutta l'eredità. La signora Birdie ha avuto quarantamila dollari, e per qualche ragione tutta sua li ha lasciati al dipartimento fondi vincolati di una grande banca della Georgia. Dopo cinque anni di investimenti audacissimi, il capitale è cresciuto di circa duemila dollari.

Solo una parte della pratica è stata messa sotto sigillo, e Deck ha potuto scavare fino a scoprire ciò che volevamo.

«Mi dispiace» dice dopo aver finito di riassumere le sue scoperte mentre mi consegna le copie di alcune ordinanze del tribunale.

Sono deluso, ma non sorpreso.

All'inizio si era deciso che la deposizione di Donny Ray Black sarebbe avvenuta nei nostri nuovi uffici, una prospettiva, questa, che mi causava non poche preoccupazioni. Io e Deck non lavoriamo nello squallore, ma lo studio è piccolo e praticamente spoglio. Non ci sono tende alle finestre. Lo sciacquone del minuscolo gabinetto a volte funziona e a volte no.

Non mi vergogno dell'ufficio: anzi, è quasi pittoresco. È

modesto e adatto a un avvocato esordiente. Ma è inevitabile: i signori di Tinley Britt lo guarderebbero con disprezzo. Sono abituati a quanto c'è di meglio e non mi va l'idea di sopportare il loro snobismo mentre vengono in visita nei bassifondi. Non abbiamo neppure abbastanza sedie per far accomodare tutti intorno al tavolo per le riunioni.

Il venerdì, il giorno prima della deposizione, Dot mi comunica che Donny Ray è a letto e non può uscire di casa. Si è molto preoccupato per la deposizione e questo l'ha indebolito. Se Donny Ray non può lasciare la casa, c'è un solo posto per raccogliere la deposizione. Chiamo Drummond, ma dice che non può accettare di trasferire la deposizione dal mio ufficio alla casa del cliente. Dice che le regole sono regole e che dovrò rinviare e comunicarlo a tutti. Gli dispiace tanto. Naturalmente, vorrebbe rimandare fin dopo il funerale. Riattacco e chiamo il giudice Kipler. Dopo pochi minuti Kipler chiama Drummond e al termine di un dialogo brevissimo la deposizione viene trasferita in casa di Dot e Buddy Black. Kipler ha deciso di assistere: è molto insolito, ma ha le sue buone ragioni. Donny Ray è gravemente ammalato e questa potrebbe essere l'unica occasione per farlo deporre. Il fattore tempo è decisivo. Non è raro che in questi casi scoppino dispute furibonde fra gli avvocati delle due parti. Spesso è necessario correre a rintracciare il giudice perché risolva qualche problema per mezzo di una riunione telefonica. Se il giudice non si trova o se è impossibile sanare la controversia, la deposizione viene rimandata. Kipler è convinto che Drummond e compagni cercheranno di far saltare la deposizione con cavilli di procedura, per poi andarsene sbattendo la porta.

Se però Kipler sarà presente, la deposizione procederà senza inconvenienti. Deciderà sulle obiezioni e terrà in riga Drummond. E poi, spiega, è sabato e non ha altro da fare.

Inoltre credo che sia preoccupato per come me la caverò nella mia prima deposizione. Ha buoni motivi per preoccuparsi.

Venerdì notte non ho dormito per cercare di immaginare esattamente come potremo realizzare la deposizione in casa dei Black. È buia e umida e l'illuminazione è disastrosa, e questo è un fattore importante perché la testimonianza di Donny

Ray verrà registrata in videotape. I giurati dovranno avere la possibilità di vedere come si è ridotto. La casa non ha impianto di condizionamento e la temperatura si aggira intorno ai trentacinque gradi. È difficile immaginare cinque o sei avvocati e un giudice, più una stenografa del tribunale, un cameraman e Donny Ray a loro agio in quella casa.

Nei miei incubi ho visto Dot soffocarci tutti con nubi immense di fumo azzurro e Buddy seduto in macchina sul prato che lanciava bottiglie vuote di gin contro le finestre. Ho dormito meno di due ore.

Arrivo a casa dei Black un'ora prima della deposizione. Mi sembra più piccola e afosa. Donny Ray è seduto sul letto. Il suo umore è migliorato un po' e afferma di essere all'altezza della situazione. Ne abbiamo parlato per ore e una settimana fa gli ho consegnato un elenco dettagliato delle mie domande e di quelle che mi aspetto da parte di Drummond. Dice che è pronto e noto in lui una certa eccitazione nervosa. Dot sta preparando il caffè e lava le pareti. Stanno per arrivare un giudice e un gruppo di avvocati e Donny Ray mi racconta che sua madre ha continuato a pulire per tutta la notte. Buddy attraversa il soggiorno mentre io sposto un divano. È pulito e tirato a lucido. Ha una camicia bianca con le falde infilate a dovere nei pantaloni. Non riesco a immaginare quanto avrà strillato Dot per ottenere un simile risultato.

I miei clienti si sforzano di rendersi presentabili. Sono fiero di loro.

Deck arriva con un carico di materiale. Si è fatto prestare da un amico una vecchia telecamera grande almeno tre volte di più dei modelli attuali. Mi assicura che funzionerà benissimo. Lo presento ai Black. Lo guardano insospettiti, soprattutto Buddy, che è stato relegato a spolverare un tavolino. Deck scruta il soggiorno e la cucina e mi confida sottovoce che non c'è spazio a sufficienza. Trascina un treppiede in soggiorno rovesciando un portariviste e guadagnandosi un'occhiataccia di Buddy.

La casa è piena di tavolini, sgabelli e altri mobili inizio anni Sessanta, carichi di ninnoli da pochi soldi. Il caldo aumenta di minuto in minuto.

Il giudice Kipler arriva, saluta tutti, comincia a sudare e dopo un paio di minuti propone: «Diamo un'occhiata fuori». Mi segue oltre la porta della cucina, sul terrazzino di mattoni. Lungo il recinto in fondo, nell'angolo opposto alla Fairlane di Buddy, c'è una quercia che molto probabilmente fu piantata quando venne costruita la casa. Dà un'ombra gradevole. Io e Deck seguiamo Kipler sull'erba che è stata tagliata da poco ma non rastrellata. Il giudice nota la Fairlane con i gatti sul cofano e va a guardarla.

«Qui non andrebbe bene?» chiede fermandosi sotto la quercia. Lungo la recinzione c'è una siepe così fitta da impedire la vista del lotto adiacente, e in mezzo a questa vegetazione disordinata crescono quattro grandi pini. Bloccano il sole del mattino a est, e quindi il posto sotto la quercia è tollerabile, almeno per il momento. E la luce non manca.

«A me sembra adatto» dico, anche se nella mia pur molto limitata esperienza non ho mai sentito parlare di deposizioni all'aperto. Recito fra me e me una breve preghiera di ringraziamento per la presenza di Tyrone Kipler.

«Abbiamo una prolunga?» chiede.

«Sì, l'ho portata io» risponde Deck che s'è già mosso per andare a prenderla. «È di trenta metri.»

Il lotto è ampio circa venticinque metri e lungo forse trenta. Il prato davanti alla casa è più largo di quello sul retro, quindi il patio non è molto lontano. Non è lontana neppure la Fairlane. Anzi è lì, vicinissima. Artigli, il gatto da guardia, sta appollaiato maestosamente sul cofano e ci osserva insospettito.

«Portiamo qualche sedia» propone Kipler con la massima calma. Si rimbocca le maniche. Io, Dot e il giudice portiamo fuori le quattro sedie della cucina mentre Deck è alle prese con la prolunga e l'equipaggiamento. Buddy è scomparso. Dot ci lascia usare i mobili del patio, poi va a prendere dal locale della caldaia tre sedie di tela da giardino macchiate e ammuffite.

Dopo pochi minuti di lavoro, io e Kipler siamo fradici di sudore. E abbiamo attirato l'attenzione. Diversi vicini sono usciti dalle rispettive tane e ci osservano con la massima curiosità. C'è un bizzarro individuo con la testa enorme che traffica con i cavi elettrici e riesce ad avvolgerseli intorno alle caviglie. Ma cosa succede?

Arrivano due stenografe del tribunale quando mancano pochi minuti alle nove. Purtroppo va ad aprire Buddy, e poco manca che quelle fuggano prima che Dot le recuperi e le scorti nel prato. Grazie al cielo indossano pantaloni, non gonne. Parlano con Deck dell'attrezzatura e del materiale elettrico.

Drummond e il suo equipaggio si presentano alle nove in punto, non un minuto prima. Ha con sé due soli avvocati, B. Dewey Clay Hill III e Brandon Fuller Grone, vestiti come due gemelli: blazer blu, camicie di cotone bianco, pantaloni kaki perfettamente stirati, mocassini. Sono diverse soltanto le cravatte. Drummond non la porta.

Ci raggiungono sul prato e si mostrano sbalorditi nel vedere la scena. Io, Kipler e Deck siamo accaldati e sudati, e non ci interessa quello che pensano. «Solo tre?» chiedo contando la squadra della difesa, ma non trovano divertente il mio commento.

«Sedete lì» dice vostro onore, indicando le tre sedie di cucina. «E attenti ai cavi.» Deck ha teso cavi e fili elettrici tutto intorno all'albero e Grone ha l'aria di avere una gran paura di morire fulminato.

Io e Dot aiutiamo Donny Ray ad alzarsi dal letto, attraversare la casa e uscire sul prato. È debolissimo ma si sforza coraggiosamente di camminare senza aiuto. Mentre ci avviciniamo alla quercia, osservo attento Leo Drummond che vede il giovane per la prima volta. È impassibile e io vorrei gridargli: "Guardalo bene, Drummond! Guarda cos'hanno fatto i tuoi clienti". Ma non è colpa sua. La decisione di rifiutare di onorare la polizza è stata presa da un personaggio imprecisato della Great Eastern molto prima che Drummond venisse a conoscenza della situazione. È semplicemente la persona più vicina che io posso odiare.

Facciamo sedere Donny Ray su una poltrona a dondolo imbottita. Dot gli sprimaccia i cuscini e si prodiga perché stia il più possibile comodo. Lui respira affannosamente e ha la faccia madida. Mi pare che stia peggio del solito.

Lo presento a tutti: il giudice Kipler, le due stenografe, Deck, Drummond e gli altri due di Tinley Britt. È troppo debole per stringer loro la mano, e si limita a fare cenni di saluto con la testa mentre si sforza di sorridere.

Gli puntiamo direttamente la telecamera contro la faccia,

con l'obiettivo a non più di un metro e venti. Deck cerca di metterla a fuoco. Una delle stenografe è autorizzata dal tribunale a fare le riprese e cerca di convincere Deck a farsi da parte. Il video deve mostrare soltanto Donny Ray. Si sentiranno altre voci fuori campo, ma l'unica faccia che la giuria vedrà sarà quella del giovane.

Kipler mi dice di mettermi a destra di Donny Ray, mentre Drummond va a sinistra. Vostro onore mi siede accanto. Spingiamo tutti le sedie verso il testimone. Dot è in piedi dietro la telecamera, a una certa distanza, e segue con attenzione ogni movimento del figlio.

I vicini sono sopraffatti dalla curiosità e si sporgono dalla rete metallica, a meno di sei metri. Più avanti, lungo la strada, una radio alzata al massimo trasmette Conway Twitty, ma per il momento non è una distrazione. È sabato mattina, e il ronzio delle falciatrici e dei tosasiepi echeggia nel quartiere.

Donny Ray beve un sorso d'acqua e si sforza di non badare ai quattro avvocati e al giudice protesi verso di lui. Lo scopo della deposizione è evidente: la giuria deve sentire quanto ha da dichiarare perché sarà morto prima dell'inizio del dibattimento. Deve ispirare compassione. Non molti anni fa, la sua deposizione sarebbe stata fatta in modo normale. Uno stenografo del tribunale avrebbe trascritto domande e risposte, avrebbe battuto a macchina il verbale e in aula l'avremmo letto ai giurati. Ma la tecnologia ha fatto passi da gigante. Oggi molte deposizioni, soprattutto quelle a futura memoria rese da testimoni moribondi, vengono registrate su video e mostrate alla giuria. Questa verrà documentata anche con la macchina stenografica secondo la procedura classica: è stato Kipler a suggerirlo. In questo modo le parti in causa e il giudice potranno consultarla con comodo senza la necessità di assistere all'intero video.

La spesa di questa deposizione varia secondo la lunghezza. Gli stenografi del tribunale si fanno pagare un tanto a pagina, perciò Deck mi ha raccomandato di essere molto stringato. È la nostra deposizione, dovremo pagarla noi, e secondo le stime verrà a costare circa quattrocento dollari. Le cause civili costano molto.

Kipler chiede a Donny Ray se è pronto a incominciare,

quindi chiede a una stenografa di farlo giurare. Donny Ray giura di dire la verità. Dato che è il mio testimone e che questo deve costituire una prova, in contrapposizione con i normali tentativi alla cieca, il mio interrogatorio diretto deve conformarsi alle regole della ricerca delle prove. Sono molto agitato, ma la presenza di Kipler mi conforta.

Chiedo a Donny Ray nome, indirizzo, data di nascita, informazioni sui genitori e sui parenti. Sono dati fondamentali, facili per lui e per me. Risponde lentamente e guarda l'obiettivo come gli ho raccomandato. Conosce già tutte le domande che gli rivolgerò e molte di quelle che probabilmente gli farà Drummond. Ha alle spalle la quercia, uno sfondo gradevole. Ogni tanto si passa un fazzoletto sulla fronte ignorando gli sguardi incuriositi del nostro piccolo gruppo.

Non gli ho detto di mostrarsi debole e sofferente, ma sembra che Donny Ray lo stia facendo. O forse gli restano pochi giorni da vivere.

Di fronte a me, a poche decine di centimetri, Drummond, Grone e Hill tengono in equilibrio sulle ginocchia i bloc-notes e cercano di trascrivere ogni parola pronunciata da Donny Ray. Chissà quanto mettono in conto al cliente per le deposizioni che avvengono il sabato. Dopo un po' si tolgono i blazer blu e allentano le cravatte.

Durante una lunga pausa, la porta sul retro sbatte all'improvviso e Buddy appare barcollante nel patio. Ha cambiato camicia: adesso porta un pullover rosso tutto macchiato e regge un sacchetto di carta dall'aria sinistra. Cerco di concentrare l'attenzione sul mio testimone, ma con la coda dell'occhio non posso fare a meno di seguire Buddy che attraversa il prato e ci guarda diffidente. So dove sta andando.

La portiera della Fairlane è aperta e lui s'infila a ritroso nel posto di guida mentre i gatti schizzano fuori da tutti i finestrini. La faccia di Dot si contrae. Mi lancia un'occhiata nervosa. Mi affretto a scuotere la testa come per dirle: "Lo lasci in pace, è innocuo". Si capisce che lei vorrebbe ucciderlo.

Io e Donny Ray parliamo dei suoi studi, delle sue esperienze di lavoro, del fatto che non ha mai lasciato la famiglia, non si è mai iscritto alle liste elettorali, non ha mai avuto problemi con la legge. È meno difficile di quanto avessi immaginato stanotte, mentre mi dondolavo sull'amaca. Sto parlando come un avvocato vero.

Rivolgo a Donny Ray una serie di domande studiate, provate e riprovate, sulla sua malattia e sulle cure che non ha ricevuto. Mi muovo con prudenza, perché lui non può ripetere ciò che gli ha detto il dottore, non può avanzare ipotesi né esprimere opinioni di carattere medico. In questo caso, riferirebbe qualcosa che ha sentito dire. Nel corso del dibattimento saranno altri testimoni a parlarne, almeno spero. Gli occhi di Drummond si illuminano. Assimila ogni risposta, l'analizza in fretta e attende la successiva. È del tutto imperturbabile.

Donny Ray non può resistere più di tanto, mentalmente e fisicamente, e c'è un limite a quello che i giurati saranno disposti a vedere. Concludo in venti minuti senza attirarmi sulla testa obiezioni dalla controparte. Deck mi strizza l'occhio come per dirmi che sono grande.

Leo Drummond si presenta ufficialmente a Donny Ray, quindi spiega chi rappresenta e quanto gli dispiace trovarsi lì. In realtà non parla a Donny Ray, ma alla giuria. La voce è gentile e condiscendente, la voce di un uomo pieno di compassione.

Ha poche domande da fare. Chiede se Donny Ray ha mai lasciato questa casa, magari per una settimana o un mese, per andare a vivere altrove. Dato che ha più di diciotto anni, vorrebbero accertare se ha lasciato casa sua e quindi ha perso la copertura assicurativa della polizza stipulata dai genitori.

Donny Ray risponde sempre con un educato, sofferto «No, signore».

Drummond parla brevemente di altre coperture assicurative. Donny Ray ha mai stipulato polizze in proprio per l'assistenza medica? Ha mai lavorato per un'azienda che provvedeva a questo genere di assicurazione? Altre domande del genere ricevono la stessa risposta: «No, signore».

Anche se l'ambiente è insolito, è una situazione che Drummond ha affrontato molte volte. Con ogni probabilità ha preso migliaia di deposizioni e sa essere prudente. I giurati si arrabbierebbero se trattasse male questo giovane. Anzi, per lui è un'ottima occasione per dimostrare sincera compassione per il povero, piccolo Donny Ray. Inoltre sa che da questo testimone non ricaverà molte informazioni utili. Perché metterlo in croce?

Drummond conclude in meno di dieci minuti. Io non devo riprendere l'interrogatorio. Kipler annuncia che la deposizione è terminata. Dot si affretta a passare una salvietta bagnata sul viso del figlio. Donny Ray mi guarda per chiedere la mia approvazione, e io alzo il pollice per segnalare che è andato benissimo. Gli avvocati della difesa riprendono giacche e borse e si congedano. Non vedono l'ora di andarsene. Anch'io.

Il giudice comincia a riportare in casa le sedie, e tiene d'occhio Buddy ogni volta che passa davanti alla Fairlane. Artigli, il gatto da guardia, sta appollaiato al centro del cofano e si tiene pronto ad attaccare. Mi auguro che non ci siano spargimenti di sangue. Io e Dot aiutiamo Donny Ray a rientrare in casa. Un attimo prima che varchiamo la soglia guardo sulla mia sinistra. Deck sta parlando con la folla raccolta lungo la recinzione e distribuisce i miei biglietti da visita, da collaboratore servizievole.

29

La donna è nel mio appartamentino. È in piedi nel soggiorno e quando apro la porta ha in mano una delle mie riviste. Sobbalza e la lascia cadere quando mi vede. Spalanca la bocca. «E lei chi è?» chiede. Quasi lo grida.

Non ha l'aria della delinquente. «Abito qui. Lei, piuttosto, chi diavolo è?»

«Oh, mio Dio» esclama. Ansima in modo plateale, si porta una mano sul cuore.

«Cosa ci fa qui?» insisto. Sono veramente arrabbiato.

«Sono la moglie di Delbert.»

«E chi diavolo è Delbert? E com'è entrata?»

«Ma lei chi è?»

«Mi chiamo Rudy e vivo qui. Questa è un'abitazione privata.»

La donna si guarda intorno come per dire: "Già. Proprio un bel posto".

«Birdie mi ha dato la chiave e ha detto che potevo guardare.»

«Non è vero!»

«E invece sì!» La donna pesca una chiave dalla tasca dei calzoncini attillati e me la agita davanti al naso. Io chiudo gli occhi. Desidero con tutta l'anima strozzare la signora Birdie. «Mi chiamo Vera e vengo dalla Florida. Sono venuta a trovare Birdie per qualche giorno.»

Adesso ricordo. Delbert è il figlio minore della signora Birdie, quello che non si fa vedere da tre anni, non telefona e non scrive mai. Non ricordo se è Vera, quella che secondo la signora Birdie è una sgualdrina, ma l'epiteto le si adatterebbe. È sulla cinquantina, ha la pelle coriacea e abbronzata dal sole della Florida. Labbra arancio che brillano in una faccia affilata color rame. Braccia avvizzite. Calzoncini aderenti, gambe molto rugose ma splendidamente abbronzate e magrissime. Orrendi sandali gialli.

«Non ha nessun diritto di star qui» le dico, cercando di farmi passare la rabbia.

«Calma, calma.» Mi passa accanto beneficiandomi con una zaffata di profumo scadente misto a olio di cocco. «Birdie vuole vederla» annuncia mentre esce dall'appartamento. Ascolto il suono dei sandali che scendono i gradini sbatacchiando.

La signora Birdie è seduta sul divano a braccia conserte, e segue un altro telefilm idiota. Ignora il resto del mondo. Vera rovista nel frigo. Al tavolo di cucina c'è un altro essere abbronzatissimo, un omaccione con la permanente, i capelli tinti male e i basettoni grigi alla Elvis Presley, occhiali con la montatura d'oro e braccialetti d'oro. Un autentico magnaccia.

«Dev'essere l'avvocato» dice mentre mi chiudo la porta alle spalle. Davanti a lui, sul tavolo, ci sono diversi documenti che stava esaminando.

«Sono Rudy Baylor» rispondo. Mi fermo sul lato opposto del tavolo.

«E io Delbert Birdsong, il figlio minore di Birdie.» È prossimo ai sessant'anni e cerca disperatamente di dimostrarne quaranta.

«Lieto di conoscerla.»

«Già, un vero piacere.» Mi indica una sedia. «Si accomodi.»

«Perché?» I due sono qui da ore. In cucina e nel soggiorno adiacente c'è un'atmosfera carica di tensione. Vedo la nuca della signora Birdie. Non capisco se ascolta noi o la televisione. Il volume è basso.

«Volevo solo essere gentile» replica Delbert col tono del padrone di casa.

Vera non trova niente nel frigo e decide di accostarsi a noi. «Mi è saltato su» piagnucola rivolta a Delbert. «Mi ha ordinato di uscire dal suo appartamento. È stato molto cafone.»

«È così?» chiede Delbert.

«Certo che è così. Abito qui e vi dico di starmi fuori dai piedi. È una residenza privata.»

Delbert raddrizza le spalle. È il tipo che deve avere all'attivo parecchie risse nei bar. «La proprietaria è mia madre» obietta.

«Ed è anche la mia padrona di casa. Le pago l'affitto tutti i mesi.»

«Quanto?»

«Questo non la riguarda, signore. L'atto di proprietà della casa non è intestato a lei.»

«Direi che deve valere quattrocento o cinquecento dollari al mese.»

«Bene. Ha qualche altra opinione da esprimere?»

«Sì. Lei fa il furbo.»

«Benissimo. C'è altro? Sua moglie mi ha detto che la signora Birdie vuole vedermi.» Lo dico a voce abbastanza alta perché la signora Birdie mi senta. Ma non si muove di un centimetro.

Vera siede e si accosta a Delbert. Si scambiano un'occhiata d'intesa. Lui giocherella con l'angolo di un foglio di carta, si assesta gli occhiali, mi guarda e dice: «Ha pasticciato con il testamento di mamma?».

«Questo riguarda me e la signora Birdie.» Guardo il tavolo e scorgo la parte superiore di un documento. Lo riconosco: è il testamento, il più recente, credo, quello preparato dal suo ultimo avvocato. Ci resto molto male perché la signora Birdie ha sempre sostenuto che nessuno dei due figli, Delbert e Randolph, sa quanto denaro possiede. Però il testamento parla di un asse ereditario di una ventina di milioni di dollari. Adesso Delbert lo sa. Nelle ultime ore ha letto il testamento. Il terzo paragrafo, se non ricordo male, gli assegna due milioni.

Ma c'è una cosa ancora più inquietante: come ha fatto Delbert a mettere le mani sul documento? La signora Birdie non può averglielo consegnato di sua volontà.

«Un vero paraculo» commenta Delbert. «E magari si domanda perché la gente odia gli avvocati. Vengo a casa per vedere come sta la mamma e, maledizione, c'è un lurido avvocato che vive con lei. Non è il caso di preoccuparsi?»

È probabile. «Io vivo nell'appartamento» replico. «Un'abitazione privata con la porta chiusa a chiave. Se si azzarda di nuovo a entrarci, chiamo la polizia.»

Ricordo che tengo una copia del testamento della signora Birdie in un fascicolo sotto il letto. Non è possibile che l'abbiano trovato lì. Mi sento mancare all'idea di essere stato io, non la signora Birdie, a venir meno al mio dovere in una questione tanto delicata.

Non mi sorprende che lei faccia finta di non vedermi.

Non so cos'avesse scritto nei testamenti precedenti, quindi non so immaginare se Delbert e Vera sono felici di scoprire che potrebbero essere milionari o se sono arrabbiati perché non avranno di più. E per essere sincero, non voglio neppure saperlo.

Delbert sbuffa con fare irridente quando minaccio di chiamare la polizia. «Glielo chiedo di nuovo» riprende, facendo una brutta imitazione di Marlon Brando nel *Padrino*. «Ha preparato un testamento nuovo per mia madre?»

«Perché non lo chiede a lei?»

«Non vuol dire una parola» interviene Vera.

«Bene. Nemmeno io dirò niente. Sono vincolato dal segreto professionale.»

Delbert non capisce bene e non è abbastanza sveglio per attaccare da un'altra direzione. Per quello che ne sa lui, può darsi che stia violando la legge.

«Mi auguro che non si stia immischiando, amico» dice con la maggior grinta possibile.

Decido di andarmene. «Signora Birdie!» chiamo. Lei resta immobile per un secondo, poi afferra il telecomando e alza il volume.

A me sta bene. Mi rivolgo a Delbert e Vera. «Se vi avvicinate di nuovo al mio appartamento chiamo la polizia. Chiaro?»

Delbert scoppia in una risata forzata e anche Vera ridacchia. Sbatto la porta.

Non riesco a capire se i fascicoli sotto il mio letto sono stati toccati. Il testamento della signora Birdie è dove dovrebbe essere, mi pare. Non lo guardo da diverse settimane. Sembra tutto in ordine.

Chiudo la porta a chiave e la blocco incastrando una sedia sotto la maniglia.

Ho l'abitudine di andare in ufficio presto, verso le sette e mezzo, non perché sia oberato di lavoro o abbia appuntamenti in tribunale, ma perché mi piace bere un caffè in santa pace. Ogni giorno trascorro almeno un'ora organizzandomi e lavorando sul caso Black. Io e Deck cerchiamo di evitarci, ma a volte è difficile. E poi a poco a poco il telefono comincia a squillare più spesso.

Mi piace la tranquilla solitudine dell'ufficio prima dell'inizio della giornata.

Il lunedì Deck arriva tardi, verso le dieci. Parliamo per qualche minuto. Vuole che andiamo a pranzo presto, dice che è importante.

Usciamo alle undici e raggiungiamo a piedi un ristorante vegetariano a due isolati di distanza. Ordiniamo pizza e tè all'arancia. Deck è molto nervoso. Ha più tic del solito e gira la testa di scatto al minimo rumore.

«Ho una cosa da dirti» mi confida bisbigliando. Siamo in un séparé. Agli altri sei tavoli non ci sono clienti.

«Siamo al sicuro, Deck» cerco di rassicurarlo. «Cosa c'è?»

«Sabato sono partito, subito dopo la deposizione. Ho preso l'aereo per Dallas, poi per Las Vegas, e sono sceso al Pacific Hotel.»

Magnifico! È andato a divertirsi, a bere e a giocare d'azzardo. Ed è al verde.

«Ieri mattina mi sono alzato, ho parlato al telefono con Bruiser e lui mi ha detto di andar via. Ha detto che i federali mi avevano seguito da Memphis e che dovrei andarmene. Qualcuno mi ha sorvegliato durante il viaggio, ed era ora di tornare a Memphis. Mi ha raccomandato di dirti che i federali spiano ogni tua mossa perché sei l'unico avvocato che abbia lavorato per tutti e due, lui e Prince.»

Bevo un sorso di tè per bagnarmi la gola improvvisamente secca. «Sai dov'è Bruiser?» Lo dico con voce più alta di quanto avrei voluto, ma nessuno mi ascolta.

«No, non lo so» risponde Deck girando lo sguardo sul locale.

«Be', è a Las Vegas?»

«Ne dubito. Credo che mi abbia mandato a Las Vegas per

far credere ai federali che si trova là. Sembra proprio il posto dove andrebbe Bruiser, e quindi non c'è andato.»

La vista mi si è appannata e il cervello non vuol saperne di rallentare. Mi vengono in mente dieci o dodici domande, ma non posso farle tutte. Ci sono tante cose che mi piacerebbe sapere, e molte altre che dovrei continuare a ignorare. Ci guardiamo in faccia per un momento.

A essere sincero, credevo che Bruiser e Prince fossero a Singapore o in Australia e che nessuno avrebbe più sentito parlare di loro.

«Perché ti hanno contattato?» chiedo, diffidente.

Si morde le labbra come se stesse per piangere e lascia scorgere le punte dei quattro denti da castoro. Si gratta la testa. I minuti passano. Sembra che il tempo si sia fermato. «Ecco» dice abbassando ancora di più la voce «pare che abbiano lasciato qui una certa somma. E adesso loro la vogliono.»

«Loro?»

«A quanto pare sono ancora insieme, no?»

«Già. E cosa vogliono che tu faccia?»

«Be', non abbiamo parlato dei particolari. Ma secondo me vogliono che noi li aiutiamo a mettere le mani sui soldi.»

«Noi?»

«Già.»

«Tu e io?»

«Proprio noi.»

«Quant'è?»

«Non l'ha detto, ma immagino che sia un bel mucchio di dollari, altrimenti non sarebbero così preoccupati.»

«E dov'è?»

«Non me l'ha spiegato con precisione. Ha solo detto che sono contanti, chiusi da qualche parte.»

«E vuole che andiamo a prenderli?»

«Già. Ecco come stanno le cose, secondo me. I soldi sono nascosti in città, probabilmente abbastanza vicino a noi. I federali non li hanno trovati finora, perciò è difficile che li trovino in futuro. Bruiser e Prince si fidano di te e di me, e adesso noi siamo in una posizione semilegittima, sai, un vero studio legale, non un paio di lazzaroni da strada che si fregherebbero subito i soldi. Pensano che noi due possiamo caricarli su un camion, portarli da loro e fare felici tutti quanti.»

Impossibile capire fino a che punto siano ipotesi di Deck e fino a che punto si tratti delle spiegazioni di Bruiser. Preferisco non saperlo.

Però sono curioso. «E cosa ci guadagneremmo per il disturbo?»

«Non ne abbiamo discusso. Parecchio, comunque. E subito.»

Deck ha già fatto i conti.

«Niente da fare, Deck. Lascia perdere.»

«Sì, lo so» dice lui, rassegnato. Si è arreso al primo colpo.

«Troppo rischioso.»

«Appunto.»

«Sembra un'ottima possibilità, ma potremmo finire in galera.»

«Oh, certo, certo. Comunque dovevo dirtelo, ecco» e mi fa un cenno come se il pensiero di prendere in considerazione la cosa non lo sfiorasse nemmeno. Ci mettono davanti un piatto di crostini di mais blu e hummus. Seguiamo tutti e due con gli occhi il cameriere finché si allontana.

Ci ho pensato: sì, è vero, sono l'unico che ha lavorato per entrambi i latitanti, ma in tutta sincerità non avrei mai immaginato che i federali mi sorvegliassero. Ho perso l'appetito. Continuo ad avere la gola secca. Il minimo rumore mi fa trasalire.

Ci chiudiamo nei nostri pensieri e fissiamo i vari oggetti che sono sul tavolo. Non parliamo fino all'arrivo della pizza e mangiamo in silenzio. Mi piacerebbe conoscere i dettagli. Come ha fatto Bruiser a contattare Deck? Chi gli ha pagato il viaggio a Las Vegas? È la prima volta che si sono parlati dopo la latitanza dei due? E sarà l'ultima? Perché Bruiser s'interessa ancora a me?

Dalla nebbia emergono due pensieri. Uno è questo: se Bruiser ha potuto contare su collaboratori che hanno seguito i movimenti di Deck a Las Vegas e scoprire che era stato seguito lungo l'intero percorso, sicuramente può pagare qualcuno che ritiri il denaro a Memphis e glielo porti. Perché ricorre a noi? Perché non gli importa niente se ci prendono, ecco perché. In secondo luogo, i federali non si sono disturbati a interrogarmi perché non volevano mettermi in allarme. È stato molto più facile tenermi d'occhio perché non pensavo affatto a loro.

E poi mi viene in mente un altro pensiero. Senza dubbio il caro amico seduto di fronte a me aveva intenzione di intavolare una discussione seria su quei soldi. Sa più di quanto mi ha detto, e ha intavolato il discorso con un piano preciso.

Non sono tanto stupido da credere che mollerà l'osso facilmente.

L'arrivo quotidiano della posta è un avvenimento che comincio a paventare. Deck la ritira dopo pranzo come al solito e la porta in ufficio. C'è un grosso plico spedito da quei bravi signori di Tinley Britt e mentre lo apro trattengo il respiro. È stato inviato da Drummond, pone una serie di domande e chiede tutti i documenti noti all'attore o al suo avvocato. Inoltre elenca una serie di richieste di ammissione. Quest'ultimo è un abile sistema per costringere una parte avversa ad ammettere o negare per iscritto certi fatti esposti, e il termine utile è di trenta giorni. Se i fatti non vengono smentiti, si considerano ammessi in via definitiva. Il plico contiene inoltre l'avviso di verbalizzazione delle deposizioni di Dot e Buddy Black: tra due settimane, nel mio ufficio. Di solito, a quanto mi è stato detto, gli avvocati si consultano al telefono per concordare data, orario e luogo di una deposizione. Si chiama cortesia professionale, non porta via più di cinque minuti e fa in modo che tutto fili più liscio. Evidentemente Drummond ha dimenticato la buona educazione, oppure ha adottato la linea dura. Comunque sono ben deciso a cambiare data e luogo. Non ho nessun problema, ma è una questione di principio.

È incredibile. Il plico non contiene neppure un'istanza. Aspetterò domani.

Questo tipo di richiesta scritta deve avere risposta entro trenta giorni, e può essere presentata separatamente. La mia è quasi completa, e l'arrivo del plico di Drummond mi sprona ad agire. Sono deciso a mostrare al signor Pezzo Grosso che anch'io so fare la guerra delle scartoffie. Resterà impressionato, oppure si convincerà una volta di più di combattere contro un avvocato che non ha altro da fare.

È quasi buio quando mi fermo sul vialetto. Accanto alla macchina della signora Birdie ce ne sono due che non conosco, due Pontiac tirate a lucido con gli adesivi dell'Avis sui paraurti posteriori. Sento le voci mentre giro in punta di piedi intorno alla casa nella speranza di raggiungere il mio appartamento senza farmi vedere.

Sono rimasto allo studio fino a tardi soprattutto perché volevo evitare Delbert e Vera. Figurarsi se mi tocca tanta fortuna! Sono nel patio con la signora Birdie e bevono il tè. E ci sono altri visitatori.

«Eccolo» esclama Delbert a voce alta non appena mi vede. Cambio andatura e lancio un'occhiata verso il patio. «Venga un po' qui, Rudy.» Più che un invito, è un ordine.

Si alza mentre mi avvicino, e si alza anche un altro uomo. Delbert lo indica. «Rudy, questo è mio fratello Randolph.»

Io e Randolph ci scambiamo una stretta di mano. «Mia moglie June» dice lui e addita un'altra sgualdrina vecchiotta e abbronzata del tipo di Vera. Questa ha i capelli platinati. Le rivolgo un cenno di saluto, e lei mi lancia un'occhiata che vorrebbe incenerirmi.

«Signora Birdie» dico con un educato cenno di saluto alla mia padrona di casa.

«Salve, Rudy» risponde soavemente lei. È seduta sul divano di vimini a fianco di Delbert.

«Ci faccia compagnia» invita Randolph accennando a una sedia libera.

«No, grazie» rispondo. «Devo andare nel mio appartamento per controllare se qualcuno ha rubato qualcosa.» Mentre pronuncio queste parole, lancio un'occhiata a Vera. È seduta dietro il divano, un po' lontana dagli altri, probabilmente il più lontano possibile da June.

June è fra i quaranta e i quarantacinque. Il marito, se non ricordo male, ha passato i sessanta. Adesso ricordo: è lei che la signora Birdie ha definito sgualdrina. La terza moglie di Randolph, quella che batte sempre cassa.

«Non siamo stati nel suo appartamento» ribatte risentito Delbert.

Diversamente dal fratello così sgargiante, Randolph invecchia con dignità. Non è grasso, non si fa la permanente, non usa tinture e non è carico d'oro. Indossa una polo, un paio di bermuda, calzini bianchi e scarpe bianche di tela. È abbronzato come tutti gli altri. Potrebbe passare per un dirigente d'azienda in pensione, completo di mogliettina di plastica. «Per quanto tempo ha intenzione di vivere qui, Rudy?» mi chiede.

«Non sapevo che sto per andarmene.»

«Non ho detto questo. Sono soltanto curioso. Mamma dice che non c'è contratto d'affitto, quindi ci tenevo a saperlo.»

«E perché?» La situazione sta cambiando molto in fretta. Ancora ieri sera la signora Birdie non ha parlato di contratti.

«Perché d'ora in avanti aiuterò io la mamma a curare i suoi affari. L'affitto è molto basso.»

«Senza dubbio» aggiunge June.

«Non si è mai lamentata, vero, signora Birdie?» domando.

«Be', no» risponde lei. Esita come se avesse pensato di lamentarsi, ma non ne avesse trovato il tempo.

Potrei parlare della pacciamatura e della pulizia dalle erbacce, ma ho deciso di non discutere con questi idioti. «E allora?» dico. «Se la proprietaria è soddisfatta, cosa vi preoccupa?»

«Non vogliamo che qualcuno approfitti della mamma» dice Delbert.

«Su, Delbert» interviene Randolph.

«Chi approfitta di lei?» chiedo.

«Be', nessuno, però...»

«Quello che sta cercando di dire» lo interrompe Randolph «è che d'ora in avanti le cose andranno diversamente. Siamo qui per aiutare la mamma e siamo preoccupati per i suoi interessi. Ecco tutto.»

Mentre Randolph parla, io guardo la signora Birdie: è radiosa. I suoi figli sono qui, si preoccupano per lei, fanno domande, avanzano richieste, la proteggono. Anche se sono convinto che disprezzi le due attuali nuore, è contenta.

«Benissimo» dico. «A me basta esser lasciato in pace. E state alla larga dal mio appartamento.» Giro sui tacchi e mi allontano in fretta, lasciando in sospeso molte cose e molte domande che avevano intenzione di fare. Mi chiudo dentro a chiave, mangio un sandwich e nel buio, attraverso una finestra, li sento chiacchierare in lontananza.

Dedico qualche minuto alla ricostruzione del raduno di famiglia. Ieri Delbert e Vera sono arrivati dalla Florida, per una ragione che forse non conoscerò mai. Chissà come, hanno trovato l'ultimo testamento della signora Birdie, hanno visto che aveva una ventina di milioni da lasciare in eredità e hanno cominciato a interessarsi a lei. Hanno scoperto che nella sua proprietà vive un avvocato, e si sono preoccupati. Delbert ha chiamato Randolph, che abita in Florida anche lui e si è precipitato qui con la moglie a rimorchio. Oggi hanno torchiato la madre su tutti gli argomenti possibili e immaginabili, e si sono autonominati suoi protettori.

Per essere sincero, non me ne importa niente. Non posso fare a meno di ridacchiare fra me di quel raduno di famiglia. Mi domando quanto ci metteranno a scoprire la verità.

Al momento la signora Birdie è felice, e io sono felice per lei.

30

Arrivo in anticipo all'appuntamento col dottor Walter Kord fissato per le nove. Non serve a niente. Aspetto un'ora e leggo la documentazione medica di Donny Ray che conosco già a memoria. L'anticamera si riempie di malati di cancro. Cerco di non guardarli.

Alle dieci un'infermiera viene a chiamarmi. La seguo in un ambulatorio privo di finestre in fondo a una specie di labirinto. Ci sono tante specializzazioni in medicina: come si fa a scegliere l'oncologia? Be', immagino che qualcuno debba pur farlo.

E d'altra parte, come si fa a scegliere di studiare legge?

Siedo con la pratica sulle ginocchia e aspetto un altro quarto d'ora. Sento voci nel corridoio, poi la porta si apre. Entra un uomo sui trentacinque anni. «Il signor Baylor?» chiede tendendomi la mano. Mi alzo e gliela stringo.

«Sì.»

«Sono Walter Kord. Ho molta fretta. Possiamo sbrigarci in cinque minuti?»

«Penso di sì.»

«Lo spero. Ho molti pazienti» dice, e riesce a sorridere. So molto bene che i medici detestano gli avvocati. Tutto sommato, non posso dargli torto.

«La ringrazio per la dichiarazione giurata. È stata utile. Abbiamo già preso la deposizione di Donny Ray.»

«Benissimo.» È alto una decina di centimetri più di me e mi guarda dall'alto in basso come se fossi un ragazzino.

Mi faccio coraggio e dichiaro: «Abbiamo bisogno della sua testimonianza».

La sua reazione è tipica dei medici. Odiano i tribunali, e per evitarli a volte acconsentono a fare deposizioni che possono venire utilizzate in luogo della loro presenza in carne e ossa. Non sono obbligati ad accettare. E quando non lo fanno, ogni tanto gli avvocati sono costretti a ricorrere a un'arma letale: il mandato di comparizione. Infatti abbiamo il potere di far emettere mandati di comparizione per tutti o quasi tutti, inclusi i medici. In questo senso, perciò, gli avvocati hanno potere sui dottori, e i dottori li detestano ancora di più.

«Sono molto impegnato» dice Kord.

«Lo so. Non è per me. È per Donny Ray.»

Aggrotta la fronte e respira a fondo come se fosse a disagio fisicamente. «Per una deposizione mi faccio pagare cinquecento dollari l'ora.»

La risposta non mi scandalizza perché me l'aspettavo. All'università ho sentito parlare di medici che si fanno pagare anche di più. Ma sono qui per supplicare. «Non posso permettermelo, dottor Kord. Ho aperto lo studio sei settimane fa, e sto per morire di fame. Questo è l'unico caso decente che ho per le mani.»

È sorprendente vedere cosa può fare la verità. Probabilmente quest'uomo guadagna un milione di dollari l'anno, e la mia sincerità lo disarma. Leggo la pietà nei suoi occhi. Esita per un secondo. Forse pensa a Donny Ray e alla frustrazione di non poterlo aiutare. Forse gli faccio pena. Chissà?

«Le manderò un conto, d'accordo? Mi pagherà quando potrà.»

«Grazie, dottore.»

«Parli con la mia segretaria e fissi la data. Possiamo farlo qui?»

«Certamente.»

«Bene. Ora devo scappare.»

Quando rientro, Deck è nel suo ufficio con una cliente. È una donna di mezza età, grassa e vestita decorosamente. Lui mi fa un cenno quando passo davanti alla porta. Mi presenta alla signora Madge Dresser, che vuole divorziare. La signora ha pianto, e quando mi curvo sulla scrivania accanto a Deck, lui mi passa un foglietto: «I soldi non le mancano».

Passiamo un'ora con Madge. È una storia sordida. Alcol, botte, altre donne, gioco d'azzardo, figli carogna, e lei non ha fatto niente di male. Due anni fa ha chiesto il divorzio e il marito ha sparato contro la vetrata dello studio del suo avvocato. Gioca con le armi da fuoco ed è pericoloso. Lancio un'occhiata a Deck mentre Madge parla, ma lui non mi guarda.

Madge paga un acconto di seicento dollari in contanti e ne promette altri. Domani presenteremo l'istanza di divorzio. Deck la assicura che è in buone mani.

Pochi minuti dopo che è uscita, squilla il telefono. Una voce maschile chiede di me. Mi identifico.

«Buongiorno, Rudy, sono l'avvocato Roger Rice. Non credo che ci conosciamo.»

Ho conosciuto quasi tutti gli avvocati di Memphis quando cercavo lavoro, ma non ricordo Roger Rice. «No, non mi pare. Sono nuovo del mestiere.»

«Lo so, ho dovuto chiamare il servizio abbonati del telefono per avere il suo numero. Senta, sono qui con due fratelli, Randolph e Delbert Birdsong e la loro madre, Birdie. Mi risulta che li conosce.»

Mi sembra di vedere Birdie seduta in mezzo ai figli, mentre sorride come una stupida e ripete: "Che bella cosa".

«Certo. Conosco bene la signora Birdie» dico, come se avessi atteso tutto il giorno la telefonata.

«Per la precisione, sono nell'altra stanza. Li ho lasciati nella sala riunioni per poterle parlare con calma. Sto lavorando sul testamento della signora Birdie e c'è di mezzo un pozzo di soldi. Dicono che lei ha cercato di prepararne un altro.»

«È vero. Ho preparato una bozza diversi mesi fa, ma la signora Birdie non era molto propensa a firmarlo.»

«Perché?» Rice è abbastanza cordiale, si limita a fare il suo lavoro e non è colpa sua se i tre si sono rivolti a lui. Gli riferisco concisamente che la signora Birdie aveva intenzione di lasciare il suo patrimonio al reverendo Kenneth Chandler.

«Ha davvero un patrimonio del genere?» chiede Rice.

Non posso dirgli come stanno le cose. Sarebbe contrario all'etica professionale rivelare informazioni sulla signora Birdie senza il consenso dell'interessata. E le informazioni che interessano a Rice le ho ottenute con mezzi discutibili, forse illegali. Ho le mani legate.

«Cosa le ha detto?» chiedo.

«Non molto. Mi ha parlato di un grosso patrimonio ad Atlanta, lasciato dal secondo marito. Ma ogni volta che cerco di farmi dare elementi più precisi diventa sfuggente.»

Mi sembra il tipico comportamento della signora Birdie.

«Perché vuol fare un altro testamento?» domando.

«Intende lasciare tutto ai familiari... i figli e i nipoti. E vorrei sapere se ha davvero tanti soldi.»

«Di questo non sono sicuro. Ad Atlanta nel tribunale per la convalida dei testamenti, c'è una pratica che è stata messa sotto sigilli, ed è tutto quello che so.»

Rice non è ancora soddisfatto, ma io ho ben poco da aggiungere. Prometto di faxargli nome e numero di telefono dell'avvocato di Atlanta.

Quando arrivo a casa, dopo le nove, ci sono altre macchine a nolo sul viale. Sono costretto a parcheggiare in strada, e questo mi irrita. Sguscio furtivo nell'oscurità e passo inosservato accanto alla festicciola che si svolge nel patio.

Devono essere i nipoti. Dalla finestra del mio soggiorno, seduto al buio, ascolto le voci mentre mangio un po' di pollo. Riconosco quelle di Delbert e di Randolph. La risata starnazzante della signora Birdie lacera ogni tanto l'aria umida. Le altre voci sono più giovani.

Devono aver combinato una specie di chiamata al 113. Presto, correte! È piena di soldi. Sapevamo che la vecchia aveva qualcosa da parte, ma non un simile patrimonio. Una telefonata ha tirato l'altra e tutta la famiglia è stata avvertita. Vieni subito! C'è il tuo nome nel testamento e la parte che ti spetta è un milione di dollari. Ma lei sta pensando di cambiarlo. Mettiamo i carri in cerchio. È arrivato il momento di volere tanto bene a nonnina.

31

Su consiglio del giudice Kipler e con la sua benedizione, ci riuniamo nella sua aula per la deposizione di Dot. Drummond l'aveva fissata nel mio ufficio senza consultarmi, ma mi sono rifiutato di accettare la data e il luogo. Kipler è intervenuto, ha chiamato Drummond e ha risolto il problema in pochi secondi.

Quando abbiamo fatto la deposizione di Donny Ray, tutti hanno visto Buddy a bordo della Fairlane. Ho spiegato a Kipler e anche a Drummond che secondo me non dovremmo farlo deporre. Come dice Dot, non c'è con la testa. Il poveraccio è innocuo e non sa niente della grana con l'assicurazione. In tutta la pratica niente indica che Buddy abbia mai avuto a che fare con questa storia. Non l'ho mai sentito pronunciare una frase completa. Non credo che riuscirebbe a sopravvivere alle tensioni di una deposizione prolungata. Potrebbe dare in escandescenze e malmenare qualche avvocato.

Dot lo lascia a casa. Ieri ho passato due ore con lei e l'ho preparata alle domande di Drummond. Deporrà anche nel dibattimento, quindi questa è una deposizione da inquadrare negli accertamenti, non tra le prove. Drummond la interrogherà per primo; le rivolgerà in pratica tutte le domande possibili e immaginabili, e quasi sempre avrà campo libero. Ci vorranno ore.

Kipler vuole essere presente anche questa volta. Ci riuniamo intorno a uno dei tavoli degli avvocati di fronte al banco del giudice e lui orchestra il cameraman e la stenografa. È a casa sua e vuole che tutto sia fatto a modo suo.

Secondo me, ha paura che Drummond mi travolga se lo affronto da solo. L'attrito fra i due è così profondo che sopportano a malapena di guardarsi. Per me, è meraviglioso.

Alla povera Dot tremano le mani quando si siede, tutta sola, in fondo al tavolo. Le sono vicino, ma forse questo la innervosisce ancora di più. Ha indossato la camicetta di cotone più bella e i jeans più nuovi. Le ho spiegato che non ha bisogno di vestirsi bene perché il video non sarà mostrato ai giurati. Nel dibattimento, invece, sarà importante che si vesta in modo adatto. Dio solo sa cosa faremo con Buddy.

Kipler è seduto dalla mia parte del tavolo ma lontano per quanto è possibile, accanto alla telecamera. Di fronte ci sono Drummond e tre assistenti: B. Dewey Clay Hill III, M. Alec Plunk Jr. e Brandon Fuller Grone.

Deck è in tribunale. Sta in fondo al corridoio, da qualche parte, e tende agguati a possibili clienti ignari. Ha detto che forse farà una scappata più tardi.

Quindi ci sono cinque avvocati e un giudice che fissano Dot Black mentre alza la mano destra e giura di dire la verità. Tremerebbero le mani anche a me. Drummond le rivolge un sorriso a trentadue denti e impiega cinque minuti per spiegare con grande cordialità lo scopo di una deposizione. Vogliamo scoprire la verità. Lui non cercherà di confonderla o di metterla fuori strada. Lei è libera di consultarsi con il suo ottimo avvocato e così via. Drummond non ha nessuna fretta. I minuti passano.

La prima ora è dedicata alla storia della famiglia. Come al solito Drummond è perfettamente preparato. Passa da un argomento all'altro: istruzione, lavoro, abitazioni, hobby... e fa domande che a me non verrebbero mai in mente. Per la maggior parte sono sciocchezze prive d'importanza, ma è appunto ciò che fanno gli avvocati capaci ed esperti in questo genere di deposizioni. Chiedi, scava, insisti, scava ancora di più: non sai mai cosa puoi trovare. E se Drummond trovasse qualcosa di incredibilmente piccante, diciamo una gravidanza in minore età, non servirebbe a niente. Non potrebbe usarlo nel dibattimento: sarebbe non pertinente. Ma le regole ammettono queste assurdità, e il suo cliente gli paga una barca di soldi perché peschi nel buio.

Kipler annuncia una pausa e Dot si precipita nel corridoio. Si mette la sigaretta fra le labbra prima di varcare la porta. Ci fermiamo accanto a una fontanella.

«Se la cava benissimo» le dico, ed è vero.

«Quel figlio di puttana mi farà domande sulla mia vita sessuale?»

«È probabile.» Immagino Dot e il marito a letto mentre fanno l'amore, e poco ci manca che debba scappare a vomitare.

Lei lancia uno sbuffo di fumo come se dovesse essere l'ultimo.

«Non può farlo smettere?»

«Sì, se esce dal seminato. Ma ha il diritto di far domande su quasi tutti gli argomenti.»

«Bastardo ficcanaso.»

La seconda ora procede lentamente come la prima. Drummond si addentra nella situazione finanziaria dei Black, e veniamo a sapere dell'acquisto della casa e delle automobili, inclusa la Fairlane, e degli elettrodomestici più importanti. A questo punto Kipler ne ha abbastanza e sollecita Drummond a venire al dunque. Così apprendiamo molte cose sul conto di Buddy, le sue ferite in guerra e i posti di lavoro e la pensione. E i suoi hobby e il modo in cui passa le giornate.

Piuttosto seccato, Kipler invita Drummond a far domande pertinenti.

Dot ci fa sapere che deve andare in bagno. Le avevo raccomandato di farlo ogni volta che si sentiva stanca. Fuma tre sigarette una dietro l'altra nel corridoio mentre parlo con lei e cerco di schivare il fumo.

A metà della terza ora arriviamo finalmente alla richiesta rivolta alla Great Eastern. Ho preparato copie di tutti i documenti relativi, incluse le cartelle cliniche di Donny Ray. Sono ammucchiati in ordine sul tavolo. Kipler li ha già esaminati. Siamo nella situazione rara e invidiabile di non avere documenti sfavorevoli. Non abbiamo niente da nascondere. Drummond può vederli tutti.

Secondo Kipler e Deck, in questi casi non è raro che una società di assicurazioni nasconda qualcosa ai propri avvocati. Anzi succede molto spesso, soprattutto quando la società ha panni molto sporchi da lavare e vorrebbe insabbiarli.

Durante una lezione di procedura dibattimentale, l'anno scorso, abbiamo studiato con il più grande sbalordimento molti casi in cui le aziende in torto erano state inchiodate perché avevano cercato di nascondere parecchi documenti ai loro avvocati.

Sono emozionato quando passiamo alla documentazione. Lo è anche Kipler. Drummond l'ha già richiesta quando mi ha presentato le sue richieste scritte, ma io ho a disposizione un'altra settimana prima di dovergli rispondere, e voglio vedere la sua faccia quando leggerà la Lettera alla Stupida. Ci tiene anche Kipler.

Presumiamo che abbia già visto tutto o quasi tutto ciò che sta sul tavolo davanti a Dot. Ha avuto i documenti dai suoi clienti. Io ho avuto i miei dai Black. Ma pensiamo che molti siano gli stessi. Anzi, ho presentato una richiesta scritta per la produzione dei documenti che è identica a quella di Drummond. Quando risponderà alla mia richiesta, mi manderà copie di documenti che io ho in mano da tre mesi. La pista di carta.

Più tardi, se le cose andranno secondo i piani, verrò a conoscenza di una nuova infornata di documenti provenienti dalla sede centrale di Cleveland.

Cominciamo con la domanda di liquidazione e la polizza. Dot la passa a Drummond che la esamina in fretta e la passa a Hill; questi la consegna a Plunk che a sua volta la gira a Grone. Ci vuole tempo perché quei buffoni esaminino ogni pagina. Hanno per le mani da mesi la domanda e la polizza. Ma il tempo è denaro. Poi la stenografa l'allega alla deposizione di Dot.

Il secondo documento è la prima lettera di rifiuto, che passa di mano in mano intorno al tavolo. La stessa procedura si ripete per le altre lettere di rifiuto. Devo fare uno sforzo disperato per non addormentarmi.

Poi viene la Lettera alla Stupida. Ho raccomandato a Dot di consegnarla a Drummond senza anticipare il contenuto. Non voglio metterlo sull'avviso, caso mai non l'avesse mai vista. Per Dot è difficile, perché quella lettera è una provocazione troppo forte. Drummond la prende e legge:

Cara signora Black,
già in sette occasioni precedenti questa compagnia ha respinto

per iscritto la sua richiesta. Ora la respingiamo per l'ottava e ultima volta. Lei dev'essere stupida, stupida, stupida!

Drummond, che ha passato gli ultimi trent'anni della sua vita nei tribunali, è un attore superbo. Mi accorgo subito che non ha mai visto la lettera. I suoi clienti non l'hanno inclusa nella documentazione, e per lui è un colpo durissimo. Socchiude leggermente le labbra. Aggrotta la fronte in tre grosse rughe. Spalanca gli occhi. Legge la lettera per la seconda volta.

Poi fa qualcosa che più tardi si pentirà di aver fatto. Alza gli occhi dal foglio e mi guarda. Naturalmente io lo sto fissando con quel tipo di espressione che significa: "Ti ho beccato, vecchio mio".

Drummond peggiora la situazione guardando Kipler, che osserva la sua mimica facciale, i tic, i battiti di ciglia e capisce tutto. Drummond è sbalordito nel vedere che cosa ha in mano.

Si riprende con prontezza, ma ormai il danno è fatto. Passa la lettera a Hill, che è semiaddormentato e non si accorge che il suo superiore gli ha consegnato una bomba. Fissiamo Hill per qualche secondo. Poi si rende conto della realtà.

«Interrompiamo la messa a verbale» interviene Kipler. La stenografa si ferma, l'operatore spegne la telecamera. «Signor Drummond, per me è evidente che non ha mai visto quella lettera prima d'ora. E immagino che non sarà né il primo né l'ultimo documento che il suo cliente cerca di nascondere. Ho fatto causa a molte società di assicurazione e so per esperienza che certi documenti hanno il vizio di smarrirsi.» Kipler si tende e punta l'indice verso Drummond. «Se scoprirò che lei o il suo cliente nascondete qualche documento all'attore, prenderò provvedimenti contro entrambi, e includerò spese e onorari pari a quelli che lei mette in conto al suo cliente. Mi ha capito?»

Queste sanzioni sarebbero per me l'unico modo di guadagnare duecentocinquanta dollari l'ora.

Drummond e la sua squadra sono ancora frastornati. Immagino come una giuria considererebbe quella lettera, e sono sicuro che stanno pensando alla stessa cosa.

«Mi accusa di nascondere documenti, vostro onore?»

«Per ora, no.» Kipler continua a puntargli contro l'indice. «È solo un avvertimento.»

«Credo che dovrebbe rinunciare al caso, vostro onore.»
«La sua è un'istanza?»
«Sì, signore.»
«Respinta. C'è altro?»
Drummond rimescola le carte e guadagna qualche secondo. La tensione si placa. La povera Dot è impietrita; forse teme di aver fatto qualcosa che ha provocato lo scontro. Anch'io sono un po' frastornato.
«Riprendiamo con la messa a verbale» dice Kipler senza distogliere lo sguardo da Drummond.
Ci sono altre domande e altre risposte, altri documenti passano per la catena di montaggio. Facciamo pausa per il pranzo a mezzogiorno e mezzo, e un'ora dopo siamo di ritorno. Dot è esausta.
In tono piuttosto severo, Kipler invita Drummond a sbrigarsi. Drummond ci prova, ma è difficile. È abituato da troppo tempo con questo sistema, gli ha fruttato tanto che sarebbe capace di continuare a far domande in eterno.
La mia cliente adotta una strategia che mi entusiasma. Spiega in via confidenziale al gruppo che ha un disturbo alla vescica. Niente di grave, sia chiaro; ma diavolo, ha quasi sessant'anni. E col passare delle ore, ha bisogno sempre più spesso di andare in bagno. Drummond, ovviamente, le rivolge una dozzina di domande sulle condizioni della sua vescica, ma alla fine Kipler lo interrompe. Perciò a intervalli di un quarto d'ora Dot si scusa e lascia l'aula. E se la prende comoda.
Sono sicuro che la sua vescica funziona benissimo e che si chiude in bagno per fumare come una ciminiera. Questa strategia le permette di calmarsi, ma sfianca Drummond.
Alle tre e mezzo, dopo sei ore e mezzo, Kipler annuncia che la deposizione è terminata.

Per la prima volta, dopo oltre due settimane, tutte le macchine a noleggio sono sparite. La Cadillac della signora Birdie è rimasta sola. Le parcheggio dietro, al solito posto, e giro intorno alla casa. Non c'è nessuno.
Se ne sono andati, finalmente. Non parlo con la signora Birdie dal giorno dell'arrivo di Delbert, e abbiamo diverse cose

da discutere. Non sono arrabbiato, ma voglio fare due chiacchiere con lei.

Sono arrivato alla scala che porta al mio appartamento quando sento una voce. Non è la signora Birdie.

«Rudy, ha un minuto?» È Randolph che si alza da una sedia a dondolo del patio.

Lascio borsa e giacca sui gradini e lo raggiungo.

«Si accomodi» mi invita Randolph. «Dobbiamo parlare.» Mi sembra di ottimo umore.

«Dov'è la signora Birdie?» chiedo. In casa le luci sono spente.

«È... ecco, starà via un po'. Vuole passare un po' di tempo con noi in Florida. È partita in aereo questa mattina.»

«Quando tornerà?» La cosa non mi riguarda, ma non posso fare a meno di domandarlo.

«Non lo so. Forse non tornerà. Senta, io e Delbert cureremo i suoi interessi, d'ora in poi. Per un po' di tempo avevamo lasciato perdere, ma adesso vuole che ci occupiamo di tutto. E noi vogliamo che lei rimanga qui. Anzi, le proponiamo un buon affare. Rimanga, badi alla casa, curi il giardino e non dovrà pagare l'affitto.»

«Cosa intende quando dice che dovrei badare alla casa?»

«Ecco, la manutenzione generale, niente di impegnativo. Mamma dice che ha fatto un ottimo lavoro come giardiniere quest'estate; può continuare a farlo. Ci faremo inoltrare la posta, quindi non avrà questo problema. Per qualsiasi cosa, mi telefoni. È un buon affare, Rudy.»

Certo che lo è. «Accetto» rispondo.

«Bene. Mamma l'ha in simpatia, sa. Dice che è un bravo giovane, molto fidato. Anche se avvocato. Ah, ah, ah!»

«E la macchina?»

«La prenderò io per andare in Florida, domani.» Mi consegna una grossa busta. «Qui ci sono le chiavi della casa, i numeri di telefono dell'assicuratore, del servizio antifurto, roba del genere. E il mio indirizzo e il mio numero di telefono.»

«Dove abiterà la signora Birdie?»

«Con noi, vicino a Tampa. Abbiamo una casetta carina con una camera per gli ospiti. Sarà ben sistemata. Due dei miei figli abitano nelle vicinanze e quindi non le mancherà la compagnia.»

Mi sembra di vederli mentre si fanno in quattro per circondare di premure la nonnina. Per un po' saranno felici di farlo. Sperano che non viva a lungo. Non vedono l'ora che muoia per diventare tutti ricchi. Stento a reprimere un sorriso maligno.

«È un'ottima cosa» dico. «Era molto sola.»

«Ha molta simpatia per lei, Rudy. È stato gentile con la mamma.» La voce è bassa e sincera, e io provo un senso di tristezza.

Ci scambiamo una stretta di mano e ci salutiamo.

Mi dondolo sull'amaca, caccio le zanzare, guardo la luna e dubito che rivedrò la signora Birdie. Quelli la terranno tra le grinfie finché morirà, e faranno in modo che non possa cambiare il testamento. Mi rimorde un po' la coscienza perché conosco la verità sulla sua presunta ricchezza; ma è un segreto che non posso rivelare.

Nello stesso tempo non posso fare a meno di sorridere del suo destino. Ha lasciato questa vecchia casa solitaria e adesso è circondata dai suoi familiari. È diventata il centro dell'attenzione, il ruolo che preferisce. La ricordo al Cypress Gardens Senior Citizens Building... Come si lavorava la folla, dirigeva i canti, teneva discorsetti, si dava da fare per Bosco e gli altri vecchi. Ha un cuore d'oro, ma vuole attirare l'attenzione.

Spero che il sole le faccia bene. Le auguro di essere felice. Chissà chi prenderà il suo posto al Cypress Gardens.

32

Sospetto che Booker abbia scelto questo ristorante di lusso perché ha buone notizie da darmi. Sul tavolo scintilla l'argenteria. I tovaglioli sono di lino. Deve avere un cliente che paga tutto questo.

Arriva con un quarto d'ora di ritardo: non è da lui, ma in questi giorni ha molto da fare e le sue prime parole sono: «Mi hanno promosso». Beviamo un po' d'acqua mentre mi fa un resoconto animato del suo appello alla Commissione d'esame. Hanno riclassificato i suoi risultati, hanno aumentato di tre punti il totale e adesso è un avvocato con tutti i crismi della legalità. Non l'ho mai visto sorridere tanto. Solo altri due del nostro gruppo hanno visto accolto il loro appello. Sara Plankmore non è tra loro. Booker ha sentito dire che ha avuto un punteggio penoso e potrebbe rimetterci il posto presso la procura federale.

Nonostante l'opposizione di Booker, ordino una bottiglia di champagne e spiego al cameriere di portare il conto a me. Il denaro non si può nascondere.

Arrivano le nostre ordinazioni, fettine di salmone piccolissime ma presentate in modo splendido. Le ammiriamo un po' prima di mangiarle. Shankle sta facendo trottare Booker da ogni parte per quindici ore al giorno, ma Charlene è una donna molto paziente. Capisce che deve sacrificarsi nei primi anni, per mietere grandi ricompense più tardi. Per il momento ringrazio il cielo di non avere moglie e figli.

Parliamo di Kipler: ha confidato qualcosa a Shankle, e la voce si è sparsa. Gli avvocati non sono capaci di mantenere i segreti. Shankle ha detto a Booker che Kipler gli ha detto che il suo amico, cioè io, ha per le mani un caso che potrebbe valere parecchi milioni. Evidentemente il giudice si è convinto che ho messo la Great Eastern con le spalle al muro, e adesso si tratta solo di vedere quanto ci assegnerà la giuria. Kipler è ben deciso a portarmi tutto d'un pezzo davanti ai giurati.

Sono pettegolezzi meravigliosi.

Booker vuol sapere cos'altro sto facendo. A quanto pare, Kipler deve aver lasciato capire che non ho molto da fare o qualcosa del genere.

Mentre mangiamo la torta di ricotta, mi dice di avere qualche pratica che potrebbe interessarmi. Si spiega meglio. Il secondo mobilificio di Memphis in ordine di grandezza si chiama Ruffin ed è una società appartenente a un gruppo di neri. Ha diversi negozi sparsi nella città. Tutti conoscono Ruffin soprattutto perché in tarda serata trasmette spot pubblicitari che offrono ottimi affari senza anticipi. Guadagnano circa otto milioni l'anno, dice Booker, e Marvin Shankle è il loro avvocato. Fanno credito a tutti e hanno molti debitori insolventi. È tipico del loro genere di attività. Lo studio Shankle si è trovato oberato da una quantità di pratiche per il recupero dei crediti di Ruffin.

M'interesserebbe occuparmi di qualcuna di quelle pratiche?

I giovani brillanti non corrono a iscriversi alla facoltà di legge sognando di recuperare crediti. I convenuti sono persone che hanno acquistato mobili da poco prezzo. Il cliente non rivuole i mobili, bensì i soldi. In moltissimi casi il convenuto non si presenta e non fa opposizione, quindi l'avvocato deve attaccarsi ai beni personali o agli stipendi. Può essere pericoloso. Tre anni fa un avvocato di Memphis è stato ferito, ma non ucciso, da un giovanotto inferocito perché gli avevano appena pignorato la busta paga.

Queste pratiche sono redditizie se sono molte, dato che ogni causa vale poche centinaia di dollari. La legge consente il recupero degli onorari e delle spese legali.

È un lavoro sgradevole ma, e Booker me lo propone per questo, dalle pratiche si possono spremere gli onorari: modesti, d'accordo, ma il volume può produrne abbastanza da portarsi a casa vitto e alloggio.

«Posso mandartene una cinquantina» mi dice. «E i moduli necessari. E ti aiuterò a depositare la prima infornata. C'è un sistema.»

«Qual è in media l'onorario?»

«Difficile dirlo perché per certe pratiche non si incassa un centesimo, se i debitori hanno cambiato città o se chiedono il fallimento. Ma in media siamo intorno ai cento dollari per pratica.»

Cento per cinquanta fa cinquemila dollari.

«Una pratica, di solito, richiede quattro mesi» prosegue Booker. «Se vuoi, posso mandartene una ventina al mese. Depositale tutte contemporaneamente nello stesso tribunale, con lo stesso giudice e la stessa data d'udienza, così potrai presentarti in aula una volta sola. Prendi i documenti delle rate non pagate e parti da lì. Per il novanta per cento è burocrazia.»

«Ci sto» dichiaro. «C'è qualcos'altro che vorreste girarmi?»

«Può darsi. Continuerò a tenere gli occhi aperti.»

Arriva il caffè e noi torniamo a fare ciò che gli avvocati sanno fare meglio: parlare di altri avvocati. Spettegoliamo sui nostri compagni di corso e sul modo in cui se la stanno cavando nel mondo della realtà.

Booker sembra risuscitato.

Deck riesce a infilarsi nel varco più stretto di una porta socchiusa senza fare il minimo rumore. Con me lo fa sempre. Io sono alla scrivania, assorto nei miei pensieri oppure in una delle mie poche pratiche e, zac!, ecco Deck. Vorrei tanto che bussasse, ma non mi va di litigare con lui.

Anche adesso mi appare davanti all'improvviso. Ha portato un carico di posta. Nota subito il mucchio delle nuove pratiche di recupero crediti che troneggia nell'angolo. «Quello cos'è?» chiede.

«Lavoro.»

Prende un fascicolo. «Ruffin?»

«Sissignore. Ora siamo i legali del secondo mobilificio di Memphis.»

«È un recupero crediti» commenta in tono disgustato come se si fosse sporcato le mani. E lo dice uno che sogna disastri come quello del battello a ruote.

«È un lavoro onesto, Deck.»
«È come battere la testa contro il muro.»
«Tu puoi sempre rincorrere le ambulanze.»
Scarica la corrispondenza sulla scrivania e sparisce senza far rumore. Respiro a fondo e apro un grosso plico spedito da Tinley Britt. C'è una montagna di documenti legali dello spessore di almeno cinque centimetri.

Drummond ha risposto alle mie richieste e ha designato un certo Jack Underhall della direzione centrale di Cleveland. Avevo chiesto anche le cariche ufficiali e gli indirizzi di diversi dipendenti della Great Eastern, dopo aver trovato i nomi nei documenti di Dot.

Prendo uno dei moduli che mi ha consegnato il giudice Kipler e preparo la richiesta per interrogare sei persone. Scelgo una data della settimana prossima sapendo già benissimo che Drummond troverà da ridire. L'ha fatto con la deposizione di Dot, ma è così che si gioca la partita. Si rivolgerà a Kipler, il quale gli manifesterà scarsa comprensione.

Andrò a passare un paio di giorni a Cleveland nella sede centrale della Great Eastern. Preferirei non farlo, ma ho poco da scegliere. Mi costerà parecchio: viaggio, alloggio, vitto, stenografi del tribunale. Non ne ho ancora discusso con Deck. In tutta sincerità, sto aspettando che metta le mani su un bell'incidente d'auto.

Il caso Black è arrivato ormai alla terza cartella. Lo tengo in una scatola di cartone sul pavimento, accanto alla mia scrivania. Lo guardo diverse volte al giorno e mi domando se so cosa sto facendo. Chi sono io, per permettermi di sognare una colossale vittoria in aula, di infliggere una sconfitta umiliante al grande Leo Drummond?

Non ho mai parlato davanti a una giuria.

Donny Ray era troppo debole per parlare al telefono un'ora fa, quindi vado a Granger. È settembre inoltrato, e non ricordo la data esatta, ma la prima diagnosi è stata fatta più di un anno fa. Dot ha gli occhi rossi quando viene alla porta. «Credo che stia per andarsene» dice tirando su con il naso. Non credevo possibile che Donny Ray avesse un aspetto peggiore, ma la sua faccia è ancora più pallida, e più fragile. Dorme nella stanza quasi buia. Il sole è calato a occidente e le ombre disegnano rettangoli perfetti sulle lenzuola bianche. Il televisore è spento. Nella camera c'è un profondo silenzio.

«Oggi non ha mangiato niente» bisbiglia Dot mentre lo guardiamo.

«Soffre molto?»

«Non molto, no. Gli ho fatto due iniezioni.»

«Starò qui un po'» mormoro, e siedo su una sedia pieghevole. Dot esce. La sento soffocare il pianto in corridoio.

Per quel che ne so, Donny Ray potrebbe essere morto. Gli punto lo sguardo sul petto, attendo che si sollevi e si abbassi leggermente, ma non vedo nulla. La stanza diventa ancora più buia. Accendo una piccola lampada su un tavolo accanto alla porta e lui si muove leggermente. Apre gli occhi, li richiude.

Così muoiono coloro che non hanno un'assicurazione. In una società piena di medici ricchi, di ospedali scintillanti, di attrezzature terapeutiche modernissime e del maggior numero di premi Nobel esistente al mondo, mi sembra vergognoso tollerare che Donny Ray Black si consumi e muoia senza cure adeguate.

Poteva salvarsi. Secondo la legge, era protetto dalla garanzia della Great Eastern quando il suo organismo è stato colpito dalla terribile malattia. Nel momento in cui è stata emessa la diagnosi, era coperto dalla polizza che i genitori pagavano regolarmente. Secondo la legge, la Great Eastern aveva l'obbligazione contrattuale di fornire l'assistenza medica.

Spero di poter incontrare molto presto il responsabile della sua morte. Può darsi che sia un semplice liquidatore e che abbia eseguito ordini precisi. Può darsi che sia stato un vicepresidente a dare l'ordine. Vorrei poter fotografare Donny Ray in questo momento e mostrare la foto a quel disgraziato quando lo conoscerò.

Donny Ray tossisce, si muove di nuovo, credo che stia cercando di dirmi che è ancora vivo. Spengo la lampada e rimango seduto nell'oscurità.

Sono solo e in condizioni d'inferiorità, sono spaventato e inesperto, ma ho ragione. Se i Black non vincono, allora questo sistema non merita fiducia.

Un lampione si accende in lontananza; un raggio penetra

dalla finestra e si posa sul petto di Donny Ray. Vedo che adesso si muove, si solleva e si abbassa leggermente. Credo che stia cercando di svegliarsi.

Non passerò molti altri momenti in questa camera. Guardo la sua figura emaciata appena visibile sotto le lenzuola e giuro vendetta.

33

È un giudice molto indignato quello che prende posto al banco facendo svolazzare la toga nera. La giornata è riservata alle istanze, alle memorie, alle discussioni interminabili su innumerevoli richieste relative a dozzine di cause. L'aula è piena di avvocati.

Tocca per primi a noi perché il giudice Kipler è irritato. Ho presentato un'istanza per ricevere, a Cleveland, le deposizioni di sei dipendenti della Great Eastern, a partire dal prossimo lunedì. Drummond ha fatto obiezione affermando, ovviamente, che non sarà disponibile per via del suo sacro calendario dei dibattimenti. E non è impegnato lui solo: anche i sei che dovrebbero deporre hanno troppo da fare per prendersi tanto disturbo. Tutti e sei!

Kipler ha combinato una conferenza telefonica con Drummond e me, e le cose si sono messe male, almeno per la difesa. Drummond ha effettivamente impegni in tribunale, e per provarlo ha faxato l'ordinanza preliminare dell'altra causa. Ma a irritare il giudice è stata l'affermazione di Drummond che gli ci vorranno due mesi prima di potersi recare a Cleveland per tre giorni. Inoltre, i dipendenti della sede centrale sono impegnatissimi, e passeranno altri mesi prima che sia possibile parlare con tutti loro.

Kipler ha ordinato questa udienza per poter dare una strigliata a Drummond e metterla a verbale. Dato che ho parlato quotidianamente con suo onore negli ultimi quattro giorni, so con precisione cosa sta per accadere. Non sarà un bello spettacolo. E io non dovrò dire molto.

«A verbale» scatta Kipler rivolgendosi alla stenografa, e i cloni seduti dall'altra parte della corsia si tendono in avanti e curvano la testa sui rispettivi bloc notes. Oggi sono quattro. «Nella causa numero 214668, *Black contro Great Eastern*, l'attore ha notificato che la deposizione del dirigente indicato dall'azienda e di altri cinque dipendenti della società convenuta avrà luogo il prossimo lunedì 5 ottobre negli uffici della stessa società, a Cleveland, Ohio. L'avvocato della difesa, cosa tutt'altro che sorprendente, ha obiettato sostenendo che esiste un conflitto di calendario. È così, signor Drummond?»

Drummond si alza con molta calma. «Sì, signore. Ho già presentato alla corte copia dell'ordinanza preliminare di un dibattimento presso la corte federale che avrà inizio lunedì mattina. Sarò il capo del collegio di difesa.»

Drummond e Kipler hanno già avuto almeno due discussioni furibonde sulla questione, ma adesso è importante metterlo a verbale.

«E quando potrebbe inserire le deposizioni nel suo calendario?» chiede Kipler in tono di pesante sarcasmo. Io sono tutto solo al mio tavolo. Deck non c'è; ma ci sono almeno quaranta avvocati seduti sulle panche alle mie spalle, e tutti osservano il grande Leo F. Drummond che sta per venire fatto a pezzi. Forse si domandano chi è lo sconosciuto, abilissimo pivello che è riuscito a indurre il giudice a schierarsi dalla sua parte.

Drummond si dondola un po' su un piede e un po' sull'altro. Il suo errore più grave è stato dire a Kipler che forse ci vorranno due mesi prima che trovi un po' di tempo per noi. Un errore madornale. «Ecco, vostro onore, sono veramente impegnatissimo. Forse ci vorranno...»

«Mi pare che abbia parlato di due mesi. Ho sentito bene?» chiede Kipler come se fosse allibito: nessun avvocato può avere una simile mole di impegni.

«Sì, signore. Due mesi.»

«Perché è impegnato in vari dibattimenti?»

«Dibattimenti, deposizioni, istanze, appelli. Sarò felice di mostrarle il mio calendario.»

«Il suo calendario è l'ultima cosa al mondo che desidero vedere, signor Drummond» risponde Kipler.

«Ecco cosa faremo, signor Drummond, e la prego di ascoltarmi con attenzione perché lo metterò per iscritto sotto forma di ordinanza. Le ricordo che questa causa ha la corsia preferenziale, e nella mia aula ciò significa che non sono ammessi rinvii. Le sei deposizioni cominceranno lunedì mattina a Cleveland.» Drummond si lascia cadere sulla sedia e comincia a scarabocchiare. «E se lei non può farcela, mi dispiace. Ma secondo l'ultimo conto, ci sono altri quattro avvocati che si occupano di questa causa, Morehouse, Plunk, Hill e Grone, e tutti, potrei aggiungere, hanno più esperienza del signor Baylor che, mi pare, è stato abilitato la scorsa estate. Ora, mi rendo conto che non potete mandare a Cleveland un avvocato solo, che dovete inviarne almeno due; ma sono certo che potrete organizzarvi per fare in modo che siano abbastanza numerosi da difendere gli interessi del vostro cliente.»

Sono parole che lasciano nell'aria una scia di fuoco. Gli avvocati in attesa dietro di me stanno immobili e muti. Intuisco che molti di loro aspettavano da anni di assistere a una simile scena.

«Inoltre, i sei dipendenti nominati nella notifica saranno presenti lunedì mattina e resteranno a disposizione fino a quando il signor Baylor li congederà. La società svolge la sua attività anche nel Tennessee, io ho giurisdizione in materia, e ordino ai sei dipendenti di collaborare nel modo più completo.»

Drummond e compagni si chinano ancora di più sul tavolo e scrivono più in fretta.

«Inoltre, l'attore ha chiesto pratiche e documenti.» Kipler s'interrompe per un secondo e guarda severo il tavolo della difesa. «Mi ascolti, signor Drummond: niente scherzi con i documenti. Esigo che siano presentati tutti e che ci sia la massima cooperazione. Starò vicino al telefono lunedì e martedì, e se il signor Baylor mi chiamerà per dirmi che non riesce a farsi consegnare il materiale cui ha diritto, interverrò e farò in modo che l'ottenga. Ha capito bene?»

«Sì, signore» risponde Drummond.

«Può farlo capire anche al suo cliente?»

«Credo di sì.»

Kipler si rilassa un po' e respira. In aula continua a regnare il silenzio. «Pensandoci meglio, signor Drummond, vorrei vedere il suo calendario delle udienze. Se a lei non dispiace, ovviamente.»

Drummond si è offerto di mostrarlo pochi minuti fa, non può far marcia indietro. L'agenda è una cronaca voluminosa e rilegata in pelle nera della vita e degli orari di un uomo molto occupato. È anche molto personale, e sospetto che in realtà Drummond non avesse nessuna intenzione di esibirla.

Ma non ha scelta. Porta fieramente l'agenda al banco, la consegna a vostro onore e attende. Kipler sfoglia in fretta i mesi senza leggere le annotazioni. Sta cercando qualche giorno libero. Drummond indugia accanto al podio, al centro dell'aula.

«Vedo che non ha niente in programma per la settimana dell'otto febbraio.»

Drummond si avvicina e guarda l'agenda che Kipler gli sta mostrando. Annuisce senza una parola. Kipler gli rende l'agenda e lui torna a sedere.

«Il dibattimento è fissato per il giorno lunedì 8 febbraio» annuncia vostro onore. Deglutisco, respiro a fondo, cerco di sembrare sicuro di me. Quattro mesi sembrano molti, una distanza di sicurezza: ma per uno che non ha mai dibattuto in aula neppure per l'ammaccatura di un parafango è tremendo, spaventoso. Ho studiato a memoria la pratica. Conosco come le mie tasche le regole della procedura e quelle delle prove. Ho letto innumerevoli testi sul modo di effettuare gli accertamenti in aula, scegliere le giurie, controinterrogare i testimoni e vincere le cause, ma non so come andranno le cose in quest'aula il giorno 8 febbraio.

Kipler ci congeda. Mi affretto a raccogliere la mia roba e me ne vado. Mentre esco, noto che molti degli avvocati in attesa del loro turno mi guardano incuriositi.

Chi è quello?

Anche se non l'ha mai confessato, ora so che i conoscenti più intimi di Deck sono due investigatori privati che ha conosciuto quando lavorava per Bruiser. Uno, Butch, è un ex agente di polizia accomunato a Deck dalla passione per i casinò. Vanno insieme a Tunica una volta o due la settimana per giocare a poker e blackjack.

Butch è riuscito a rintracciare Bobby Ott, l'agente della Great Eastern che ha rifilato la polizza ai Black. L'ha scovato nella colonia agricola penale della contea di Shelby dove sconta dieci mesi per assegni a vuoto. Ulteriori indagini hanno rivelato che Ott è divorziato da poco e ha a suo carico molte vertenze per insolvenza.

Deck si rammarica di esserselo lasciato sfuggire. Ott ha problemi legali di prim'ordine, e avrebbe fruttato parecchio in onorari.

Un funzionario della colonia agricola penale viene a prendermi dopo che un agente di custodia grande e grosso ha perquisito me e la mia borsa. Mi conduce in una stanza nella parte anteriore dell'edificio principale. È quadrata con telecamere montate negli angoli, in alto. Al centro, un divisorio separa i detenuti dai visitatori. Parleremo attraverso uno schermo, e a me va bene così. Spero che sia una visita molto breve. Dopo cinque minuti fanno entrare Ott nell'altra metà della stanza. È sulla quarantina, porta occhiali dalla montatura metallica, ha i capelli tagliati alla marine e figura esile. Indossa una tuta blu. Mi scruta attento e siede. L'agente di custodia se ne va e ci lascia soli.

Faccio passare un biglietto da visita attraverso l'apertura alla base dello schermo. «Mi chiamo Rudy Baylor e sono avvocato.» Perché la frase suona minacciosa?

La prende bene. Cerca di sorridere. Una volta si guadagnava da vivere bussando alle porte e vendendo modeste polizze assicurative alla povera gente; perciò nonostante l'evidente sfortuna in fondo è un tipo cordiale, uno di quelli che riescono a farsi ammettere nelle case.

«Piacere di conoscerla» dice per abitudine. «Cosa la porta qui?»

«Questo» rispondo prendendo dalla borsa una copia della pratica. Gliela passo. «È una causa che ho intentato per conto di certi suoi ex clienti.»

«Quali?» chiede Ott. Prende il fascicolo e guarda il primo foglio, che è una citazione.

«Dot e Buddy Black e il loro figlio Donny Ray.»

«Great Eastern, eh?» commenta. Deck mi ha spiegato che

molti di questi agenti porta a porta rappresentano più di una società di assicurazioni. «Posso leggere?»

«Certo. È chiamato in causa come convenuto. Legga pure.»

Si muove e parla molto lentamente. Non spreca energia. Legge adagio, gira le pagine con molta riluttanza. Poveraccio. È passato attraverso un divorzio, tutto quello che ha se lo sono preso i creditori, adesso è in carcere per un reato abbastanza serio, e io piombo qui a fargli causa per altri dieci milioni di dollari.

Però non si scompone. Finisce di leggere e posa il fascicolo. «Sa che sono protetto dal tribunale per le insolvenze» mi dice.

«Sì, lo so.» Non è del tutto esatto. Secondo la documentazione depositata in tribunale, ha chiesto la procedura per l'insolvenza in marzo, due mesi prima di me, e adesso ne è fuori. Una vecchia istanza di insolvenza non sempre impedisce successive azioni legali, ma non è questo il punto. Il fatto è che è squattrinato come un profugo. È inattaccabile. «Siamo stati costretti a includerla come convenuto perché è stato lei a stipulare la polizza.»

«Oh, lo so. Sta solo facendo il suo lavoro.»

«Proprio così. Quando esce?»

«Fra diciotto giorni. Perché?»

«Forse avremo bisogno di una sua deposizione.»

«Qui?»

«Può darsi.»

«Che fretta c'è? Mi lasci uscire, e farò la deposizione.»

«Ci penserò.»

La mia visita è una specie di breve vacanza per Ott, e non vorrebbe che me ne andassi subito. Per qualche minuto parliamo della vita in carcere, poi comincio a guardare la porta.

Non sono mai stato al primo piano della casa della signora Birdie, ma è polveroso e muffito come il pianterreno. Apro la porta di ogni stanza, giro l'interruttore, mi guardo intorno, spengo la luce e richiudo. Il pavimento del corridoio scricchiola sotto i miei passi. Una scala stretta porta al secondo piano, ma non me la sento di salire.

La casa è molto più grande di quanto pensassi. E molto più solitaria. È difficile immaginare la signora Birdie che vive qui sola. Mi sento in colpa perché non le ho dedicato più tempo, non le ho tenuto compagnia mentre guardava i telefilm e i servizi religiosi teletrasmessi, non ho mangiato più spesso i suoi sandwich al tacchino e bevuto il suo caffè solubile.

Al pianterreno non ci sono ladri come non ce ne sono di sopra, e mi chiudo alle spalle le porte del patio. È strano, adesso che se n'è andata. Non ricordo che la sua presenza mi sia mai stata di conforto, ma era sempre piacevole sapere che era qui, in questa casa così grande, nell'eventualità che avessi bisogno di qualcosa. Adesso mi sento isolato.

Entro in cucina e guardo il telefono. È un vecchio modello a disco, e ho la tentazione di comporre il numero di Kelly. Se risponderà lei, mi farò venire in mente qualcosa da dire. Se risponderà il marito, riattaccherò. È possibile accertare che la chiamata è partita da questa casa, ma io non abito qui.

Oggi ho pensato a lei più di ieri. Questa mattina più della precedente.

Devo vederla.

34

Deck mi accompagna col suo minivan al capolinea dell'autobus. È domenica mattina presto. La giornata è serena, e nell'aria c'è il primo presagio dell'autunno. Per fortuna l'umidità soffocante è passata. In ottobre Memphis è un posto incantevole.

Un biglietto aereo di andata e ritorno per Cleveland costa poco meno di settecento dollari. Abbiamo calcolato che una camera in un albergo modesto ma decente costerà quaranta dollari a notte, e il vitto rappresenterà una spesa minima perché mi accontento di poco. Siamo noi a chiedere le deposizioni, quindi è su di noi che ricadono i costi. La stenografa del tribunale di Cleveland con cui ho parlato vuole cento dollari al giorno solo per presentarsi, più due dollari a pagina per stenografare e trascrivere le testimonianze. E molto spesso le deposizioni sono di cento pagine e più. Ci piacerebbe registrarle su videocassetta, ma non se ne parla neppure.

Ed è meglio non pensare all'aereo. Lo studio legale Rudy Baylor non può permettersi di mandarmi a Cleveland in volo. Non posso rischiare di viaggiare con la Toyota. Se si fermasse, resterei bloccato e dovrei rimandare le deposizioni. Deck si è offerto vagamente di prestarmi il minivan, ma temo che neppure quello reggerebbe per milleseicento chilometri.

I pullman della Greyhound sono affidabili, anche se spaventosamente lenti. Arrivano a destinazione, comunque. Per me non è la scelta ideale, ma che diavolo! Non ho tanta fretta. Potrò ammirare la campagna. Risparmieremo denaro prezioso. Mi sono venute in mente tante buone ragioni.

Deck guida e parla poco. Credo che sia un po' imbarazzato perché non possiamo permetterci niente di meglio. E sa che dovrebbe venire anche lui. Sto per affrontare testimoni ostili e montagne di documenti nuovi che richiederanno un esame immediato. Sarebbe bello avere al fianco un altro cervello.

Ci salutiamo nel parcheggio vicino alla stazione. Deck promette di badare allo studio e di trovare qualche cliente. Sono sicuro che ci proverà. Riparte in direzione del St. Peter's.

Non sono mai salito su un Greyhound. Il terminal è piccolo ma pulito e brulica di viaggiatori della domenica mattina, in maggioranza vecchi neri. Trovo l'impiegato che mi consegna il biglietto prenotato. Costa 139 dollari al mio studio.

L'autobus parte puntuale alle otto e si dirige verso ovest, nell'Arkansas, poi verso nord e St. Louis. Per fortuna, nessuno si siede accanto a me.

È quasi pieno: ci sono solo tre o quattro posti vuoti. Dovremmo arrivare a St. Louis fra sei ore, a Indianapolis alle sette di questa sera, a Cleveland alle undici. Quindici ore su questo bus. Le deposizioni cominceranno domattina alle nove.

Di sicuro i miei avversari di Tinley Britt stanno ancora dormendo. Si alzeranno, faranno un'ottima colazione, poi leggeranno il giornale della domenica nel patio in compagnia delle rispettive mogli, magari due di loro andranno in chiesa, quindi pranzeranno e giocheranno a golf. Verso le cinque, le mogli li accompagneranno in macchina all'aeroporto, li saluteranno con un bacio, e loro partiranno tutti insieme in prima classe. Un'ora dopo atterreranno a Cleveland, dove saranno ricevuti da un dipendente della Great Eastern che li porterà in macchina all'albergo più lussuoso della città. Dopo una cena squisita accompagnata da drink e vini, si riuniranno in un'elegante sala riunioni e trameranno fino a tardi contro di me. Più o meno quando io prenderò alloggio in un Motel 6 o qualcosa di simile, loro andranno a letto ristorati, preparati, pronti al combattimento.

La sede della Great Eastern è in un ricco sobborgo di Cleveland nato come zona residenziale popolata di bianchi. Spiego al tassista che cerco un motel a buon prezzo nelle vicinanze, e lui sa dove andare. Si ferma davanti al Plaza Inn. Vicino c'è un

McDonald's, e di fronte un video Blockbuster. È un quartiere animato: locali di spogliarello, fast food, insegne lampeggianti, centri commerciali, motel poco cari. Poco lontano dev'esserci un ipermercato. Mi sembra un posto sicuro.

Ci sono molte stanze libere, e per una notte pago trentadue dollari in contanti. Chiedo la ricevuta perché Deck me l'ha raccomandato.

Due minuti dopo mezzanotte mi sdraio sul letto, guardo il soffitto e mi rendo conto, fra le altre cose, che a parte l'impiegato del motel, nessuno al mondo sa dove mi trovo. Non c'è nessuno che posso chiamare.

Naturalmente non riesco a prender sonno.

Da quando ho cominciato a odiare la Great Eastern, ho sempre avuto nella mente un'immagine della sede centrale. Vedevo un palazzone moderno con una quantità di vetri luccicanti, una fontana accanto all'ingresso principale, bandiere, il nome e il logo della compagnia fusi nel bronzo. Dovunque simboli di ricchezza e prosperità.

Non è esattamente così. È abbastanza facile trovare la sede perché l'indirizzo figura in grandi lettere nere sull'entrata di cemento: 5550 Baker Gap Road. Ma il nome Great Eastern non c'è. Anzi, dalla strada il palazzo non si distingue dagli altri. Niente fontane né aste di bandiere, solo un pot-pourri alto cinque piani di costruzioni progettate in modo da sembrare incuneate una dentro l'altra. È molto moderno e incredibilmente brutto. L'esterno è cemento bianco e vetrate nere.

Per fortuna l'ingresso principale è riconoscibile, e io entro in un piccolo vestibolo con qualche pianta di plastica in vaso allineata lungo una parete e una graziosa impiegata sul lato opposto. La ragazza ha in testa una cuffia molto chic con un microfono sottile protetto da un feltro che s'incurva accanto alla mascella e sporge a pochi centimetri dalle labbra. Sul muro dietro di lei spiccano i nomi di tre aziende: PennTron Group, Great Lakes Marine e Great Eastern Life Insurance. Quale delle tre è la proprietaria delle altre? Ognuna ha un logo piuttosto sobrio, in bronzo.

«Mi chiamo Rudy Baylor e devo parlare con un certo signor Paul Moyer» dico educatamente.

«Un momento, prego.» L'impiegata preme un pulsante, aspetta, poi annuncia: «Signor Moyer, il signor Baylor chiede di lei». Non smette mai di sorridere.

L'ufficio di Moyer dev'essere vicino perché attendo meno di un minuto prima che mi venga incontro e mi saluti con una stretta di mano. Lo seguo girato l'angolo, lungo un corridoio e in un ascensore. Ha poco più della mia età e parla senza sosta ma non dice nulla. Usciamo al terzo piano, e io mi sento già irrimediabilmente sperduto in questo orrore architettonico. Qui c'è la moquette sul pavimento, le luci sono soffuse, ci sono quadri alle pareti. Moyer continua a chiacchierare mentre ci avviamo in un corridoio, poi apre una porta massiccia e mi indica il mio posto.

Benvenuto in una delle cinquecento aziende più ricche d'America. È la sala del consiglio d'amministrazione, lunga e larga e con un lucido tavolo rettangolare al centro attorniato da una cinquantina di sedie. Sedie di pelle. In un angolo, a sinistra, c'è un bar. A destra, un vassoio con caffè, biscotti e bagel. Intorno al vassoio c'è un gruppo di cospiratori, almeno otto, tutti in abito scuro, camicia bianca, cravatta sobria, scarpe nere. Otto contro uno. Il fremito che fa vibrare i miei organi interni diventa una specie di terremoto. Dov'è Tyrone Kipler quando ho bisogno di lui? In questo momento mi sarebbe di conforto perfino la presenza di Deck.

Quattro sono i miei amiconi di Tinley Britt. Degli altri, uno ha una faccia che ho già visto alle udienze di Memphis, gli altri tre sono sconosciuti. Ammutoliscono tutti quando si accorgono del mio ingresso. Per un secondo smettono di bere, masticare e chiacchierare e mi guardano. Ho interrotto una conversazione molto importante.

T. Pierce Morehouse è il primo a riprendersi. «Venga, Rudy» dice, ma solo perché deve farlo. Saluto a cenni B. Dewey Clay Hill III e M. Alec Plunk Jr. e Brandon Fuller Grone, poi stringo la mano ai quattro che non conosco mentre Morehouse sibila i loro nomi che io dimentico immediatamente. Jack Underhall è la faccia che ricordo dalle scaramucce nell'aula di Kipler. È uno degli avvocati dell'ufficio legale della Great Eastern ed è il portavoce ufficiale designato dalla società.

I miei avversari hanno l'aria riposata e lustra. Hanno dormito sereni, stanotte, dopo il breve volo e la cena piacevole. I loro abiti sono stirati e inamidati come se questa mattina fossero usciti dai loro guardaroba anziché dalle valigie. Io ho gli occhi rossi e affaticati e la camicia gualcita. Ma ho cose ben più importanti per la mente.

Arriva la stenografa del tribunale e T. Pierce ci fa accomodare all'estremità del tavolo. Indica qua e là e riserva ai testimoni la sedia in fondo dopo aver riflettuto un secondo sull'ordine più appropriato per far accomodare tutti. Alla fine ci arriva. Prendo posto e cerco di accostare la sedia al tavolo. È una fatica perché la maledetta pesa una tonnellata. Di fronte a me, a tre metri di distanza, i quattro di Tinley Britt aprono le borse facendo più chiasso che possono: serrature che scattano, chiusure lampo che scorrono, fascicoli estratti con grande fruscio di carte. Dopo pochi secondi, il tavolo è invaso da mucchi di documenti.

I quattro rappresentanti della società indugiano alle spalle della stenografa. Sono incerti circa la prossima mossa e aspettano T. Pierce che finisce di disporre carte e bloc notes e annuncia: «Ora, Rudy, abbiamo pensato di cominciare con la deposizione del funzionario designato dalla società, Jack Underhall».

L'avevo previsto e ho già deciso di non accettare. «No, non credo» replico con un certo nervosismo. Cerco disperatamente di comportarmi con calma anche se mi trovo nel campo avverso e sono circondato da nemici. Non voglio cominciare dal funzionario designato per varie ragioni, una delle quali è che non voglio ciò che vogliono loro. Si tratta delle mie deposizioni, continuo a ripetermi.

«Prego, come ha detto?» chiede T. Pierce.

«Mi ha sentito. Voglio cominciare con Jackie Lemancyzk, la liquidatrice. Ma prima voglio la pratica.»

La base di tutti i casi di malafede è costituita dalla pratica con la richiesta della liquidazione, l'insieme delle lettere e dei documenti che è nelle mani del liquidatore alla sede centrale. In un bel caso di malafede, la pratica è una straordinaria documentazione storica di imbrogli e fregature. Ho diritto di riceverne una copia, anzi avrei dovuto riceverla dieci giorni fa.

Drummond ha dichiarato di non saperne niente, ha detto che il suo cliente tirava per le lunghe. Kipler ha deciso in termini inequivocabili in un'ordinanza che la pratica dev'essere qui ad aspettarmi appunto stamattina.

«Noi pensiamo che sarebbe meglio cominciare dal signor Underhall» replica T. Pierce in tono non proprio autorevole.

«Quello che pensate voi non m'interessa» ribatto indignato. Posso farlo perché Kipler è dalla mia parte. «Vogliamo chiamare il giudice?» chiedo con aria baldanzosa.

Anche se Kipler non è qui, la sua presenza è pur sempre dominante. La sua ordinanza stabilisce senza mezzi termini che i sei testimoni richiesti da me devono essere a disposizione questa mattina alle nove e che io solo posso scegliere l'ordine in cui dovranno deporre. Devono restare finché li congederò. L'ordinanza, inoltre, lascia la porta aperta per altre deposizioni a partire dal momento in cui comincerò a far domande e a scavare a fondo. Non vedevo l'ora di minacciarli di chiamare vostro onore al telefono.

«Uhm, noi, ecco, noi abbiamo, uhm, un problema con Jackie Lemancyzk» risponde T. Pierce, e sbircia nervosamente i quattro che hanno fatto marcia indietro in direzione della porta. Si guardano le punte delle scarpe, si bilanciano su un piede e sull'altro, sono assaliti dai tic. T. Pierce è proprio di fronte a me, e si agita.

«Che specie di problema?» gli chiedo.

«Non lavora più qui.»

Faccio uno sforzo per non restare a bocca aperta. Sono sbigottito e per un attimo non so cosa dire. Lo fisso mentre cerco di riprendermi. «Quando se n'è andata?» chiedo.

«Verso la fine della settimana scorsa.»

«Quando? Giovedì scorso eravamo in aula. Voi lo sapevate già?»

«No. Se n'è andata sabato.»

«È stata licenziata?»

«Ha dato le dimissioni.»

«Adesso dov'è?»

«Non è più una dipendente, chiaro? Non possiamo farla testimoniare.»

Studio i miei appunti e cerco altri nomi. «Bene, allora sentiamo Tony Krick, addetto all'esame delle richieste di liquidazione.»

Altri tic, altri sguardi incerti, altri fremiti.

«Se n'è andato anche lui» risponde T. Pierce. «C'è stato un ridimensionamento.»

Per me è il secondo pugno sul naso. Sono stordito e non so cosa fare.

La Great Eastern ha licenziato diversi dipendenti per impedire che parlassero con me.

«Che coincidenza» commento. Mi sento al tappeto. Plunk, Hill e Grone rifiutano di alzare gli occhi dai bloc notes. Non riesco a immaginare cosa scrivano.

«Il nostro cliente sta attraversando una fase periodica di ridimensionamento» mi spiega T. Pierce. E riesce a mantenere un'espressione seria.

«E Richard Pellrod, il dirigente dell'ufficio liquidazioni? Mi lasci indovinare, anche lui è stato vittima del ridimensionamento?»

«No. È qui.»

«E Russell Krokit?»

«Il signor Krokit ci ha lasciati per un'altra società di assicurazioni.»

«Allora non è stato ridimensionato.»

«No.»

«Si è dimesso come Jackie Lemancyzk.»

«Esatto.»

Russell Krokit era dirigente dell'ufficio liquidazioni quando ha scritto la Lettera alla Stupida. Anche se la prospettiva di questo viaggio mi innervosiva e mi spaventava, ci tenevo molto ad ascoltare la sua deposizione.

«Ed Everett Lufkin, vicepresidente responsabile delle liquidazioni? Ridimensionato?»

«No, è qui.»

C'è un silenzio lunghissimo mentre tutti fingono di darsi da fare in attesa che il polverone ricada. La mia azione legale ha provocato una carneficina. Scrivo meticolosamente sul blocco ed elenco le cose che adesso devo fare.

«Dov'è la pratica?» chiedo.

T. Pierce si volta e prende un mucchio di carte, lo fa passare attraverso il tavolo. Sono tutte fotocopie tenute insieme da grossi elastici.

«È in ordine cronologico?» chiedo. L'ordinanza di Kipler lo impone.

«Credo di sì» risponde T. Pierce guardando i quattro funzionari della Great Eastern come se volesse strangolarli.

La pratica ha uno spessore di una dozzina di centimetri. Senza togliere gli elastici, dichiaro: «Datemi un'ora di tempo. Poi continueremo».

«Ma certo» acconsente T. Pierce. «C'è una saletta per le riunioni.» Si alza e indica dietro di me.

Seguo lui e Jack Underhall in una saletta adiacente. Mi lasciano lì. Siedo al tavolo e comincio subito a spulciare i documenti.

Un'ora dopo rientro nella sala del consiglio d'amministrazione. Bevono il caffè, chiacchierano e soffrono nell'attesa. «Dobbiamo chiamare il giudice» dico, e T. Pierce scatta sull'attenti. «Lì dentro» aggiungo indicando la mia saletta.

T. Pierce si piazza a un apparecchio, io a un altro, e compongo il numero dell'ufficio di Kipler. Risponde al secondo squillo. Ci identifichiamo e lo salutiamo. «Qui c'è qualche problema, vostro onore» dico. Ci tengo molto a cominciare la conversazione con il tono giusto.

«Che genere di problema?» chiede Kipler. T. Pierce ascolta con lo sguardo fisso al pavimento.

«Ecco, dei sei testimoni che ho chiesto nella notifica, e che figurano nella sua ordinanza, tre sono scomparsi all'improvviso. Chi si è dimesso, chi è stato vittima del ridimensionamento, chi ha avuto una sorte molto simile. Comunque non sono qui. È successo verso la fine della settimana scorsa.»

«Chi sono?»

Ho la certezza che ha davanti a sé la pratica e sta leggendo i nomi.

«Jackie Lemancyzk, Tony Krick e Russell Krokit non lavorano più qui. Pellrod, Lufkin e Underhall per un puro miracolo sono scampati alla strage.»

«E la pratica?»

«Ce l'ho qui, e le ho dato un'occhiata.»

«Allora?»

«Manca almeno un documento» dico, e guardo con attenzione T. Pierce che aggrotta la fronte come se non potesse credermi.

«Quale?» chiede Kipler.

«La Lettera alla Stupida. Nella pratica non c'è. Non ho avuto il tempo di controllare il resto.»

Gli avvocati della Great Eastern hanno visto per la prima volta la Lettera alla Stupida la settimana scorsa. La copia che Dot ha consegnato a Drummond durante la deposizione portava il timbro COPIA ripetuto per tre volte, in alto. L'avevo fatto io apposta: così, se la lettera fosse saltata fuori in seguito, avremmo saputo da dove proveniva. L'originale è chiuso al sicuro nel mio schedario. Sarebbe stato pericoloso per Drummond e i suoi colleghi inoltrare la loro copia così riconoscibile alla Great Eastern perché l'aggiungesse alla pratica della richiesta di liquidazione.

«È vero, Pierce?» chiede Kipler.

Pierce non sa che pesci pigliare. «Mi scusi, vostro onore, ma non lo so. Ho esaminato la pratica però, ecco, credo di sì, vede. Non ho ancora controllato tutto.»

«Siete tutti nella stessa stanza?» chiede Kipler.

«Sì, signore» rispondiamo insieme.

«Bene. Pierce, esca. Rudy, rimanga all'apparecchio.»

T. Pierce sta per dire qualcosa, poi cambia idea. Con aria confusa posa il ricevitore e mi lascia solo.

«Bene, giudice, sono solo» dico.

«Di che umore sono?» chiede Kipler.

«Piuttosto tesi.»

«Non mi sorprende. Ecco cosa farò. Hanno eliminato i testimoni e nascosto vari documenti, di conseguenza ho l'autorità di ordinare che tutte le deposizioni vengano rese qui. È a mia discrezione, e se la sono voluta. Penso che dovrebbe far deporre Underhall e nessun altro. Gli chieda tutto ciò che le verrà in mente, ma cerchi soprattutto di inchiodarlo sull'allontanamento dei tre testimoni scomparsi. Faccia fuoco a volontà. Quando avrà finito con lui, torni a casa. Ordinerò un'udienza per questa settimana e andrò a fondo della faccenda. E si faccia consegnare anche la pratica del contratto.»

Prendo appunti in gran fretta.
«Adesso mi faccia parlare con Pierce» dice il giudice. «Lo sistemo io.»

Jack Underhall è un uomo minuto con baffetti corti e toni secchi, il tipo classico del dirigente, e non sapeva nulla della richiesta dei Black fino al momento in cui abbiamo citato la società. Comunque getta un po' di luce sulla Great Eastern, che è di proprietà della PennTron, una società non quotata in Borsa e in mano a pochi titolari difficili da individuare. Lo interrogo a lungo sulle affiliazioni e i legami fra le tre società che hanno sede qui, e la situazione si trasforma in un groviglio inestricabile. Parliamo per un'ora della struttura societaria, a partire dai massimi dirigenti. Parliamo di prodotti, vendite, mercati, divisioni, personale, tutte cose interessanti fino a un certo punto ma quasi sempre inutili. Mi mostra due lettere di dimissioni di altrettanti testimoni scomparsi e mi assicura che il loro allontanamento non ha nulla a che vedere con questo caso.

Lo torchio per tre ore, poi mi arrendo. Mi ero rassegnato alla prospettiva di trascorrere almeno tre giorni a Cleveland, chiuso in una stanza con i signori di Tinley Britt, a lottare con un testimone ostile dopo l'altro e ad affrontare ogni notte risme di documenti.

Invece me ne vado prima delle due per non tornare più. Sono carico di documenti che Deck dovrà setacciare, e ho la certezza che adesso questi stronzi saranno costretti a venire a giocare sul mio campo e a rendere le deposizioni nella mia aula, alla presenza del mio giudice.

Il viaggio di ritorno a Memphis in autobus mi sembra molto più corto.

35

Deck ha fatto stampare un biglietto da visita che lo qualifica come "paravvocato", una specie che mi risulta del tutto nuova. Si aggira nei corridoi del tribunale municipale e aggancia piccoli delinquenti che attendono di fare la prima apparizione davanti ai giudici. Adocchia un tale che ha l'aria spaventata e tiene in mano un foglio, poi parte all'attacco. Deck lo chiama Balzo dell'Avvoltoio, una manovra di adescamento messa a punto da molti avvocati da quattro soldi che ronzano intorno al tribunale municipale. Una volta mi ha invitato ad andare con lui perché imparassi il sistema. Ho rifiutato.

Derrick Dogan era stato scelto come bersaglio per il Balzo dell'Avvoltoio, ma l'aggancio è fallito quando ha chiesto a Deck: «Cosa diavolo è un paravvocato?». Deck, sempre pronto a sparare una risposta preconfezionata, questa volta non ha saputo cosa dire e se l'è filata. Ma Dogan ha tenuto il biglietto da visita che gli aveva consegnato. Più tardi, quello stesso giorno, Dogan è stato investito in pieno da un ragazzo che se ne infischiava dei limiti di velocità. Circa ventiquattr'ore dopo aver detto a Deck di sparire, ha fatto il numero stampato sul biglietto da visita. Ha chiamato dalla sua stanza al St. Peter's. Deck ha ricevuto la telefonata in ufficio mentre io cercavo di districarmi da una ragnatela impenetrabile di documenti assicurativi. Pochi minuti dopo ci siamo precipitati all'ospedale. Dogan voleva parlare con un avvocato vero, non un paravvocato.

È una visita semilegittima all'ospedale, la prima per me. Troviamo Dogan solo, con una gamba fratturata, varie costole rotte, un polso spezzato e tagli e lividi alla faccia. È giovane, sulla ventina, e non porta la fede. Prendo in pugno la situazione da vero avvocato, gli faccio la solita raccomandazione di evitare le società di assicurazione e di non dire niente a nessuno. È una battaglia fra noi e loro e il mio studio legale si occupa di un numero maggiore di incidenti d'auto di qualsiasi altro studio della città. Deck sorride. Sono io il suo allievo.

Dogan firma la procura e l'autorizzazione a farmi consegnare dall'ospedale la sua cartella clinica. Soffre molto, perciò non ci tratteniamo a lungo. Sulla procura c'è il suo nome. Lo salutiamo e promettiamo di tornare domani.

Entro mezzogiorno Deck si è procurato una copia del verbale dell'incidente e ha già parlato con il padre del ragazzo responsabile. Sono assicurati presso la State Farm. Il padre, avventatamente, fa sapere a Deck che secondo lui la polizza ha un massimale di venticinquemila dollari. A lui e al ragazzo rincresce moltissimo. Nessun problema, ha risposto Deck, ben felice che sia successo l'incidente.

Un terzo di venticinquemila dollari è ottomila e rotti. Andiamo a pranzo in un locale che si chiama Dux, un ristorante meraviglioso nel Peabody. Io ordino vino, Deck il dessert. È il momento più glorioso nella storia del nostro studio legale. Passiamo tre ore a contare e spendere quei soldi con l'immaginazione.

Il giovedì successivo al lunedì che ho trascorso a Cleveland siamo nell'aula del giudice Kipler alle diciassette e trenta. Vostro onore ha scelto l'ora in modo che il grande Leo F. Drummond potesse essere presente dopo una lunga giornata in tribunale per sorbirsi un'altra strigliata. La sua presenza completa il collegio della difesa: i cinque avvocati sono lì, e hanno un'aria abbastanza soddisfatta e baldanzosa anche se tutti sanno che le cose gli vanno male. Jack Underhall, l'avvocato dell'ufficio legale della Great Eastern, è presente, ma gli altri dirigenti hanno preferito restare a Cleveland. Non gli dò torto.

«L'avevo avvertito a proposito dei documenti, signor

Drummond» lo rimprovera vostro onore. Abbiamo cominciato da cinque minuti appena e Drummond sta già sanguinando. «Mi pareva di essere stato molto preciso e di averlo anche scritto in un'ordinanza. Cos'è successo?»

Probabilmente Drummond non ne ha colpa. I suoi clienti stanno giocando con lui; e sospetto che abbia già fatto delle scenate ai signori di Cleveland. Leo Drummond è orgoglioso e non sopporta le umiliazioni. Mi fa quasi pena. È alle prese con una causa da un fantastilione di dollari davanti al tribunale federale, probabilmente dorme tre ore per notte, ha cento cose per la testa, e adesso viene trascinato a difendere il comportamento sospetto di un cliente alquanto inaffidabile.

Mi fa *quasi* pena.

«Non ci sono scuse, vostro onore» risponde, e la sua sincerità è credibile.

«Quando ha saputo che quei tre testimoni non lavoravano più per il suo cliente?»

«Domenica pomeriggio.»

«Ha cercato di informare l'avvocato dell'attore?»

«Sì, ma non siamo riusciti a rintracciarlo. Abbiamo telefonato perfino alle linee aeree per cercarlo, ma è stato inutile.»

Avreste dovuto chiamare la Greyhound.

Kipler scuote vistosamente la testa con aria disgustata. «Sieda, signor Drummond» dice. Io non ho ancora aperto bocca.

«Ecco la mia decisione, signori» riprende vostro onore. «L'altro lunedì ci riuniremo qui per le deposizioni. Per la difesa si presenteranno le seguenti persone: Richard Pellrod, capo liquidatore; Everett Lufkin, vicepresidente per le liquidazioni; Kermit Addy, vicepresidente per i contratti; Bradford Barnes, vicepresidente per l'amministrazione e M. Wilfred Keeley, capo dell'esecutivo.» Kipler mi aveva chiesto di consegnargli l'elenco dei testimoni che mi interessavano.

Mi sembra quasi di sentire il risucchio dell'aria aspirata nei polmoni dei signori al tavolo della difesa.

«Niente scuse, niente ritardi, niente rinvii. Naturalmente i testimoni verranno qui a loro spese, si metteranno a disposizione dell'attore e ci resteranno fino a che il signor Baylor lo deciderà. Tutte le spese per le deposizioni, inclusi il compenso dello stenografo e le copie, saranno sostenuti dalla

Great Eastern. Calcoliamo che ci vorranno tre giorni per le deposizioni.

«Inoltre, le copie di tutti i documenti dovranno essere consegnate all'avvocato dell'attore non oltre mercoledì della prossima settimana, cinque giorni prima delle deposizioni. I documenti dovranno essere copiati in modo nitido e raccolti in ordine cronologico. L'inosservanza di questa disposizione comporterà sanzioni severe.

«A proposito di sanzioni, ordino al convenuto, la Great Eastern, di pagare al signor Baylor a titolo di sanzione le spese del suo inutile viaggio a Cleveland. Signor Baylor, quanto costa un biglietto aereo per Cleveland e ritorno?»

«Settecento dollari» rispondo. È la verità.

«Prima classe o turistica?»

«Turistica.»

«Signor Drummond, lei ha mandato a Cleveland quattro avvocati. Hanno volato in prima classe o in turistica?»

Drummond lancia un'occhiata a T. Pierce che si fa piccolo piccolo come un bambino sorpreso a rubare, poi risponde: «Prima classe».

«Lo immaginavo. Quanto costa un biglietto di prima classe?»

«Milletrecento dollari.»

«Quanto ha speso per vitto e alloggio, signor Baylor?»

Per la verità ho speso meno di quaranta dollari. Ma sarebbe molto imbarazzante ammetterlo in aula. Vorrei tanto aver preso alloggio in una suite all'attico di un albergo di lusso. «Circa sessanta dollari» rispondo. Imbroglio un po', ma non pecco di avidità. Sono sicuro che le camere degli avvocati della Great Eastern sono costate centocinquanta dollari per notte.

Kipler trascrive tutto con fare teatrale, e si direbbe che abbia un calcolatore in funzione nel cervello. «Quanto tempo ha impiegato per il viaggio? Un paio d'ore all'andata e altrettante al ritorno?»

«Credo di sì» rispondo.

«A duecento dollari l'ora, fanno ottocento dollari. Ha avuto altre spese?»

«Duecentocinquanta dollari alla stenografa del tribunale.»

Kipler scrive, fa la somma, la controlla e annuncia: «Ordino al convenuto di pagare al signor Baylor la somma di duemilaquattrocentodieci dollari a titolo di sanzione, da versare entro cinque giorni. Se entro tale scadenza il signor Baylor non l'avrà ricevuta, la somma raddoppierà automaticamente ogni giorno fino a quando gli arriverà l'assegno. Sono stato chiaro, signor Drummond?»

Non riesco a trattenere un sorriso.

Drummond si alza lentamente, si curva un po' in avanti e allarga le mani. «Obiezione» dice. Sta friggendo, ma si controlla.

«Prendo nota della sua obiezione. Il suo cliente ha cinque giorni di tempo.»

«Non ci sono prove che il signor Baylor abbia viaggiato in prima classe.»

Un avvocato difensore non può fare a meno di contestare tutto. Cavillare è per lui una seconda natura. Ed è anche redditizio. Ma quella somma è una sciocchezza per il suo cliente, e Drummond dovrebbe rendersi conto che non otterrà nulla.

«Abbiamo appurato che il viaggio di andata e ritorno a Cleveland vale milletrecento dollari, signor Drummond. È quanto dovrà pagare il suo cliente per mio ordine.»

«Il signor Baylor non viene retribuito a ore» risponde Drummond.

«Intende dire che il suo tempo non vale nulla?»

«Non ho detto questo.»

Vuol dire, in realtà, che io sono un avvocato da quattro soldi, un pivello, e che il mio tempo non vale quanto il suo e quello dei suoi collaboratori.

«Allora gli pagherà duecento dollari l'ora e si ritenga fortunato. Stavo pensando di farvi pagare per tutte le ore che ha passato a Cleveland.»

Addirittura!

Drummond agita le braccia in un gesto di impotenza e torna a sedere. Kipler lo guarda male. Fa il giudice da pochi mesi ed è già famoso per la sua antipatia per le grandi aziende. Anche in altri casi non ha esitato ad affibbiare sanzioni e negli ambienti legali se ne parla parecchio. Non ci vuole molto.

«C'è altro?» chiede severo rivolgendosi a loro.

«No, signore» dico a voce alta, tanto per rammentare a tutti che ci sono anch'io.

I cospiratori intruppati al di là della corsia scuotono la testa e Kipler batte il mazzuolo. Raccolgo in fretta le mie carte ed esco dall'aula.

A cena mangio un sandwich al bacon in compagnia di Dot. Il sole cala lentamente dietro gli alberi del prato e dietro la Fairlane dove Buddy rimane seduto rifiutando di venire a mangiare. Dot dice che resta là sempre più a lungo a causa di Donny Ray. Ormai è questione di giorni prima che muoia, e per Buddy il modo di affrontare la situazione consiste nel nascondersi in macchina e bere. Va a tenere compagnia al figlio ogni mattina per qualche minuto, di solito esce piangendo dalla camera e passa il resto della giornata cercando di evitare tutti.

E poi, non rincasa quasi mai se c'è qualche visitatore. Per me va bene così. E va bene anche per Dot. Parliamo della causa, del comportamento della Great Eastern e del senso di giustizia di Tyrone Kipler: ma a lei non interessa. La donna energica che ho conosciuto sei mesi fa ai Cypress Gardens ha perso la grinta. Allora credeva che un avvocato, un avvocato qualunque, perfino io, potesse spaventare la Great Eastern tanto da costringerla a comportarsi nel modo dovuto. Un miracolo sembrava ancora possibile. Adesso non ci sono più speranze.

Dot si sentirà sempre responsabile per la morte di Donny Ray. Mi ha detto più di una volta che avrebbe dovuto rivolgersi a un avvocato quando la Great Eastern ha respinto la prima richiesta. Invece ha deciso di scrivere. Sospetto che la Great Eastern si sarebbe affrettata ad agire alla prima minaccia di una citazione, e avrebbe provveduto a pagare la terapia. Lo credo per due ragioni: innanzi tutto hanno torto marcio e lo sanno. E in secondo luogo hanno offerto settantacinquemila dollari per una transazione non appena io, inesperto e alle prime armi, li ho citati. Hanno paura. I loro avvocati hanno paura. I signori di Cleveland hanno paura.

Dot mi serve una tazza di decaffeinato solubile, poi va a vedere cosa combina il marito. Porto il caffè sul retro della casa, nella camera di Donny Ray. Dorme sotto le lenzuola, raggomitolato sul fianco destro. L'unica luce è quella di una lampadina in un angolo. Siedo lì vicino e volto le spalle alla finestra aperta per ricevere un po' di brezza fresca. Il quartiere è tranquillo e nella stanza c'è silenzio.

Il testamento di Donny Ray si compone di due paragrafi: lascia tutto alla madre. L'ho preparato una settimana fa. Non possiede niente, e il testamento non è necessario. Ma è servito a tranquillizzarlo. Ha dato anche disposizioni per il suo funerale. Dot ha organizzato tutto. Donny Ray vuole che io sia uno di quelli che porteranno la bara.

Prendo il libro che leggo a intervalli ormai da due mesi e contiene quattro romanzi in edizione ridotta. È vecchio di trent'anni ed è uno dei pochi libri che ci sono in casa. Lo lascio sempre nello stesso posto e a ogni visita leggo qualche pagina.

Donny Ray geme e trasale. Mi chiedo cosa farà Dot quando, una mattina, verrà a vederlo e lui non si sveglierà.

Ci lascia sempre soli quando veglio Donny Ray. Sento che sta lavando i piatti. Buddy, mi pare, è rientrato in casa. Leggo per un'ora e ogni tanto guardo Donny Ray. Se si sveglia parleremo un po', oppure accenderò il televisore. Come preferisce.

Sento la voce di un estraneo in soggiorno. Poi un tocco alla porta. Apro e mi occorre qualche secondo per riconoscere il giovane che mi sta davanti. È il dottor Kord: è venuto per una visita a domicilio. Ci stringiamo la mano e parliamo a voce bassa ai piedi del letto, quindi ci avviciniamo di tre passi alla finestra.

«Passavo di qui» bisbiglia il dottore come se fosse abituato a transitare per questo quartiere.

«Si sieda» lo invito indicando l'altra sedia. Voltiamo le spalle alla finestra. Le nostre ginocchia si toccano. Fissiamo il ragazzo moribondo sdraiato sul letto a meno di due metri da noi.

«Da quanto è qui?» mi chiede.

«Da un paio d'ore. Ho cenato con Dot.»

«Si è svegliato?»

«No.»

Nella semioscurità, la brezza gentile ci alita sul collo. Gli orologi regolano la nostra vita, ma in questo momento il tempo non esiste.

«Ho pensato al dibattimento» dice Kord, quasi sottovoce. «Sa quando sarà?»

«L'otto febbraio.»

«È la data definitiva?»

«A quanto pare.»

«Non pensa che farebbe più effetto se testimoniassi di persona, anziché parlare ai giurati per mezzo di un video o di una deposizione scritta?»

«Sarebbe tutta un'altra cosa.»

Kord è medico da diversi anni. È pratico di cause e deposizioni. Si tende verso di me e appoggia i gomiti sulle ginocchia. «Allora dimentichiamo la deposizione. Testimonierò in aula, e non voglio un centesimo.»

«È molto generoso.»

«Mi sembra il minimo che posso fare.»

Riflettiamo a lungo. Dalla cucina giunge un rumore lieve, ma nella casa c'è silenzio. A Kord le lunghe pause nella conversazione non danno fastidio.

«Sa cosa faccio?» mi domanda dopo un po'.

«Cosa?»

«Faccio le diagnosi ai pazienti e li preparo alla morte.»

«Perché si è dedicato all'oncologia?»

«Vuol sapere la verità?»

«Certo.»

«Gli oncologi sono molto richiesti. È facile capirlo, no? Ed è una specializzazione dove c'è meno concorrenza che nelle altre.»

«Immagino che qualcuno debba pur farlo.»

«Non è così terribile, in fondo. Amo il mio lavoro.» Tace per un momento e guarda il suo paziente. «Ma è molto doloroso vedere un malato che resta privo di cure. Se i trapianti di midollo osseo non fossero tanto costosi, forse avremmo potuto fare qualcosa. Ero disposto a lavorare gratis, ma è un intervento che viene a costare duecentomila dollari. Nessun ospedale, nessuna clinica del nostro paese può permettersi di sorvolare su una somma simile.»

«C'è da odiare le società di assicurazione, no?»

«Sì. Appunto.» Una lunga pausa, poi: «Gliela faccia pagare».

«È quello che sto tentando.»

«È sposato?» mi chiede. Si assesta sulla sedia e guarda l'orologio.

«No. E lei?»

«No. Divorziato. Andiamo a bere una birra.»

«D'accordo. Dove?»

«Conosce il Murphy's Oyster Bar?»

«Certo.»

«Andiamo.»

Usciamo in punta di piedi dalla stanza di Donny Ray, salutiamo Dot che sta fumando sulla sedia a dondolo sotto il portico e li lasciamo soli, per il momento.

Sto dormendo quando squilla il telefono alle tre e venti del mattino. O è morto Donny Ray, oppure c'è stato un incidente aereo e Deck si è messo in caccia. Chi altro potrebbe chiamarmi a quest'ora?

«Rudy?» dice una voce ben nota all'altro capo del filo.

«Signora Birdie!» esclamo. Mi sollevo a sedere e accendo la luce.

«Scusi se la disturbo a quest'ora.»

«Non importa. Come sta?»

«Ecco, fanno le carogne con me.»

Chiudo gli occhi, respiro a fondo e mi lascio ricadere sul letto. Chissà perché, la cosa non mi sorprende. «Di chi parla?» chiedo, ma solo perché se lo aspetta. Saperlo con precisione non fa differenza

«La più carogna è June» dice lei, come se facesse una classifica. «Non mi vuole in casa.»

«Vive con Randolph e June?»

«Sì, ed è tremendo. Proprio tremendo. Ho perfino paura di mangiare.»

«Perché?»

«Perché quello che mi danno potrebbe essere avvelenato.»

«Oh, andiamo, signora Birdie.»

«Parlo sul serio. Stanno aspettando che muoia, ecco. Ho firmato un testamento nuovo che gli assegna quello che vogliono, l'ho firmato a Memphis, sa, e quando siamo arrivati qui a Tampa sono stati gentili e premurosi per qualche giorno. I nipoti venivano sempre a trovarmi. Poi Delbert mi ha portata dal dottore per una visita generale. Il dottore ha controllato tutto e gli ha detto che sono in ottima salute. Credo che si aspettassero qualcosa di diverso. Sembravano molto delusi, e da un giorno all'altro sono cambiati. June è tornata la puttanella carogna che è sempre stata. Randolph ha ricominciato a giocare a golf e non sta mai a casa. Delbert è sempre al cinodromo. Vera odia June e June odia Vera. I nipoti sono quasi tutti disoccupati, sa, e hanno preso su e sono spariti.»

«Perché mi chiama a quest'ora, signora Birdie?»

«Perché, ecco, se voglio telefonare devo farlo di nascosto. Ieri June mi ha detto che non posso più usare il telefono, e allora sono andata a lamentarmi con Randolph e lui mi ha detto che posso fare solo due chiamate al giorno. Ho nostalgia della mia casa, Rudy. È tutto a posto?»

«Sì, è in ordine, signora Birdie.»

«Non posso restare qui ancora per molto. Mi hanno relegata in una cameretta con un bagno piccolissimo. Lei sa che sono abituata ad avere tanto spazio, Rudy.»

«Sì, signora Birdie.» Si aspetta che mi offra di andare a prenderla, ma non mi sembra opportuno. Se n'è andata da meno di un mese. Le sta bene.

«E Randolph insiste perché gli firmi una procura che gli permetterebbe di agire a nome mio. Cosa ne pensa?»

«Non consiglio mai ai miei clienti di firmare procure, signora Birdie. Non è una buona idea.» Non ho mai avuto un cliente alle prese con un problema del genere, ma nel suo caso è meglio non parlarne.

Povero Randolph. Si danna l'anima per mettere le mani sui ventiquattro milioni di dollari della madre. Cosa farà quando scoprirà la verità? La signora Birdie pensa che adesso le cose vadano male? Non deve far altro che aspettare e vedrà.

«Ecco, non so.» La voce si smorza.

«Non firmi, signora Birdie.»

«E c'è un'altra cosa. Ieri Delbert, oooh... Sta arrivando qualcuno. Devo scappare.» Sento sbattere il ricevitore. Mi sembra di vedere June che prende a cinghiate la signora Birdie perché ha fatto una telefonata non autorizzata.

E la telefonata non mi sembra un avvenimento importante. È quasi ridicola. Se la signora Birdie vuol tornare a casa, la farò tornare.

Riesco a riaddormentarmi.

36

Faccio il numero della colonia agricola penale e chiedo dell'impiegata con cui ho parlato la prima volta che sono andato a trovare Ott. Il regolamento prevede che ogni visita sia autorizzata da lei. Voglio tornare a parlare con Ott prima della deposizione.

Sento che batte su una tastiera. «Bobby Ott non è più qui» risponde.

«Cosa?»

«È stato rilasciato tre giorni fa.»

«Mi aveva detto che gli restavano da scontare diciotto giorni. È stato una settimana fa.»

«Peccato. Adesso non c'è più.»

«Dov'è andato?» domando in tono incredulo.

«Vorrà scherzare» replica lei, e riattacca.

Ott è libero. Mi ha mentito. Avevamo avuto la fortuna di trovarlo, ma adesso si nasconde di nuovo.

La telefonata che temo arriva una domenica mattina. Sono seduto nel patio della signora Birdie come se la casa fosse mia; leggo il giornale, bevo il caffè e mi godo la bella giornata. È Dot. Mi dice che l'ha trovato un'ora fa. Ieri sera si è addormentato e non si è più svegliato.

Le trema un po' la voce, ma si domina. Parliamo per qualche istante, e mi accorgo di avere la gola secca e le lacrime agli occhi. Nelle sue parole c'è una sfumatura di sollievo. «Almeno non soffre più» ripete più volte. Le dico che mi dispiace e le prometto che andrò nel pomeriggio.

Attraverso il prato, raggiungo l'amaca, mi appoggio a una quercia e mi asciugo le lacrime dalle guance. Siedo sul bordo dell'amaca con i piedi a terra, la testa china, e recito un'ultima preghiera per Donny Ray.

Telefono a casa del giudice Kipler per dargli la notizia. Il funerale sarà domani pomeriggio alle due, e questo fa sorgere un problema. Le deposizioni dei dirigenti della sede centrale dovrebbero cominciare alle nove del mattino e continuare per gran parte della settimana. Di sicuro i pezzi grossi di Cleveland sono già in città. In questo momento è probabile che siano nell'ufficio di Drummond a fare le prove davanti alle telecamere. Drummond è molto meticoloso.

Kipler dice che potrebbe rinviare le deposizioni perché domani ha due udienze importanti.

Per me va bene. In questo momento non me ne frega niente.

Quando arrivo a casa dei Black, tutti i vicini sono accorsi per rendere l'ultimo omaggio a Donny Ray. La strada e il vialetto sono invasi da file di macchine ferme. I vecchi indugiano sul prato e siedono sotto il portico. Sorrido, rivolgo cenni di saluto a tutti e mi faccio largo. Entro in casa e trovo Dot in cucina, in piedi accanto al frigo. La casa è piena di gente. Il tavolo e i ripiani della cucina sono carichi di torte e casseruole e tegami pieni di pollo fritto.

Io e Dot ci abbracciamo. Le faccio le condoglianze dicendo semplicemente che mi dispiace, e lei mi ringrazia perché sono venuto. Ha gli occhi rossi ma capisco che è stanca di piangere. Indica piatti e tegami e mi invita a servirmi. La lascio in compagnia di un gruppo di vicine.

All'improvviso mi viene fame. Riempio di pollo, fagioli stufati e cavolo un grande piatto di carta e vado nel minuscolo patio per mangiare in solitudine. Buddy, benedetto lui, non è in macchina. È molto probabile che Dot lo abbia chiuso in camera da letto perché non sia motivo di imbarazzo. Mangio piano piano e ascolto le voci sommesse che provengono dalle finestre aperte della cucina e del soggiorno. Quando ho il piatto vuoto lo riempio per la seconda volta e torno a nascondermi nel patio.

Poco dopo mi raggiunge un giovane dall'aria familiare. «Sono Ron Black» dice, e siede accanto a me. «Il gemello.»

È snello e in ottima forma, non molto alto. «Lieto di conoscerla» dico.

«Dunque lei è l'avvocato.» Ron ha in mano una bibita analcolica in lattina.

«Sì. Rudy Baylor. Mi dispiace per suo fratello.»

«Grazie.»

Dot e Donny Ray mi hanno parlato ben poco di Ron. Se n'è andato di casa poco dopo aver finito le superiori e da allora ha mantenuto le distanze. In un certo senso, posso capirlo.

Non è di umore loquace. Parla a frasi brevi e forzate, ma finisce per parlare del trapianto di midollo osseo. Conferma quello che già sapevo, e cioè che era disposto a donare il midollo per salvare il fratello, e che il dottor Kord gli aveva detto che erano perfettamente compatibili. Gli dico che dovrà spiegarlo fra pochi mesi davanti a una giuria, e risponde che lo farà con piacere. Fa qualche domanda sulla causa, ma non mostra la minima curiosità di sapere quanto potrebbe ricavarne.

Sono sicuro che è triste, ma regge bene il dolore. Spalanco la porta sulla loro infanzia sperando di ascoltare qualcuno degli episodi teneri che tutti i gemelli hanno in comune a proposito delle birichinate e degli scherzi che hanno combinato ad altri. Niente. È cresciuto qui, in questa casa e in questo quartiere, ma è evidente che non ama rivangare il passato.

Il funerale si svolgerà domani alle due, e scommetto che alle cinque sarà già su un aereo che lo riporterà a Houston.

La folla si dirada, poi aumenta, ma restano cibarie in abbondanza. Mangio due fette di torta al cioccolato mentre Ron beve una soda tiepida. Dopo due ore sono esausto; mi scuso e me ne vado.

Il lunedì c'è una vera folla di uomini dalla faccia severa e dall'abito scuro seduti intorno a Leo F. Drummond nel lato opposto dell'aula.

Io sono pronto. Ho paura e mi sento tremare, ma le domande sono scritte e aspettano che le formuli. Se dovessi disorientarmi completamente, riuscirò comunque a leggerle e ottenere le risposte.

È divertente vedere gli illustri dirigenti rigidi per la paura. Posso soltanto immaginare cos'avranno detto di Drummond, di me e di Kipler e degli avvocati in generale e di questo caso in particolare quando sono stati informati che dovevano presentarsi qui in massa, e testimoniare e per giunta attendere per ore e giorni finché avrò finito.

Kipler prende posto sul banco e chiama per prima la nostra causa. Faremo le deposizioni qui accanto, in un'aula che questa settimana rimarrà vuota, abbastanza vicina perché vostro onore possa fare capolino ogni tanto e tenere in riga Drummond. Ci chiama perché ha qualcosa da dire.

Io siedo sulla destra. Quattro legali di Tinley Britt siedono sulla sinistra.

«Non è necessario mettere a verbale» dice Kipler alla stenografa. Non è un'udienza iscritta a ruolo. «Signor Drummond, sa che Donny Ray Black è morto ieri mattina?»

«No, signore» risponde Drummond in tono solenne. «Mi dispiace molto.»

«Il funerale si svolgerà questo pomeriggio, quindi abbiamo un problema. Il signor Baylor sarà fra quelli che porteranno la bara. Anzi, già adesso dovrebbe essere con i familiari del defunto.»

Drummond è in piedi. Mi guarda, poi guarda Kipler.

«Rinvieremo le deposizioni. Faccia venire i suoi lunedì prossimo, stessa ora, stesso posto.» Kipler lo guarda fisso. Aspetta solo una risposta sbagliata.

I cinque pezzi grossi della Great Eastern saranno costretti a riorganizzare i loro impegni e a tornare a Memphis fra una settimana.

«Perché non possiamo cominciare domani?» chiede sbalordito Drummond. È una domanda perfettamente legittima.

«In quest'aula decido io, signor Drummond. Controllo gli accertamenti e ho tutte le intenzioni di controllare il dibattimento.»

«Con il suo permesso, vostro onore, non intendo essere pignolo ma nelle deposizioni la sua presenza non è necessaria. Questi cinque signori hanno avuto gravi difficoltà per presentarsi qui oggi. Forse la settimana prossima non sarà possibile.»

Kipler non aspettava altro. «Oh, ci saranno, signor Drummond. Saranno qui alle nove di mattina di lunedì prossimo.»

«Bene, con tutto il rispetto non mi sembra giusto.»

«Non le sembra giusto? Le deposizioni si potevano fare a Cleveland due settimane fa, signor Drummond. Ma il suo cliente ha cominciato a fare strani giochetti.»

Un giudice può decidere a sua discrezione in queste cose, e non c'è modo di appellarsi. Kipler intende punire Drummond e la Great Eastern e secondo la mia modesta opinione esagera un po'. Il dibattimento si svolgerà fra pochi mesi, e il giudice si sta imponendo. Vuol far capire al famoso avvocato che sarà lui a guidare la causa.

Per me va bene così.

Donny Ray Black viene sepolto dietro una chiesetta di campagna pochi chilometri a nord di Memphis. Dato che sono uno degli otto che porteranno la bara, resto in piedi dietro le sedie occupate dai familiari. Fa freddo e il cielo è coperto: una giornata adatta a un funerale.

L'ultimo funerale al quale ho partecipato è stato quello di mio padre, e mi sforzo disperatamente di non pensarci.

La folla si raduna sotto il baldacchino color bordeaux mentre il giovane ministro legge brani della Bibbia. Guardiamo la bara grigia circondata da fiori. Sento il pianto sommesso di Dot. Vedo Buddy seduto a fianco di Ron. Distolgo lo sguardo, cerco di distaccarmi con la mente da questo luogo e di sognare qualcosa di piacevole.

Quando rientro in ufficio, Deck ha i nervi ha pezzi. Il suo amico Butch, l'investigatore privato, è seduto su un tavolo; i bicipiti massicci spiccano sotto il maglione dolcevita. È un tipo con le guance rosse, gli stivali a punta, l'aria di chi ama le risse. Deck ci presenta, dice che Butch è un cliente, poi mi passa un bloc notes dove ha scritto: "Non parlare di niente, okay?". Il messaggio è scribacchiato con un pennarello nero.

«Com'è stato il funerale?» chiede Deck. Mi prende per il braccio e mi guida verso il tavolo dov'è seduto Butch.

«Un funerale come un altro» rispondo, e guardo i due senza capire.

«Come l'ha presa la famiglia?» chiede Deck.
«Tira avanti, direi.» Butch svita in fretta il ricevitore del telefono e indica l'interno.
«Almeno quel ragazzo non deve più soffrire, no?» continua Deck mentre io guardo. Butch addita un minuscolo congegno nero e rotondo infilato nell'interno. Non posso far altro che osservare.
«Non pensi anche tu che se non altro il ragazzo ha finito di soffrire?» ripete Deck.
«Già. Sì, è giusto. Per lui è stato meglio così. Però è doloroso.»
Restiamo a guardare mentre Butch rimonta il telefono, poi alza le spalle e mi guarda come se sapessi esattamente cosa fare.
«Andiamo a prendere un caffè» propone Deck.
«Buona idea» rispondo mentre un grosso nodo mi stringe lo stomaco.
Arriviamo sul marciapiede. Mi fermo e li guardo. «Cosa diavolo...?»
«Andiamo da questa parte» propone Deck indicando in fondo alla strada. C'è un caffè frequentato da artisti a un isolato e mezzo di distanza, e ci incamminiamo senza pronunciare una parola. Ci rintaniamo in un angolo come se fossimo pedinati da killer.
Mi raccontano cos'è successo. Io e Deck temiamo di essere oggetto dell'attenzione dei federali da quando sono scomparsi Bruiser e Prince. Ci aspettavamo che comparissero per fare qualche domanda. Ne abbiamo parlato molte volte ma, a mia insaputa, Deck si è confidato anche con Butch. Io non mi sarei fidato fino a questo punto.
Butch è arrivato in ufficio un'ora fa e Deck gli ha chiesto di dare un'occhiata ai telefoni. Butch ammette di non essere esperto in fatto di congegni d'intercettazione, ma qualcosa ne capisce. È facile individuarli. Li ha trovati, identici, in tutti e tre gli apparecchi. Avevano intenzione di cercare altre microspie ma hanno deciso di aspettare che arrivassi io.
«Altre microspie?» chiedo.
«Sì, microfoni minuscoli nascosti qua e là nello studio per captare tutto quello che sfugge ai telefoni» spiega Butch. «È abbastanza facile. Basta esaminare ogni centimetro quadrato con una lente d'ingrandimento.»

A Deck tremano le mani. Mi chiedo se ha parlato con Bruiser dai nostri apparecchi.

«E se ne troviamo degli altri?» domando. Non abbiamo ancora assaggiato il caffè.

«Legalmente, si possono rimuovere» spiega Butch. «Oppure potete stare attenti a quello che dite, ed essere molto, molto prudenti.»

«E se li togliamo?»

«Allora i federali sapranno che li avete scoperti. Diventeranno ancora più sospettosi e probabilmente intensificheranno altre forme di sorveglianza. La cosa migliore, secondo me, è comportarsi come se non fosse successo niente.»

«È facile dirlo.»

Deck si asciuga la fronte ed evita di guardarmi. Mi innervosisce. «Conosci Bruiser Stone?» chiedo a Butch.

«Certo. Ho fatto qualche lavoro per lui.»

La cosa non mi sorprende. «Bene» dico, e guardo Deck. «Hai parlato con Bruiser dai nostri telefoni?»

«No» risponde. «Non parlo con Bruiser dal giorno che è sparito.»

La sua è una bugia e serve a farmi capire che di fronte a Butch devo stare zitto.

«Vorrei sapere se ci sono altre microspie, vedi» dico a Butch. «E vorrei anche sapere cosa possono sentire i federali stando là fuori.»

«Dovremo passare l'ufficio al pettine fitto.»

«Andiamo.»

«Per me va bene. Cominciamo con i tavoli, le scrivanie e le sedie. Guarderemo nei cestini, i libri, gli orologi, le spillatrici, tutto. Certi modelli sono più piccoli di un chicco d'uva passa.»

«E loro si accorgeranno che stiamo cercando?» chiede Deck. È spaventato a morte.

«No. Voi due continuate a parlare come al solito del lavoro d'ufficio. Io non dirò una parola, e loro non si accorgeranno che ci sono. Se trovate qualcosa, segnalatelo a cenni.»

Portiamo il caffè in ufficio, un posto diventato di colpo sinistro e pericoloso. Io e Deck cominciamo a parlare del caso di Derrick Dogan mentre rovesciamo con delicatezza tavoli e sedie. Chiunque sia in ascolto, se ha un filo di cervello può intuire che ci comportiamo in modo insolito e che cerchiamo di nascondere qualcosa.

Ci aggiriamo carponi nell'ufficio, frughiamo nei cestini della carta straccia e rovistiamo nelle pratiche. Esaminiamo i bocchettoni del riscaldamento e ispezioniamo i battiscopa. Per la prima volta ringrazio il cielo perché abbiamo pochi mobili.

Cerchiamo per quattro ore e non troviamo niente. Solo i telefoni sono manomessi. Io e Deck portiamo Butch a mangiare gli spaghetti in un bistrò in fondo alla strada.

A mezzanotte sono sdraiato sul letto e ho dimenticato da un pezzo la possibilità di dormire. Leggo il giornale del mattino e ogni tanto guardo il telefono. Ma no, continuo a ripetermi, ma no, non si saranno presi il disturbo di metterlo sotto controllo. Non ho fatto che vedere ombre e sentire rumori per tutto il pomeriggio e tutta la sera. Ho sussultato, messo in allarme da suoni inesistenti. Mi si è accapponata la pelle. Non riesco a mangiare. So che qualcuno mi segue. Mi domando: Sono molto vicini?

E fino a che punto intendono avvicinarsi?

Leggo ogni parola del giornale, con la sola eccezione degli annunci pubblicitari. Ieri Sara Plankmore Wilcox ha dato alla luce una bambina di tre chili e due etti. Brava. Non la odio più. Dopo la morte di Donny Ray, mi sono accorto di essere più comprensivo verso tutti quanti. Eccettuati, naturalmente, Drummond e quei farabutti dei suoi clienti.

La squadra dei PFX Freighter è stata sconfitta nel torneo di WinterBall.

Mi chiedo se lui costringe Kelly ad andare ad assistere a tutte le partite.

Ogni giorno controllo le statistiche demografiche e dedico un'attenzione particolare alle istanze di divorzio, ma non sono molto ottimista. Controllo anche le notizie degli arresti per vedere se Cliff Riker è stato fermato per aver picchiato di nuovo la moglie.

37

I documenti occupano quattro tavoli pieghevoli presi a nolo, incuneati fianco a fianco nell'ingresso dello studio. Sono suddivisi in mucchi ordinati cronologicamente, tutti contrassegnati, numerati, dotati di indice e perfino computerizzati.

E imparati a memoria. Ho studiato e ristudiato tante volte quelle carte che so a occhi chiusi tutto ciò che c'è su ogni foglio. I documenti che mi ha affidato Dot riempiono duecentoundici pagine. La polizza, per esempio, nel corso del dibattimento sarà considerata un documento solo, ma in realtà consiste di trenta pagine. Il materiale prodotto finora dalla Great Eastern dà un totale di settecentoquarantotto pagine, ma in parte sono duplicati dei documenti dei Black.

Anche Deck ha dedicato innumerevoli ore a questo lavoro. Ha scritto un'analisi dettagliata della pratica delle richieste di liquidazione. Quasi tutto il lavoro al computer è toccato a lui. Mi assisterà durante le deposizioni. Ha il compito di tenere in ordine i documenti e di trovare in fretta quelli che ci servono.

Non è esattamente entusiasta, ma ci tiene a vedermi soddisfatto. È convinto che abbiamo sorpreso la Great Eastern con la pistola fumante in pugno, tuttavia pensa che il caso non meriti l'impegno che gli dedichiamo. Temo che abbia molti dubbi sulle mie doti di avvocato da dibattimento. E sa che i dodici giurati che sceglieremo, quali che siano, penseranno che cinquantamila dollari sono un patrimonio.

È la sera della domenica e io bevo una birra in ufficio mentre passo e ripasso fra i tavoli. Manca qualcosa. Deck è certo che Jackie Lemancyzk, la liquidatrice, non poteva avere l'autorità di respingere la richiesta dei Black di propria iniziativa. Ha fatto il suo lavoro, poi ha mandato la pratica al servizio contratti. Dovrebbe esserci uno scambio di comunicazioni fra i due settori, promemoria e cose del genere, ma in questo punto la cosiddetta pista di carta si interrompe.

C'erano direttive ben precise seguendo le quali la richiesta di Donny Ray, e probabilmente migliaia di altre dello stesso genere, è stata respinta. E noi dobbiamo scoprirle.

Dopo molte riflessioni e discussioni con i componenti del mio studio, ho deciso di far deporre per primo L. Wilfred Keeley, il capo dell'esecutivo. Ho pensato di partire dal pallone gonfiato più grosso e di procedere via via in linea discendente. Ha cinquantasei anni, è il tipo sano e cordiale con un sorriso caloroso per tutti, perfino per me. Anzi, mi ringrazia perché gli permetto di sbrigarsi per primo. Deve assolutamente tornare alla sede centrale.

Durante la prima ora sondo ai margini. Sto dalla mia parte del tavolo. Indosso jeans, camicia di flanella, mocassini e calzini bianchi. Ho pensato che sarebbe stato un simpatico contrasto con le austere sfumature di nero predominanti nella parte avversa. Deck dice che è mancanza di rispetto.

Dopo due ore di deposizione, Keeley mi consegna un rendiconto finanziario e per un po' parliamo di soldi. Deck esamina la documentazione e mi allunga foglietti con una domanda dietro l'altra. Drummond e tre dei suoi si passano qualche appunto ma sembrano molto prossimi a morire di noia. Kipler è nell'aula vicina e presiede un'altra Giornata delle Istanze.

Keeley è informato di varie altre cause intentate alla Great Eastern in tutto il paese e attualmente pendenti. Ne parliamo per un po': nomi, tribunali, altri avvocati, situazioni molto simili. In nessuna di quelle cause è stato costretto a deporre. Non vedo l'ora di parlare con gli altri avvocati che hanno citato la Great Eastern. Possiamo confrontare la documentazione e discutere le strategie.

La parte più interessante della gestione di una società di assicurazioni non è la stipula delle polizze e l'esame delle richieste di liquidazione, bensì gli investimenti fatti con i premi incassati. Keeley è molto più esperto in fatto di investimenti:

dice che ha cominciato da lì e poi ha fatto carriera. Non capisce molto delle richieste di liquidazione.

Non ho nessuna fretta, dato che non devo pagare per queste testimonianze. Faccio mille domande inutili, e continuo a scavare e a sparare nel buio. Drummond ha l'aria annoiata, in certi momenti addirittura insofferente, però ha scritto un libro sul metodo di condurre deposizioni che durano un giorno intero, e poi il suo tassametro continua a ticchettare. Ogni tanto vorrebbe obiettare, ma sa che correrei nell'aula accanto a parlarne col giudice Kipler, che deciderebbe in mio favore e lo ammonirebbe.

Il pomeriggio porta altre mille domande; e quando alle cinque e mezzo ci aggiorniamo sono esausto fisicamente. Il sorriso di Keeley è sparito subito dopo pranzo; ma si è mostrato deciso a rispondere a tutto ciò che chiedevo. Mi ringrazia ancora per avergli permesso di finire per primo, e poi mi ringrazia perché non gli faccio altre domande. Ora farà ritorno a Cleveland.

Le cose filano un po' più veloci il martedì, sia perché sono stanco di perdere tempo, sia perché i testimoni sanno ben poco o non ricordano molto bene. Comincio da Everett Lufkin, vicepresidente per le liquidazioni, un uomo che non pronuncia una sillaba se non per rispondere a una domanda diretta. Gli mostro diversi documenti e a metà mattina ammette finalmente che rientra nella politica della società fare quella che viene chiamata "copertura post-richiesta di liquidazione", un'abitudine odiosa ma non vietata dalla legge. Quando un assicurato presenta una richiesta di liquidazione, chi si è occupato inizialmente del suo contratto richiede tutta la documentazione medica relativa agli ultimi cinque anni. Nel nostro caso, la Great Eastern si era procurata la documentazione dal medico di famiglia dei Black che, cinque anni prima, aveva curato Donny Ray per una brutta influenza. Dot non aveva elencato l'influenza nella sua domanda. Non aveva nulla a che vedere con la leucemia; ma la Great Eastern aveva basato uno dei primi rifiuti sul fatto che l'influenza costituiva malattia pregressa.

A questo punto provo la tentazione di piantargli un paletto

nel cuore, e non sarebbe difficile. Ma sarebbe imprudente. Lufkin testimonierà nel dibattimento, ed è meglio rimandare a quell'occasione un controinterrogatorio brutale. Certi avvocati tentano di farlo durante le deposizioni, ma la mia vasta esperienza mi insegna che è meglio conservare per la giuria i piatti forti del menu. Per la verità, l'ho letto in un libro, non ricordo quale. E poi è la strategia adottata da Jonathan Lake.

Kermit Addy, vicepresidente per i contratti, è tetro quanto Lufkin, e, come lui, non si sbilancia. Infatti, un funzionario della compagnia accetta e riesamina la proposta di contratto inoltrata dall'agente e alla fine decide se la polizza dev'essere stipulata o meno. È un lavoro burocratico complesso, di poca soddisfazione, e Addy sembra l'uomo ideale per sovrintenderlo. Con lui finisco in meno di due ore, e senza infliggergli ferite.

Bradford Barnes è il vicepresidente per l'amministrazione, e ci metto quasi un'ora per riuscire a definire cosa fa esattamente. È mercoledì mattina, e io sono stufo marcio di tutti costoro. Mi viene la nausea alla vista dei tipi di Tinley Britt che stanno seduti a meno di due metri da me, tutti eguali, tutti vestiti allo stesso modo con quei maledetti abiti scuri e tutti con le stesse smorfie di superiorità che devo subire da mesi. Ce l'ho perfino con la stenografa del tribunale. Barnes non sa niente di niente. Quando sferro un colpo lo schiva, e non riesco neppure a sfiorarlo con il guantone. Non testimonierà nel dibattimento perché sembra che non sappia niente per davvero.

Mercoledì pomeriggio chiamo l'ultimo testimone, Richard Pellrod, il capo esaminatore delle richieste di liquidazione che ha scritto ai Black almeno due lettere di rifiuto. È in attesa nel corridoio da lunedì mattina, e mi odia a morte. Durante le prime domande si mostra aggressivo un paio di volte, e questo mi rinvigorisce. Gli mostro le sue lettere di rifiuto e la situazione si fa spinosa. La sua posizione, che poi è quella della Great Eastern, è la seguente: i trapianti di midollo osseo sono troppo sperimentali perché sia possibile prenderli sul serio come metodo di cura. Una volta, però, ha respinto la richiesta affermando che Donny Ray non aveva rivelato una malattia pregressa. Lui cerca di far ricadere la responsabilità su qualcun altro e dice che è stata una semplice svista. È uno sporco bugiardo, e decido di fargliela pagare. Metto davanti a me un mucchio di documenti, e li passiamo in rassegna uno a uno. Lo costringo a spiegarli e ad assumersi la responsabilità di ciascuno. Dopotutto era il supervisore di Jackie Lemancyzk la quale, naturalmente, non è più con noi. Pellrod dice che secondo lui dovrebbe essere tornata nella cittadina d'origine, nell'Indiana meridionale. Ogni tanto faccio domande sulle dimissioni della Lemancyzk, e Pellrod si irrita. Altri documenti. Altre responsabilità scaricate su questo e su quello. Sono implacabile. Posso chiedere tutto ciò che voglio e quando voglio, e lui non sa mai cosa aspettarsi. Dopo quattro ore di fuoco di fila ininterrotto chiede una pausa.

Finiamo con Pellrod alle sette e mezzo di mercoledì, e le deposizioni dei dirigenti si concludono. Tre giorni, diciassette ore, più o meno mille pagine di testimonianze. Le deposizioni, come i documenti, dovranno essere lette e rilette dozzine di volte.

Mentre i suoi collaboratori ripongono il materiale nelle borse, Leo F. Drummond mi prende in disparte. «Ottimo lavoro, Rudy» mi dice a voce bassa come se fosse davvero impressionato dalla mia prestazione ma non volesse sbandierare il suo apprezzamento.

«Grazie.»

Respira a fondo. Siamo entrambi esausti e stufi di guardarci in faccia.

«Allora, chi ci resta?» mi chiede.

«Io ho finito» rispondo. In effetti, non mi viene in mente nessun altro che voglio far deporre.

«E il dottor Kord?»

«Testimonierà nel dibattimento.»

Per lui è una sorpresa. Mi scruta con attenzione, e senza dubbio si domanda come posso permettermi il lusso di chiamare l'oncologo a testimoniare di persona davanti ai giurati.

«E cosa dirà?»

«Ron Black era perfettamente compatibile col gemello. Il trapianto di midollo osseo è una terapia ormai normale e collaudata. Il ragazzo poteva essere salvato. Sono stati i suoi clienti a ucciderlo.»

La prende bene. Si capisce che per lui non è una sorpresa.

«Probabilmente lo faremo deporre noi» dice.

«Cinquecento dollari l'ora.»

«Sì, lo so. Senta, Rudy, possiamo andare a bere qualcosa? Vorrei parlarle un momento.»

«Di che?» Non mi viene in mente nulla di peggio che bere un drink in compagnia di Drummond.

«Affari. Possibilità di una transazione. Può passare dal mio ufficio, diciamo fra un quarto d'ora? Lo studio è qui girato l'angolo, lo sa.»

La parola "transazione" suona bene. E poi, ho sempre desiderato vedere il loro studio. «Sì, se ci sbrigheremo in fretta» rispondo col tono di chi è atteso da qualche donna bella e importante.

«Ma certo. Andiamo.»

Prego Deck di aspettarmi all'angolo, e percorro tre isolati a piedi in compagnia di Drummond fino all'edificio più alto di tutta Memphis. Parliamo del tempo mentre l'ascensore ci porta al quarantesimo piano. Gli uffici sono tutti bronzo e marmo, pieni di gente come se fossimo a metà giornata. Cerco con lo sguardo il mio vecchio amico Loyd Beck, il delinquente di Brodnax e Speer, e mi auguro di non vederlo.

L'ufficio di Drummond è arredato con stile, ma non molto grande. Qui si pagano gli affitti più cari della città e lo spazio viene utilizzato in modo efficiente. «Cosa prende?» mi chiede Drummond buttando sul tavolo la borsa e la giacca.

Non amo i liquori forti, e sono così stanco da temere che ne basterebbe uno per mettermi fuori combattimento. «Solo una coca» rispondo, e per un momento Drummond mi sembra deluso. Si prepara un drink al piccolo bar d'angolo: scotch e acqua.

Bussano alla porta. Con mia grande sorpresa entra M. Wilfred Keeley. Non ci siamo più visti da quando l'ho torchiato per otto ore lo scorso lunedì. Si comporta come se fosse felice di vedermi. Mi dà la mano e mi saluta come un vecchio amico, poi va al bar e si prepara un drink.

Siamo seduti a un piccolo tavolo rotondo nell'angolo e i due bevono whisky. Il fatto che Keeley sia tornato qui così presto può significare una sola cosa. Vogliono chiudere con una transazione. Sono tutto orecchi.

Il mese scorso ho guadagnato seicento dollari. Drummond guadagna almeno un milione all'anno. Keeley dirige una società che incassa premi per un miliardo, e probabilmente è pagato più del suo avvocato. E vogliono discutere di affari con me.

«Il giudice Kipler mi impensierisce molto» esordisce bruscamente Drummond.

«Non ho mai visto niente del genere» si affretta ad aggiungere Keeley.

Drummond è famoso per la perfetta preparazione delle sue strategie, e sono sicurissimo che il duetto è stato provato e riprovato.

«Per essere sincero, Rudy, ho paura di quello che potrebbe fare in un dibattimento» confessa Drummond.

«Ci sentiamo torchiati» commenta Keeley, e scuote la testa, incredulo.

Hanno ragione di essere preoccupati a causa di Kipler, ma sudano sangue perché si sono fatti sorprendere con le mani nel sacco. Hanno ucciso un ragazzo, e la loro azione disonesta sta per essere smascherata. Decido di essere gentile, di lasciare che dicano cosa vogliono.

Bevono contemporaneamente un sorso di whisky, poi Drummond attacca: «Vorremmo arrivare a un accordo stragiudiziale, Rudy. Siamo convinti della validità della nostra difesa, e lo dico in tutta sincerità. Se giocassimo in campo neutro, sarei pronto al dibattimento anche domani. Non ho mai perso in undici anni, e apprezzo una bella battaglia in aula. Ma questo giudice è prevenuto da far paura».

«Quanto?» chiedo interrompendo il discorsetto.

I due sobbalzano in perfetta armonia. È un momento di sofferenza, poi Drummond dice: «Raddoppiamo l'offerta. Centocinquantamila dollari. Lei ne incasserà più o meno cinquanta e la sua cliente...».

«Il conto so farlo anch'io» dico. Il mio onorario non lo riguarda. Sa che sono al verde e che cinquantamila dollari sarebbero una vera ricchezza.

Cinquantamila dollari!

«Cosa dovrei fare con questa offerta?» chiedo.

I due si scambiano occhiate perplesse.

«Il mio cliente è morto. Sua madre lo ha sepolto la settimana scorsa, e adesso pretendete che vada a dirle che siete disposti a pagarla un po' di più?»

«Da un punto di vista deontologico, è tenuto a dirle che...»

«Non mi faccia una predica sull'etica professionale, Leo.»

«La morte del ragazzo ci ha molto addolorati» interviene Keeley con aria mesta.

«Vedo che è letteralmente straziato, signor Keeley. Riferirò le sue condoglianze alla famiglia.»

«Senta, Rudy, stiamo facendo una proposta di transazione in buona fede» dice Drummond.

«Avete scelto male il momento.»

C'è un breve silenzio mentre beviamo un sorso. Drummond comincia a sorridere per primo. «Cosa vuole la signora? Ce lo dica, Rudy. Ci dica cosa vuole per essere soddisfatta.»

«Niente.»

«Niente?»

«Non potete darle nulla. Il figlio è morto, e a questo non potete rimediare.»

«E allora perché andiamo al dibattimento?»

«Per smascherare ciò che avete fatto.»

I due si agitano di nuovo, e con aria sempre più sofferente. Bevono altro whisky.

«Vuole smascherarvi e rovinarvi» affermo.

«Siamo una società troppo grande» ribatte baldanzoso Keeley.

«Vedremo.» Mi alzo, prendo la borsa. «Troverò l'uscita da solo» dico, e li lascio lì seduti.

38

A poco a poco, nei nostri uffici si accumulano le prove di una certa attività professionale, anche se umile e poco lucrosa. Qua e là sono ammonticchiati fascicoli smilzi, sempre in vista in modo che gli eventuali clienti li vedano. Ho circa una dozzina di processi penali in tribunale, tutti reati di poco conto. Deck sostiene di avere aperto trenta pratiche, anche se il numero mi sembra un po' alto.

Il telefono squilla sempre più spesso. È necessaria una grande disciplina per parlare con un apparecchio sotto controllo, e per me è una lotta quotidiana. Continuo a ripetermi che è stata un'ordinanza del tribunale a consentire tale intromissione. Deve averla approvata un giudice, quindi la cosa deve avere una sua legittimità.

L'ingresso è ancora affollato dai tavoli noleggiati e ingombri dei documenti del caso Black e la loro presenza dà l'impressione di un'attività monumentale.

Se non altro, l'ufficio ha un aspetto indaffarato. Quattro mesi dopo l'apertura, le nostre spese generali ammontano in media a millesettecento dollari al mese. Il reddito lordo è all'incirca tremiladuecento; pertanto, io e Deck, sulla carta, ci dividiamo millecinquecento dollari, al lordo delle tasse e delle ritenute.

Sopravviviamo. Il nostro cliente migliore è Derrick Dogan, e se riusciremo a concludere il suo caso per venticinquemila dollari, potremo tirare il fiato. Ci auguriamo di concludere in tempo per Natale, ma non so bene perché. Io e Deck non abbiamo nessuno cui fare regali.

Passerò le vacanze lavorando sul caso Black. Febbraio non è lontano.

Oggi la corrispondenza è la solita routine, a parte due eccezioni. Tinley Britt non ha spedito nulla. È un fatto così raro da farmi sentire emozionato. La seconda sorpresa mi sconvolge al punto che devo girare un po' per l'ufficio prima di riprendermi.

È una busta grande, squadrata, col mio nome e l'indirizzo scritti a mano. Dentro c'è l'invito stampato ad assistere a un'abbagliante presentazione natalizia di catene e bracciali e collane d'oro nella gioielleria di un ipermercato locale. È il classico invito che normalmente butterei via, se l'etichetta con l'indirizzo fosse prestampata.

In basso, sotto gli orari del negozio, sta scritto in bella grafia un nome: Kelly Riker. Niente messaggi. Niente. Soltanto il nome.

Giro per un'ora nell'ipermercato dopo essere arrivato. Guardo i bambini che pattinano su una pista coperta. Guardo gruppi di adolescenti che vagano da una parte all'altra. Compro un piatto cinese riscaldato e mangio nella galleria affacciata sulla pista.

La gioielleria è uno dei cento negozi che si trovano sotto questo tetto. La prima volta che sono passato per dare un'occhiata ho visto Kelly battere sui tasti di un registratore di cassa.

Entro dietro una giovane coppia e procedo a passo lento a fianco del lungo banco di vetro dove Kelly Riker sta servendo un cliente. Alza gli occhi, mi vede e sorride. Mi allontano di qualche passo, studio l'assortimento luccicante di catene d'oro grosse come cordoni elastici fermasci. La gioielleria è affollata. Mezza dozzina di commessi chiacchierano e tolgono i gioielli dalle vetrinette.

«Desidera, signore?» chiede Kelly fermandosi davanti a me, a poco più di mezzo metro di distanza. La guardo e mi sento sciogliere.

Ci scambiamo un lungo sorriso. «Curiosavo.»

Mi auguro che nessuno ci stia osservando. «Come stai?»

«Bene. E tu?»

«Benissimo.»

«Posso mostrarti una cosa? È un'offerta speciale.»

Kelly indica col dito. Ci troviamo a guardare delle catene degne di un magnaccia. «Belle» commento, a voce abbastanza alta perché mi senta. «Possiamo parlare?»

«Qui no» mi risponde, e si tende ancor più verso di me. Aspiro il suo profumo. Apre la vetrinetta e prende una catena d'oro enorme. Me la mostra dicendo: «C'è un cinema, più avanti. Prendi un biglietto per il film di Eddie Murphy. Centro platea, ultima fila. Ti raggiungo fra mezz'ora.»

«Eddie Murphy?» chiedo ammirando e accarezzando la catena.

«Bella, no?»

«È quella che mi piace di più. Veramente bella. Ma lascia che mi guardi intorno ancora un po'.» Kelly riprende la catena e dice: «Torna presto» da brava commessa.

Ho le ginocchia che tremano un po' mentre mi avvio attraverso l'ipermercato. Lei sapeva che sarei venuto e aveva organizzato tutto, il cinema, il film, il posto e il settore. Bevo un caffè vicino a un Babbo Natale indaffarato e cerco di immaginare cosa mi dirà, cos'ha in mente. Per evitare un film penoso, faccio il biglietto all'ultimo momento.

In sala ci sono meno di cinquanta persone. Alcuni bambini, troppo giovani per un film classificato per adulti, stanno nelle prime file e ridacchiano a ogni oscenità. Altre anime sperdute sono sparse nel buio. L'ultima fila è deserta.

Kelly arriva con qualche minuto di ritardo e siede accanto a me. Accavalla le gambe e la gonna sale a scoprirle le ginocchia. Non posso fare a meno di notarlo.

«Ci vieni spesso?» mi chiede, e io rido. Lei non mi sembra nervosa, io invece lo sono.

«Siamo al sicuro?» chiedo.

«Al sicuro da chi?»

«Tuo marito.»

«Sì, stasera è uscito con gli amici.»

«Ha ricominciato a bere?»

«Sì.»

E questo comporta sottintesi enormi.

«Ma non tanto» aggiunge come per un ripensamento.

«Allora non ha...?»
«No. Parliamo d'altro.»
«Scusami. Sono in pensiero per te, ecco tutto.»
«Perché ti preoccupi per me?»
«Perché penso sempre a te. E tu, a me, non pensi mai?»
Guardiamo lo schermo ma non vediamo niente.
«Sempre» risponde, e mi sento mancare il cuore.
Sullo schermo un uomo e una ragazza si stanno strappando gli abiti di dosso. Si lasciano cadere su un letto e cuscini e biancheria volano nell'aria. Poi si avvinghiano con ardore e il letto comincia a tremare. Mentre gli amanti si amano, Kelly passa il braccio sotto il mio e si accosta. Non parliamo finché non cambia la scena. Ricomincio a respirare.
«Quando hai cominciato a lavorare?» chiedo.
«Due settimane fa. Abbiamo bisogno di un po' di soldi in più per Natale.»
Probabilmente, tra oggi e Natale guadagnerà più di me. «E lui lascia che lavori?»
«Preferisco non parlare di lui.»
«Ho molto da fare. In febbraio avrò una causa molto importante.»
«Allora te la passi bene?»
«Non sono rose e fiori, ma il lavoro aumenta. Gli avvocati fanno la fame, ma se hanno un colpo di fortuna possono guadagnare parecchio.»
«E se non hanno fortuna?»
«Continuano a soffrire la fame. Preferirei non parlare di avvocati.»
«Benissimo. Cliff vuole che abbiamo un bambino.»
«A cosa servirebbe?»
«Non lo so.»
«Non farlo, Kelly» dico con uno slancio che mi sorprende. Ci guardiamo e ci teniamo per mano.
Perché sono qui, in un cinema buio, a tenere per mano una donna sposata? È la domanda del giorno. E se Cliff comparisse all'improvviso e mi sorprendesse a coccolare sua moglie? Chi dei due ammazzerebbe per primo?
«Mi ha detto di smettere di prendere la pillola.»
«E l'hai fatto?»

«No. Ma sono preoccupata per quello che potrebbe succedere se non restassi incinta. In passato è stato piuttosto facile, ricordi?»

«Il corpo è tuo.»

«Sì, e lui lo vuole sempre. Sta diventando maniaco del sesso.»

«Senti, preferirei parlare d'altro, se non ti dispiace.»

«D'accordo. Stiamo restando a corto di argomenti.»

«È vero.»

Ci lasciamo le mani e per qualche momento seguiamo il film. Kelly si volta adagio e si appoggia sul gomito. Le nostre facce sono a pochi centimetri l'una dall'altra. «Volevo vederti, Rudy» dice, ed è quasi un bisbiglio.

«Sei felice?» domando, sfiorandole la guancia col dorso della mano. Ma come può esserlo?

Scuote la testa. «No, non proprio.»

«Cosa posso fare?»

«Niente.» Si morde il labbro. Mi sembra che abbia gli occhi lucidi.

«Devi prendere una decisione» dico.

«Cioè?»

«O mi dimentichi o chiedi il divorzio.»

«Credevo che fossi mio amico.»

«Anch'io credevo di esserlo. Ma non è vero. È qualcosa di più di un'amicizia, e lo sappiamo tutti e due.»

Guardiamo il film per qualche altro istante.

«Devo andare» dice lei. «La pausa è quasi finita. Scusa il disturbo.»

«Non mi hai disturbato, Kelly. Sono contento di averti vista. Ma non intendo continuare così, di nascosto. O chiedi il divorzio o ti dimentichi di me.»

«Non posso dimenticarti.»

«Allora chiediamo il divorzio. Possiamo farlo anche domani. Ti aiuterò a liberarti di quel mascalzone, e poi potremo divertirci.»

Si tende verso di me, mi bacia sulla guancia e se ne va.

Senza consultarmi, Deck prende il suo telefono e lo porta a Butch. Poi tutti e due lo portano a un conoscente che, a quanto dice, un tempo lavorava per l'esercito. Secondo costui, la microspia nascosta nel nostro apparecchio è molto diversa da quelle usate abitualmente dall'Fbi e dagli altri organi governativi. Fabbricata in Cecoslovacchia e di qualità media, è in collegamento con una trasmittente situata nelle vicinanze. È quasi sicuro che non sia stata piazzata dalla polizia o dai federali.

Ricevo queste notizie mentre bevo il caffè, una settimana prima della festa del Ringraziamento.

«C'è qualcun altro che ci sta ascoltando» annuncia nervosamente Deck.

Sono troppo sbigottito per reagire.

«E chi può essere?» chiede Butch.

«Come diavolo faccio a saperlo?» ribatto in tono irritato. Non ha diritto di farmi domande del genere. Appena se ne andrà, darò una strigliata a Deck perché l'ha coinvolto fino a questo punto. Guardo male il mio socio e lui guarda dall'altra parte, sussultando come se si aspettasse un attacco da parte di ignoti.

«Be', i federali non sono» dichiara Butch con fare autorevole.

«Grazie.»

Paghiamo il caffè e torniamo in ufficio. Butch ricontrolla i telefoni, così, per sicurezza. Ci sono gli stessi minuscoli aggeggi rotondi.

Ora l'interrogativo è questo: chi ci spia?

Vado nel mio ufficio, chiudo a chiave la porta e aspetto che Butch se ne vada. Nel frattempo mi viene in mente un'idea brillante. Alla fine Deck bussa, giusto abbastanza forte perché lo senta.

Discutiamo il mio piano. Deck va in tribunale. Dopo mezz'ora mi chiama per riferirmi gli aggiornamenti su tutta una serie di clienti inventati. E tanto per saperlo, mi chiede, ho bisogno che mi sbrighi qualche commissione in centro?

Parliamo di varie cose per qualche minuto, poi io dico: «Indovina chi vuole arrivare a una transazione».

«Chi?»

«Dot Black.»

«Dot Black?» chiede lui fingendosi sorpreso. Però come attore non è molto abile.

«Proprio così. Stamattina sono passato a vedere come stava,

e le ho portato una torta di frutta. Ha detto che non se la sente di sopportare il dibattimento e che vuole concludere in fretta.»

«Per quanto?»

«Dice che accetterebbe centosessantamila dollari. Ci ha pensato bene, e dato che l'offerta massima della controparte è centocinquantamila, è convinta di ottenere una piccola vittoria se le offriranno più di quanto sono intenzionati a sborsare. Crede di essere un'abile negoziatrice. Ho tentato di spiegarle come stanno le cose, ma sai quanto è testarda.»

«Non farlo, Rudy. È un caso che vale un patrimonio.»

«Lo so. Kipler ritiene che otterremo un risarcimento punitivo enorme ma, lo sai anche tu, dal punto di vista dell'etica professionale devo parlare con Drummond e cercare una transazione. È ciò che chiede la cliente.»

«Non farlo. Centosessantamila? Sono briciole.» A questo punto Deck riesce a essere credibile anche se mi sorprendo a sogghignare. Il calcolatore è all'opera per accertare quale fetta gli spetterebbe su centosessantamila dollari. «E pensi che siano disposti a sborsarli?» mi domanda.

«Non lo so. Ho avuto l'impressione che centocinquanta fosse il massimo. Ma non ho fatto controproposte.» Se la Great Eastern era pronta a pagare centocinquantamila dollari per chiudere il caso, non esiterà a scucirne centosessantamila.

«Ne parliamo quando torno» chiude Deck.

«Va bene.» Riattacchiamo e mezz'ora dopo Deck si siede davanti alla mia scrivania.

L'indomani mattina alle nove meno cinque squilla il telefono. Deck risponde nel suo ufficio e si precipita nel mio. «È Drummond» annuncia.

Il nostro piccolo studio legale si è dato alle spese pazze e ha acquistato un registratore da quaranta dollari al Radio Shack. L'apparecchio è collegato al mio telefono. Ci auguriamo di tutto cuore che non disturbi la microspia. Butch ha detto che secondo lui non dovrebbero esserci problemi.

«Pronto?» dico cercando di nascondere l'ansia e il nervosismo.

«Rudy, sono Leo Drummond» dice calorosamente il mio interlocutore. «Come va?»

Per correttezza professionale, a questo punto dovrei dirgli che c'è un registratore in funzione e dargli una possibilità di comportarsi di conseguenza. Ma per ovvie ragioni io e Deck abbiamo deciso di non farlo. Non servirebbe a niente. E cosa volete che conti, fra colleghi, la correttezza professionale?

«Bene, signor Drummond. E lei?»

«Niente male. Senta, dobbiamo accordarci per la data della deposizione del dottor Kord. Le andrebbe il dodici dicembre? Naturalmente nel suo ufficio... alle dieci.»

Penso che la deposizione di Kord sarà l'ultima, a meno che Drummond non si faccia venire in mente qualcun altro interessato al caso. Strano, però, che si sia preso il disturbo di telefonarmi in anticipo per chiedermi se mi sta bene.

«Io sono d'accordo» rispondo. Deck ronza intorno alla mia scrivania e freme per la tensione.

«Bene. Non dovrebbe portar via molto tempo. Spero di no, a cinquecento dollari l'ora. Scandaloso, non le sembra?»

Siamo proprio due amiconi. Noi avvocati contro di loro, i dottori.

«Sì, un vero scandalo.»

«Già. Comunque, Rudy, senta... sa cosa vogliono i miei clienti?»

«Cosa?»

«Ecco, non vogliono passare una settimana a Memphis alle prese col dibattimento. Sono dirigenti che maneggiano capitali enormi e devono proteggere le loro carriere. Vogliono arrivare a una transazione, Rudy, e mi hanno chiesto di farglielo sapere. È un discorso che riguarda solo l'accomodamento finanziario, senza ammissioni di responsabilità, mi capisce?»

«Certo.» Strizzo l'occhio a Deck.

«Il loro esperto sostiene che il trapianto di midollo osseo sarebbe venuto a costare fra i centocinquanta e i duecentomila dollari, e non contestiamo le cifre. Presumiamo, solo per amor di discussione, che il mio cliente dovesse pagare il trapianto. Diciamo che fosse coperto dalla polizza... dato e non concesso, sia chiaro. In questo caso il mio cliente avrebbe dovuto pagare circa centosettantacinquemila dollari.»

«Se lo dice lei.»

«È la somma che offriamo ora per la transazione. Centosettantacinquemila dollari! Niente più deposizioni. Le farò avere l'assegno entro sette giorni.»

«Penso proprio di no.»

«Mi ascolti, Rudy. Neppure un fantastilione di dollari potrebbe rendere la vita a quel ragazzo. Cerchi di far ragionare la sua cliente. Io penso che sarebbe disposta alla transazione. A un certo momento l'avvocato deve comportarsi da avvocato e prendere in pugno la situazione. Quella povera vecchietta non ha idea di quello che succederà in aula.»

«Le parlerò.»

«La chiami subito. Aspetterò qui un'altra ora prima di uscire. La chiami.» Con ogni probabilità quel lurido verme ha la microspia collegata al telefono. Vorrebbe che chiamassi Dot per ascoltare.

«Mi metterò in contatto con lei, signor Drummond. Buongiorno.»

Poso il ricevitore, riavvolgo il nastro e ascolto.

Deck si assesta su una sedia a bocca aperta. I quattro incisivi da castoro luccicano. «Hanno messo loro le microspie nei nostri telefoni» dice incredulo quando il nastro si ferma. Fissiamo il registratore come se potesse spiegare tutto. Sono letteralmente incredulo e paralizzato dallo shock. Resto così per diversi minuti. Non si muove niente, non funziona niente. All'improvviso squilla il telefono, ma nessuno dei due risponde. Per il momento siamo terrorizzati.

«Penso che dovremmo dirlo a Kipler» mormoro alla fine.

«Non credo» dice Deck. Si toglie gli occhiali e si massaggia gli occhi.

«Perché?»

«Prova a riflettere. Noi sappiamo, o almeno crediamo di sapere, che Drummond o i suoi clienti tengono sotto controllo i nostri telefoni. Drummond sa senza dubbio che ci sono le microspie perché l'abbiamo appena beccato. Ma è impossibile provarlo con certezza, impossibile sorprenderlo con le mani nel sacco.»

«Negherà fino alla morte.»

«Giusto. Quindi, cosa può fare Kipler? Accusarlo senza prove concrete? Fargli un'altra sfuriata?»

«Ormai si è abituato.»

«E non avrà nessun effetto sul dibattimento. Non possiamo dire ai giurati che il signor Drummond e i suoi clienti hanno giocato sporco durante gli accertamenti.»

Fissiamo ancora per un po' il registratore, riflettiamo e cerchiamo di muoverci a tentoni nella nebbia. Durante una lezione di etica professionale, appena un anno fa, abbiamo letto di un avvocato che ricevette una severa reprimenda perché aveva registrato di nascosto una sua conversazione telefonica con un altro avvocato. Io sono colpevole, ma il mio peccato veniale impallidisce in confronto al comportamento ignobile di Drummond. Il guaio è che se produco in tribunale questo nastro possono inchiodarmi. Drummond non sarà mai riconosciuto colpevole perché è impossibile attribuirgli le intercettazioni. A che livello è coinvolto? Mettere le microspie è stata una sua idea? Oppure si è semplicemente servito di informazioni rubate e passate dal cliente?

Non lo sapremo mai. E purtroppo non fa nessuna differenza. Lui lo sa benissimo.

«Però possiamo servircene a nostro vantaggio» dico.

«È appunto ciò che stavo pensando.»

«Ma dobbiamo essere molto prudenti, o si insospettirà.»

«Sì, teniamolo da parte per il dibattimento. Aspettiamo il momento migliore per fare in modo che quei pagliacci vadano a caccia di aria fritta.»

Tutti e due cominciamo a sorridere malignamente.

Aspetto due giorni, quindi chiamo Drummond e gli dò la brutta notizia. La mia cliente non vuole i suoi sporchi dollari. Si comporta in modo strano, gli confido. Un giorno ha paura di arrivare al dibattimento, il giorno dopo vuole arrivarci a tutti i costi. In questo momento è animata da uno spirito battagliero.

Drummond non si insospettisce. Ripiega sulla solita routine, dice che l'offerta potrebbe essere ritirata in via definitiva, che sarà un dibattimento spiacevole, una lotta senza esclusione di colpi. Non c'è dubbio che sta facendo la scena a beneficio dei signori che a Cleveland ascoltano tutto. Chissà quanto tempo sprecano per ascoltare queste conversazioni.

Sarebbe opportuno accettare. Dot e Buddy incasserebbero

oltre centomila dollari netti, più di quanto potrebbero mai riuscire a spendere. Il loro avvocato si metterebbe in tasca quasi sessantamila dollari, una somma enorme. Ma per i Black il denaro non significa niente. Non ne hanno mai avuto e adesso non sognano certo di diventare ricchi. Dot vuole che venga riconosciuto ufficialmente tutto il male che la Great Eastern ha fatto a suo figlio. Vuole una sentenza, la proclamazione che lei aveva tutte le ragioni e che Donny Ray è morto assassinato dalla Great Eastern.

Quanto a me, sono sorpreso dalla mia capacità di ignorare il denaro. È una tentazione, certo, ma non tale da divorarmi. Non sono alla fame. Sono giovane e ci saranno altri casi.

E sono convinto di una cosa: se la Great Eastern ha tanta paura da mettere le microspie nei miei telefoni, senza dubbio nasconde chissà quali segreti tenebrosi. Per quanto mi preoccupi, sogno il dibattimento in aula.

Booker e Charlene mi invitano al pranzo del Ringraziamento assieme a tutti i Kane. La nonna di Booker abita in una casetta a South Memphis e a quanto pare non ha fatto altro che cucinare per una settimana. C'è freddo e umido, quindi siamo costretti a restare in casa per tutto il pomeriggio. Ci sono almeno cinquanta persone che vanno dai sei mesi agli ottant'anni, e l'unica faccia bianca è la mia. Restiamo a tavola per ore a mangiare, gli uomini si affollano intorno alla televisione in soggiorno e guardano una partita dopo l'altra. Io e Booker mangiamo la torta di noci americane e beviamo il caffè sul cofano di una macchina in garage, e rabbrividiamo un po' mentre ci scambiamo gli ultimi pettegolezzi. Booker è curioso di sapere qualcosa sulla mia vita sentimentale, e io gli assicuro che è inesistente. Per il momento. Gli affari vanno bene, gli dico. Lui lavora ventiquattr'ore su ventiquattro. Charlene vorrebbe un altro figlio, ma restare incinta è un problema dato che lui non c'è mai.

La vita di un avvocato oberato di lavoro.

39

Sapevamo che era stata spedita, ma i passi pesanti e affrettati mi rivelano che è arrivata. Deck piomba nel mio ufficio e sventola la busta. «Eccola! Eccola! Siamo ricchi!»

Apre la busta, estrae con delicatezza l'assegno e lo posa sulla mia scrivania. Lo ammiriamo. Venticinquemila dollari inviati dalla State Farm. È Natale!

Dato che Derrick Dogan cammina ancora con le grucce, ci precipitiamo a casa sua con tutti i documenti. Firma dove gli diciamo noi. Gli consegniamo il denaro. Lui incassa esattamente 16.667 dollari, e noi 8.333. Deck avrebbe voluto caricargli le spese per le fotocopie, la posta, le telefonate che quasi tutti gli avvocati cercano di farsi rimborsare dai clienti al momento della transazione, ma mi sono opposto.

Lo salutiamo, gli facciamo tanti auguri e ci sforziamo di mostrarci un po' rammaricati per il suo incidente, ma è difficile.

Abbiamo deciso di prendere tremila dollari a testa e di lasciare il resto nel fondo dello studio per gli inevitabili mesi magri che ci attendono. Lo studio paga un bel pranzo in un ristorante alla moda di East Memphis. Adesso lo studio possiede una carta di credito oro, emessa da una banca disperata ed evidentemente impressionata dal fatto che sono avvocato. Nel modulo della richiesta ho aggirato abilmente le domande relative a precedenti insolvenze. Io e Deck ci siamo scambiati la promessa solenne che la carta di credito non sarà mai usata se non con il consenso di entrambi.

Prendo i miei tremila dollari e compro una macchina. Non è nuova, certo, ma la sogno da quando la transazione Dogan è diventata una certezza. È una Volvo DL blu del 1984, quattro marce e overdrive, in condizioni ottime e con soli centonovantamila chilometri, non molti per una Volvo. L'unico proprietario è stato un banchiere che ne curava personalmente la manutenzione.

Mi ero gingillato con l'idea di comprare una macchina nuova, ma non sopporto l'idea di indebitarmi.

È la mia prima macchina da avvocato. Mi pagano trecento dollari per la Toyota, e con questa somma compro un radiotelefono. Rudy Baylor si sta facendo strada.

Qualche settimana fa ho deciso che non avrei passato il Natale in città. I ricordi dell'anno scorso mi fanno ancora soffrire. Sarò solo, e sarà tutto più facile se me ne andrò. Deck ha accennato alla possibilità di passare Natale insieme, ma è stata un'ipotesi molto vaga. Gli ho detto che probabilmente andrò a trovare mia madre.

Quando mia madre e Hank non sono in viaggio con la Winnebago, la parcheggiano dietro la loro casetta di Toledo. Non ho mai visto né la casa né il Winnebago, e non ho intenzione di passare il Natale in compagnia di Hank. Dopo la festa del Ringraziamento mi ha telefonato per invitarmi senza molto entusiasmo a passare le feste con loro, ma ho rifiutato. Ho detto che ero troppo occupato. Manderò un biglietto d'auguri.

Non detesto mia madre. Molto semplicemente, abbiamo smesso di parlarci. È stata una spaccatura graduale, diversa da quelle provocate da qualche evento antipatico che non viene dimenticato per anni.

Secondo Deck il mondo giudiziario chiude i battenti dal quindici dicembre fino all'inizio dell'anno nuovo. I giudici non mettono in calendario processi e udienze. Gli avvocati sono impegnatissimi con le feste in ufficio e i pranzi dei dipendenti. È il momento ideale per lasciare la città.

Carico il materiale sul caso Black nel portabagagli della mia piccola, lucida Volvo, oltre a qualche indumento, e mi metto in viaggio. Vago senza meta su strade a due corsie e procedo approssimativamente verso nord-ovest fino a quando trovo la neve nel Kansas e nel Nebraska. Dormo in motel molto modesti, mangio nei fast food e vedo quello che c'è di interessante

da vedere. Una tempesta invernale ha spazzato le pianure del Nord. Ci sono mucchi di neve lungo i bordi delle strade. Le praterie sono bianche e immobili come nuvoloni caduti a terra.
La solitudine del viaggio mi rinvigorisce.

Il ventitré dicembre arrivo finalmente a Madison, Wisconsin. Trovo un alberghetto, un ristorantino intimo che serve piatti discreti, e cammino per le vie del centro come un abitante del posto che passa da un negozio all'altro. Ci sono delle cose di un Natale normale alle quali non rinuncio.

Siedo sulla panchina gelata di un parco, con la neve sotto i piedi, e ascolto un coro che intona con partecipazione le nenie di rito. Nessuno al mondo sa dove mi trovo in questo momento, in quale città e in quale stato. E questa libertà è gradevole.

Dopo aver cenato e bevuto qualche drink nel bar dell'albergo chiamo Max Leuberg. È tornato al suo posto di docente fisso presso la facoltà di legge dell'università locale, e gli ho telefonato circa una volta al mese per chiedergli consigli. Mi ha invitato ad andare a trovarlo. Gli ho mandato copie di quasi tutti i documenti, compreso memorie, accertamenti scritti e gran parte delle deposizioni. Lo scatolone che ho affidato alla Federal Express pesava più di sei chili e la spedizione mi è costata quasi trenta dollari. Deck ha approvato.

Max sembra sinceramente contento di sapere che sono a Madison. È ebreo e quindi non ci tiene molto al Natale. L'altro giorno mi ha detto al telefono che è il periodo ideale per lavorare. Mi fornisce le indicazioni per arrivare da lui.

Ci sono dodici gradi sotto zero l'indomani mattina alle nove, quando entro nella facoltà. È aperta ma deserta. Leuberg mi aspetta in ufficio con caffè bollente. Per un'ora parliamo delle cose che gli ispirano nostalgia di Memphis, e la facoltà di legge non fa parte dell'elenco. Il suo ufficio di qui somiglia molto a quello che occupava là, zeppo di roba, caotico, con tanti manifesti politici e adesivi attaccati alle pareti. Non è cambiato: capelli ispidi e spettinati, jeans, scarpe di tela bianche. Porta i calzini solo perché fuori ci sono trenta centimetri di neve. È su di giri e sprizza energia.

Lo seguo nel corridoio fino a una saletta per i seminari. Al centro c'è un lungo tavolo. Leuberg ha la chiave. Il materiale che gli ho spedito è ben ordinato sul tavolo, e sediamo l'uno di fronte all'altro. Versa altro caffè da un thermos. Sa che mancano sei settimane al dibattimento.

«C'è stata qualche proposta di transazione?»

«Sì. Più d'una. Sono arrivati a centosettantacinquemila, ma la mia cliente dice di no.»

«È insolito, ma non mi sorprende.»

«Perché non la sorprende?»

«Perché li hai inchiodati. E rischiano grosso, Rudy. È uno dei più bei casi di malafede che abbia mai visto, eppure ne ho avuto per le mani migliaia.»

«C'è di più» dico, e gli racconto che i nostri telefoni sono controllati e tutto indica che Drummond ascolta le nostre conversazioni.

«Ne avevo già sentito parlare» commenta. «C'è stato un caso in Florida, ma l'avvocato dell'attore ha esaminato i suoi telefoni solo dopo la fine del dibattimento. Si era insospettito perché la difesa sapeva sempre cosa intendeva fare. Ma, accidenti, questo è diverso.»

«Devono aver paura» dico.

«Sono terrorizzati. Ma non facciamoci illusioni. Da te giocano su un campo amico. La tua contea non prende molto sul serio le sanzioni punitive.»

«Allora cosa mi consiglia?»

«Prendi i soldi e scappa.»

«Non posso. Non voglio. La mia cliente non vuol saperne.»

«Bene. Allora è il caso di trascinare quei signori nel ventesimo secolo. Dov'è il tuo registratore?» Balza in piedi e si aggira per la saletta. C'è una lavagna alla parete, e il professore è pronto per tenere una lezione. Prendo un registratore dalla borsa e lo poso sul tavolo. Afferro la penna e il bloc notes.

Max decolla e per un'ora scrivo affannosamente e lo tempesto di domande. Parla dei miei testimoni, di quelli della parte avversa, dei documenti, delle varie strategie. Ha studiato il materiale che gli ho spedito. È entusiasta all'idea di inchiodare quelli della Great Eastern.

«Tieni il meglio per ultimo» mi raccomanda. «Mostra la registrazione che quel povero ragazzo ha fatto pochi giorni prima della morte. Immagino che farà pena.»

«Anche peggio.»

«Magnifico. È un'immagine che si imprimerà nella mente dei giurati. Se tutto andrà bene potrai finire in tre giorni.»

«E poi?»

«E poi mettiti tranquillo e stai a guardare mentre quelli cercano di dare spiegazioni.» Leuberg s'interrompe di colpo e prende qualcosa dal tavolo. Me lo passa.

«Cos'è?»

«È una polizza nuova della Great Eastern, stipulata un mese fa da uno dei miei studenti. Ho pagato io, e il mese prossimo la disdiremo. Volevo solo dare un'occhiata al linguaggio. Indovina un po' cosa viene escluso, adesso, e in neretto.»

«I trapianti di midollo osseo.»

«Tutti i trapianti, inclusi quelli di midollo osseo. Tienila e usala nel dibattimento. Credo che dovresti chiedere al capo dell'esecutivo perché hanno cambiato la polizza pochi mesi dopo che i Black gli hanno fatto causa. Perché adesso escludono specificamente il trapianto del midollo osseo? E se non era escluso nella polizza dei Black, perché a suo tempo non hanno pagato? Sarà utile, Rudy. Diavolo, forse verrò ad assistere al dibattimento.»

«Oh, sì, venga!» Sarebbe un conforto avere a disposizione un amico da consultare, oltre a Deck.

Max ha qualche problema con la nostra analisi della pratica della richiesta di liquidazione, e ben presto ci perdiamo negli aspetti burocratici. Vado a prendere le quattro scatole di cartone dal portabagagli della macchina e prima di mezzogiorno la saletta dei seminari sembra un campo di battaglia.

L'energia di Leuberg è contagiosa. Durante il pranzo ascolto la prima lezione sulla contabilità delle società di assicurazione. Dato che è un'industria esente dalle norme federali sull'antitrust, ha messo a punto metodi contabili tutti suoi. Virtualmente, nessuna società di revisione contabile è in grado di capire le norme contabili di una società di assicurazioni. Anzi, sono congegnate in modo da risultare incomprensibili perché nessuna società vuole che il resto del mondo sappia cosa sta facendo. Max, però, qualche indicazione utile l'ha trovata.

La Great Eastern vale fra i quattrocento e i cinquecento milioni di dollari, e circa la metà è occultata in riserve ed eccedenze. È appunto ciò che dovrò spiegare alla giuria.

Non oso proporre l'improponibile, cioè di lavorare anche il giorno di Natale, ma ormai Max è partito all'assalto. La moglie è andata a New York in visita ai suoi. Lui non ha niente da fare e ci tiene moltissimo a mettere le mani nei due scatoloni di documenti che ancora rimangono.

Riempio di appunti tre blocchi e mezza dozzina di nastri con i suoi pensieri su ogni aspetto del caso. Sono esausto quando annuncia finalmente che abbiamo finito. Ormai è buio ed è il 25 dicembre. Mi aiuta a rimettere il materiale nelle scatole e a portarle alla macchina. Ha ripreso a nevicare

Ci salutiamo all'entrata della facoltà. Non so come ringraziarlo. Mi fa gli auguri, mi fa promettere che lo chiamerò almeno una volta la settimana prima dell'inizio del dibattimento e una volta al giorno durante lo svolgimento. E ripete che forse farà una scappata a Memphis per l'occasione.

Ci salutiamo sotto la neve.

Impiego tre giorni per raggiungere Spartanburg, South Carolina. La Volvo si comporta benissimo sulla strada, soprattutto fra la neve e il ghiaccio dell'Upper Midwest. Chiamo Deck col radiotelefono. In ufficio c'è calma, dice. Nessuno mi cerca.

Ho passato gli ultimi tre anni e mezzo a studiare come un matto per laurearmi e intanto lavoravo da Yogi's. Avevo ben poco tempo libero. Questo viaggio in economia sarebbe una noia per molti, ma per me è una vacanza di lusso. Mi schiarisce la mente e l'anima, mi permette di pensare a varie cose che non c'entrano con la legge. Mi tolgo di dosso molti pesi. Sara Plankmore, tanto per cominciare. Rinuncio ai vecchi rancori. La vita è troppo breve per disprezzare coloro che non potevano evitare di fare quello che hanno fatto. Nel West Virginia perdono i peccati di Loyd Beck e di Barry Lancaster. Mi riprometto di non preoccuparmi più per la signora Birdie e quegli sciagurati dei suoi familiari. Possono risolvere i loro problemi senza di me.

Per chilometri e chilometri viaggio pensando a Kelly Riker, ai suoi denti perfetti, alle gambe abbronzate, alla voce morbida.

Quando penso alle questioni legali, indugio sull'imminente

dibattimento. Nel mio ufficio c'è un'unica pratica che potrebbe arrivare in tribunale, perciò c'è un solo dibattimento cui posso pensare. Imparo a memoria le prime frasi che rivolgerò alla giuria, mi vedo impegnato a torchiare quei disonesti della Great Eastern. E per poco non piango mentre mi lancio nell'arringa finale.

Qualche automobilista che incrocio mi guarda in modo strano ma, ehi, nessuno mi conosce.

Ho parlato con quattro avvocati che hanno fatto o stanno per fare causa alla Great Eastern. I primi tre non mi sono stati utili. Il quarto sta a Spartanburg. Si chiama Cooper Jackson, e il suo caso ha qualcosa di strano. Non poteva parlarmene al telefono, il telefono del mio appartamento, ma ha detto che se volevo potevo andare nel suo ufficio ed esaminare la pratica.

Lavora in un palazzo di uffici moderni del centro dove c'è anche una banca. È uno studio con sei avvocati. Ho chiamato ieri col radiotelefono dal North Carolina, e oggi è a mia disposizione. A Natale non c'è molto da fare, mi ha detto.

È un uomo massiccio con barba scura e occhi scurissimi che brillano animando ogni sua espressione. Ha quarantasei anni e mi dice che ha guadagnato bene occupandosi di cause sulle responsabilità per i prodotti. E prima di continuare si assicura che la porta del suo ufficio sia ben chiusa.

Non dovrebbe dirmi quello che sta per dire. È arrivato a una transazione con la Great Eastern e lui e il suo cliente hanno firmato un impegno a mantenere il segreto, un impegno che comporta severe sanzioni se qualcuno dovesse rivelare le condizioni dell'accordo. È un tipo di accordo che non gli piace, ma non è raro. Un anno fa ha fatto causa per conto di una signora che era stata colpita da una grave sinusite e aveva bisogno di un intervento chirurgico. La Great Eastern aveva rifiutato di pagare le relative spese perché nella sua richiesta la signora aveva taciuto che sei anni prima, quando non aveva ancora stipulato la polizza, le avevano asportato una cisti ovarica. La cisti era una malattia pregressa, diceva la lettera di rifiuto. La spesa dell'intervento ammontava a undicimila dollari. C'era stato un ulteriore scambio di lettere, poi la signora si era rivolta a Cooper Jackson. Questi aveva fatto quattro viaggi a Cleveland col suo aereo e aveva effettuato otto deposizioni.

«Sono il branco di bastardi più stupidi e disonesti che abbia mai conosciuto» mi dice a proposito dei signori di Cleveland. A Jackson piacciono i dibattimenti accaniti, senza esclusione di colpi. Aveva insistito molto per arrivare in aula, ma all'improvviso la Great Eastern aveva proposto una transazione da concludere con la massima riservatezza.

«Questa è la parte confidenziale» mi dice, soddisfatto all'idea di venir meno ai termini dell'accordo e di raccontarmi tutto. Scommetto che l'ha già raccontato ad altre cento persone. «Ci hanno pagato gli undicimila dollari, e poi ne hanno aggiunti altri duecentomila perché stessimo buoni.» Gli brillano gli occhi mentre attende la mia reazione. È una transazione davvero sensazionale perché la Great Eastern ha pagato effettivamente una somma enorme a titolo di risarcimento danni. Non mi sorprende che abbiano tanto insistito perché l'accordo non venisse rivelato.

«Straordinario» commento.

«Appunto. Personalmente non avrei voluto concludere la transazione, ma la mia povera cliente aveva bisogno di quella somma. Sono certissimo che avremmo potuto strappare un verdetto per una cifra molto più alta.» Mi racconta qualche episodio per convincermi che ha guadagnato un mucchio di soldi; poi lo seguo in una stanzetta priva di finestre, piena di raccoglitori per archiviare i documenti. Me ne indica tre, quindi si appoggia agli scaffali. «Ecco come si comportano» dice, toccando un raccoglitore come se racchiudesse grandi misteri. «La richiesta di liquidazione arriva e viene assegnata a un impiegato, un burocrate d'infimo rango. Chi si occupa di queste pratiche è tra i meno preparati e i meno pagati di tutti. È un'abitudine delle società di assicurazione. Il vero interesse è per gli investimenti, non certo per le liquidazioni e i contratti. L'impiegato richiede la documentazione medica degli ultimi cinque anni e spedisce all'assicurato una lettera per fargli sapere che le cose si mettono male. Di sicuro anche lei ha in mano una lettera di questo tenore. Poi viene esaminata la documentazione medica e si trova qualche ragione per respingere la richiesta. L'assicurato riceve un'altra lettera che dice: "Liquidazione negata in attesa di ulteriori accertamenti". E qui comincia il bello. Il liquidatore passa la pratica all'ufficio contratti, e l'ufficio contratti gli manda un promemoria di questo genere: "Non pagate se prima non avrete avuto nostre disposizioni". Segue una corrispondenza fra ufficio liquidazioni e ufficio contratti, lettere e promemoria che vanno e vengono; le scartoffie si accumulano, sorgono disaccordi su clausole e sub-clausole della polizza che vengono discusse con accanimento mentre i due servizi si fanno guerra. Tenga presente una cosa: costoro lavorano per la stessa società e nella stessa sede, ma è raro che si conoscano. Non hanno la più pallida idea di quello che sta facendo l'altro servizio. Naturalmente è una situazione voluta. Intanto il suo cliente continua a ricevere queste lettere, qualcuna dell'ufficio liquidazioni, qualcuna dell'ufficio contratti. Molti si arrendono, e la società conta proprio su questo. In media, solo uno su venticinque si rivolge a un avvocato.»

Io sto raccogliendo documenti e brani di deposizioni mentre Jackson mi parla, e all'improvviso diventa tutto chiaro. «Può provarlo?» gli chiedo.

Jackson batte la mano sui raccoglitori. «È tutto qui. Molta di questa roba non le servirà, ma ho i manuali.»

«Anch'io.»

«Prego, esamini pure tutto quanto. È ben organizzato, posso contare sulla collaborazione di un ottimo paralegale, anzi due.»

Ah, bene! Invece io, Rudy Baylor, ho un paravvocato.

Mi lascia solo con i raccoglitori, e mi butto subito sui manuali verde scuro. Uno riguarda le richieste di liquidazione, l'altro i contratti. All'inizio mi sembrano identici a quelli che mi sono procurato nel corso degli accertamenti. Le procedure sono indicate per sezioni. Ci sono una premessa, e un glossario in fondo: non sono altro che normali manuali per burocrati.

Poi scopro qualcosa di diverso. In fondo al manuale sulle richieste di liquidazione, vedo una Sezione U. Nella mia copia questa sezione non c'è. Leggo attentamente, e la cospirazione si rivela. Anche il manuale dei contratti ha una Sezione U. È l'altra metà del modus operandi, esattamente come l'ha descritto Cooper Jackson. Se si leggono insieme, i manuali danno istruzioni a ogni servizio perché respinga la richiesta di liquidazione in attesa di ulteriori riesami, ovviamente, e quindi invii il fascicolo all'altro servizio con la raccomandazione di non pagare fino a nuovo ordine.

Il nuovo ordine non arriva mai. Nessuno dei due servizi può pagare finché l'altro non dà il benestare.

Le due Sezioni U forniscono una serie di direttive sul modo di documentare ogni fase, in pratica di fabbricare una "pista di carta" per dimostrare, se un giorno si rendesse necessario, tutto il duro lavoro che è stato svolto per valutare nel modo più appropriato la richiesta di liquidazione prima di respingerla.

Nessuno dei miei manuali contiene la Sezione U. Sono state tolte per prudenza prima che mi venissero consegnati. Loro, i farabutti di Cleveland e forse anche gli avvocati di Memphis, mi hanno nascosto premeditatamente le Sezioni U. È una scoperta a dir poco sconvolgente.

Lo shock passa presto, e mi trovo a ridere al pensiero di tirar fuori le Sezioni U nel corso del dibattimento e di sventolarle di fronte alla giuria.

Passo ore a frugare nel resto della pratica, ma non riesco a staccare gli occhi dai manuali.

A Cooper piace bere vodka nel suo ufficio, ma solo dopo le sei di sera. Mi invita a fargli compagnia. Tiene la bottiglia in un piccolo frigo, nell'armadio a muro che funge da bar, e la beve pura, senza ghiaccio né acqua. Anch'io bevo la mia, a piccoli sorsi. Non più di due gocce per volta, e va giù bruciante come il fuoco.

Vuotato il primo bicchierino, Jackson dice: «Di sicuro ha le copie delle varie inchieste statali sulla Great Eastern».

Non ne so niente, e non ha senso mentire. «No, non le ho.»

«Deve controllare. Io ho fatto un esposto contro la società al procuratore generale del South Carolina, un mio ex compagno di studi alla facoltà di legge, e ora stanno indagando. Stessa situazione in Georgia. La Commissione per le assicurazioni della Florida ha avviato un'inchiesta ufficiale. Sembra che in un breve periodo di tempo sia stato respinto un numero eccessivo di richieste di liquidazione.»

Qualche mese fa, quando ancora studiavo, Max Leuberg aveva accennato a un esposto da presentare al Dipartimento assicurazioni dello stato. Ma aveva detto anche che probabilmente non sarebbe servito a nulla perché l'industria assicurativa era in ottimi rapporti proprio con coloro che avrebbero dovuto provvedere a regolarmentarla.

Comunque, non posso fare a meno di provare la sensazione di aver omesso qualcosa. In fin dei conti, è il mio primo caso di malafede.

«Adesso si sta parlando di un'azione legale di portata generale, sa» prosegue Jackson con gli occhi che brillano e mi fissano sospettosi. Ha capito che non so niente di un'azione del genere.

«Dove?»

«È un'iniziativa di alcuni avvocati di Raleigh. Hanno un certo numero di piccoli casi di malafede contro la Great Eastern, ma aspettano. La società non è stata ancora attaccata, e penso che concluderà transazioni molto discrete per i casi che la preoccupano di più.»

«Quante polizze ci sono in giro?» Per la precisione, è una domanda che ho fatto nel corso degli accertamenti, e sono ancora in attesa di risposta.

«Poco meno di centomila. Se calcola una percentuale di richieste di liquidazioni pari al dieci per cento, sono diecimila l'anno in media. Diciamo, così a lume di naso, che ne respingono circa la metà. E scendiamo a cinquemila. La richiesta media è di diecimila dollari. Cinquemila volte diecimila dà un risultato di cinquanta milioni di dollari. Diciamo che spendono dieci milioni, ma anche questa è una cifra sparata a caso, per chiudere le poche cause che vengono intentate. Con il loro trucchetto risparmiano quaranta milioni di dollari, e magari l'anno prossimo ricominciano a pagare con regolarità le liquidazioni legittime. Poi passa un anno e tornano a rifiutare i pagamenti. Inventano un altro sistema. E guadagnano tanto che possono rischiare di fregare chiunque.»

Lo fisso a lungo, poi chiedo: «Può provarlo?».

«No. È solo un'intuizione. Con ogni probabilità è impossibile provarlo perché è incriminante. La Great Eastern fa molte cose di un'idiozia incredibile, ma non credo che arrivi al punto di mettere per iscritto un trucchetto tanto grave.»

Sto per parlargli della Lettera alla Stupida ma mi trattengo.

Ormai è lanciato. Ed è uno che si sente a suo agio a fare il mattatore.

«Fa parte di qualche gruppo di avvocati che si occupano di dibattimenti?» mi chiede.

«No. Ho cominciato a esercitare la professione pochi mesi fa.»

«Io sono piuttosto attivo. C'è una rete di avvocati che ama citare le società di assicurazione per i casi di malafede. Ci teniamo in contatto, e ci scambiamo informazioni. Sento parlare molto spesso della Great Eastern. Credo che abbia respinto troppe richieste di liquidazione. Tutti aspettano il primo grosso dibattimento per saltargli alla gola. Un verdetto molto cospicuo scatenerà l'assalto.»

«Non posso garantire il verdetto, ma sul dibattimento ci può contare.»

Jackson dice che potrebbe chiamare qualche collega, mettere in moto la sua rete, stabilire contatti, raccogliere le dicerie e vedere cosa sta succedendo in tutto il paese. E magari verrà a Memphis in febbraio per assistere alla causa. Un buon verdetto cospicuo, ripete, farà crollare la diga.

Passo metà dell'indomani a riesaminare la pratica di Jackson, poi lo ringrazio e parto. Mi chiede di restare in contatto. Prevede che molti avvocati seguiranno con attenzione la nostra causa.

Perché questo mi spaventa?

Rientro a Memphis in dodici ore. Mentre scarico la Volvo dietro la casa buia della signora Birdie, comincia a cadere una neve leggera. Domani è Capodanno.

40

La riunione preliminare, prima dell'inizio del dibattimento, si svolge a metà gennaio nell'aula del giudice Kipler. Ci fa sedere intorno al tavolo della difesa e piazza l'usciere del tribunale alla porta per impedire l'ingresso agli avvocati troppo curiosi. Siede a un capo del tavolo, senza toga, con la segretaria da una parte e la stenografa dall'altra. Io sono alla sua destra e volto le spalle all'aula. Di fronte a me è schierato l'intero collegio di difesa. È la prima volta che rivedo Drummond dopo la deposizione di Kord, resa il dodici dicembre. Ogni volta che sollevo il ricevitore del telefono nel mio ufficio mi sembra di vedere quel mascalzone ben vestito, impeccabile e rispettato che ascolta abusivamente le mie conversazioni.

Entrambe le parti in causa hanno presentato proposte per l'ordinanza preliminare, e oggi procederemo ad appianare le difficoltà. L'ordinanza finale servirà come guida per il dibattimento.

Kipler non è rimasto molto sorpreso quando gli ho mostrato i manuali che mi sono fatto prestare da Cooper Jackson. Li ha confrontati scrupolosamente con quelli che mi sono stati consegnati da Drummond. Secondo lui, non sono tenuto a notificare a Drummond di essere a conoscenza del fatto che mi hanno nascosto certi documenti. È mio pieno diritto attendere il dibattimento e quindi sbatterli in faccia alla Great Eastern di fronte alla giuria.

Dovrebbe essere un colpo disastroso. Gli sfilerò i pantaloni alla presenza dei giurati e resterò a guardare mentre corrono a nascondersi.

Discutiamo i testimoni. Ho elencato i nomi di tutti coloro che hanno qualche legame con il caso.

«Jackie Lemancyzk non lavora più per il mio cliente» commenta Drummond.

«Sa dove si trova?» mi chiede Kipler.

«No.» È la verità. Ho fatto cento telefonate nell'area di Cleveland e non ho trovato la minima traccia di Jackie Lemancyzk. Ho perfino convinto Butch a tentare di rintracciarla presso la società dei telefoni, ma non ha avuto fortuna.

«E lei?» chiede Kipler a Drummond.

«Nemmeno io.»

«Quindi è solo una testimone ipotetica.»

«Infatti.»

Drummond e T. Pierce Morehouse pensano che la cosa sia divertente. Si scambiano sorrisetti desolati. Non sarebbe molto simpatico se la trovassimo e la facessimo testimoniare. Ma le probabilità sono minime.

«E Bobby Ott?» chiede Kipler.

«Un altro testimone ipotetico» rispondo. Le due parti in causa possono elencare le persone che, ragionevolmente, prevedono di chiamare durante il dibattimento. È molto dubbio che riesca a trovare Ott, ma se ricomparisse voglio avere il diritto di chiamarlo a testimoniare. Anche in questo caso, ho chiesto a Butch di provare a cercarlo.

Parliamo degli esperti. Ne ho due soli, il dottor Walter Kord e Rander, l'amministratore della clinica oncologica. Drummond ne ha elencato uno, un certo dottor Milton Jiffy di Syracuse. Ho preferito non chiedere la sua deposizione per due ragioni. Innanzi tutto costerebbe troppo andare fin là; e in secondo luogo so cosa direbbe. Testimonierà che i trapianti di midollo osseo sono troppo sperimentali per essere considerati terapie mediche affidabili. Walter Kord si è molto irritato, e mi aiuterà a preparare il controinterrogatorio.

Kipler dubita che Jiffy testimonierà.

Per un'ora discutiamo sui documenti. Drummond assicura al giudice che hanno consegnato tutto, ma proprio tutto. Riuscirebbe convincente agli occhi di chiunque, ma io sospetto che menta. E lo sospetta anche Kipler.

«E la richiesta presentata dall'attore di conoscere il numero totale delle polizze degli ultimi due anni, il numero delle richieste di liquidazione presentate nello stesso periodo e il numero di quelle respinte?»

Drummond respira a fondo e si mostra molto perplesso. «Ci stiamo lavorando, vostro onore, glielo giuro. Le informazioni sono sparse nei vari uffici regionali, in tutto il paese. Il mio cliente ha trentun uffici statali, diciassette distrettuali e cinque regionali, di conseguenza è piuttosto difficile...»

«Il suo cliente ha i computer?»

Il tentativo è andato a vuoto. «Naturalmente. Ma qui non si tratta solo di battere qualche tasto per avere subito la stampata.»

«Il dibattimento inizierà fra tre settimane, signor Drummond. Voglio quelle informazioni.»

«Ci stiamo provando, vostro onore. Lo rammento tutti i giorni al mio cliente.»

«Se le procuri!» insiste Kipler, e punta l'indice contro il grande Leo F. Drummond. Morehouse, Hill, Plunk e Grone si fanno più piccoli di qualche centimetro ma continuano a scribacchiare.

Passiamo ad argomenti meno pericolosi. Riconosciamo che si devono calcolare due settimane per il dibattimento anche se Kipler mi ha confidato che farà il possibile perché duri non più di cinque giorni. Terminiamo l'ordinanza in due ore.

«Ora, signori, a che punto sono i negoziati per una transazione?» Naturalmente gli ho riferito che la Great Eastern ha fatto un'ultima offerta di centosettantacinquemila dollari. E Kipler sa che Dot Black non vuole sentir parlare di transazioni. Non vuole un centesimo. Vuole giustizia.

«Qual è la sua ultima offerta, signor Drummond?»

I cinque si scambiano occhiate soddisfatte, come se stesse per avvenire qualcosa di sensazionale. «Ecco, vostro onore, proprio questa mattina il mio cliente mi ha autorizzato a offrire duecentomila dollari per arrivare a un accordo» annuncia Drummond sforzandosi di assumere un'aria solenne.

«Signor Baylor?»

«Mi dispiace. La mia cliente mi ha dato istruzioni di non accettare transazioni.»

«Indipendentemente dalla somma offerta?»
«Esatto. Vuole vedere una giuria in quel palco, e vuole che il mondo sappia cos'è successo a suo figlio.»
Al di là del tavolo appaiono espressioni sconvolte e sconcertate e tutti scuotono la testa. Anche il giudice riesce a fingersi perplesso.
Ho parlato poche volte con Dot dopo il funerale. Le brevi conversazioni che ho tentato di intavolare non sono andate molto bene. Soffre, è furiosa, e questo è comprensibile. Accusa la Great Eastern, il sistema, i dottori, gli avvocati, a volte perfino me per la morte di Donny Ray. Capisco anche questo. Non ha bisogno del denaro della Great Eastern, e non lo vuole. Vuole giustizia. Come mi ha detto sotto il portico di casa l'ultima volta che sono andato a trovarla: «Voglio che quei figli di puttana chiudano bottega».
«È immorale!» esclama Drummond in tono teatrale.
«Ci sarà il processo, Leo» gli dico. «È meglio che si prepari.»
Kipler indica un fascicolo e la segretaria glielo passa. Consegna a me e a Drummond la copia di un elenco. «Ecco i nomi e gli indirizzi dei potenziali giurati. Mi pare che siano novantadue, ma di sicuro qualcuno si è trasferito.» Prendo l'elenco e comincio a leggere i nomi. In questa contea c'è un milione di persone. Penso davvero che nell'elenco ci sia qualcuno che conosco? Sono tutti estranei.
«Sceglieremo la giuria una settimana prima del dibattimento, quindi tenetevi pronti a incominciare il primo febbraio. Potete informarvi su di loro ma, naturalmente, ogni contatto diretto sarebbe un illecito gravissimo.»
«Dove sono i questionari?» chiede Drummond. Ogni probabile giurato compila una scheda con i dati fondamentali come età, razza, sesso, luogo e tipo di lavoro, grado d'istruzione. Spesso queste sono le sole informazioni che un avvocato ha a disposizione sul conto di un giurato all'inizio della selezione.
«Ci stiamo lavorando. Domani le spediremo. C'è altro?»
«No, signore» rispondo.
Drummond scuote la testa.

«Voglio al più presto le informazioni sulle polizze e le richieste di liquidazione, signor Drummond.»

«Siamo impegnati al massimo, vostro onore.»

Pranzo in solitudine alla mensa della cooperativa vicino al nostro ufficio. Fagioli neri, risotto e tè d'erbe. Mi sento più sano ogni volta che vengo qui. Mangio adagio, rimesto i fagioli e guardo i novantadue nomi nell'elenco della giuria. Drummond, che dispone di risorse illimitate, si servirà di una squadra di investigatori che individueranno tutte queste persone e si informeranno sulla loro vita. In segreto fotograferanno le loro case e le automobili, accerteranno se sono mai stati coinvolti in qualche causa, si procureranno dati sul loro lavoro, cercheranno di scoprire se ci sono di mezzo divorzi, insolvenze, imputazioni penali. Frugheranno negli archivi pubblici e verranno a sapere quanto ha pagato ognuno di loro per acquistare la casa. L'unica cosa vietata è il contatto personale, sia diretto sia tramite un intermediario.

Prima che ci ritroviamo in aula per scegliere i dodici giurati, Drummond e compagni avranno a disposizione un bel dossier su ognuno di costoro. I dossier saranno valutati non soltanto da lui e dai suoi collaboratori, ma anche da un gruppo di consulenti specializzati in giurie. Nella storia della giurisprudenza americana, questa categoria di consulenti rappresenta una specie animale relativamente nuova. Di solito sono avvocati esperti nello studio della natura umana. Molti sono anche psichiatri o psicologi. Viaggiano in tutto il paese offrendo la loro costosissima collaborazione agli avvocati che sono in grado di pagarli.

All'università avevo sentito l'aneddoto di un consulente assunto da Jonathan Lake per un onorario di ottantamila dollari. La giuria emise un verdetto per parecchi milioni, quindi l'onorario risultò in realtà una manciata di noccioline.

I consulenti di Drummond saranno in aula quando selezioneremo i giurati. Non daranno nell'occhio mentre studieranno i candidati ignari. Analizzeranno le facce, linguaggio corporeo, modo di vestire e di fare e Dio sa che altro.

Io, invece, ho Deck che ha una certa praticaccia di tipi umani. Faremo avere un elenco a Butch e a Booker e a tutti coloro che potrebbero riconoscere qualche nome. Faremo qualche telefonata, magari controlleremo qualche indirizzo, ma il nostro compito è molto più arduo. Nella maggior parte dei casi, dovremo cercare di selezionare i giurati basandoci sull'impressione che ci faranno in aula.

41

Adesso vado all'ipermercato almeno tre volte la settimana, di solito all'ora di cena. Anzi, ho il mio tavolo nella galleria, vicino alla ringhiera affacciata sulla pista di pattinaggio, e lì mangio chow mein di pollo che prendo da Wong's e guardo i bambini pattinare sotto di me. Il tavolo, inoltre, mi permette di tener d'occhio l'andirivieni dei pedoni senza essere visto. Kelly è passata un'unica volta, da sola: mi è sembrato che non andasse in qualche posto particolare. Ho desiderato disperatamente seguirla, prenderle la mano e condurla in una piccola boutique chic dove avremmo potuto nasconderci fra gli appendiabiti carichi di vestiti e parlare di qualcosa.

È l'ipermercato più grande nel raggio di vari chilometri e spesso è affollatissimo. Guardo la gente che va e viene e mi domando se qualcuno di loro potrebbe far parte della mia giuria. Come faccio a individuare novantadue persone su un milione?

Impossibile. Faccio del mio meglio con quello che ho a disposizione. Io e Deck abbiamo preparato le schede in base ai questionari, e ne porto sempre con me una raccolta.

Stasera me ne sto qui, nella galleria, e guardo la gente che si aggira per l'ipermercato. Getto un'occhiata su un'altra scheda del mucchio. R.C. Badley è il nome in neretto. Quarantasette anni, maschio, bianco, idraulico, studi superiori, abita in un sobborgo sud-orientale di Memphis. Giro la scheda per accertare se la mia memoria è perfetta. Lo è. L'ho fatto tante volte che questa gente comincia a darmi la nausea. I nomi sono affissi a una parete dell'ufficio, e io mi piazzo lì davanti almeno un'ora al giorno per studiare ciò che ho già imparato a memoria. Altra scheda: Lionel Barton, ventiquattro anni, maschio, nero, studente part-time di college e commesso in un negozio di pezzi di ricambio per automobili, abita in un appartamentino di South Memphis.

Il mio giurato ideale è giovane, nero, e ha studiato almeno fino alle superiori. Tutti sanno che i neri sono i giurati migliori che un attore possa desiderare. Simpatizzano con le vittime dei soprusi e diffidano delle grandi aziende bianche. Chi può dargli torto?

Non so se siano preferibili gli uomini alle donne. Secondo l'opinione tradizionale le donne sono più tirchie perché è su di loro che ricadono i problemi delle finanze familiari. È più difficile che concedano forti risarcimenti perché quei soldi non finiranno nel loro conto in banca. Max Leuberg, però, preferisce le donne in un caso come questo perché sono madri e possono capire la sofferenza causata dalla perdita di un figlio. Si identificheranno con Dot; e se farò bene il mio lavoro e risveglierò il loro interesse, cercheranno di mandare in malora la Great Eastern. Sì, penso che Max abbia ragione.

Quindi, se potessi fare a modo mio, avrei una giuria di dodici donne nere, preferibilmente con figli.

Deck, com'è naturale, ha un'altra teoria. Teme i neri perché Memphis è una città polarizzata dal punto di vista razziale. Attore bianco, convenuto bianco, tutti bianchi a parte il giudice. Perché la cosa dovrebbe interessarli?

È un esempio perfetto dell'errore che si commette se si classificano i giurati secondo la razza, la classe sociale, l'età e l'istruzione. La realtà è che nessuno può prevedere ciò che può fare chiunque nel momento in cui è parte di una giuria. Ho letto tutti i libri esistenti nella biblioteca sul tema della selezione dei giurati, e adesso sono incerto esattamente come prima.

C'è un unico tipo di giurato che bisogna evitare come la peste in una causa del genere: il dirigente d'azienda bianco e maschio. Sono pericolosissimi nei casi con risarcimenti punitivi. Tendono ad assumere la direzione del dibattito nella fase della deliberazione. Sono istruiti, energici, organizzati e non hanno molta simpatia per gli avvocati. Grazie al cielo, di solito sono anche troppo indaffarati per trovare il tempo necessario per far parte d'una giuria. Ne ho individuati appena cinque nel mio elenco e sono sicuro che ognuno addurrà dozzine di ragioni per essere esentato. Kipler, in circostanze diverse, forse gli darebbe filo da torcere. Ma sospetto che neppure a lui siano molto graditi. Sarei pronto a scommettere tutto quello che ho che anche vostro onore vuole molti neri nella giuria.

Se mai continuerò a esercitare questa professione di sicuro un giorno mi verrà in mente un trucco più sporco, ma adesso mi è difficile immaginarlo. Ci ho pensato per settimane e qualche giorno fa ne ho parlato a Deck. E lui si è scatenato.

Se Drummond e la sua banda vogliono intercettare le mie telefonate, li accontenteremo. Aspettiamo il pomeriggio inoltrato. Sono in ufficio. Deck è a un telefono pubblico girato l'angolo. Mi chiama. Abbiamo provato e riprovato diverse volte la scena, anzi abbiamo addirittura un copione.

«Rudy, sono Deck. Ho trovato finalmente Dean Goodlow.»

Goodlow è maschio, bianco, ha trentanove anni, ha studiato al college, è concessionario di un negozio per la pulitura delle moquette. Nella nostra graduatoria dei giurati vale zero, non lo vogliamo assolutamente. A Drummond piacerebbe molto.

«Dove?»

«L'ho trovato in ufficio. È stato fuori città per una settimana. Un tipo molto a posto. Ci eravamo sbagliati su di lui. Non ha nessuna simpatia per le assicurazioni, dice che con la sua deve discutere di continuo e pensa che sia ora di regolamentare in modo rigoroso la loro attività. Gli ho esposto il nostro caso e, caspita, ha dato fuori di matto. Sarà un giurato meraviglioso.» La recita di Deck non è molto naturale, ma a chi non lo conosce può sembrare credibile. Con ogni probabilità sta leggendo il testo.

«Che sorpresa!» commento a voce forte e chiara. Voglio che Drummond capisca bene ogni sillaba.

L'idea che gli avvocati parlino con i potenziali giurati prima della selezione è inammissibile. Io e Deck temevamo che il nostro trucco fosse tanto assurdo da far capire a Drummond che stiamo barando. Ma chi avrebbe pensato che un avvocato intercettasse le telefonate dell'avversario per mezzo di microspie vietatissime? Inoltre abbiamo concluso che Drummond avrebbe abboccato perché io non sono altro che un pivello ignorante e Deck... be', Deck è soltanto un umile paravvocato. Quindi non siamo molto furbi.

«Era a disagio all'idea di parlare con te?» chiedo.

«Un po'. Gli ho detto quello che ho detto a tutti gli altri. Sono un investigatore, non un avvocato. E se non accenneranno con nessuno alla nostra conversazione, nessuno avrà guai.»

«Bene. E pensi che Goodlow sia dalla nostra parte?»

«Senza dubbio. Dobbiamo averlo a tutti i costi.»

Faccio frusciare qualche foglio vicino al microfono. «Chi è rimasto nel tuo elenco?» chiedo.

«Fammi vedere.» Sento che anche Deck sfoglia le sue carte. Siamo molto efficienti. «Ho parlato con Dermont King, Jan DeCell, Lawrence Perotti, Hilda Hinds e RaTilda Browning.»

Con l'unica eccezione di RaTilda Browning, sono bianchi che non vogliamo avere nella giuria. Se riusciamo a farli apparire abbastanza sospetti, Drummond farà di tutto per escluderli.

«Cosa mi dici di Dermont King?» chiedo.

«Possiamo contare su di lui. Una volta ha dovuto buttare fuori di casa un perito delle assicurazioni. Gli assegnerei un nove.»

«E Perotti?»

«Va benissimo. Non riusciva a credere che una società d'assicurazioni potesse uccidere qualcuno. È dalla nostra parte.»

«Jan DeCell.»

Altri fruscii. «Vediamo. Una signora molto a posto. Non ha voluto parlare molto. Aveva paura che non fosse corretto, credo. Abbiamo parlato delle assicurazioni e le ho detto che la Great Eastern vale quattrocento milioni. Credo che sarà con noi. Le assegnerei un cinque.»

Difficile restare impassibile. Mi premo il ricevitore con forza contro l'orecchio.

«RaTilda Browning?»

«È una nera radicale che non ha nessuna simpatia per i bianchi. Mi ha intimato di uscire dal suo ufficio. Lavora in una banca di neri. Quella non ci riconoscerà neppure un centesimo.»

Un lungo silenzio mentre Deck continua a sfogliare le carte. «E tu?» mi domanda.

«Ho trovato Esther Samuelson a casa, circa un'ora fa. Una donna molto gentile sulla sessantina. Abbiamo parlato a lungo di Dot e di quanto è terribile perdere un figlio. È con noi.»

Il defunto marito di Esther Samuelson era funzionario della Camera di Commercio, me l'ha detto Marvin Shankle. Non riesco a immaginare per quale tipo di causa mi piacerebbe averla nella giuria. Farà tutto ciò che vuole Drummond.

«Poi ho trovato Nathan Butts nel suo ufficio. Si è un po' meravigliato quando ha saputo che sono uno degli avvocati coinvolti nel caso. Comunque, odia le società d'assicurazione.»

Se a questo punto il cuore di Drummond batte ancora, dev'essere un palpito molto fievole. Il pensiero che proprio io, l'avvocato, non il mio investigatore, prenda contatti e discuta i fatti con i potenziali giurati è sufficiente per fargli venire un colpo. Ma a quest'ora, ovviamente, ha capito che non può far nulla. Una reazione rivelerebbe che intercetta le mie telefonate, e questo comporterebbe la radiazione immediata dall'Ordine, e forse anche una denuncia.

Può soltanto stare zitto e cercare di evitare le persone di cui stiamo parlando.

«Ne ho altri» dico. «Diamogli la caccia fino alle dieci, poi vediamoci qui.»

«D'accordo» risponde Deck in tono stanco. Adesso recita molto meglio.

Riattacchiamo. Dopo un quarto d'ora squilla il telefono. Una voce vagamente familiare dice: «Vorrei parlare con Rudy Baylor, per favore».

«Sono io.»

«Sono Billy Porter. Oggi è venuto nel mio negozio.»

Billy Porter è maschio, bianco, porta giacca e cravatta sul lavoro e gestisce un Western Auto. Ha valutazione "uno" nella nostra graduatoria da uno a dieci. Non lo vogliamo.

«Sì, signor Porter, grazie per avermi chiamato.»

In realtà è Butch. Ha accettato di aiutarci con questa breve interpretazione. È con Deck, e probabilmente stanno rannicchiati nella cabina telefonica nel tentativo di scaldarsi. Butch, da vero professionista, è andato alla Western Auto e ha parlato con Porter a proposito di un treno di gomme. Ora fa il possibile per imitarne la voce. Non si rivedranno mai più.

«Cosa vuole?» chiede Billy-Butch. Gli abbiamo raccomandato di mostrarsi burbero e di venire subito al dunque.

«Be', vede, si tratta del processo, lo sa, quello per cui è stato convocato. Sono uno degli avvocati.»

«È una cosa legale?»

«Certo, è legale, basta che non lo dica a nessuno. Io rappresento una vecchietta. Suo figlio è stato ucciso da una società di assicurazioni, la Great Eastern.»

«Ucciso?»

«Sì. Il ragazzo aveva bisogno di un'operazione ma la società gli ha ingiustamente negato la terapia. È morto di leucemia tre mesi fa. Per questo abbiamo fatto causa. Abbiamo bisogno del suo aiuto, signor Porter.»

«Mi sembra una cosa molto grave.»

«È quanto di peggio mi sia capitato di vedere, eppure mi sono occupato di molti casi del genere. Quelli sono colpevoli come il diavolo, signor Porter. Hanno già offerto duecentomila dollari per una transazione, ma noi chiediamo molto di più. Chiediamo il risarcimento punitivo e abbiamo bisogno del suo aiuto.»

«Crede che mi sceglieranno? Davvero, non posso perdere molte giornate di lavoro.»

«Sceglieremo dodici giurati su una settantina, e questo è quanto posso dirle. La prego, cerchi di aiutarci.»

«D'accordo. Farò quello che posso. Ma vorrei evitare di far parte della giuria, capisce?»

«Sì, signore. Grazie.»

Deck viene in ufficio e mangiamo un sandwich. In serata esce altre due volte e mi richiama. Facciamo altri nomi di persone che avremmo contattato, tutte ansiose di punire la Great Eastern per i suoi misfatti. Diamo l'impressione di andare in giro a bussare alle porte, lanciare appelli, violare il codice deontologico quanto basta perché io sia radiato dall'Ordine senza possibilità di appello. E questo comportamento ignobile avviene la sera prima che i giurati si radunino per la prima selezione.

Delle sessanta e più persone che supereranno l'esame iniziale e saranno interrogate, siamo riusciti a gettare dubbi su circa un terzo. E abbiamo scelto quelli che ci fanno più paura.
Scommetto che questa notte Leo Drummond non chiuderà occhio.

42

Le prime impressioni sono fondamentali. I giurati arrivano fra le otto e mezzo e le nove. Varcano nervosamente la porta a due battenti e avanzano lungo la corsia guardandosi intorno. Per molti di loro è la prima volta che mettono piede in un tribunale. Io e Dot siamo seduti in fondo al nostro tavolo e guardiamo le file dei banchi imbottiti che si riempiono di giurati. Voltiamo le spalle al giudice. Sul nostro tavolo c'è un bloc notes e nient'altro. Deck occupa una sedia vicino al palco della giuria, lontano da noi. Io e Dot chiacchieriamo sottovoce e ci sforziamo di sorridere. Mi sembra di avere mille farfalle che svolazzano nello stomaco.

In totale contrasto, al di là della corsia il tavolo della difesa è circondato da cinque uomini molto seri, tutti vestiti di nero, tutti occupati a meditare sui mucchi di carte che hanno davanti.

Che si tratta di una variazione sul tema Davide-contro-Golia balza agli occhi di tutti fin d'ora. La prima cosa che i giurati vedono è che mi trovo in condizioni di inferiorità numerica, a corto di mezzi e di fondi. La mia povera cliente è fragile e debole. Non sembriamo in grado di reggere il confronto con la ricca squadra dei nostri avversari.

Ora che abbiamo completato la fase degli accertamenti, mi accorgo che è superfluo avere cinque avvocati difensori. Cinque ottimi avvocati. Mi sorprende che Drummond non capisca che questo comportamento appare ai giurati come una minaccia. Il suo cliente dev'essere colpevole. Altrimenti, perché mai si servirebbe di cinque avvocati contro di me, che sono solo?

Questa mattina hanno rifiutato di parlarmi. Ci siamo tenuti

a distanza, ma le smorfie e i sogghigni di disprezzo mi hanno rivelato che sono scandalizzatissimi perché ho contattato i giurati. Sono inorriditi e disgustati, ma non sanno cosa fare. Con l'unica eccezione della sottrazione illecita di denaro al cliente, contattare i potenziali giurati è il peccato più grave che un avvocato possa commettere. Grave quanto mettere microspie nei telefoni dell'avversario. Cercano di sembrare indignati, ma hanno un'aria molto stupida.

Il cancelliere raduna i convocati e li fa sedere a caso di fronte a noi. I presenti sono sessantuno, dei novantadue che figuravano nell'elenco. Certuni sono irreperibili. Due sono morti. Altri si sono dati malati. Tre hanno addotto l'età come giustificazione. Kipler ne ha esentati altri per varie ragioni personali. Via via che il cancelliere chiama i nomi io prendo appunti. Mi sembra di conoscere da mesi queste persone. Il numero sei è Billy Porter, il direttore della Western Auto che mi avrebbe telefonato ieri sera. Sarà interessante vedere come lo tratterà Drummond.

Per la Great Eastern sono presenti Jack Underhall e Kermit Addy. Sono seduti dietro Drummond e il collegio di difesa. Sono in tutto sette... sette facce serie e scostanti che osservano con durezza i potenziali giurati. Sorridete, ragazzi! Io ostento un'espressione amabile.

Kipler entra in aula e tutti si alzano. La seduta è aperta. Rivolge qualche parola di circostanza ai convocati e tiene un discorsetto breve e ben mirato sui doveri dei giurati e dei bravi cittadini. Quando chiede se qualcuno ha ragioni valide per essere esentato diverse mani si alzano. Dice loro di avvicinarsi al banco uno alla volta e li ascolta mentre spiegano a voce bassa. Quattro dei cinque dirigenti d'azienda che figurano sulla mia lista nera parlottano col giudice. Com'è prevedibile, li esenta.

È una procedura che richiede tempo, ma permette di studiare i convocati. Difficilmente andremo oltre le prime tre file. Sono trentasei e a noi ne bastano dodici, più due sostituti.

Sui banchi dietro il tavolo della difesa noto due sconosciuti vestiti molto bene. Presumo che siano i consulenti specialisti in giurie. Osservano ogni movimento dei candidati. Chissà che conseguenza ha avuto il nostro trucchetto sui loro profili psicologici approfonditi. Ah, ah, ah. Scommetto che non hanno mai dovuto tener conto di due pazzi che la sera prima sono andati in giro a contattare i potenziali giurati.

Vostro onore ne congeda altri sette, e arriviamo a cinquantacinque. Poi fa un breve riepilogo del caso e presenta le parti e gli avvocati. Buddy, però, non è in aula. Buddy è a bordo della Fairlane.

Poi Kipler comincia a fare domande serie. Invita i giurati ad alzare una mano se devono rispondere. Qualcuno di voi conosce una delle parti in causa, uno degli avvocati o dei testimoni? Qualcuno di voi è detentore di polizze emesse dalla Great Eastern? Oppure è coinvolto in qualche causa? Oppure ha fatto causa a una società di assicurazioni?

C'è qualche risposta. Alcuni alzano la mano e vanno a parlare con vostro onore. Sono nervosi, ma dopo un po' il ghiaccio si rompe. Qualcuno fa un commento spiritoso e tutti si rilassano un po'. A volte, per un momento, dico a me stesso che faccio parte di tutto questo, che posso cavarmela. Sono avvocato. Ma certo. Però non ho ancora aperto bocca.

Kipler mi ha passato un elenco di domande; chiederà tutto ciò che voglio sapere. È la prassi. Ha dato lo stesso elenco anche a Drummond.

Prendo appunti, osservo, ascolto con attenzione. Deck fa altrettanto. È una cattiveria, ma sono quasi contento che i giurati non sappiano che è con me.

Kipler prosegue con le domande. Ci vuole tempo, e finisce dopo circa due ore. Il nodo torna a stringermi lo stomaco. È ora che Rudy Baylor pronunci le sue prime parole in un vero dibattimento. Il mio sarà un intervento molto breve.

Mi alzo, mi avvicino alla sbarra, rivolgo a tutti un sorriso caloroso e dico ciò che ho preparato e ripetuto mille volte: «Buongiorno. Mi chiamo Rudy Baylor e rappresento i Black». Fin qui tutto bene. Dopo essere stati martellati per due ore dal giudice, sono pronti per un trattamento diverso. Li guardo con calore sincero. «Il giudice Kipler vi ha fatto molte domande, tutte molto importanti. Ha affrontato tutti gli argomenti di cui volevo parlare, quindi non sprecherò tempo. Ho una sola domanda da rivolgervi. Qualcuno di voi ha qualche ragione per ritenere che non dovrebbe far parte della giuria e decidere sul caso?»

Non mi aspetto reazioni, e infatti non ne ricevo. Mi hanno guardato per più di due ore e adesso voglio soltanto salutarli, rivolgergli un altro sorriso gentile ed essere molto laconico. Nella vita ci sono poche cose peggiori di un avvocato prolisso. E poi, ho l'impressione che Drummond attaccherà con tutte le sue artiglierie.

«Grazie» dico sorridendo; mi giro verso il giudice e dico a voce alta: «Per me vanno tutti bene, vostro onore». Torno a sedermi e batto la mano sulla spalla di Dot.

Drummond è già in piedi. Cerca di apparire calmo e affabile, ma si capisce che sta friggendo. Si presenta e comincia a parlare del suo cliente. La Great Eastern è una grande società di assicurazioni con un bilancio sano. Non dev'essere punita per questo, chiaro? Questo fatto influenzerà qualcuno di voi? In realtà sta già dibattendo il caso, ed è una scorrettezza. Ma si tiene sulla linea di confine quanto basta per non essere richiamato all'ordine. Non so se dovrei fare obiezione. Mi sono ripromesso di farlo solo quando sono certo di avere ragione. Il suo atteggiamento nel porre le domande è molto efficace. La voce suadente chiede fiducia. I capelli grigi esprimono saggezza ed esperienza.

Drummond affronta altri argomenti senza causare reazioni. Sta seminando. Poi attacca.

«Ora, quella che sto per rivolgervi è la domanda più importante della giornata» dice in tono grave. «Vi prego di ascoltarmi attentamente.» Una lunga pausa teatrale. Un respiro profondo. «Qualcuno di voi è stato contattato per questo caso?»

In aula il silenzio è assoluto mentre le sue parole aleggiano e ricadono lentamente. Più che una domanda è un'accusa. Lancio un'occhiata al tavolo della difesa. Hill e Plunk mi guardano male. Morehouse e Grone osservano i giurati.

Drummond resta immobile per qualche secondo, pronto ad avventarsi sulla prima persona che avrà il coraggio di alzare la mano e di dire: "Sì! L'avvocato dell'attore è venuto a casa mia ieri sera!" Drummond sa che così succederà. Lo sa bene. Riuscirà a strappare la verità, smaschererà me e il mio corrotto socio paravvocato, chiederà che io venga ammonito, censurato e alla fine radiato dall'Ordine. La causa verrà rimandata per anni. Così andrà!

Ma poi riabbassa lentamente le spalle. Espira l'aria dai polmoni. Branco di bugiardi!

«È molto importante» insiste. «Dobbiamo assolutamente saperlo» dice in tono di diffidenza.

Niente. Nessuno si muove. Ma lo guardano con intensità perché li fa sentire a disagio. Su, da bravo, continua così.

«Permettetemi di chiederlo in un altro modo» prosegue freddamente. «Ieri qualcuno di voi ha parlato con il signor Baylor qui presente o con il signor Deck Shiffler che sta là?»

Mi alzo di scatto. «Obiezione, vostro onore! È assurdo!»

Kipler interviene, prontissimo. «Accolta! Cosa sta facendo, signor Drummond?» Lo grida nel microfono, e i muri tremano.

Drummond si gira verso il giudice. «Vostro onore, abbiamo motivo di credere che i potenziali giurati siano stati abbordati.»

«Ma certo! E accusa me» ribatto indignato.

«Non capisco cosa sta facendo, signor Drummond» dice Kipler.

«Forse potremmo discuterne nel suo ufficio» propone Drummond, lanciandomi un'occhiataccia.

«Andiamo pure» replico come se non vedessi l'ora di litigare.

«Una breve sospensione» dice Kipler all'usciere del tribunale.

Io e Drummond sediamo davanti alla scrivania di vostro onore. Gli altri quattro di Tinley Britt sono in piedi dietro di noi. Kipler è molto irritato. «Spero che abbia qualche buona ragione» dice a Drummond.

«Ci sono state interferenze con i potenziali giurati» dichiara quello.

«Come fa a saperlo?»

«Non posso dirlo. Ma lo so con certezza.»

«Non cerchi di giocare con me, Leo. Voglio le prove.»

«Non posso dirlo, vostro onore, senza rivelare informazioni confidenziali.»

«Sciocchezze! Mi dica tutto.»

«È la verità, vostro onore.»

«Mi sta accusando?» chiedo.

«Sì.»

«Lei è matto.»

«Si sta comportando in modo molto bizzarro, Leo» osserva vostro onore.

«Credo di poterlo provare» afferma Drummond in tono arrogante.

«E come?»

«Lasci che finisca di interrogare i potenziali giurati. La verità salterà fuori.»

«Finora nessuno ha detto niente.»

«Io ho appena cominciato.»

Kipler riflette per un momento. Quando la causa si sarà conclusa, gli dirò la verità.

«Vorrei interrogare uno per uno certi giurati» dice Drummond. Di solito non si fa, ma è a discrezione del giudice.

«Cosa ne dice, Rudy?»

«Non ho obiezioni.» Per quanto mi riguarda, non vedo l'ora che Drummond cominci a torchiare i presunti "contattati". «Non ho niente da nascondere.» Nel sentire queste parole, due degli stronzi che mi stanno alle spalle tossicchiano.

«D'accordo. Se vuole scavarsi la fossa, Leo, si accomodi. Basta che non oltrepassi i limiti.»

«Cos'avete combinato là dentro?» mi chiede Dot quando torno al tavolo.

«Le solite discussioni fra avvocati» mormoro. Drummond si è piazzato alla sbarra e i giurati lo guardano insospettiti.

«Ora, come stavo dicendo, è molto importante che ci diciate se qualcuno vi ha contattati e vi ha parlato di questa causa. Se è andata così, per favore alzate la mano.» Sta parlando come un maestro di prima elementare.

Nessuno alza la mano.

«È molto grave quando un giurato viene contattato direttamente o indirettamente da una delle parti coinvolte in un dibattimento. Anzi, possono esserci pesanti conseguenze sia per la persona che ha avviato il contatto, sia per il giurato se questi non lo segnala.» L'affermazione ha i toni di una campana a morto.

Nessuno alza la mano. Nessuno si muove. È solo un gruppo di persone che si sta indignando.

Drummond sposta il peso da un piede all'altro, si massaggia il mento e punta su Billy Porter.

«Signor Porter» dice con voce profonda, e Billy si sente colpito sul vivo. Si irrigidisce, annuisce. Diventa rosso in faccia.

«Signor Porter, sto per rivolgerle una domanda diretta. Vorrei una risposta sincera.»

«Mi faccia una domanda sincera e le darò una risposta sincera» ribatte irritato Porter. È un tipo che non ha molta pazienza. Francamente, io lo lascerei in pace.

Drummond s'interrompe per un momento, poi torna alla carica. «Bene. Dunque, signor Porter, ha avuto o non ha avuto un colloquio telefonico ieri sera con il signor Rudy Baylor?»

Mi alzo, spalanco le braccia, guardo Drummond come se fossi del tutto innocente e lui desse i numeri. Ma non apro bocca.

«Diavolo, no!» risponde Porter, e diventa ancora più rosso.

Drummond si appoggia alla sbarra e l'afferra con entrambe le mani. Guarda dall'alto in basso Billy Porter che è nella prima fila, a meno di un metro e mezzo da lui.

«Ne è sicuro, signor Porter?» chiede.

«Ne sono maledettamente sicuro!»

«Io penso invece che il colloquio ci sia stato.» Ormai Drummond non si controlla più. Prima che io possa obiettare e che Kipler lo richiami all'ordine, Billy Porter si alza di scatto e si avventa contro il grande Leo F. Drummond.

«Non si azzardi a darmi del bugiardo, figlio di puttana!» urla, e afferra Drummond per la gola. Drummond cade oltre il divisorio e i suoi mocassini con la nappa volano nell'aria. Molte donne strillano. I giurati balzano dai sedili. Porter sta addosso a Drummond che lotta e tira calci e cerca di mettere a segno qualche pugno.

T. Pierce Morehouse e M. Alec Plunk Jr. lasciano a precipizio i loro posti e arrivano per primi sul luogo dello scontro.

Gli altri li seguono. Il messo del tribunale si muove con grande prontezza. Due giurati cercano di separare i contendenti.

Io resto seduto e mi godo la scena. Kipler raggiunge la sbarra nel momento in cui riescono a tirare indietro Porter, e Drummond si rialza. Un mocassino con la nappa è finito sotto il secondo banco e viene restituito a Leo, che si spolvera ma tiene d'occhio Porter. Porter, trattenuto a forza, si sta calmando.

I consulenti specializzati nello studio delle giurie sono esterrefatti. I modelli forniti dai loro computer sono saltati, le belle teorie sono volate dalla finestra. Visto come vanno le cose, sono completamente inutili.

Dopo una breve pausa, Drummond presenta ufficialmente un'istanza per chiedere che tutti i potenziali giurati vengano congedati. Kipler la respinge.

Il signor Billy Porter viene esentato dal prestar servizio come giurato e se ne va sbuffando. Credo che volesse pestare Drummond ancora per un po'. Spero che lo aspetti fuori per dargli il resto.

Il primo pomeriggio lo passiamo nell'ufficio del giudice per procedere al compito noiosissimo di scegliere i giurati. Drummond e la sua banda rifiutano con fermezza tutti coloro che io e Deck abbiamo nominato ieri sera al telefono. Sono convinti che li abbiamo contattati e li abbiamo convinti a stare zitti. Sono così inferociti che non mi guardano neppure.

Il risultato è la giuria dei miei sogni. Sei donne nere, tutte madri. Sei neri maschi, uno laureato, l'altro un ex camionista invalido. Tre maschi bianchi, due dei quali sono operai sindacalizzati. L'altro abita a circa quattro isolati dai Black. Una donna bianca, moglie di un importante proprietario immobiliare. Non sono riuscito a evitarla, ma non mi preoccupa. Basta che nove giurati su dodici siano d'accordo sul verdetto.

Kipler li insedia alle quattro del pomeriggio e li fa giurare. Spiega che il dibattimento avrà inizio fra una settimana. Non dovranno parlare del caso con nessuno. Poi fa qualcosa che in un primo momento mi terrorizza; ma, ripensandoci, mi rendo conto che è un'idea meravigliosa. Chiede ai due avvocati, me e Drummond, se vogliono dire qualcosa alla giuria in via informale. Basta che diciate qualcosa a proposito del caso. Niente di sensazionale.

Naturalmente non me l'aspettavo, soprattutto perché è una cosa non prevista. Comunque mi scrollo di dosso la paura e vado a piazzarmi davanti alla giuria. Dico qualche parola su Donny Ray, sulla polizza e sulle ragioni per cui pensiamo che la Great Eastern abbia torto. Finisco in cinque minuti.

Drummond si avvicina, e anche un cieco può rendersi conto della diffidenza che ha ispirato alla giuria. Si scusa per l'incidente, ma commette la stupidaggine di gettarne la colpa su Porter. Che pallone gonfiato! Espone la sua versione dei fatti, dice che è addolorato per la morte di Donny Ray, ma che è ridicolo insinuare che il suo cliente ne sia responsabile.

Tengo d'occhio i suoi collaboratori e i signori della Great Eastern e mi accorgo che hanno paura. Si trovano alle prese con una serie di fatti per loro negativi e con una giuria potenzialmente favorevole all'attore. Il giudice è ostile. E il loro divo ha perso ogni credibilità agli occhi della giuria; non solo, ma ha anche preso un sacco di botte.

Kipler aggiorna l'udienza, e ce ne andiamo tutti a casa.

43

Sei giorni dopo la scelta dei giurati e quattro giorni prima dell'inizio del dibattimento, Deck riceve in ufficio la telefonata di un avvocato di Cleveland che vuol parlare con me. Mi insospettisco perché a Cleveland non conosco nessun avvocato, e parlo con lui giusto il tempo di farmi dire il suo nome. Ci vogliono circa dieci secondi, poi lo interrompo cortesemente a metà di una frase e faccio un po' di commedia come se fosse caduta la linea. In questi ultimi tempi succede spesso, e lo dico a Deck a voce abbastanza alta perché venga registrato dalle microspie. Stacchiamo i tre telefoni dello studio e mi precipito in strada dov'è parcheggiata la Volvo. Butch ha controllato il mio radiotelefono, che sembra non contenga strumenti per l'intercettazione. Mi rivolgo al servizio informazioni abbonati per avere il numero e chiamo l'avvocato di Cleveland.

La telefonata si rivela importantissima.

Si chiama Peter Corsa, è specializzato in diritto del lavoro e in ogni tipo di discriminazione nelle assunzioni, e rappresenta una giovane donna, Jackie Lemancyzk, che si è rivolta a lui dopo essere stata licenziata in tronco dalla Great Eastern senza una ragione dichiarata; insieme intendono far causa all'assicurazione per tutta una serie di irregolarità. Contrariamente a quanto mi era stato raccontato, la signorina Lemancyzk non ha lasciato Cleveland. Abita in un altro appartamento e il suo numero di telefono non figura sull'elenco.

Spiego a Corsa che abbiamo fatto decine di telefonate nell'area di Cleveland ma non abbiamo trovato traccia di Jackie Lemancyzk. Uno dei dirigenti della Great Eastern, Richard Pellrod, mi ha raccontato che era tornata a casa nell'Indiana meridionale.

Non è vero, dice Corsa. Non si è mai allontanata da Cleveland, ma si nasconde.

È una storia molto piccante e Corsa non lesina i particolari.

La sua cliente aveva relazioni sessuali con diversi suoi superiori alla Great Eastern. È molto bella, mi assicura. Le promozioni e gli aumenti di stipendio le venivano concessi o negati secondo la sua disponibilità ad andare a letto con quei signori. A un certo momento era diventata uno dei capi liquidatori delle richieste di pagamento, unica donna ad aver raggiunto quella posizione. Però era stata retrocessa quando aveva rotto il suo rapporto con il vicepresidente per le liquidazioni, Everett Lufkin, che ha tutta l'aria del furetto e una predilezione per le deviazioni sessuali.

Sono d'accordo anch'io nel ritenere che Lufkin ha tutta l'aria del furetto. L'ho fatto deporre per quattro ore e la settimana prossima, quando sarà sul banco dei testimoni, conto di attaccarlo ancora più a fondo.

Jackie Lemancyzk e Corsa agiranno contro di lui per molestie sessuali e altri comportamenti affini; ma la signorina sa anche parecchie cose sui panni sporchi della Great Eastern per quanto riguarda il settore liquidazioni. Andava a letto con il vicepresidente per le liquidazioni! Corsa prevede che le azioni legali fioccheranno.

Alla fine gli sparo la domanda fondamentale: «La signorina Lemancyzk è disposta a testimoniare?».

Corsa non lo sa. Può darsi. Ma è spaventata: quelli della Great Eastern sono mascalzoni pieni di soldi. Attualmente è in terapia e ha i nervi a pezzi.

Mi autorizza a parlarle per telefono: ci mettiamo d'accordo per una chiamata a tarda sera dal mio appartamento. Gli spiego che non è il caso che mi chiami nello studio.

Non riesco a pensare ad altro che al dibattimento. Quando Deck non è in ufficio, giro come una belva in gabbia, parlo da solo, denuncio la Great Eastern alla giuria con parole di fuoco, controinterrogo i suoi dirigenti, interrogo con delicatezza Dot e Ron e il dott Kord, poi tengo un'avvincente arringa conclusiva. Mi è ancora difficile chiedere ai giurati dieci milioni di dollari a titolo di sanzione punitiva restando impassibile. Forse se avessi cinquant'anni e mi fossi occupato di centinaia di cause e sapessi cosa diavolo sto facendo, forse avrei il diritto di chiedere dieci milioni. Ma è ridicolo se a farlo è un novellino che ha finito gli studi nove mesi prima.

Comunque li chiedo. Li chiedo in ufficio, in macchina e soprattutto nel mio appartamento, spesso alle due del mattino quando non riesco a dormire. Parlo ai giurati, alle dodici facce che adesso posso abbinare ad altrettanti nomi, a quella gente imparziale che mi ascolta, annuisce e non vede l'ora di fare giustizia.

Sto per scoprire il filone d'oro, distruggere la Great Eastern in tribunale, e mi sforzo continuamente di dominare questi pensieri. Accidenti, è difficile. I fatti, i giurati, il giudice, gli avvocati impauriti seduti all'altro tavolo. Ci sarà da guadagnare un bel mucchio di soldi.

Qualcosa deve andare storto.

Parlo con Jackie Lemancyzk per un'ora. A tratti sembra forte e decisa, ma in certi momenti stenta a essere coerente. Non avrebbe voluto andare a letto con quegli uomini, continua a ripetere, ma era l'unico modo per fare carriera. È divorziata e ha due bambini.

Accetta di venire a Memphis. Mi offro di pagarle le spese del viaggio in aereo e del soggiorno, e riesco a trasmetterle la serena certezza che al mio studio legale il denaro non manca. Mi faccio promettere che, se testimonierà, dovrà essere una sorpresa per la Great Eastern.

Ha una paura mortale di quegli individui. Penso che fargli una sorpresa sarebbe una vera gioia.

Durante il fine settimana viviamo nello studio; andiamo a dormicchiare qualche ora a casa nostra, poi torniamo in ufficio come pecorelle smarrite e continuiamo la preparazione.

I miei rari momenti di distensione sono merito di Tyrone Kipler. L'ho ringraziato in silenzio mille volte perché ha scelto i giurati una settimana prima del dibattimento e mi ha permesso di rivolgere loro qualche parola improvvisata. Una volta i giurati erano parte dell'ignoto, un fattore che mi ispirava un timore panico. Adesso conosco nomi e facce e ho tenuto loro un discorsetto senza ricorrere ad appunti scritti. Gli sono simpatico. E detestano il mio avversario.

Per quanto sia profonda la mia inesperienza, credo sinceramente che il giudice Kipler mi salverà da me stesso.

Io e Deck ci salutiamo verso la mezzanotte di domenica. Cade una neve leggera quando lascio l'ufficio. A Memphis di solito questo vuol dire che le scuole restano chiuse per una settimana, come tutti gli uffici governativi. Il municipio non ha mai acquistato uno spazzaneve. Una parte del mio essere vorrebbe una bella tormenta, così l'udienza di domani verrebbe rimandata, un'altra parte desidera farla finita.

Quando arrivo a casa ha già smesso di nevicare. Bevo due birre tiepide e prego di riuscire a prender sonno.

«C'è qualche questione preliminare?» chiede Kipler al gruppo raccolto nel suo ufficio. Sono seduto accanto a Drummond e tutti e due fissiamo vostro onore. Ho gli occhi rossi dopo una notte agitata, mi duole la testa e il mio cervello pensa venti cose per volta.

Mi sorprende vedere l'aria esausta di Drummond. Per un uomo che passa la vita nelle aule dei tribunali mi sembra eccezionalmente teso. Bene. Spero che anche lui abbia lavorato tutto il fine settimana.

«Non mi viene in mente nulla» dico. Non è affatto strano. Solo molto di rado trovo qualcosa da dire nel corso di queste riunioni.

Drummond scuote la testa in un gesto negativo.

«È possibile concordare sul costo di un trapianto di midollo osseo?» chiede Kipler. «In questo caso potremmo escludere la testimonianza di Gaskin. Mi pare che la spesa sia fra i centomila e i centosettantacinquemila dollari.»

«Per me va bene» dico.

Gli avvocati della difesa incassano di più se possono concordare una cifra inferiore, ma in questo caso Drummond non ha niente da guadagnare. «Mi sembra ragionevole» dice in tono indifferente.

«Vuol dire sì?» chiede Kipler, piuttosto brusco.

«Sì.»

«Grazie. E le altre spese? Mi pare che si aggirino intorno ai venticinquemila dollari. Possiamo concordare che l'ammontare della liquidazione per danni richiesta dall'attore è di duecentomila dollari in cifra tonda. Possiamo?» Sta guardando male Drummond.

«Per me va bene» dico, e sono sicuro che la mia risposta manda in bestia Drummond.

«Sì» risponde il mio illustre avversario.

Kipler scrive qualcosa sul bloc notes. «Grazie. Ora, c'è qualcos'altro prima che cominciamo? C'è qualche possibilità di transazione, per esempio?»

«Vostro onore» rispondo con fermezza. È tutto programmato. «A nome della mia cliente, sono disposto a transigere per un milione e duecentomila dollari.»

Gli avvocati difensori sono allenati a manifestare orrore e incredulità di fronte a qualunque proposta di accomodamento avanzata dal legale dell'attore, e la mia offerta è accolta con le prevedibili scrollate di testa, colpi di tosse e perfino da un risolino sommesso che proviene da un punto imprecisato dietro di me, dove sono intruppati i collaboratori di Drummond.

«Le piacerebbe» commenta questi in tono acido. Sono convinto che Leo stia davvero per perdere la testa. All'inizio era un autentico gentiluomo, un professionista impeccabile in aula e fuori. Adesso si comporta come uno studentello indispettito.

«Nessuna controproposta, signor Drummond?» chiede Kipler.

«Manteniamo l'offerta di duecentomila dollari.»

«Sta bene. Allora cominciamo. Ognuna delle due parti avrà a disposizione quindici minuti per l'esposizione iniziale, ma naturalmente non siete obbligati a utilizzarli tutti.»

La mia esposizione iniziale è stata cronometrata più volte in sei minuti e mezzo. I giurati entrano, vostro onore li saluta e impartisce diverse istruzioni, poi li passa a me.

Se dovrò farlo spesso, forse un giorno riuscirò ad acquisire un certo talento per la teatralità. Ma in questo momento aspiro solo ad arrivare fino in fondo. Tengo in mano un bloc notes, lo sbircio un paio di volte e parlo del mio caso alla giuria. Sono in piedi, accanto al podio, e spero di avere un aspetto abbastanza avvocatesco nel mio abito grigio nuovo. I fatti sono in mio favore e non ho bisogno di insistere troppo. C'era una polizza, i premi sono stati pagati puntualmente ogni settimana, la copertura assicurativa doveva garantire Donny Ray, ma quando si è ammalato gli hanno dato la fregatura. In conseguenza di ciò è morto. Voi giurati conoscerete Donny Ray, ma soltanto per mezzo di un videotape. È morto. Lo scopo di questa causa non è soltanto ottenere dalla Great Eastern la somma che avrebbe dovuto pagare, ma anche punirla per la sua malefatta. È una società di assicurazioni ricchissima che ha ammassato un patrimonio enorme incassando i premi e non pagando ciò che doveva. Quando tutti i testimoni avranno finito, mi rivolgerò di nuovo a voi per chiedere una somma rilevante per punire la Great Eastern.

È fondamentale piantare subito il seme. Voglio far capire ai giurati che miriamo a un grosso risarcimento e che la Great Eastern merita la stangata.

La perorazione iniziale va bene. Non balbetto, non tremo, non provoco obiezioni da parte di Drummond. Prevedo che Leo resterà inchiodato alla sedia per gran parte del dibattimento. Non vuole che Kipler lo metta in imbarazzo di fronte alla giuria.

Torno a sedere accanto a Dot. Siamo soli, noi due, al nostro tavolo.

Drummond marcia con fare sicuro verso la giuria. Ha in mano una copia della polizza. Esordisce in tono drammatico. «Questa è la polizza stipulata dai signori Black» dice tenendola in modo che tutti la vedano. «E non c'è scritto che la Great Eastern è obbligata a pagare i trapianti.» Una lunga pausa, mentre la frase va a segno. I giurati non lo trovano simpatico, ma ha attirato la loro attenzione. «Questa polizza costa diciotto dollari la settimana e non copre i trapianti di midollo osseo, tuttavia gli attori pretendevano che il mio cliente pagasse duecentomila dollari per un trapianto di midollo osseo, come ormai sapete. Il mio cliente ha rifiutato, non per cattiveria nei confronti di Donny Ray Black. Per il mio cliente non era una questione di vita o di morte: si trattava invece di quello che è scritto nella polizza.» Sventola il foglio con fare teatrale. «Non soltanto vogliono i duecentomila dollari ai quali non hanno diritto, ma hanno citato il mio cliente per dieci milioni di dollari quale risarcimento punitivo. Lo chiamano risarcimento punitivo. Io affermo che è ridicolo, che è pura e semplice avidità.»

Il colpo va a segno, ma è rischioso. La polizza esclude specificamente i trapianti per tutti gli organi trapiantabili, ma di midollo osseo non si parla. Chi l'ha redatta ha commesso l'errore di ometterlo. La polizza nuova che mi ha dato Max Leuberg contiene una clausola che esclude a tutte lettere il midollo osseo.

La strategia della difesa diventa via via chiara. Anziché fare marcia indietro ammettendo che qualche incompetente sconosciuto, annidato nei meandri dell'enorme società di assicurazioni, ha commesso un errore, Drummond non concede nulla. Sosterrà che i trapianti di midollo osseo sono molto inaffidabili, appartengono a una medicina ufficialmente non approvata e non sono certo metodi accettati e abituali per la terapia della leucemia acuta.

Parla come un medico che espone le difficoltà di trovare un donatore compatibile, in certi casi esiste una possibilità contro svariati milioni, e sostiene l'improbabilità che il trapianto riesca. E continua a ripetere: «Nella polizza non c'è».

Decide di pestarmi i piedi. La seconda volta che pronuncia la parola "avidità" io mi alzo di scatto e obietto. L'esposizione iniziale non è il momento adatto per le argomentazioni. Quelle devono essere tenute per ultime. Può dire ai giurati solo ciò che, secondo lui, verrà provato.

Kipler, che il cielo lo benedica, decide prontamente: «Accolta».

La prima scaramuccia l'ho vinta io.

«Mi perdoni, vostro onore» dice Drummond in tono sincero. Parla dei suoi testimoni, spiega chi sono e cosa diranno. Perde la carica e farebbe meglio a piantarla dopo dieci minuti. Kipler lo avverte quando scade il quarto d'ora concessogli, e Drummond ringrazia la giuria.

«Chiami il suo primo testimone, signor Baylor» invita Kipler. Non ho neppure il tempo di spaventarmi.

Dot Black si dirige nervosamente al banco dei testimoni,

giura, si siede, guarda i giurati. Indossa un semplice abito di cotone molto vecchio, ma è linda e in ordine.

Abbiamo predisposto un copione, io e Dot. Gliel'ho dato una settimana fa, e l'abbiamo studiato insieme sei volte. Io faccio le domande, lei risponde. Ha una paura tremenda, com'è logico, e le sue risposte sono legnose e forzate. Le ho spiegato che non c'è niente di male se appare nervosa. I giurati sono esseri umani. Nomi, marito, famiglia, lavoro, polizza, la vita con Donny Ray prima che si ammalasse, durante la malattia, dopo la sua morte. Si asciuga gli occhi più di una volta, ma non perde la compostezza. Le ho detto che dovrebbe evitare di piangere. Chiunque può immaginare quanto soffre.

Parla della frustrazione che ha provato quando, come madre, si è trovata nell'impossibilità di far curare il figlio morente. Ha scritto e telefonato alla Great Eastern nel vano tentativo di trovare aiuto. Ha assediato gli ospedali locali per chiedere che provvedessero gratuitamente alla terapia. Ha organizzato amici e vicini per cercare di raccogliere la somma necessaria, ma il tentativo è fallito. Identifica la polizza e il modulo della richiesta. Risponde alle mie domande sulla stipula del contratto, le visite settimanali di Bobby Ott che andava a incassare i premi.

Poi arriviamo alla parte più interessante. Le passo le prime sette lettere di rifiuto e Dot le legge alla giuria. Suonano anche peggio di quanto osassi sperare. Rifiuto secco, senza una giustificazione. Rifiuto del servizio liquidazioni, soggetto al riesame del servizio contratti. Rifiuto da parte del servizio contratti, soggetto al riesame del servizio liquidazioni. Rifiuto del servizio liquidazioni, basato su una malattia pregressa. Rifiuto del servizio contratti basato sul fatto che Donny Ray non faceva parte della famiglia in quanto adulto. Rifiuto del servizio liquidazioni, basato sull'affermazione che i trapianti di midollo osseo non sono coperti dalla polizza. Rifiuto del servizio contratti basato sull'affermazione che i trapianti di midollo osseo sono troppo sperimentali e quindi non costituiscono un metodo terapeutico accettabile.

I giurati assimilano con attenzione ogni parola. Cominciano a irritarsi.

Poi viene il momento della Lettera alla Stupida. Mentre Dot

la legge, osservo con attenzione i giurati. Diversi sono visibilmente allibiti. Qualcuno sbatte le palpebre, incredulo. Qualcun altro guarda male il tavolo dove, stranamente, tutti i componenti del collegio di difesa sono immersi in una profonda meditazione.

Quando Dot finisce di leggere, nell'aula regna il silenzio.

«La rilegga, per favore» dico.

«Obiezione.» Drummond si alza di scatto.

«Respinta» ribatte Kipler.

Dot rilegge la lettera, questa volta più adagio e con maggiore partecipazione. È esattamente a questo punto che intendo lasciarla, e la passo a Drummond. Drummond va a piazzarsi al podio. Commetterebbe un errore se fosse duro con lei, e mi sorprenderei se lo facesse.

Esordisce con qualche domanda vaga sulle polizze che Dot aveva stipulato in precedenza, e le chiede come mai ha scelto proprio quella in particolare. Cos'aveva in mente quando l'ha firmata? Dot voleva semplicemente una protezione assicurativa per la sua famiglia, ecco tutto. E l'agente della Great Eastern gliel'aveva promessa. L'agente le aveva promesso che la polizza avrebbe incluso i trapianti?

«Non pensavo neppure ai trapianti» risponde Dot. «Non ne avevo mai avuto bisogno.» Nel palco della giuria qualcuno sorride ma nessuno ride.

Drummond insiste per farle dire se aveva intenzione di stipulare una polizza che coprisse i trapianti di midollo osseo. Lei continua a ripetere che non ne aveva mai sentito parlare.

«Quindi non aveva chiesto specificamente una polizza che li coprisse?» chiede Drummond.

«Quando ho fatto la polizza, non pensavo a queste cose. Volevo solo una copertura assicurativa completa.»

Drummond segna un piccolissimo punto a suo vantaggio, ma credo e spero che la giuria lo dimenticherà in fretta.

«Perché ha citato la Great Eastern per dieci milioni di dollari?» chiede Drummond. È una domanda che all'inizio di un dibattimento può produrre effetti disastrosi perché crea l'impressione che l'attore sia avido. I danni chiesti nelle cause di questo genere sono spesso sparati a casaccio dall'avvocato senza l'intervento del cliente. Io, per esempio, non ho chiesto a Dot quanto aveva intenzione di chiedere.

Ma sapevo che la domanda sarebbe arrivata perché ho studiato i verbali di molti dibattimenti di Drummond. Dot è pronta.

«Dieci milioni?» chiede.

«Sì, signora Black. Lei ha fatto causa al mio cliente per dieci milioni di dollari.»

«Tutto qui?» ribatte lei.

«Prego?»

«Credevo che fosse di più.»

«Davvero?»

«Sì. Il suo cliente ha un miliardo di dollari, e il suo cliente ha ucciso mio figlio. Volevo chiedere molto, molto di più.»

A Drummond si piegano leggermente le ginocchia. Sposta il peso del corpo da una gamba all'altra. Ma continua a sorridere, e questo dimostra un talento formidabile. Invece di ripiegare su una domanda innocua o tornare al suo posto commette un ultimo errore con Dot Black. È un'altra delle sue domande-tipo. «Cosa intenderebbe fare di quel denaro se la giuria le riconoscesse dieci milioni di dollari?»

Immaginate di dover tentare di rispondere sul momento a una domanda simile in un'aula di tribunale. Ma Dot è preparata: «Li darei tutti alla Società Americana per la Lotta contro la Leucemia. Fino all'ultimo centesimo. Non ne voglio nemmeno uno dei vostri sporchi dollari».

«Grazie» conclude Drummond, e si affretta a tornare al tavolo della difesa.

Due giurati ridacchiano mentre Dot lascia il banco dei testimoni e viene a sedersi accanto a me. Drummond è diventato pallido.

«Come è andata?» mormora Dot.

«L'ha conciato per le feste» le bisbiglio.

«Ho bisogno di fumare.»

«Ci sarà una pausa fra un minuto.»

Chiamo Ron Black. Anche lui ha un copione e la sua testimonianza dura meno di mezz'ora. Deve soltanto dire che si era sottoposto alle analisi necessarie, che era un donatore perfettamente compatibile con il gemello ed era disposto a dargli il suo midollo osseo. Drummond non lo controinterroga. Sono quasi le undici e Kipler ordina una pausa di dieci minuti.

Dot corre alla toilette per fumare di nascosto. Le ho raccomandato di non fumare di fronte ai giurati. Io e Deck sediamo al nostro tavolo e ci scambiamo le rispettive impressioni. È seduto dietro di me e ha tenuto d'occhio i giurati. Le lettere di rifiuto hanno destato la loro attenzione, la Lettera alla Stupida li ha fatti infuriare.

Continua a fare in modo che si arrabbino, mi raccomanda. I risarcimenti punitivi si ottengono soltanto se la giuria è infuriata.

Quando si presenta sul banco dei testimoni, il dottor Kord fa una gran bella figura. Indossa una giacca sportiva scozzese, calzoni scuri, cravatta rossa. È l'incarnazione del giovane medico di successo. È nato e cresciuto a Memphis, ha studiato alla scuola preparatoria locale, quindi ha frequentato il college Vanderbilt e la facoltà di medicina della Duke University. Sono credenziali impeccabili. Parlo del suo curriculum e non fatico a qualificarlo come esperto in oncologia. Gli passo la documentazione medica di Donny Ray, e lui espone alla giuria un riassunto chiaro del trattamento. Quando è possibile si serve di un linguaggio non specialistico, e quando ricorre al gergo medico si affretta a spiegarlo. Detesta le aule dei tribunali, ma si trova perfettamente a suo agio di fronte alla giuria.

«Può spiegare ai giurati questa malattia, dottor Kord?» gli chiedo.

«Certo. Si tratta della leucemia mielocitica acuta, una malattia che colpisce due gruppi di età: i giovani adulti tra i venti e i trent'anni, e gli anziani, di solito oltre la settantina. I bianchi si ammalano di leucemia mielocitica acuta più spesso dei non bianchi, e per qualche ragione ignota le persone di discendenza ebraica si ammalano più delle altre. Gli uomini ne sono affetti più delle donne. Nella maggior parte dei casi, la causa della malattia è sconosciuta.

«L'organismo produce il sangue nel midollo osseo, ed è questo che viene attaccato dalla leucemia mielocitica acuta. I globuli bianchi, quelli che hanno il compito di combattere le infezioni, diventano maligni e la loro quantità diventa spesso cento volte superiore al normale. Quando ciò avviene, i globuli rossi vengono eliminati, e il paziente rimane pallido, debole e anemico. Via via che i globuli bianchi si moltiplicano in modo incontrollato, soffocano anche la normale produzione di piastrine, il terzo tipo di cellule del sangue che si trova nel midollo osseo. Questo causa lividi, emorragie e mal di testa. La prima volta che Donny Ray si è presentato nel mio studio, accusava capogiri, fiato corto, stanchezza, febbri e sintomi simili a quelli dell'influenza.»

Quando io e il dottor Kord abbiamo preparato la sua testimonianza, la scorsa settimana, l'ho pregato di parlare di Donny Ray citandolo per nome anziché "signor Black" o "il paziente".

«E lei cos'ha fatto?» gli chiedo. Questo è facile, dico a me stesso.

«Ho seguito una normale procedura diagnostica conosciuta come aspirazione del midollo osseo.»

«Vuole spiegarlo alla giuria?»

«Certamente. Nel caso di Donny Ray, il test è stato fatto nell'osso dell'anca. L'ho fatto sdraiare sullo stomaco, ho effettuato una limitata anestesia locale, ho praticato una piccola apertura e ho inserito un grosso ago. L'ago che si usa per far questo è formato da due parti: quella esterna è un tubo cavo, quella interna è un sottile cilindro compatto. Quando l'ago è stato inserito nel midollo osseo, il cilindretto solido è stato rimosso e all'apertura dell'ago è stato fissato un tubo a suzione vuoto. Il meccanismo agisce come una siringa, e in questo modo ho estratto una piccola quantità di midollo osseo liquido. Poi lo abbiamo sottoposto alle solite analisi contando i globuli bianchi e quelli rossi. È risultato evidente che Donny Ray era affetto da leucemia acuta.»

«Quanto è costato il test?» chiedo.

«Circa mille dollari.»

«E come l'ha pagato Donny Ray?»

«Quando è venuto da me ha riempito i moduli soliti e ha precisato di essere coperto da una polizza medica della Great Eastern Life Insurance Company. Il mio staff si è informato presso la Great Eastern e ha avuto conferma dell'esistenza di tale polizza. Ho proceduto col trattamento.»

Gli passo le copie dei documenti relativi e Kord li identifica.

«E la Great Eastern ha provveduto a pagarla?»

«No. La società ci ha comunicato che la richiesta di liquidazione era stata respinta per diverse ragioni. Sei mesi dopo abbiamo rinunciato ad attendere il rimborso. La signora Black ha pagato cinquanta dollari al mese.»

«Come ha curato Donny Ray?»

«Con quella che viene chiamata terapia di induzione. È stato ricoverato in ospedale, e io gli ho inserito un catetere in una grossa vena sotto la clavicola. La prima induzione della chemioterapia è avvenuta per mezzo di una sostanza chiamata ara-C, che entra nell'organismo per ventiquattr'ore al giorno per sette giorni. Durante i primi tre giorni è stata somministrata inoltre una sostanza chiamata idarubicina. È soprannominata "la morte rossa" perché è di colore rosso e produce l'effetto di eliminare le cellule del midollo osseo. Gli abbiamo somministrato l'Allopurinolo, un agente anti-gotta, perché la gotta è comune quando vengono annientate grandi quantità di cellule del sangue. Inoltre ha ricevuto una somministrazione intensiva di liquidi per via intravenosa, allo scopo di eliminare i sottoprodotti attraverso i reni. Gli sono stati dati antibiotici e sostanze antifungine perché era esposto alle infezioni. In particolare gli è stata somministrata l'anfotericina B, un trattamento contro i funghi. È una sostanza molto tossica che gli ha fatto salire la temperatura a quaranta; inoltre ha causato tremiti irrefrenabili. Nonostante questo, Donny Ray ha affrontato molto bene la terapia, con un atteggiamento positivo per un giovane gravemente ammalato.

«La teoria che ispira questo tipo di terapia intensiva consiste nell'uccidere ogni cellula del midollo osseo nella speranza di creare un ambiente dove le cellule normali possano crescere più in fretta di quelle leucemiche.»

«E questo accade veramente?»

«Per un breve periodo. Ma noi curiamo ogni paziente con la consapevolezza che la leucemia ricomparirà, a meno che naturalmente il paziente non venga sottoposto a un trapianto di midollo osseo.»

«Vuole spiegare alla giuria, dottor Kord, come si effettua un trapianto di questo tipo?»

«Certamente. La procedura non è troppo complicata. Dopo

che il paziente si è sottoposto alla chemioterapia appena descritta, e se ha la fortuna di trovare un donatore geneticamente compatibile, estraiamo il midollo dal donatore e per mezzo di un sondino intravenoso lo instilliamo nel paziente. Lo scopo è trasferire dall'uno all'altro un'intera popolazione di cellule sane.»

«Ron Black era un donatore compatibile per Donny Ray?»

«Assolutamente. Erano gemelli identici, quindi costituivano il caso più facile. Abbiamo effettuato i test su entrambi. Il trapianto sarebbe stato agevole e avrebbe dato il risultato voluto.»

Drummond si alza di scatto. «Obiezione. È solo un'ipotesi. Il dottore non può testimoniare se il trapianto avrebbe funzionato o no.»

«Respinta. La riservi per il controinterrogatorio.»

Faccio qualche altra domanda sulla procedura e mentre Kord risponde, osservo i giurati. Ascoltano e seguono tutto con interesse, ma è meglio concludere.

«Ricorda approssimativamente quando era pronto a effettuare il trapianto?»

Kord consulta i suoi appunti, ma conosce già la risposta: «Nell'agosto del '91. Circa diciotto mesi fa».

«Il trapianto avrebbe aumentato per Donny Ray le probabilità di sopravvivere alla leucemia acuta?»

«Certamente.»

«Di quanto?»

«Dall'ottanta al novanta per cento.»

«E quante probabilità aveva di sopravvivere senza il trapianto?»

«Zero.»

«A lei il testimone.»

È mezzogiorno passato: ora di pranzo. Kipler ordina una pausa fino all'una e mezzo. Deck si offre di andare a prendere qualche sandwich in un delicatessen qui vicino e io e Kord ci prepariamo per la prossima ripresa. Lui pregusta già l'idea di uno scontro con Drummond.

Non saprò mai quanti consulenti medici hanno aiutato Drummond a prepararsi per il dibattimento. Non è obbligato a rivelarlo. Ha elencato un solo esperto da presentare come eventuale testimone. Il dottor Kord mi ha assicurato più volte che il trapianto di midollo è ormai così diffuso come metodo di cura che soltanto un ciarlatano può sostenere il contrario. Mi ha consegnato dozzine di articoli e relazioni e perfino diversi libri che sostengono la nostra posizione e confermano che è il metodo migliore per curare la leucemia acuta.

Evidentemente anche Drummond l'ha scoperto. Non è medico e gli tocca difendere una presa di posizione molto debole, perciò evita di scontrarsi duramente con Kord. La scaramuccia è breve. Impernia tutta la sua linea sul fatto che pochissimi ammalati di leucemia acuta vengono sottoposti a trapianti di midollo osseo, in confronto al grande numero di coloro che non vi vengono sottoposti affatto. Sono meno del cinque per cento, ammette Kord: ma ciò avviene solo perché è difficile trovare un donatore compatibile. In tutta la nazione, comunque, avvengono circa settemila trapianti ogni anno.

Chi ha la fortuna di trovare un donatore ha possibilità molto alte di sopravvivere. Donny Ray era uno dei fortunati. Aveva un donatore compatibile.

Kord sembra quasi deluso quando Drummond si arrende dopo poche domande. Non ho motivo di interrogarlo di nuovo, perciò il dottore viene congedato.

Poi viene un momento di grande tensione perché sto per annunciare quale dirigente della Great Eastern dovrà testimoniare. Questa mattina Drummond me l'ha chiesto, e ho risposto che non avevo ancora deciso. Si è lamentato con Kipler, e Kipler ha replicato che non ero tenuto a rivelarlo fino a quando non fossi stato pronto. I dirigenti sono tutti in una saletta per i testimoni in fondo al corridoio. Aspettano e fremono.

«Il signor Everett Lufkin» annuncio. Mentre l'usciere esce per andare a chiamarlo, c'è un'esplosione di attività al tavolo della difesa; a quanto posso capire, del tutto superflua. Spostano carte, si passano appunti, aprono fascicoli.

Lufkin entra in aula, si guarda intorno frastornato come se si fosse appena svegliato dopo una lunga ibernazione, si assesta la cravatta e segue l'usciere lungo la corsia. Lancia occhiate nervose al gruppo dei suoi sostenitori e si avvia al banco dei testimoni.

È noto che Drummond ha l'abitudine di allenare i suoi testimoni sottoponendoli a controinterrogatori brutali, a volte ricorre a quattro o cinque dei suoi avvocati per bombardare di domande il testimone. E tutto viene registrato su videocassette. Poi trascorre ore col testimone per rivedere la registrazione, lavorare sulla tecnica, e prepararlo a questo momento.

So per certo che i dirigenti sono addestrati in modo impeccabile.

Lufkin guarda me, guarda i giurati e si sforza di apparire calmo, ma sa che non può rispondere a tutte le imminenti domande. È sui cinquantacinque anni, ha i capelli grigi con l'attaccatura poco al di sopra delle sopracciglia, lineamenti regolari, voce pacata. Sembra il tipo al quale si potrebbe affidare la squadra locale dei boy scout. Jackie Lemancyzk mi ha raccontato che pretendeva di legarla al letto.

Non immaginano neanche lontanamente che domani lei verrà a testimoniare.

Parliamo del servizio liquidazioni e del ruolo che occupa nella struttura della Great Eastern. Lufkin è lì da otto anni, da sei è vicepresidente, controlla con polso fermo il suo dipartimento, è il tipo del manager efficiente e informato. Vuole apparire importante agli occhi dei giurati e in pochi minuti stabiliamo che è compito suo sovrintendere ogni aspetto delle richieste di liquidazione. Non sovrintende tutte le singole richieste, ma ha la responsabilità di far funzionare il servizio. Riesco a indurlo a una noiosa discussione sulla burocrazia interna, e poi all'improvviso gli chiedo: «Chi è Jackie Lemancyzk?».

Trasale leggermente. «Un'ex impiegata che si occupava delle pratiche di liquidazione.»

«Lavorava nel suo dipartimento?»

«Sì.»

«Quando ha smesso di lavorare per la Great Eastern?»

Lufkin alza le spalle. Non ricorda la data.

«Diciamo il cinque ottobre dell'anno scorso?»

«Mi pare di sì.»

«Non è stato due giorni prima che dovesse fare una deposizione per questa causa?»

«Non ricordo.»

Gli rinfresco la memoria mostrandogli due documenti: il primo è la lettera di dimissioni di Jackie Lemancyzk, il secondo è la mia notifica che fissava la sua deposizione per il cinque ottobre. Adesso Lufkin ricorda. Ammette con riluttanza che la Lemancyzk ha lasciato la Great Eastern due giorni prima di testimoniare.

«E aveva la responsabilità di seguire la pratica per conto della società?»

«È esatto.»

«E lei l'ha licenziata?»

«No, naturalmente.»

«Come ha fatto a sbarazzarsene?»

«Ha dato le dimissioni. C'è scritto qui, nella sua lettera.»

«Perché si è dimessa?»

Lufkin si accosta la lettera agli occhi, da vero furbastro, e legge, a edificazione della giuria: «Con la presente mi dimetto per motivi personali».

«Quindi ha deciso di propria iniziativa di lasciare l'impiego?»

«Qui è scritto così.»

«Per quanto tempo ha lavorato alle sue dipendenze?»

«Sono molti quelli che lavorano alle mie dipendenze. Non posso ricordare tutti i particolari.»

«Quindi non lo sa?»

«Non ne sono sicuro. Diciamo diversi anni.»

«La conosceva bene?»

«Non molto. Era solo un'impiegata che si occupava delle richieste di liquidazione, una dei tanti.»

Domani Jackie Lemancyzk testimonierà che la loro relazione è durata tre anni.

«Lei è sposato, signor Lufkin?»

«Sì. Felicemente sposato.»

«E ha figli?»

«Sì. Due figli adulti.»

Lo lascio in sospeso per un minuto, torno al mio tavolo e prendo un fascio di documenti. È la pratica della richiesta di liquidazione dei Black. La consegno a Lufkin che prende tempo, la sfoglia, poi dice che gli sembra completa. Gli faccio confermare che questa è la pratica integrale e non manca niente.

Per far felice la giuria, gli pongo una serie di domande aride e ottengo risposte egualmente aride, tutte studiate per fornire una spiegazione fondamentale del modo in cui dovrebbe essere sbrigata una richiesta di liquidazione. Naturalmente, in questa prospettiva ipotetica, la Great Eastern fa tutto in perfetta regola.

Poi viene il bello. Gli faccio leggere al microfono, in modo che sia tutto messo a verbale, le prime sette lettere di rifiuto. Gli chiedo di spiegarle una per una. Chi l'ha scritta? Perché è stata scritta? Seguiva le direttive esposte nel manuale sulle richieste di liquidazione? Quale sezione del manuale? Aveva visto personalmente la lettera?

Gli faccio leggere alla giuria ognuna delle lettere di Dot. Sono invocazioni d'aiuto. Suo figlio sta morendo. C'è qualcuno disposto ad ascoltarla? Lo torchio a proposito di ogni lettera. Questa chi l'ha ricevuta? Cosa è stato fatto? Cosa stabilisce il manuale? L'ha letta di persona?

I giurati sembrano ansiosi di arrivare alla Lettera alla Stupida, ma naturalmente Lufkin è stato imbeccato a dovere. La legge alla giuria, quindi spiega con voce monotona e senza la minima sfumatura di compassione che la lettera è stata scritta da qualcuno che in seguito ha lasciato la compagnia. L'uomo aveva torto, la Great Eastern aveva torto, e adesso qui di fronte a tutti, la Great Eastern si scusa per quella lettera.

Lascio che continui a parlare. Basterà dargli corda a sufficienza perché si impicchi da solo.

«Non le sembra che sia un po' tardi per scusarsi?» chiedo interrompendolo.

«Può darsi.»

«Il ragazzo è morto, no?»

«Sì.»

«E tanto per metterlo a verbale, signor Lufkin, non ci sono mai state scuse scritte per questa lettera, vero?»

«No, a quanto mi risulta.»

«Non ci sono state scuse di nessun genere fino ad ora, è esatto?»

«Sì.»

«Per quel che le risulta, la Great Eastern si è mai scusata per una qualsiasi ragione?»

«Obiezione» dice Drummond.

«Accolta. Prosegua, signor Baylor.»

Lufkin è al banco dei testimoni da circa due ore. Forse i giurati si sono stancati di lui. Io pure. È venuto il momento di essere crudele.

Ha sottolineato di proposito l'importanza del manuale per le richieste di liquidazione, citandolo come se fosse normativa inviolabile della politica aziendale. Consegno a Lufkin la mia copia del manuale che ho ricevuto durante la fase degli accertamenti. Gli rivolgo una serie di domande, e a tutte risponde sicuro di sé confermando che sì, questo è il verbo sacrosanto delle procedure per le richieste di liquidazione. È stato collaudato e messo alla prova. E viene periodicamente revisionato, modificato, aggiornato, emendato in armonia con i tempi che cambiano; tutto ciò nello sforzo di assicurare ai clienti il servizio migliore.

Dopo aver raggiunto l'acme della noia assoluta per quanto riguarda lo stramaledetto manuale, chiedo: «Ora, signor Lufkin, questo è il manuale integrale per le richieste di liquidazione?».

Lo sfoglia in fretta come se conoscesse ogni sezione e ogni parola. «Sì.»

«Ne è sicuro?»

«Sì.»

«E le è stato chiesto di consegnarmi questa copia durante l'accertamento?»

«Esatto.»

«Io ho chiesto una copia ai vostri avvocati, e mi hanno consegnato questa?»

«Sì.»

«È stato lei di persona a scegliere la copia del manuale perché mi venisse spedita?»

«Sì.»

Respiro a fondo e torno al mio tavolo. Sotto c'è una piccola scatola di cartone piena di fascicoli e carte. Frugo per un secondo, poi all'improvviso mi raddrizzo a mani vuote e chiedo al testimone: «Per favore, può prendere il manuale e aprirlo alla Sezione U?». Mentre pronuncio queste parole, guardo in faccia Jack Underhall dell'ufficio legale della Great Eastern, seduto dietro Drummond. Lo vedo chiudere gli occhi. China la testa in avanti, poi si puntella sui gomiti e fissa il pavimento. Kermit Addy, seduto al suo fianco, fatica a respirare.

Drummond non ci capisce niente.

«Prego?» chiede Lufkin con una voce che si è alzata di un'ottava. Mentre tutti seguono i miei movimenti, prendo dalla scatola la copia del manuale che mi ha dato Cooper Jackson e la metto sul tavolo. In aula, tutti la guardano. Lancio un'occhiata a Kipler che ha l'aria di divertirsi un mondo.

«La Sezione U, signor Lufkin. Sfogli il suo manuale e la trovi. Vorrei discuterne.»

Lufkin prende il manuale e lo sfoglia di nuovo. In questo momento cruciale, sono certo che sarebbe disposto a vendere i suoi figli purché avvenisse un miracolo e si materializzasse una Sezione U.

Il miracolo non avviene.

«Io non ho nessuna sezione U» dice in tono triste, quasi sottovoce.

«Prego?» dico a voce alta. «Non ho sentito.»

«Uhm, ecco, questo manuale non ha la Sezione U.» È sbalordito, non perché manca la sezione, ma perché si è fatto cogliere in flagrante. Continua a guardare disperatamente Drummond e Underhall e Addy come se dovessero fare qualcosa... per esempio chiedere un minuto di sospensione della partita.

Leo F. Drummond non ha idea di quello che gli ha combinato il cliente. Hanno manomesso il manuale e a lui non hanno detto nulla. Mormora qualcosa a Morehouse: cosa diavolo succede?

Con aria teatrale mi avvicino al testimone con l'altro manuale. Sembra eguale a quello che ha in mano lui. La copertina riporta la stessa data dell'edizione riveduta e corretta: 1° gennaio 1991. Sono identici, però uno ha una sezione finale intitolata Sezione U, l'altro non ce l'ha.

«Lo riconosce, signor Lufkin?» chiedo. Gli porgo la copia di Jackson e riprendo la mia.

«Sì.»

«Bene, cos'è?»

«Una copia del manuale per le richieste di liquidazione.»

«E contiene la Sezione U?»

Lufkin gira le pagine, quindi annuisce.

«Cosa significa, signor Lufkin? La stenografa del tribunale non può mettere a verbale i movimenti della sua testa.»

«C'è la Sezione U.»

«Grazie. Ora, è stato lei personalmente a rimuovere la Sezione U dalla mia copia, oppure ha incaricato qualcun altro perché provvedesse?»

Lufkin posa il manuale sulla balaustra del banco dei testimoni e incrocia le braccia sul petto. Fissa il pavimento e attende. Credo che si stia lasciando andare alla deriva. Passano i secondi mentre tutti aspettano la risposta.

«Risponda alla domanda» ordina Kipler.

«Non so chi sia stato.»

«Ma qualcuno l'ha fatto, no?» chiedo.

«Evidentemente.»

«Quindi ammette che la Great Eastern ha nascosto di proposito certi documenti.»

«Non ammetto nulla. Sono sicuro che si è trattato di una svista.»

«Una svista? Sia serio, signor Lufkin. È vero che qualcuno, alla Great Eastern, ha intenzionalmente rimosso la Sezione U dalla copia del manuale destinata a me?»

«Non lo so. Io... ecco... è andata così per caso, immagino. Sa come succede.»

Torno al mio tavolo e fingo di cercare qualcosa. Voglio che Lufkin rimanga sulle spine per qualche istante in modo che i giurati possano detestarlo ancora di più. Lui guarda il pavimento con aria angosciata, vorrebbe essere dovunque ma non qui.

Mi accosto al tavolo della difesa e, con fare sicuro, consegno a Drummond una copia della Sezione U. Rivolgo un sorriso maligno prima a lui, poi a Morehouse. Quindi vado a portare una copia a Kipler. Mi muovo senza fretta, in modo che i giurati seguano la scena e attendano con ansia gli sviluppi.

«Bene, signor Lufkin, parliamo della misteriosa Sezione U. Spieghiamola alla giuria. Le dispiace darle un'occhiata, per favore?»

Lui prende il manuale, lo sfoglia.

«È entrato in vigore il primo gennaio 1991, esatto?»

«Sì.»

«L'ha redatto lei?»

«No.» Naturalmente.

«Allora chi è stato?»

Un'altra pausa sospetta, mentre Lufkin cerca a tentoni una menzogna accettabile.

«Non lo so con certezza» risponde.

«Non lo sa con certezza? Ma se non sbaglio ha appena affermato che questo rientrava nelle sua responsabilità.»

Fissa di nuovo il pavimento pregando di vedermi scomparire.

«Bene» dico io. «Saltiamo pure i paragrafi uno e due, e leggiamo il tre.»

Il paragrafo tre impartisce a chi si occupa della richiesta di liquidazione l'ordine di respingere tutte le richieste entro tre giorni dalla data di ricevimento. Non ci sono eccezioni. Tutte le richieste. Il paragrafo quattro parla del successivo riesame di alcune richieste, e prescrive l'iter burocratico necessario per dimostrare che una richiesta potrebbe risultare poco dispendiosa, perfettamente legittima e quindi accoglibile. Il paragrafo cinque dispone che l'incaricato invii tutte le richieste per un valore potenziale superiore ai cinquemila dollari al servizio contratti, con una lettera di rifiuto all'assicurato, soggetta naturalmente al riesame dello stesso servizio contratti.

E via di questo passo. Costringo Lufkin a leggere brani del suo manuale, quindi lo torchio rivolgendogli domande cui non sa rispondere. Uso più volte la parola "piano", soprattutto dopo che Drummond fa obiezione e Kipler la respinge. Il paragrafo undici è costituito da un vero e proprio glossario di segnali segreti in codice che gli incaricati devono usare nelle pratiche per indicare una forte reazione da parte di un assicurato. È evidente che il piano è stato studiato per tenere conto delle probabilità. Se un assicurato minaccia di far intervenire gli avvocati e di intentare causa, la pratica viene subito riesaminata da un supervisore. Se invece l'assicurato è pavido e incerto, il rifiuto permane.

Il paragrafo diciotto b. ordina al liquidatore di preparare un assegno corrispondente all'ammontare della richiesta, inviarlo con la pratica al servizio contratti con la raccomandazione di non spedire l'assegno stesso fino a nuovo ordine del servizio liquidazioni. Naturalmente il nuovo ordine non arriva mai. «Che fine fa l'assegno?» chiedo a Lufkin. Non lo sa.

L'altra metà del piano è contenuta nella Sezione U del manuale dei contratti. Ripeterò la scena domani con un altro vicepresidente.

In realtà non è necessario. Se potessimo chiudere a questo punto, i giurati ci accorderebbero tutto ciò che chiediamo. E non hanno ancora visto Donny Ray.

Alle quattro e mezzo l'udienza viene sospesa per una breve pausa. Ho tenuto Lufkin sul banco dei testimoni per due ore e mezzo, ed è venuto il momento di dargli il colpo di grazia. Esco nel corridoio per andare in bagno, e vedo Drummond indicare furibondo una saletta a Lufkin e Underhall. Mi piacerebbe assistere alla sfuriata.

Venti minuti più tardi Lufkin torna al banco dei testimoni. Per il momento con i manuali ho concluso. I giurati potranno leggerli con calma al momento di deliberare.

«Solo qualche altra domanda» dico però, tutto sorridente e ristorato. «Nel 1991 quante polizze sanitarie aveva in corso la Great Eastern?»

Ancora una volta il furetto lancia uno sguardo di disperazione al suo avvocato. Queste informazioni dovevano essermi consegnate tre settimane fa.

«Non lo so con precisione» risponde.

«E quante richieste di liquidazione sono state presentate nello stesso anno?»

«Non lo so con precisione.»

«È il vicepresidente per le richieste di liquidazione e non lo sa?»

«La Great Eastern è una società molto grande.»

«Quante richieste sono state respinte nel 1991?»

«Non lo so.»

A questo punto, con un tempismo perfetto, il giudice Kipler dice: «Per oggi il testimone può andare. Faremo una pausa di qualche minuto in modo che i giurati possano tornare a casa».

Congeda i giurati, li ringrazia ancora e gli dà istruzioni. Qualcuno mi sorride mentre passa davanti al mio tavolo.

Aspettiamo che escano e quando l'ultimo sparisce oltre i due battenti della porta, Kipler dice: «Di nuovo a verbale. Signor Drummond, lei e il suo cliente vi siete resi colpevoli di oltraggio alla corte. Ho insistito perché queste informazioni fossero recapitate all'attore diverse settimane fa, ma così non è stato. È materiale pertinente e importante, e ha rifiutato di fornirlo. Lei e il suo cliente siete disposti a finire in carcere finché non arriveranno queste informazioni?».

Leo è in piedi. Ha l'aria stanca e sembra invecchiare a vista d'occhio. «Vostro onore, ho cercato di ottenere le informazioni. Ho fatto il possibile.» Povero Leo. Sta ancora cercando di capire la Sezione U e in questo momento è del tutto credibile. Il suo cliente ha appena dimostrato pubblicamente che è capace di nascondergli i documenti.

«Il signor Keeley è qui?» chiede il giudice.

«Nella saletta dei testimoni» risponde Drummond.

«Vada a chiamarlo.» L'usciere del tribunale esce e dopo pochi secondi rientra in aula col dirigente a rimorchio.

Dot ne ha abbastanza. Ha bisogno di far pipì e di fumare.

Kipler indica il banco dei testimoni. Fa giurare personalmente Keeley, poi gli chiede se la sua società ha una ragione valida per rifiutarsi di fornire le informazioni richieste da me.

Keeley s'impappina, balbetta, cerca di scaricare la responsabilità sugli uffici regionali e distrettuali.

«Ha capito il concetto di oltraggio alla corte?» gli chiede Kipler.

«Forse... be'... non proprio.»

«È molto semplice. La sua società ha oltraggiato la corte. Signor Keeley, posso multare la Great Eastern o mandare in carcere lei, quale capo dell'esecutivo. Cosa preferisce?»

Sono sicuro che qualcuno degli amici di Keeley ha passato un po' di tempo nelle comode carceri federali, ma lui sa che in questo caso si tratterebbe di una prigione locale, piena di brutti ceffi. «Non voglio andare in carcere, vostro onore.»

«Lo immaginavo. Di conseguenza, infliggo alla Great Eastern una multa di diecimila dollari, da pagare all'attore entro le cinque del pomeriggio di domani. Chiami la sede centrale e faccia spedire l'assegno a mezzo della Federal Express. Chiaro?»

Keeley non può far altro che annuire.

«Inoltre, se le informazioni richieste non saranno arrivate via fax entro le nove di domattina, lei verrà chiuso nel carcere municipale di Memphis dove resterà finché non avrà provveduto. E nel frattempo la sua compagnia sarà multata di cinquemila dollari al giorno.»

Kipler si volta e punta l'indice contro Drummond. «L'ho avvertita più volte per quanto riguarda i documenti, signor Drummond. Questo comportamento è inaccettabile.»

Batte irato il mazzuolo e lascia il banco.

44

In circostanze normali mi sentirei ridicolo con un berretto blu e grigio fregiato da una tigre mentre sto appoggiato a un muro del Concourse A dell'aeroporto di Memphis. Però oggi non è stato un giorno normale; è tardi e sono stanco morto, ma l'adrenalina mi scorre a torrenti nelle vene. Il primo giorno del processo non poteva andare meglio di così.

L'aereo da Chicago atterra in orario e io vengo subito riconosciuto grazie al berretto. Una donna che porta un paio di enormi occhiali scuri si avvicina, mi squadra e infine chiede: «Il signor Baylor?».

«Sono io.» Stringo la mano a Jackie Lemancyzk e al suo accompagnatore che si presenta semplicemente come Carl e porta un borsone di tela. Sono pronti per lasciare l'aeroporto. E sono nervosi.

Parliamo durante il tragitto fino all'albergo, un Holiday Inn del centro a sei isolati dal tribunale. Lei è seduta davanti con me, Carl è sul sedile posteriore: non dice una parola, ma la sorveglia come un rottweiler. Riferisco in breve quanto è successo oggi. No, non sanno che verrà in aula. Le tremano le mani. È fragile e scossa, e ha paura anche della sua ombra. Non riesco a capire perché sia venuta, se non per vendicarsi.

Come mi ha chiesto, ho prenotato l'albergo a mio nome. Ci sediamo tutti e tre intorno a un tavolino nella sua stanza al quattordicesimo piano ed esaminiamo le domande che le rivolgerò. Sono battute a macchina e in ordine.

Se è davvero bella, lo nasconde. Ha i capelli molto corti e tinti di rosso scuro. Il suo avvocato mi ha detto che è in terapia e non intendo curiosare. Ha gli occhi tristi e arrossati, privi di trucco. Ha trentun anni, due figli piccoli, un divorzio alle spalle e a giudicare dall'aspetto e dal comportamento è difficile credere che abbia vissuto la sua carriera alla Great Eastern passando da un letto all'altro.

Carl è molto protettivo con lei. Le batte la mano sul braccio, ogni tanto espone la sua opinione su una risposta. Jackie Lemancyzk vuole testimoniare domattina al più presto possibile, tornare all'aeroporto e ripartire.

Li lascio a mezzanotte.

Martedì mattina alle nove il giudice Kipler ci chiama, ma ordina all'usciere di far restare i giurati nella loro sala ancora per un po'. Chiede a Drummond se sono arrivate le informazioni richieste. Per cinquemila dollari al giorno, quasi quasi mi auguro che non sia arrivato niente.

«Le ho ricevute un'ora fa, vostro onore» risponde Drummond con aria sollevata. Mi consegna un pacco di documenti spesso più di due centimetri e accenna addirittura un sorriso quando ne porge un'altra copia a Kipler.

«Signor Baylor, immagino che avrà bisogno di un po' di tempo» dice vostro onore.

«Mi conceda mezz'ora» rispondo.

«Sta bene. Faremo entrare la giuria alle nove e mezzo.»

Io e Deck ci precipitiamo in una saletta conferenze in fondo al corridoio ed esaminiamo le informazioni. Come avrei dovuto prevedere, sono quasi completamente indecifrabili. Se ne pentiranno.

Alle nove e mezzo la giuria entra in aula, accolta con calore dal giudice Kipler. Sono tutti in ottime condizioni, nessuno ha marcato visita, nessuno ha avuto contatti di qualsiasi genere ieri sera a proposito della causa.

«A lei il testimone, signor Baylor» dice Kipler, e comincia la seconda giornata del dibattimento.

«Vorrei continuare con Everett Lufkin» esordisco.

Lufkin viene recuperato nella saletta dei testimoni e prende posto al banco. Dopo la figuraccia che ha fatto ieri con la Sezione U, nessuno crederà una sola parola di quanto dirà. Sono sicuro che Drummond gli ha fatto vedere i sorci verdi fino a mezzanotte. Ha l'aria piuttosto stanca e abbattuta. Gli consegno la copia ufficiale delle informazioni relative alle richieste di liquidazione e gli chiedo se può identificarle.

«È il tabulato di un riepilogo di computer con varie informazioni sulle richieste di liquidazione.»

«Preparato dal computer della Great Eastern.»

«Esatto.»

«Quando?»

«Ieri, nel tardo pomeriggio, e questa notte.»

«Sotto la sua supervisione quale vicepresidente per le liquidazioni?»

«Si può dire così.»

«Bene. Ora, signor Lufkin, dica per favore alla giuria quante polizze di assicurazione medica esistevano nel 1991.»

Lufkin esita e comincia a giocherellare con il tabulato. Attendiamo mentre lo sfoglia. Per lunghi istanti l'unico suono è il fruscio delle carte.

Lo "scarico" dei documenti è una tattica molto usata dalle società di assicurazione e dai loro legali. Aspettano l'ultimo momento, di preferenza il giorno prima dell'inizio del dibattimento, poi scaricano davanti alla porta dell'avvocato dell'attore quattro scatoloni pieni di scartoffie. Io ho potuto evitarlo grazie al giudice Kipler.

E questo è solo un anticipo. Probabilmente pensavano di arrivare questa mattina, di consegnarmi un tabulato di settanta pagine quasi tutte prive d'importanza e di farla finita.

«Per la verità è difficile dirlo» mormora Lufkin. La voce si sente appena. «Se avessi un po' di tempo...»

«Ha avuto due mesi» interviene Kipler a voce alta. Il suo microfono funziona in modo splendido. Il tono e il volume della sua voce fanno sussultare. Al tavolo della difesa si stanno già contorcendo.

«Voglio sapere tre cose, signor Lufkin» proseguo. «Il numero delle polizze esistenti, il numero delle richieste di liquidazione relative a tali polizze e il numero delle richieste che sono state respinte. Nell'anno 1991. Per favore.»

Lufkin gira altre pagine. «Se ricordo esattamente, avevamo circa novantasettemila polizze.»

«Non può controllare i numeri e dirlo con certezza?»

È evidente che non può. Finge di essere così assorto nell'esame dei dati da non poter rispondere alla mia domanda.

«E lei sarebbe il vicepresidente per le liquidazioni?» chiedo con una sfumatura d'ironia.

«Infatti!»

«Mi permetta di chiederle una cosa, signor Lufkin. Per quanto ne sa, le informazioni che cerco sono contenute nel tabulato?»

«Sì.»

«Perciò si tratta solo di trovarle.»

«Se sta zitto un momento, le troverò.» Lufkin attacca come un animale ferito e ci fa una pessima figura.

«Non sono obbligato a stare zitto, signor Lufkin.»

Drummond si alza, allarga le mani in un gesto supplichevole. «Vostro onore, per essere obiettivi il testimone cerca di rintracciare le informazioni.»

«Signor Drummond, il testimone ha avuto a disposizione due mesi per raccoglierle. È vicepresidente per le liquidazioni e senza dubbio sa leggere i numeri. Obiezione respinta.»

«Dimentichi per un momento il tabulato, signor Lufkin» continuo io. «In un anno, qual è in media il rapporto fra le polizze e le richieste di liquidazione? Basterà che ci dica questa percentuale.»

«In media le richieste di liquidazione corrispondono all'otto-dieci per cento delle nostre polizze.»

«E quale percentuale delle richieste viene respinta definitivamente?»

«Circa il dieci per cento di tutte le richieste» risponde. Anche se adesso, di colpo, conosce le risposte, non sembra molto contento di rivelarle.

«A quanto ammonta in media una richiesta di liquidazione, accolta o respinta che sia?»

C'è un lungo silenzio mentre Lufkin riflette sulla mia domanda. Credo che si sia arreso. Non vede l'ora di concludere, lasciare il banco dei testimoni e ripartire da Memphis.

«In media ammonta a circa cinquemila dollari.»

«Ci sono richieste che riguardano poche centinaia di dollari, giusto?»

«Sì.»
«E altre per decine di migliaia di dollari, giusto?»
«Sì.»
«Perciò è difficile dire quale sia la media, giusto?»
«Sì.»
«Ora, le medie e le percentuali che mi ha appena fornito sono tipiche dell'industria delle assicurazioni oppure sono esclusive della Great Eastern?»
«Non posso parlare per tutte le assicurazioni.»
«Quindi non lo sa?»
«Non ho detto questo.»
«Allora lo sa? Risponda alla domanda.»
Lufkin incurva un po' le spalle. Sogna di andarsene. «Direi che rientrano nella media.»
«Grazie.» Taccio un momento per far colpo, studio i miei appunti per un secondo, cambio marcia, strizzo l'occhio a Deck che esce dall'aula. «Solo un altro paio di domande, signor Lufkin. È stato lei a suggerire a Jackie Lemancyzk di dimettersi?»
«No.»
«Come giudicherebbe il suo lavoro?»
«Nella norma.»
«Sa perché era stata retrocessa dal ruolo di capo liquidatore?»
«Se non ricordo male, la decisione è stata determinata dal modo in cui trattava la gente.»
«Ha incassato una specie di buonuscita quando ha dato le dimissioni?»
«No. Se n'è andata e basta.»
«Non ha avuto compensi di nessun genere?»
«No.»
«Grazie. Vostro onore, ho finito con questo testimone.»
Drummond ha due possibilità. Può servirsi di Lufkin subito, in un interrogatorio diretto senza domande di capitale importanza, e può rimandare a più tardi. È impossibile rendere presentabile Lufkin, e sono certo che Drummond lo farà uscire di scena al più presto possibile.
«Vostro onore, intendiamo interrogare il signor Lufkin più tardi» dichiara Drummond. Non è una sorpresa. I giurati non lo vedranno più.

«Sta bene. Signor Baylor, chiami il prossimo testimone.»

Lo annuncio a tutto volume: «L'attore chiama Jackie Lemancyzk».

Mi volto subito per vedere la reazione di Underhall e Addy. Stanno bisbigliando fra loro e restano di sasso quando sentono il nome. Spalancano gli occhi e la bocca nell'espressione dello sbalordimento più totale.

Il povero Lufkin sta per varcare la porta dell'aula quando l'annuncio lo raggiunge. Si ferma di colpo, si volta verso il tavolo della difesa poi allunga il passo per uscire più in fretta.

Mentre i suoi collaboratori gli svolazzano intorno, Drummond si alza. «Vostro onore, posso avvicinarmi?»

Kipler ci fa segno di accostarci e si scosta dal microfono. Il mio avversario finge di essere indignato. Sono sicuro che è stupefatto, ma non ha il diritto di gridare al gioco sporco. Sta quasi ansimando. «Vostro onore, questa è una sorpresa imprevista» sibila. Non vuole che i giurati sentano le sue parole e vedano il suo turbamento.

«Perché?» ribatto baldanzoso. «È elencata come testimone potenziale nell'ordinanza preliminare.»

«Abbiamo il diritto di essere avvertiti in anticipo. Quando l'ha trovata?»

«Non sapevo che si fosse perduta.»

«È una domanda ragionevole, signor Baylor» dice vostro onore e mi fissa aggrottando la fronte per la prima volta nella storia. Li guardo entrambi con aria innocente, come per dire: "Ehi, non sono che un pivello! Abbiate pazienza".

«Figura nell'ordinanza preliminare» insisto. Francamente, sappiamo tutti e tre che testimonierà. Forse avrei dovuto informare ieri il giudice che Jackie Lemancyzk era in città ma, in fin dei conti, è il mio primo processo.

Lei entra in aula al seguito di Deck. Underhall e Addy evitano di guardarla. I cinque gentiluomini di Tinley Britt osservano ogni suo passo. Jackie fa la sua figura. Un abito blu molto sciolto avvolge il corpo esile e scende fino alle ginocchia. Il viso è molto diverso da ieri sera, molto più grazioso. Giura, siede al banco dei testimoni, lancia un'occhiata fulminante a quelli della Great Eastern ed è pronta per rispondere alle mie domande.

Mi piacerebbe sapere se è andata a letto con Underhall o Addy. Ieri sera ha parlato di Lufkin e di un altro, ma so che non mi ha raccontato tutto.

Sbrighiamo in fretta le domande preliminari, poi andiamo all'attacco.

«Per quanto tempo ha lavorato alla Great Eastern?»

«Sei anni.»

«E quando ha smesso di lavorare?»

«Il cinque ottobre.»

«Come mai?»

«Sono stata licenziata.»

«Non ha dato le dimissioni?»

«No. Sono stata licenziata.»

«Chi l'ha licenziata?»

«Si sono messi d'accordo. Everett Lufkin, Kermit Addy, Jack Underhall e diversi altri.» Jackie Lemancyzk indica con un cenno della testa i colpevoli, e tutti, in aula, si voltano a guardarli.

Mi avvicino alla testimone e le consegno una copia della sua lettera di dimissioni.

«La riconosce?» domando.

«È una lettera che ho battuto a macchina e firmato» dice lei.

«Qui afferma che si dimette per motivi personali.»

«La lettera mente. Sono stata licenziata perché avevo avuto a che fare con la richiesta di liquidazione di Donny Ray Black e perché il cinque ottobre avrei dovuto deporre. Sono stata licenziata perché la Great Eastern potesse affermare che non ero più alle sue dipendenze.»

«Chi le ha fatto scrivere la lettera?»

«Le stesse persone. Erano tutti d'accordo.»

«Può spiegarsi meglio?»

Guarda per la prima volta i giurati, e tutti guardano lei. Deglutisce e comincia a parlare. «Il sabato prima della data stabilita per la mia deposizione, mi hanno chiesto di andare in ufficio. Ho incontrato Jack Underhall, l'uomo seduto là con l'abito grigio. È l'avvocato dell'ufficio legale. Mi ha detto che dovevo andarmene immediatamente e che avevo due possibilità di scelta. Potevo dire che era un licenziamento e andarmene a mani vuote. Oppure potevo scrivere quella lettera, dire che erano dimissioni, e allora la società mi avrebbe regalato diecimila dollari in contanti purché stessi zitta. E dovevo decidere subito, in sua presenza.»

Ieri sera è riuscita a parlarne senza manifestare emozione, ma in tribunale è tutto diverso. Si morde le labbra, esita per un momento, quindi riesce a proseguire. «Sono una madre divorziata con due figli, e ho tanti conti da pagare. Non avevo scelta. Avevo perso il posto. Ho scritto la lettera, ho accettato i diecimila dollari e ho firmato l'impegno di non discutere mai con nessuno le mie pratiche per le richieste di liquidazione.»

«Inclusa la pratica Black?»

«Soprattutto la pratica Black.»

«E se ha accettato la somma e ha firmato l'impegno, perché oggi è qui?»

«Quando ho superato lo shock ho parlato con un avvocato. Un ottimo avvocato. Mi ha assicurato che l'impegno da me firmato era illegale.»

«Ha una copia dell'impegno?»

«No. Il signor Underhall non mi ha permesso di tenerla. Però può chiederla a lui. Sono sicura che ha l'originale.» Io mi giro lentamente e guardo Jack Underhall. Tutti i presenti fanno altrettanto. Di colpo, tutto il suo mondo si concentra nei lacci delle scarpe. Li riannoda come se non udisse la testimonianza.

Guardo Leo Drummond e per la prima volta gli leggo negli occhi un'espressione di totale sconfitta. Il suo cliente, è ovvio, non gli ha parlato del pagamento in contanti né dell'impegno estorto con le minacce.

«Perché si è rivolta a un avvocato?»

«Perché avevo bisogno di un parere. Il mio licenziamento era ingiusto. Ma prima ancora ero stata vittima di discriminazione perché donna, e inoltre avevo subito molestie sessuali da parte di vari dirigenti della Great Eastern.»

«Qualcuno che conosciamo?»

«Obiezione, vostro onore» dice Drummond. «Potrebbe essere divertente parlarne, ma non ha nessuna attinenza con la causa.»

«Preferisco vedere dove si va a parare. Obiezione respinta,

per il momento. Per favore, risponda alla domanda, signorina Lemancyzk.»

Lei respira profondamente. «Per tre anni ho avuto rapporti sessuali con Everett Lufkin. Finché ero disposta a fare tutto ciò che voleva, avevo aumenti di stipendio e promozioni. Quando ho cominciato a stancarmi e ho smesso, sono stata retrocessa da capo liquidatore a liquidatore semplice. Mi è stato ridotto lo stipendio del venti per cento. Poi Russell Krokit, che a quel tempo era supervisore delle liquidazioni ma è stato licenziato contemporaneamente a me, ha deciso di impormi una relazione. Mi ha detto che se non ci stavo avrei perso il posto. Invece, se fossi stata la sua amante per un po', mi avrebbe fatto avere un'altra promozione. O mangiare quella minestra...»

«Quei due uomini erano sposati?»

«Sì, avevano moglie e figli. Tutti sapevano che se la facevano con le ragazze del servizio liquidazioni. E non erano i soli a barattare le promozioni col sesso.»

Tutti gli sguardi puntano di nuovo su Underhall e Addy.

A questo punto faccio una pausa per andare al mio tavolo a controllare qualcosa. È un trucchetto che ho imparato per dar modo a una testimonianza significativa di aleggiare nell'aria prima di proseguire.

Guardo Jackie che si asciuga gli occhi con un fazzolettino di carta. Adesso ha gli occhi rossi. I giurati sono dalla sua parte, pronti a uccidere per lei.

«Parliamo della pratica Black» dico. «Le era stata assegnata, no?»

«È esatto. Il primo modulo con la richiesta della signora Black era stato assegnato a me. Secondo la politica in vigore a quel tempo nella società, ho inviato una lettera di rifiuto.»

«Perché?»

«Perché tutte le richieste di liquidazione venivano inizialmente respinte, almeno nel 1991.»

«Tutte le richieste?»

«Sì. Era la nostra politica: respingere tutte le richieste, quindi riesaminare le più modeste che apparivano fondate e legittime. Alla fine ne liquidavamo qualcuna, ma le richieste ingenti non venivano mai accolte a meno che non intervenisse un avvocato.»

«E quando è stata adottata questa politica?»

«Il primo gennaio 1991. Era un esperimento, una specie di modus operandi.» Io annuisco per invitarla a proseguire. «La società aveva deciso di respingere tutte le richieste di liquidazione superiori ai mille dollari per un periodo di dodici mesi. Legittima o meno, veniva respinta. Anche molte delle richieste minori venivano respinte definitivamente se riuscivamo a trovare una ragione sostenibile. Pochissime delle richieste più ingenti sono state accolte e in questi casi solo dopo che l'assicurato si rivolgeva a un legale e minacciava di far causa.»

«Per quanto tempo è rimasta in vigore questa politica?»

«Per dodici mesi. È stato un esperimento della durata di un anno. Non era mai stato fatto prima nel mondo delle assicurazioni e la direzione la considerava un'idea magnifica. Bastava negare le liquidazioni per un anno, sommare il denaro risparmiato, dedurre la somma spesa per le transazioni in tribunale, ed ecco scoperta una vera miniera d'oro.»

«Quanto?»

«Il piano ha fruttato quaranta milioni di dollari netti in più.»

«Come fa a saperlo?»

«Quando si va a letto abbastanza spesso con individui così spregevoli se ne sentono di tutti i colori. Spifferano tutto. Parlano delle mogli, del lavoro. Non ne sono orgogliosa. Non ne ho ricavato un solo momento di piacere. Ho subìto tutto.» Jackie ha di nuovo gli occhi arrossati e la sua voce trema un po'.

Un'altra lunga pausa mentre esamino i miei appunti. «Com'è stata trattata la richiesta dei Black?»

«All'inizio è stata respinta come tutte le altre. Ma era una somma ingente e portava un codice diverso. Dal momento in cui hanno notato le parole "leucemia acuta", tutto quello che ho fatto è stato controllato da Russell Krokit. Fin dall'inizio si sono accorti che la polizza non escludeva i trapianti di midollo osseo. È diventata una questione importante per due ragioni. Innanzi tutto valeva una somma rilevante, che la società non intendeva pagare. In secondo luogo, l'assicurato era un malato terminale.»

«Dunque il servizio liquidazioni sapeva che Donny Ray Black sarebbe morto?»

«Certo. La documentazione medica era chiarissima. Ricordo un referto del suo dottore: diceva che la chemioterapia era andata bene, ma la leucemia sarebbe ricomparsa probabilmente entro un anno e sarebbe stata fatale a meno che il paziente non venisse sottoposto a un trapianto di midollo osseo.»

«L'ha mostrato a qualcuno?»

«Sì, a Russell Krokit. Lui l'ha mostrato al suo superiore, Everett Lufkin. E qualcuno, molto in alto, ha deciso di continuare a respingere la richiesta.»

«Ma lei sapeva che la liquidazione doveva essere concessa?»

«Lo sapevano tutti, ma la società contava sulle probabilità.»

«Può spiegarsi meglio?»

«Contava sulle probabilità che l'assicurato non si rivolgesse a un avvocato.»

«Sapeva quante probabilità c'erano a quel tempo?»

«Si riteneva che al massimo uno su venticinque si sarebbe rivolto a un avvocato. È l'unica ragione per cui avevano cominciato l'esperimento. Sapevano di potersela cavare impunemente. Vendono le polizze a persone prive di istruzione e contano che, nella loro ignoranza, si rassegnino ai rifiuti.»

«Cosa succedeva quando riceveva la lettera di un avvocato?»

«La situazione cambiava. Se la richiesta era inferiore ai cinquemila dollari ed era legittima, pagavamo immediatamente con una lettera di scuse, e giustificavamo il ritardo con qualche disguido burocratico. O magari si dava la colpa ai computer. Ho spedito un centinaio di lettere del genere. Se la richiesta di liquidazione superava i cinquemila dollari, la pratica passava dalle mie mani a quelle di un supervisore. Credo che quasi sempre venissero pagate. Se l'avvocato aveva intentato causa o stava per farlo, la società negoziava una transazione confidenziale.»

«Succedeva spesso?»

«Con precisione, non lo so.»

Mi stacco dal podio, dico «Grazie» e mi rivolgo a Drummond con un sorriso amabile. «A lei la testimone.»

Vado a sedere a fianco di Dot che piange e singhiozza in silenzio. Si è sempre rimproverata di non essersi rivolta prima a un avvocato, e la testimonianza di Jackie Lemancyzk la fa soffrire molto. Indipendentemente dall'esito della causa, non potrà mai perdonare se stessa.

Per fortuna molti giurati la vedono piangere.

Il povero Leo si porta con calma nel punto più lontano possibile dalla giuria. Non riesco a immaginare cosa intende chiedere, ma sono sicuro che si è trovato altre volte alle prese con un'imboscata.

Si presenta con fare cordiale, dice a Jackie che naturalmente non si sono mai incontrati. È un modo per far sapere alla giuria che non può sapere cosa risponderà la testimone. Jackie gli rivolge un'occhiata fulminante. Non odia soltanto la Great Eastern, ma anche tutti gli avvocati così sciagurati da rappresentarla.

«Dunque, signorina Lemancyzk, è vero che di recente è stata ricoverata in una casa di cura per diversi problemi?» Lo chiede con molta delicatezza. In un processo non si fa mai una domanda a meno che si conosca già la risposta, ma ho la sensazione che Leo non sappia cosa sta per capitare. La sua fonte d'informazioni è stata un conciliabolo disperato durante l'ultimo quarto d'ora.

«No! Non è vero.» Jackie scatta subito.

«Mi perdoni, ma non si è sottoposta a una cura?»

«Non sono stata ricoverata in nessun posto. Mi sono presentata spontaneamente in una clinica e vi sono rimasta due settimane. Potevo andarmene quando volevo. La cura doveva essere coperta dalla mia polizza della Great Eastern, che ufficialmente aveva validità di dodici mesi dopo il termine del rapporto di lavoro. Naturalmente la Great Eastern sta respingendo la richiesta di liquidazione.»

Drummond si mordicchia un'unghia, fissa il suo bloc-notes come se non la sentisse. Un'altra domanda, Leo.

«È qui per questo? Perché è in collera con la Great Eastern?»

«Odio la Great Eastern e quasi tutti i vermi che ci lavorano. Le basta, come risposta alla sua domanda?»

«La sua testimonianza di oggi è motivata da quest'odio?»

«No. Sono qui perché so come hanno imbrogliato premeditatamente migliaia di persone. E questo devono saperlo tutti.»

Rinuncia, Leo, ti conviene.

«Perché era andata in clinica?»

«Perché sto lottando contro l'alcolismo e la depressione. Ora sto bene. La settimana prossima, chissà. Per sei anni sono stata trattata dai suoi clienti come un pezzo di carne. Mi passavano di mano in mano come se fossi una scatola di cioccolatini, e ognuno prendeva quel che voleva. Si approfittavano di me perché ero al verde, sola e con due figli e perché avevo un bel didietro. Mi hanno spogliata dell'amor proprio. E adesso, signor Drummond, reagisco. Sto cercando di salvare me stessa e se per riuscirci devo farmi curare, non esiterò. Vorrei solo che il suo cliente pagasse quei maledetti conti.»

«Non ho altre domande, vostro onore.» Drummond torna in fretta al suo tavolo. Accompagno Jackie oltre la barriera divisoria e fin quasi alla porta. La ringrazio e prometto di telefonare al suo avvocato. Deck se ne va per condurla in macchina all'aeroporto.

Sono quasi le undici e mezzo. Voglio che i giurati riflettano sulla testimonianza durante il pranzo, perciò chiedo al giudice Kipler di sospendere l'udienza prima del solito. La mia spiegazione ufficiale è che ho bisogno di un po' di tempo per studiare i tabulati del computer prima di chiamare altri testimoni.

I diecimila dollari di sanzioni sono arrivati mentre eravamo in aula e Drummond li ha consegnati in custodia, accompagnandoli con un'istanza e una memoria di venti pagine. Intende appellarsi contro le sanzioni e quindi l'assegno resterà intoccabile in un conto del tribunale in attesa dell'esito. Io ho altre cose cui pensare.

45

Ricevo diversi sorrisi dai giurati mentre sfilano per andare a prendere i loro posti dopo il pranzo. Sarebbero tenuti a non discutere il caso prima che venga affidato ufficialmente a loro per la deliberazione, ma tutti sanno che ne parlano ogni volta che escono dall'aula. Qualche anno fa, due giurati si presero a pugni mentre dibattevano l'attendibilità di un certo testimone. Il problema era che si trattava del secondo testimone in una causa fissata di lì a due settimane. Il giudice annullò il procedimento e ricominciò daccapo.

I giurati hanno avuto a disposizione due ore per rimuginare sulla testimonianza di Jackie. Per me è venuto il momento di mostrar loro come rimediare a qualcuno dei torti denunciati. È venuto il momento di parlare di quattrini.

«Vostro onore, chiamo a testimoniare M. Wilfred Keeley.» Keeley viene rintracciato, entra tutto baldanzoso in aula come se fosse impaziente di testimoniare. Sembra vigoroso e cordiale, in netto contrasto con Lufkin e nonostante le menzogne indelebili già smascherate sul conto della sua società. Evidentemente vuole far capire ai giurati che il capo è lui e che gli si può accordare la massima fiducia.

Gli rivolgo qualche domanda di carattere generale, accerto che è il capo dell'esecutivo della Great Eastern. Poi gli presento una copia del più recente bilancio della società. Si comporta come se lo leggesse tutte le mattine.

«Signor Keeley, può dire alla giuria quanto vale la Great Eastern?»

«Cosa intende dire quando chiede quanto vale?»

«Mi riferisco al saldo netto contabile.»

«Non è un concetto chiaro.»

«Oh, lo è. Guardi i bilanci, prenda l'attivo, sottragga il passivo e dica alla giuria quanto rimane. È il saldo netto contabile.»

«Non è così semplice.»

Scuoto la testa in segno d'incredulità. «Riconosce che la sua società ha un saldo netto contabile approssimativo di quattrocentocinquanta milioni di dollari?»

A parte i vantaggi più ovvi, ce n'è uno supplementare quando si coglie in flagrante menzogna un dirigente d'azienda, ed è che i testimoni che vengono poi devono dire la verità. È necessario che Keeley sia sincero, e sono sicuro che Drummond gliel'ha ficcato in testa con le brutte. Sono sicuro anche che dev'essere stata un'impresa non da poco.

«È una valutazione equa. Sono d'accordo.»

«Grazie. Ora, quanta liquidità ha la sua società?»

È una domanda imprevista. Drummond si alza e fa obiezione. Kipler la respinge.

«Be', è difficile dirlo» risponde Keeley e, come ormai abbiamo imparato ad attenderci, si rifugia anche lui nelle nebulosità aziendali.

«Via, signor Keeley, lei è il massimo dirigente. È nella società da diciotto anni. Si è sempre occupato di finanza. Quanta liquidità avete a disposizione?»

Gira le pagine come un matto mentre io attendo paziente. Alla fine mi cita una cifra e a questo punto devo ringraziare Max Leuberg. Prendo la mia copia, gli chiedo di spiegare una particolare riserva di esercizio. Quando ho intentato causa per dieci milioni di dollari, hanno accantonato quella cifra come riserva per poter pagare. Lo stesso vale per tutte le altre cause in corso. Il denaro è sempre loro, viene sempre investito e rende bene, ma contabilmente possono classificarlo nel passivo. Le assicurazioni sono contente quando vengono citate per svariati milioni di dollari, perché possono sbattere quel denaro nel passivo come riserva e dichiarare che sono al verde.

Ed è tutto perfettamente legale. È un'industria priva di regolamentazioni e ha una contabilità tutta sua, impenetrabile per chi non è del mestiere.

Keeley incomincia a usare una complessa terminologia finanziaria che nessuno capisce. Preferisce confondere i giurati, anziché ammettere la verità.

Lo interrogo su un'altra riserva, quindi passiamo al saldo attivo. Saldo attivo riservato. Saldo attivo non riservato. Lo torchio a dovere e faccio la figura di essere molto preparato. Mi servo degli appunti di Leuberg per fare le somme e chiedo a Keeley se la società dispone di circa quattrocentottantacinque milioni in contanti.

«Vorrei che li avesse» risponde lui con una risata. Nessun altro sorride.

«Allora quanta liquidità avete, signor Keeley?»

«Oh, non lo so. Probabilmente intorno ai cento milioni.»

Per il momento mi basta. Durante l'arringa conclusiva, potrò scrivere le mie cifre su una lavagna e spiegare dove sono i soldi.

Gli consegno una copia del tabulato sui dati delle liquidazioni. Mi sembra sorpreso. Durante il pranzo ho deciso di tendergli un tranello mentre è al banco dei testimoni, e di evitare il bis di Lufkin. Lui guarda Drummond per chiedergli aiuto, ma Drummond non può far niente. Il signor Keeley è il massimo dirigente e dovrebbe essere in grado di aiutarci nella ricerca della verità. Devono essere convinti che richiamerò Lufkin perché spieghi questi dati. Anche se mi piacerebbe, con lui ho chiuso. Non intendo dargli l'occasione di confutare le affermazioni di Jackie Lemancyzk.

«Riconosce questo tabulato, signor Keeley? La sua società me l'ha fatto avere questa mattina.»

«Certamente.»

«Bene. Può dire alla giuria quante polizze mediche erano in corso nel 1991 presso la sua società?»

«Oh, non lo so. Mi faccia vedere.» Gira le pagine, ne accosta una agli occhi, la posa, ne prende un'altra e un'altra ancora.

«È esatto dire che erano novantottomila, una più una meno?»

«Può darsi. Sicuro, sì, mi pare che sia giusto.»

«E quante richieste di liquidazione relative a queste polizze sono state presentate nel 1991?»

La scena si ripete. Keeley naviga a casaccio nel tabulato e

mormora le cifre. Mi sento imbarazzato per lui. Passano i minuti e finalmente io dico: «Le sembra corretto dire che sono state 11.400, una più una meno?».

«Mi pare che ci siamo vicini, ma dovrei accertarlo.»

«Come può accertarlo?»

«Ecco, dovrei studiare un po' meglio questi dati.»

«Dunque le informazioni sono lì?»

«Credo.»

«Può dire alla giuria quante richieste sono state respinte dalla sua compagnia?»

«Anche in questo caso dovrei studiare tutto il materiale» risponde lui sollevando il tabulato con entrambe le mani.

«Quindi anche queste informazioni sono contenute nel documento?»

«Può darsi. Sì. Penso di sì.»

«Bene. Guardi a pagina undici, diciotto, trentatré e quarantuno.» Keeley si affretta a obbedire: è disposto a tutto pur di non testimoniare. I fogli frusciano.

«Le sembra esatto parlare di 9.100, una più una meno?»

Si mostra scandalizzato dalla mia insinuazione offensiva. «No, ovviamente. È assurdo.»

«Ma non lo sa?»

«So che non può essere un numero tanto alto.»

«Grazie.» Mi avvicino al testimone, riprendo il tabulato e gli consegno la polizza della Great Eastern che mi ha dato Max Leuberg. «La riconosce?»

«Ma certo» risponde sollevato, felice di non dover più parlare dello sciagurato tabulato.

«Cos'è?»

«Una polizza medica emessa dalla mia società.»

«Quando è stata emessa?»

La esamina per un secondo. «Nel settembre 1992. Cinque mesi fa.»

«Per favore, guardi a pagina undici, sezione F, paragrafo quattro, subparagrafo c, clausola numero tredici. La vede?»

I caratteri sono così piccoli che Keeley è costretto ad accostarsi la polizza al naso. Con un ghigno, sbircio i giurati. L'aspetto comico della scena non è sfuggito.

«Sì, l'ho trovata» dice alla fine Keeley.

«Bene. Ora la legga, per favore.»

Legge, socchiude le palpebre e aggrotta la fronte come se la trovasse molto noiosa. Quando ha terminato si sforza di sorridere. «L'ho letta.»

«Che scopo ha la clausola?»

«Esclude dalla copertura assicurativa certe procedure chirurgiche.»

«Quali, specificamente?»

«Specificamente, tutti i trapianti.»

«E il trapianto del midollo osseo è escluso?»

«Sì. Figura nell'elenco.»

Mi avvicino e gli porgo una copia della polizza Black. Lo invito a leggere una certa sezione. La clausola in caratteri microscopici lo costringe ancora una volta ad aguzzare la vista, ma arriva coraggiosamente fino in fondo.

«Cosa esclude la polizza, in fatto di trapianti?»

«Tutti gli organi principali: reni, fegato, cuore, polmoni, cornee. Sono elencati.»

«E il midollo osseo?»

«Nell'elenco non c'è.»

«Quindi non è escluso specificamente?»

«Esatto.»

«Quando è stata depositata la citazione, signor Keeley? Lo ricorda?»

Lancia un'occhiata a Drummond, che in questo momento non può aiutarlo. «Verso la metà dell'estate scorsa, se non ricordo male. Forse in giugno.»

«Sissignore» dico io. «È stato in giugno. Sa quando è stata cambiata la formulazione della polizza in modo da escludere anche i trapianti di midollo osseo?»

«Non lo so. Non mi occupo della redazione dei testi delle polizze.»

«Chi le redige? Chi è l'ideatore di tutte le clausole in caratteri piccolissimi?»

«A questo provvede l'ufficio legale.»

«Capisco. Quindi si può dire con certezza che la polizza è stata modificata dopo il deposito della citazione?»

Keeley mi squadra per un momento, poi risponde: «No, potrebbe essere stata modificata prima che la citazione venisse depositata.»

«È stata modificata dopo il deposito della citazione, nel mese di ottobre del 1991?»

«Non lo so.»

La sua risposta non suona sincera. O non presta la minima attenzione a quello che succede nella sua società, o mente. Posso dire alla giuria che la nuova formulazione dimostra chiaramente che la polizza dei Black non escludeva i trapianti di midollo osseo. Avevano escluso tutto il resto, e ora escludono anche quello: perciò sono le loro formulazioni a inchiodarli.

Mi rimane una sola domanda da rivolgere a Keeley. «Ha una copia dell'impegno che Jackie Lemancyzk ha firmato il giorno del licenziamento?»

«No.»

«Ha mai visto quell'impegno?»

«No.»

«Ha autorizzato il pagamento di diecimila dollari in contanti a Jackie Lemancyzk?»

«No. In questo ha mentito.»

«Ha mentito?»

«È quanto ho detto.»

«E per quanto riguarda Everett Lufkin? Ha mentito alla giuria a proposito del manuale per le liquidazioni?»

Keeley sta per dire qualcosa ma si trattiene. A questo punto, nessuna risposta gli sarebbe d'aiuto. I giurati sanno molto bene che Lufkin ha mentito, e lui non può andargli a raccontare che non hanno sentito quanto hanno sentito con le loro orecchie. E non può certo ammettere che uno dei suoi vicepresidenti ha mentito alla giuria.

È una domanda che non avevo preparato: mi è venuta così. «Le ho fatto una domanda, signor Keeley. Everett Lufkin ha mentito alla giuria a proposito del manuale per le liquidazioni?»

«Non credo di essere tenuto a rispondere alla domanda.»

«Risponda» gli ingiunge Kipler in tono severo.

C'è una pausa angosciosa. Keeley mi fissa. Nell'aula il silenzio è assoluto. I giurati fissano lui e attendono. La verità è evidente agli occhi di tutti, e io decido di essere buono.

«Non può rispondere perché non può ammettere che un vicepresidente della sua società ha mentito ai giurati?»

«Obiezione.»

«Accolta.»

«Non ho altre domande.»

«Non interrogherò il testimone in questo momento, vostro onore» dice Drummond. Evidentemente vuole aspettare che il polverone ricada prima di richiamare quelli della Great Eastern quando toccherà alla difesa. Per il momento Drummond vuole mettere tutta la distanza possibile fra Jackie Lemancyzk e la giuria.

Kermit Addy, il vicepresidente per i contratti, è il mio penultimo testimone. A questo punto non mi servirebbe neppure, ma ho bisogno di guadagnare un po' di tempo. Sono le due e mezzo del secondo giorno e finirò nel pomeriggio. Voglio che i giurati vadano a casa pensando a due persone: Jackie Lemancyzk e Donny Ray Black.

Addy è spaventato e lesina le parole. Ha paura di dire più di quanto sia assolutamente indispensabile. Non so se è andato a letto con Jackie, ma in questo momento tutti i dirigenti della Great Eastern sono sospettabili. Intuisco che anche la giuria la pensa così.

Sbrighiamo in fretta il quadro generale. I contratti sono noiosi da morire, e ho deciso di fornire alla giuria soltanto i dettagli necessari. Anche Addy è noioso e quindi all'altezza del compito. Non voglio perdere l'attenzione dei giurati, procedo in fretta.

Poi viene il bello. Gli consegno il manuale del servizio contratti che mi è stato recapitato durante gli accertamenti. È rilegato in verde e somiglia molto al manuale per le liquidazioni. Addy, Drummond e gli altri non sanno che possiedo anche un'altra copia, completa della Sezione U.

Lo guarda come se non l'avesse mai visto, ma lo identifica quando l'invito a farlo. Tutti sanno già quale sarà la mia prossima domanda.

«È il manuale completo?»

Addy lo sfoglia lentamente. Si capisce che ha fatto tesoro dell'esperienza di Lufkin. Se dice che è completo e io tiro fuori la copia prestatami da Cooper Jackson, è spacciato. Se ammette che manca qualcosa, si caccia in un guaio. Scommetto che Drummond ha optato per la seconda possibilità.

«Bene, vediamo. Sembra completo però... no, aspetti. Manca una sezione.»

«Forse la Sezione U?» chiedo con aria incredula.

«Mi pare di sì. Sì.»

Fingo di essere sbalordito. «E perché mai qualcuno avrebbe deciso di eliminare la Sezione U da questo manuale?»

«Non lo so.»

«Sa chi l'ha tolta?»

«No.»

«Naturalmente. Chi ha scelto la copia che mi è stata consegnata?»

«Non ricordo.»

«Però è evidente che la Sezione U è stata tolta prima che il manuale fosse consegnato a me?»

«Non c'è, se è questo che vuol sapere.»

«Sto cercando di scoprire la verità, signor Addy. La prego di aiutarmi. La Sezione U è stata tolta prima che il manuale mi venisse consegnato?»

«A quanto pare.»

«Intende dire sì?»

«Sì. La sezione è stata tolta.»

«Riconosce che il manuale per i contratti è molto importante per l'attività del suo servizio?»

«Certamente.»

«Quindi lo conosce molto bene?»

«Sì.»

«Perciò le sarebbe facile riassumere per i giurati i punti fondamentali della Sezione U, no?»

«Be', non saprei. Non ho occasione di guardarla da diverso tempo.»

Addy non sa ancora che ho nelle mani una copia della Sezione U del manuale per i contratti. «Perché non fa uno sforzo? Esponga alla giuria un breve riepilogo del contenuto della Sezione U.»

Riflette per un momento, quindi spiega che la sezione riguarda un sistema di controlli e di equilibri fra il servizio liquidazioni e quello contratti. I due servizi hanno il compito di esaminare certe richieste di pagamento, ed è necessario un minuzioso lavoro burocratico perché una richiesta sia trattata nel modo dovuto. Addy divaga, acquisisce una certa sicurezza e dato che io devo ancora tirar fuori una copia della Sezione U, probabilmente sta cominciando a convincersi che non ce l'ho.

«Quindi lo scopo della Sezione U consiste nel garantire che ogni richiesta di liquidazione sia sbrigata nel modo più appropriato.»

«Sì.»

Tendo la mano sotto il tavolo, prendo il manuale e mi avvicino al banco dei testimoni. «Allora spieghiamolo alla giuria» dico, e gli passo il manuale completo. Addy si accascia. Drummond si sforza di conservare un atteggiamento fiducioso, ma è impossibile.

La Sezione U del manuale per i contratti è abominevole quanto quella del manuale per le liquidazioni. Dopo aver messo in imbarazzo Addy, mi pare giunto il momento di fermarmi. Il piano è stato smascherato e adesso i giurati potranno riflettere e fremere d'indignazione.

Drummond non ha domande da fare. Kipler sospende l'udienza per un quarto d'ora per dare tempo a me e a Deck di piazzare i monitor.

Il nostro ultimo testimone è Donny Ray Black. L'usciere abbassa le luci, i giurati si tendono in avanti, ansiosi di vedere in faccia Donny Ray sullo schermo da venti pollici. Abbiamo montato la sua deposizione e l'abbiamo ridotta a trentun minuti. I giurati assorbono con avidità ogni parola pronunciata con voce debole e stridula.

Invece di guardare la registrazione per la centesima volta, mi siedo a fianco di Dot e studio le facce dei giurati. Vedo espressioni di solidarietà e simpatia. Dot si asciuga le guance col dorso delle mani. Verso la fine, un nodo mi stringe la gola. Nell'aula regna un profondo silenzio per un intero minuto dopo che lo schermo si è spento e l'usciere ha riacceso le luci. Nella semioscurità, si sente provenire dal nostro tavolo il pianto sommesso ma inconfondibile di una madre.

Abbiamo inflitto tutti i colpi possibili e immaginabili. Ho vinto la causa. Adesso l'importante è non perderla.

Le luci si riaccendono e annuncio in tono solenne: «Vostro onore, ho finito».

La giuria è uscita da un pezzo e io e Dot siamo ancora seduti nell'aula vuota e parliamo delle testimonianze che abbiamo ascoltato negli ultimi due giorni. È ormai dimostrato chiaramente che lei ha ragione e la Great Eastern tutti i torti. Ma non è una grande soddisfazione. Dot si tormenterà fino al giorno della sua morte perché non si è battuta con maggiore energia quando sarebbe stato possibile cambiare le cose.

Mi dice che ormai non le interessa ciò che succederà. Ha avuto il suo trionfo in tribunale. Adesso vorrebbe andare a casa e non tornare più qui. Le spiego che non è possibile. Siamo a metà strada. Rimane ancora qualche giorno.

46

Sono curioso di vedere in che modo Drummond imposterà la difesa. Se chiama altri dirigenti per cercare di spiegare i loro modus operandi nei confronti delle richieste di liquidazione, rischia di aggravare la situazione. Sa che io tirerei fuori la Sezione U e farei una montagna di domande spiacevoli. Per quel che ne so, potrebbero esserci altre menzogne clamorose e altri insabbiamenti nascosti chissà dove. L'unico modo per scoprirli sarebbe un bel controinterrogatorio.

Drummond ha presentato un elenco di diciotto possibili testimoni. Non riesco a immaginare chi chiamerà per primo. Quando ho presentato il nostro caso, avevo il vantaggio di sapere cosa sarebbe successo dopo, e quale sarebbe stato il prossimo testimone, il prossimo documento. Adesso è tutto diverso. Devo reagire, e in fretta.

La sera chiamo Max Leuberg nel Wisconsin e gli riferisco trionfalmente gli avvenimenti dei primi due giorni. Mi dà qualche consiglio e qualche opinione su quanto potrebbe accadere adesso. Si emoziona moltissimo e dice che forse prenderà l'aereo e verrà a Memphis.

Cammino avanti e indietro fino alle tre del mattino, parlo con me stesso cercando di immaginare cosa tenterà di fare Drummond.

È una piacevole sorpresa vedere Cooper Jackson in aula quando arrivo alle otto e mezzo. Mi presenta altri due avvocati, entrambi di Raleigh, North Carolina. Sono venuti apposta per seguire il processo. Come va? mi chiedono. Faccio un riassunto prudente di quanto è successo. Uno di loro era presente già lunedì scorso e ha assistito al dramma della Sezione U. Fra tutti e tre finora hanno raccolto una ventina di casi; ma hanno pubblicato annunci sui giornali e adesso altri casi spuntano dovunque come funghi. Hanno deciso di citare molto presto la Great Eastern.

Cooper mi dà un giornale e mi chiede se l'ho visto. È nientemeno il "Wall Street Journal" di ieri, e in prima pagina c'è un articolo sulla Great Eastern. Spiego che da una settimana non leggo i giornali, anzi non so neppure che giorno è. Mi capiscono.

Leggo in fretta l'articolo. Parla del numero crescente dei reclami contro la Great Eastern e della sua tendenza a respingere le richieste di liquidazione. Molti stati hanno aperto indagini, e le cause sono sempre più numerose. L'ultimo capoverso dice che viene seguito con molto interesse un processo in corso a Memphis perché potrebbe produrre il primo verdetto importante contro la società.

Vado nell'ufficio di Kipler e gli mostro l'articolo. Non si scompone. Chiede semplicemente ai giurati se l'hanno visto. Erano stati avvertiti di non leggere i giornali, e noi due pensiamo che il "Wall Street Journal" non sia una lettura molto diffusa nella nostra giuria.

La difesa chiama come primo testimone André Weeks, vicecommissario per le assicurazioni dello stato del Tennessee. È un alto burocrate e Drummond si è avvalso altre volte della sua testimonianza. Il suo compito è schierare il governo dalla parte della difesa.

È un uomo di bell'aspetto, sulla quarantina, ben vestito, ha il sorriso facile e una faccia onesta. In questo momento ha un punto in suo favore: non lavora per la Great Eastern. Drummond gli rivolge molte domande sulle funzioni di controllo del suo ufficio, cerca di dare l'impressione che al governo trattino con inflessibile durezza le assicurazioni e facciano addirittura sibilare la frusta. Dato che la Great Eastern è ancora una società stimata in questo stato, è evidente che si comporta in modo irreprensibile. Altrimenti André e la sua muta di cani da caccia si sarebbero già lanciati all'inseguimento.

Drummond ha bisogno di tempo. Ha bisogno di rovesciare addosso ai giurati una montagna di testimonianze nella speranza di fargli dimenticare almeno in parte le cose orribili che hanno ascoltato nei giorni precedenti. Procede con lentezza. Si muove e parla come un vecchio professore. Ed è abilissimo. Se avesse per le mani fatti diversi, sarebbe letale.

Consegna a Weeks la polizza dei Black, e impiegano mezz'ora per spiegare alla giuria che ogni polizza dev'essere approvata dal Dipartimento per le Assicurazioni. Sottolineano con insistenza la parola "approvata".

Adesso non sono in piedi, perciò posso passare più tempo a guardarmi intorno. Osservo i giurati: alcuni di loro continuano a tenersi in contatto con gli occhi. Sono dalla mia parte. Noto che in aula sono presenti diversi sconosciuti, giovani benvestiti che non ho mai visto. Cooper Jackson e i suoi amici sono nell'ultima fila, vicino alla porta. Gli spettatori sono meno di quindici. A chi interessa un processo civile?

Dopo un'ora e mezzo di insopportabili spiegazioni sulle complessità del sistema della normativa statale sulle assicurazioni, i giurati sono sul punto di addormentarsi. A Drummond non interessa. Desidera con tutta l'anima tirarla in lungo fino alla settimana prossima. Alla fine mi cede il testimone poco prima delle undici. In questo modo è riuscito a far passare la mattinata. Facciamo una pausa di un quarto d'ora, poi tocca a me sparare nel buio.

Weeks dice che nello stato sono in attività più di seicento società di assicurazione, che il suo ufficio ha quarantun dipendenti e solo diciotto di loro esaminano effettivamente le polizze. Controvoglia, ammette che ognuna delle seicento compagnie ha almeno dieci tipi diversi di polizza attualmente in uso, quindi ci sono almeno seimila polizze depositate presso il dipartimento. E ammette che le polizze vengono continuamente modificate ed emendate.

Facciamo qualche altro conticino, e riesco a chiarire che per un'unità burocratica è impossibile controllare l'oceano delle clausole a caratteri microscopici create dall'industria assicurativa. Gli passo la polizza Black, che afferma di aver letto: ammette di averlo fatto solo per prepararsi al dibattimento. Gli faccio una domanda sull'assistenza settimanale per incidenti che non richiedono il ricovero in ospedale. Si comporta come se la polizza fosse diventata di colpo più pesante. Sfoglia in fretta le pagine nella speranza di trovare la sezione e di sparare la risposta. Ma le cose non vanno così. Sfoglia e risfoglia, socchiude gli occhi e aggrotta la fronte e finalmente dichiara che l'ha trovata. La risposta è quasi esatta, quindi la lascio passare. Poi gli chiedo qual è il metodo appropriato per cambiare i beneficiari della polizza, e quasi mi fa compassione. Studia a lungo la polizza mentre tutti aspettano. I giurati hanno l'aria di divertirsi. Kipler sogghigna. Drummond frigge, ma non può far niente.

Weeks dà finalmente una risposta la cui esattezza non ha importanza. Ho dimostrato ciò che volevo. Poso sul mio tavolo i due manuali verdi come se io e Weeks dovessimo riprenderli in considerazione. Tutti ci osservano. Stringo fra le mani il manuale per le liquidazioni e gli chiedo se esamina periodicamente i procedimenti interni per il disbrigo delle richieste di liquidazione di qualcuna delle società che controlla con tanto zelo. Vorrebbe dire di sì, ma ha sentito parlare della Sezione U. Quindi risponde di no e io, naturalmente, rimango allibito. Lo tempesto di domande sarcastiche, e finalmente lo tolgo dalle spine. Ormai il danno è fatto ed è stato messo a verbale.

Chiedo se gli risulta che il commissario per le assicurazioni della Florida stia indagando sulla Great Eastern. Non lo sa. E il South Carolina? No, anche in questo caso per lui è una novità. E il North Carolina, allora? Sì, gli sembra di aver sentito accennare a qualcosa, però non ha visto niente. Kentucky? Georgia? No, e chiede che sia messo a verbale che non gli interessa affatto cosa fanno gli altri stati. Lo ringrazio.

Il secondo testimone di Drummond è un altro che non dipende dalla Great Eastern, ma poco ci manca. Si chiama Payton Reisky, e il suo titolo molto imponente è direttore esecutivo e presidente dell'Alleanza Nazionale Assicurazioni. Ha l'aspetto e i modi del pezzo grosso. Veniamo a sapere che l'Alleanza è un'organizzazione politica con sede a Washington, finanziata dalle assicurazioni perché faccia loro da portavoce in Campidoglio. È un branco di lobbisti che senza dubbio ha un bilancio placcato d'oro. Ci viene detto che fanno tante cose meravigliose allo scopo di promuovere un equo comportamento assicurativo.

La presentazione si trascina a lungo. Comincia all'una e mezzo, e alle due siamo tutti convinti che l'Alleanza sia sul punto di salvare l'umanità. Che gente favolosa!

Reisky lavora da trent'anni nell'ambiente e il suo curriculum ci viene debitamente rivelato. Drummond vuole qualificarlo come esperto nel campo delle pratiche di liquidazione delle assicurazioni. Non ho obiezioni. Ho studiato la testimonianza che ha reso in un altro processo e credo di potergli tener testa. Sarebbe necessario un esperto davvero formidabile per far sembrare accettabile la Sezione U.

Senza bisogno di sollecitazioni, ci guida attraverso una lista completa dei modi in cui può venire trattata una richiesta di liquidazione. Drummond annuisce con fare solenne come se stessero facendo a pezzi gli avversari. Indovinate un po'! Nel caso in questione la Great Eastern si è attenuta scrupolosamente alle regole. Forse c'è stato un paio di sviste trascurabili; ma, diamine!, è una grande società e deve sbrigare montagne di richieste di liquidazione. Non si è certo allontanata di molto da un comportamento ragionevole.

Il succo delle opinioni di Reisky è che la Great Eastern aveva tutti i diritti di respingere la richiesta perché troppo onerosa. Spiega ai giurati, con la massima serietà, che se una polizza costa diciotto dollari la settimana non si può pretendere che copra un trapianto da duecentomila dollari. Lo scopo della polizza è garantire le terapie di base, non quelle di lusso.

Drummond affronta l'argomento dei manuali e delle sezioni scomparse. È un vero peccato, risponde Reisky, ma non ha molta importanza. I manuali vanno e vengono, sono modificati di continuo, di solito sono ignorati dai liquidatori esperti, i quali sanno ciò che fanno. Ma dato che ha sollevato tanto chiasso, parliamone pure. Prende il manuale per le liquidazioni e spiega alla giuria varie sezioni. È tutto qui, nero su bianco. E tutto funziona alla perfezione!

Passano dai manuali alle cifre. Drummond domanda se ha avuto modo di esaminare le informazioni relative alle polizze, alle richieste di liquidazione e ai rifiuti. Reisky annuisce, molto serio, quindi prende il tabulato dalle mani di Drummond.

La Great Eastern ha avuto senza dubbio una notevole percentuale di rifiuti nel 1991, ma per questo possono esserci ragioni valide. Non è un fatto eccezionale, nel campo delle assicurazioni. E non sempre ci si può fidare dei numeri. Anzi, se si prendono in considerazione gli ultimi dieci anni, la percentuale dei rifiuti da parte della Great Eastern è leggermente inferiore al dodici per cento, il che rientra nella media generale. I numeri si susseguono ai numeri, e noi ci confondiamo in fretta, proprio come vuole Drummond.

Reisky lascia il banco dei testimoni e comincia a indicare un diagramma colorato. Parla ai giurati come un abile conferenziere. Mi domando quante volte l'ha fatto. I numeri rientrano nella media.

Kipler, impietosito, ordina una pausa alle tre e mezzo. Vado in corridoio a parlare con Cooper Jackson e i suoi amici. Sono tutti veterani dei tribunali, pronti a darmi consigli. Siamo tutti d'accordo: Drummond cerca di guadagnare tempo e spera di arrivare alla fine della settimana.

Durante l'udienza del pomeriggio non pronuncio neppure una parola. Reisky testimonia fino a tardi e conclude esponendo numerose opinioni sulla correttezza del modo di procedere della Great Eastern. A giudicare dalle loro facce, i giurati sono contenti che abbia finito. Ho a disposizione qualche altra ora per preparare il controinterrogatorio.

Io e Deck andiamo a cena con Cooper Jackson e altri tre avvocati in un vecchio ristorante italiano, Grisanti's. John Grisanti, il pittoresco proprietario, ci sistema in una saletta privata che si chiama Press Box. Serve un vino eccellente che non abbiamo ordinato e decide lui cosa dobbiamo mangiare.

Il vino distende i nervi e per la prima volta dopo molti giorni comincio a sentirmi quasi rilassato. Forse stanotte riuscirò a dormire.

Il conto supera i quattrocento dollari, e Cooper Jackson se ne impadronisce prontamente. Grazie al cielo! Lo studio legale Rudy Baylor sarà anche in procinto di guadagnare un pozzo di soldi, ma per il momento è al verde.

47

Pochi secondi dopo che Payton Reisky siede al banco dei testimoni la mattina di giovedì, gli consegno una copia della Lettera alla Stupida e gli chiedo di leggerla. Poi domando: «Signor Reisky, secondo la sua opinione di esperto, questa è una risposta equa e ragionevole da parte della Great Eastern?».

Reisky è stato messo in guardia. «No, naturalmente. È disgustosa.»

«È sconvolgente, no?»

«Sì. E mi risulta che l'autore della lettera non lavora più nella società.»

«Chi gliel'ha detto?» chiedo, insospettito.

«Be', non ricordo con precisione. Qualcuno della Great Eastern.»

«E questo sconosciuto le ha detto anche perché il signor Krokit non ne fa più parte?»

«Non saprei. Forse la cosa ha avuto a che vedere con la lettera.»

«Forse? È sicuro o sta solo formulando un'ipotesi?»

«Non sono sicuro.»

«Grazie. Questo sconosciuto le ha detto che il signor Krokit ha lasciato la compagnia due giorni prima della data in cui avrebbe dovuto fare una deposizione su questo caso?»

«Non mi pare.»

«Non sa perché se n'è andato, vero?»

«No.»

«Bene. Credevo che stesse cercando di convincere la giuria

che se n'era andato perché aveva scritto questa lettera. Non è quello che tentava di fare, vero?»

«No.»

«Grazie.»

Ieri sera, mentre bevevamo il vino, abbiamo deciso che sarebbe stato un errore sbattere i manuali in faccia a Reisky. Questo modo di pensare era motivato da diverse ragioni. Innanzi tutto, la giuria ha già le prove. In secondo luogo, le abbiamo presentate in modo drammatico ed efficace, vale a dire che abbiamo colto Lufkin a mentire spudoratamente. In terzo luogo, Reisky è sveglio e sarebbe difficile inchiodarlo. Quarto, ha avuto il tempo per prepararsi all'assalto e riuscirà a difendersi bene. Quinto, approfitterà dell'occasione per confondere ancora di più le idee alla giuria. E soprattutto ci vorrà tempo. Sarebbe facile passare l'intera giornata a discutere con Reisky di manuali e statistiche. Sprecherei un giorno senza concludere nulla.

«Chi le paga lo stipendio, signor Reisky?»

«L'Alleanza Nazionale Assicurativa.»

«E chi finanzia l'Alleanza?»

«Le assicurazioni.»

«La Great Eastern dà un contributo all'Alleanza?»

«Sì.»

«A quanto ammonta il contributo?»

Reisky guarda Drummond che si è già alzato. «Obiezione, vostro onore. Non è pertinente.»

«Respinta. Mi sembra molto pertinente.»

«Quanto, signor Reisky?» ripeto, tutto premuroso.

Evidentemente non vuole dirlo. «Diecimila dollari l'anno.»

«Quindi vi pagano più di quanto abbiano pagato a Donny Ray Black.»

«Obiezione.»

«Accolta.»

«Mi scusi, vostro onore. Ritiro il commento.»

«Chiedo che venga cancellato dal verbale, vostro onore» dice rabbioso Drummond.

«Si provveda.»

Tiriamo tutti un respiro mentre gli animi si calmano. «Mi scusi, signor Reisky» dico con aria sinceramente umile e contrita. «Tutti i vostri finanziamenti provengono dalle assicurazioni?»

«Non ne abbiamo altri.»

«Quante assicurazioni danno un contributo all'Alleanza?»

«Duecentoventi.»

«A quanto ammontava il totale dei contributi lo scorso anno?»

«Sei milioni di dollari.»

«E voi usate questo denaro per attività lobbistiche?»

«In parte sì.»

«Le viene pagato un compenso extra per testimoniare in questo processo?»

«No.»

«Perché è qui?»

«Perché sono stato contattato dalla Great Eastern. Mi è stato chiesto di venire a testimoniare.»

Mi volto lentamente e indico Dot Black. «Signor Reisky, se la sente di guardare negli occhi la signora Black e di dirle che la richiesta di liquidazione di suo figlio è stata trattata con equità e correttezza dalla Great Eastern?»

Impiega un secondo o due per concentrare lo sguardo su Dot, ma non ha scelta. Annuisce e finalmente risponde in tono deciso. «Sì, certamente.»

L'ho fatto apposta. Avevo bisogno di qualcosa di plateale per concludere in fretta la testimonianza di Reisky, ma non mi aspettavo che il risultato fosse comico. La signora Beverdee Hardaway, una robusta nera di cinquantun anni che è la giurata numero tre e siede al centro della prima fila, scoppia a ridere nel sentire la risposta assurda di Reisky. È una risata di getto, chiaramente spontanea perché la interrompe al più presto possibile. Si copre la bocca con le mani. Stringe i denti e si guarda intorno allarmata per vedere che danni ha fatto. Ma il suo corpo continua a sussultare leggermente.

Purtroppo per la signora Hardaway, e per nostra fortuna, la sua ilarità è contagiosa. Ranson Pelk, seduto dietro di lei, ridacchia divertito, e così pure la signora Ella Faye Salter, che è a fianco della signora Hardaway. Pochi secondi dopo, nel palco della giuria ridono quasi tutti. Qualcuno sbircia la signora Hardaway come se fosse ancora lei la causa dell'inconveniente. Altri, invece, guardano Reisky e scuotono la testa con sarcasmo.

Reisky pensa al peggio, cioè che ridano di lui. China la testa e fissa il pavimento. Drummond ignora la scena anche se deve causargli molta sofferenza. Nessuno, nel suo gruppo di giovani geni, mostra la faccia. Sono tutti immersi nella lettura dei fascicoli e dei libri. Addy e Underhall si osservano i calzini.

Anche Kipler vorrebbe ridere. Per un po' tollera la commedia e quando l'ilarità comincia a placarsi batte il mazzuolo come per prendere atto ufficialmente che i giurati hanno riso della testimonianza di Payton Reisky.

Succede tutto in fretta. La risposta ridicola, la risata, i risolini e i sogghigni repressi e lo scrollare di capo sono durati pochi secondi. Ma noto un certo sollievo forzato da parte di alcuni giurati. Vogliono ridere, esprimersi, e così facendo possono, almeno per un istante, dire a Reisky e alla Great Eastern cosa pensano di quanto hanno dovuto ascoltare.

Per quanto sia breve, è un momento d'oro puro. Gli sorrido. Loro mi sorridono. Credono a tutto ciò che hanno detto i miei testimoni e non a ciò che dicono i testimoni di Drummond.

«Non c'è altro, vostro onore» dico in tono disgustato, come se fossi stufo di avere a che fare con quel mascalzone bugiardo.

Drummond è sorpreso. Pensava che avrei passato il resto della giornata ad attaccare Reisky con i manuali e le statistiche. Fruga fra le sue carte, bisbiglia qualcosa a T. Price, poi si alza e dice: «Il nostro prossimo testimone è Richard Pellrod».

Pellrod era l'esaminatore capo delle richieste di liquidazione, il superiore di Jackie Lemancyzk. Durante la deposizione si è comportato in modo insopportabile e ha ostentato una superiorità sprezzante; ma la sua comparsa, adesso, non è una sorpresa. Devono assolutamente fare qualcosa per gettar fango su Jackie. Pellrod era il suo superiore diretto.

Ha quarantasei anni, statura media, pancia da bevitore di birra, pochi capelli, lineamenti sgradevoli, macchie di fegato e occhiali banalissimi. Se dirà che Jackie Lemancyzk era una puttana e che si è data da fare per sedurlo, scommetto che i giurati ricominceranno a ridere.

Pellrod ha il carattere irascibile che ci si può aspettare da chi lavora da vent'anni nel servizio richieste di liquidazione. È solo un filo più cordiale del tipico esattore e non riesce a trasmettere ai giurati una sensazione di calore umano e di affidabilità. È un burocrate di basso livello, e molto probabilmente ha sempre lavorato nel medesimo ufficetto.

Eppure è ciò che hanno di meglio. Non possono richiamare Lufkin o Addy o Keeley perché hanno già perso tutta la loro credibilità agli occhi della giuria. Drummond ha ancora mezza dozzina di funzionari della sede centrale nella lista dei testimoni, ma non credo che li chiamerà tutti. Cosa possono dire? Che i manuali non esistono? Che la Great Eastern non mente e non nasconde i documenti?

Drummond e Pellrod vanno avanti con le domande e le risposte seguendo un copione imparato a memoria. Continuano per mezz'ora: altre informazioni sensazionali sul funzionamento del servizio liquidazioni, altri sforzi eroici da parte della Great Eastern per trattare con equità i suoi assicurati, altri sbadigli dei giurati.

Il giudice Kipler decide di avventurarsi in quel mare di noia. Interrompe il duetto e chiede: «Avvocato, non potremmo procedere?».

Drummond si mostra sconvolto e offeso. «Ma, vostro onore, ho diritto di eseguire un'escussione scrupolosa di questo testimone.»

«Senza il minimo dubbio. Ma gran parte di quello che ha detto il signor Pellrod è già a conoscenza della giuria. È una ripetizione.»

Drummond non riesce a crederci. Pensa di poter reagire come se il giudice ce l'avesse con lui, ma gli va male.

«Non ricordo che abbia invitato l'avvocato dell'attore a sbrigarsi.»

Non avrebbe dovuto dirlo. Sta cercando di prolungare il battibecco e attacca briga col giudice sbagliato. «Solo perché il signor Baylor riusciva a tenere svegli i giurati, signor Drummond. Proceda.»

La risata della signora Hardaway e l'ilarità che ne è seguita hanno evidentemente sbloccato i giurati. Adesso sono più animati, pronti a farsi altre risate alle spalle della difesa.

Drummond lancia un'occhiataccia a Kipler come se fosse

deciso a riprendere la discussione più tardi e a sistemare le cose. Si rivolge di nuovo a Pellrod che se ne sta lì simile a un rospo, con le palpebre socchiuse e la testa inclinata da un lato. Sono stati commessi degli errori, e Pellrod lo riconosce fingendo con poca convinzione di provare rimorso. Ma erano errori trascurabili. E, credete pure quello che volete, quasi tutti gli errori possono essere attribuiti a Jackie Lemancyzk, una giovane donna piuttosto squilibrata.

Per un po' si torna a parlare della pratica Black e Pellrod discute alcuni dei documenti meno riprovevoli. Non affronta il tema delle lettere di rifiuto, e perde un sacco di tempo a dissertare su scartoffie prive di attinenza e d'importanza.

«Signor Drummond» interviene Kipler in tono severo «le ho chiesto di procedere. Questi documenti sono già a disposizione della giuria. Il tema di questa testimonianza è già stato affrontato da altri testimoni. Proceda.»

Drummond è offesissimo. Si sente attaccato da un giudice parziale. Impiega un po' di tempo per riprendersi. La sua recitazione non è delle più brillanti.

Decidono di ricorrere a una strategia nuova col manuale del servizio liquidazioni. Pellrod dice che è soltanto un libro, niente di più e niente di meno. Per quanto lo riguarda, non lo consulta da anni. Lo modificano di continuo, tanto che quasi tutti i liquidatori veterani lo ignorano. Drummond gli mostra la Sezione U, e quel bastardo dice di non averla mai vista prima d'ora. Per lui non significa nulla. E non significa nulla neppure per i tanti liquidatori soggetti alla sua supervisione. Non conosce nessun liquidatore che si prenda il disturbo di consultare il manuale.

E allora come vengono sbrigate esattamente le richieste di liquidazione? Pellrod ce lo spiega. Sollecitato da Drummond, prende una richiesta ipotetica e la inoltra per i canali normali. Passo per passo, modulo per modulo, promemoria per promemoria, la voce di Pellrod è sempre sulla stessa ottava. Annoia a morte la giuria. Lester Days, il giurato numero otto seduto in seconda fila, si assopisce. Molti sbadigliano e sbattono le palpebre nel vano tentativo di restare svegli.

La scena non passa inosservata.

Se Pellrod è amaramente deluso perché non riesce ad abbagliare i giurati, non lo lascia capire. Non cambia tono né modo di fare. Conclude con qualche rivelazione preoccupante sul conto di Jackie Lemancyzk. Tutti sanno che ha un problema con l'alcol: spesso si presentava in ufficio con la puzza di liquore addosso. Faceva più assenze degli altri liquidatori. Era diventata sempre più irresponsabile, non si poteva evitare di licenziarla. E le sue avventure sessuali?

Pellrod e la Great Eastern devono muoversi con cautela su questo argomento perché sarà discusso un giorno in un altro tribunale. Qualunque cosa verrà detta in quest'aula sarà registrata e conservata per essere utilizzata in futuro. Perciò, invece di presentarla come una puttana che andava a letto con tutti, Drummond si tiene saggiamente sul sicuro.

«Per la verità, non ne so niente» dice Pellrod, segnando un piccolo punto in suo favore agli occhi della giuria.

I due perdono ancora un po' di tempo. La tirano in lungo fin quasi a mezzogiorno prima che Pellrod venga lasciato a me. Kipler vorrebbe fare la pausa per il pranzo, ma gli assicuro che non ci metterò molto. Acconsente con una certa riluttanza.

Consegno a Pellrod la copia di una lettera di rifiuto che lui ha firmato e fatto spedire a Dot Black. Era il quarto rifiuto, basato sul fatto che la leucemia di Donny Ray era una malattia preesistente. Gli chiedo di leggerla alla giuria, e ammette che è sua. Gli permetto di cercare di spiegare perché l'ha mandata: ma naturalmente non esistono spiegazioni. La lettera era una faccenda privata fra Pellrod e Dot Black, non era destinata ad essere vista da altri, tanto meno in un'aula di tribunale.

Pellrod parla di un modulo compilato per errore da Jackie e di un malinteso con il signor Krokit e be', diavolo, l'intera faccenda è stata uno sbaglio. Gliene dispiace moltissimo.

«È un po' tardi per dispiacersi, no?» gli chiedo.

«Credo di sì.»

«Quando ha spedito la lettera, non sapeva che ci sarebbero stati altri quattro rifiuti, vero?»

«Non lo sapevo.»

«Perciò questa doveva essere la lettera definitiva di rifiuto inviata alla signora Black, esatto?»

La lettera porta le parole: "rifiuto definitivo".

«Credo di sì.»
«Cos'ha causato la morte di Donny Ray Black?»
Pellrod alza le spalle. «La leucemia.»
«E quale malattia ha portato alla richiesta di liquidazione?»
«La leucemia.»
«Nella sua lettera, a quale malattia preesistente si riferisce?»
«A un'influenza.»
«E quando aveva avuto l'influenza?»
«Non lo so con precisione.»
«Posso mostrarle la pratica, se vuole esaminarla con me.»
«No, non importa.» È disposto a tutto pur di tenermi lontano dalla pratica. «Mi pare che avesse quindici o sedici anni.»
«Dunque Donny Ray aveva avuto un'influenza a quindici o sedici anni, prima che la polizza venisse emessa, e l'informazione non figurava nella domanda.»
«Esatto.»
«Ora, signor Pellrod, nella sua notevole esperienza in fatto di richieste di liquidazione, ha mai visto un caso in cui un'influenza avesse una qualunque relazione con una leucemia acuta sopravvenuta cinque anni più tardi?»
C'è una sola risposta possibile, ma Pellrod non può darla: «Non credo».
«Vuol dire no?»
«Sì, vuol dire no.»
«Quindi l'influenza non aveva nulla a che fare con la leucemia, giusto?»
«Giusto.»
«E lei ha mentito nella sua lettera, vero?»
Naturalmente ha mentito, e mentirà di nuovo adesso se dirà che non ha mentito allora. È in trappola. La giuria lo capirà. Ma Drummond ha avuto il tempo di lavorarselo.
«La lettera è stata un errore» dice Pellrod.
«Una menzogna o un errore?»
«Un errore.»
«Un errore che ha contribuito a uccidere Donny Ray Black?»
«Obiezione!» ruggisce Drummond dal suo posto.
Kipler riflette per un secondo. Mi aspettavo un'obiezione e

mi aspetto che venga accolta. Ma vostro onore la pensa diversamente. «Respinta. Risponda alla domanda.»

«Vorrei che venisse messo a verbale che insisto nelle mie obiezioni a questa linea di interrogatorio» dice rabbioso Drummond.

«Ne prendo nota. Ora risponda alla domanda, signor Pellrod.»

«È stata un errore. Questo è quanto posso dire.»

«Non è stata una menzogna?»

«No.»

«E la sua testimonianza di fronte a questa giuria? È zeppa di menzogne o di errori?»

«Né le une né gli altri.»

Mi giro verso Dot Black, poi guardo di nuovo il testimone. «Signor Pellrod, come capo liquidatore riesce a guardare negli occhi la signora Black e a dirle che la richiesta di suo figlio è stata trattata in modo equo dall'ufficio che lei dirige? Riesce a farlo?»

Pellrod strizza le palpebre, freme, aggrotta la fronte, guarda Drummond per chiedere istruzioni. Si schiarisce la gola e cerca di apparire offeso. Poi risponde: «Non credo di poter essere costretto a farlo».

«Grazie. Non ho altre domande.»

Ho finito in meno di cinque minuti e la difesa è in agitazione. Avevano pensato che passassi l'intera giornata alle prese con Reisky e poi dedicassi tutto domani a Pellrod. Ma non intendo perdere tempo con questi pagliacci. Voglio rivolgermi alla giuria.

Kipler annuncia una pausa di due ore per il pranzo. Prendo in disparte Leo e gli consegno un elenco di altri sei testimoni.

«Cosa diavolo è?» chiede lui.

«Sei dottori, tutti di qui, tutti oncologi, tutti pronti a testimoniare di persona se lei chiama il suo ciarlatano.» Walter Kord è indignato perché Drummond ha deciso di spacciare come sperimentali i trapianti di midollo osseo. Si è rivolto ai colleghi che sono pronti a presentarsi in aula.

«Non è un ciarlatano.»

«Sa benissimo che lo è. È un matto di New York o di qualche altro posto lontano da qui, mentre io ho sei specialisti di Memphis. Lo chiami pure. Così magari ci divertiamo.»

«I suoi testimoni non figurano nell'ordinanza preliminare. È una sorpresa ed è irregolare.»

«Sono testimoni necessari alla confutazione. Vada pure a piangere dal giudice.» E lo lascio accanto al banco con gli occhi fissi sul mio elenco.

Dopo il pranzo, ma prima che Kipler dichiari aperta l'udienza, sono accanto al mio tavolo e parlo col dottor Walter Kord e due suoi colleghi. Nella prima fila, dietro al tavolo della difesa, è seduto tutto solo il dottor Milton Jiffy, il ciarlatano di Drummond. Mentre gli avvocati si preparano al dibattimento pomeridiano, chiamo Drummond e gli presento i colleghi di Kord. È un momento imbarazzante: si capisce subito che la loro presenza innervosisce il grande Leo. I tre prendono posto nella prima fila, dietro di me. I cinque di Tinley Britt non possono far altro che stare a guardare.

Entra la giuria e Drummond chiama Jack Underhall che giura, si siede e rivolge ai giurati un sorriso idiota. L'hanno osservato per tre giorni e non capisco come possa Drummond pensare che gli crederanno.

Il suo scopo risulta evidente quasi subito. La testimonianza è imperniata su Jackie Lemancyzk. Ha mentito a proposito dei diecimila dollari in contanti. Ha mentito a proposito dell'impegno che avrebbe firmato, perché non esiste nessun impegno. Ha mentito a proposito del piano per respingere le richieste di liquidazione. Ha mentito quando ha affermato di aver avuto rapporti sessuali con i superiori. Ha mentito perfino quando ha dichiarato che la società ha rifiutato di pagarle l'assistenza medica. Underhall comincia con un tono quasi tollerante, poi diventa aspro e vendicativo. È impossibile dire cose tanto orribili col sorriso sulle labbra, ma sembra molto ansioso di fare a pezzi Jackie.

È una manovra audace e rischiosa. Il fatto che questo farabutto accusi qualcuno di mentire è addirittura grottesco. La parte avversa ha deciso che la causa è molto più importante di qualsiasi azione legale da parte di Jackie. Drummond è disposto a rischiare di inimicarsi completamente la giuria pur di sollevare abbastanza dubbi da intorbidire le acque. Con ogni probabilità pensa di aver poco da perdere col suo attacco rabbioso contro una donna che non è presente e quindi non può difendersi.

Il rendimento di Jackie sul lavoro era pessimo, afferma Underhall. Beveva e non andava d'accordo con i colleghi. Era necessario fare qualcosa. Le hanno offerto la possibilità di dimettersi per non rovinarsi le referenze. E ciò non aveva nulla a che vedere col fatto che stava per fare una deposizione, non aveva nulla a che vedere con la richiesta di liquidazione dei Black.

La testimonianza è molto breve. Sperano di concludere senza subire gravi danni. Non posso fare altro che augurarmi che i giurati lo disprezzino come lo disprezzo io. È un avvocato e non intendo imbarcarmi in un duello con lui.

«Signor Underhall, la sua società tiene i dossier personali dei dipendenti?» chiedo in tono gentile.

«Sì.»

«Avevate anche quello di Jackie Lemancyzk?»

«Sì.»

«L'ha portato con sé?»

«No.»

«Dov'è?»

«In sede, immagino.»

«A Cleveland?»

«Sì. In sede.»

«Quindi non possiamo vederlo?»

«Non ce l'ho qui. Ma non mi è stato detto di portarlo.»

«Include anche giudizi sul rendimento e cose simili?»

«Sì.»

«Se un dipendente subisce un rimprovero, una retrocessione o un trasferimento, ciò figura sul suo dossier personale?»

«Sì.»

«Anche in quello di Jackie?»

«Credo di sì.»

«Nel dossier c'è copia della lettera di dimissioni?»

«Sì.»

«Però dobbiamo crederle sulla parola per quel che riguarda il contenuto del dossier, vero?»

«Non mi è stato detto di portarlo, signor Baylor.»
Controllo gli appunti e mi schiarisco la gola. «Signor Underhall, ha una copia dell'impegno che Jackie ha firmato quando l'avete pagata in contanti e in cambio ha promesso di non parlare?»
«Evidentemente lei non ha capito bene.»
«Prego?»
«Ho appena testimoniato che l'impegno non c'è mai stato.»
«Vuol dire che non esiste?»
Underhall scuote la testa con enfasi. «Non è mai esistito. Jackie Lemancyzk ha mentito.»
Mi mostro stupito e mi avvio lentamente al tavolo coperto di carte. Trovo quella che cerco, la osservo con aria pensosa mentre tutti mi guardano, poi torno al podio tenendola in mano. Underhall si irrigidisce e guarda ansioso Drummond che in quel momento fissa il foglio che ho in mano. Stanno pensando alle Sezioni U. Baylor l'ha fatto di nuovo! Ha trovato i documenti insabbiati e adesso ci smaschera.
«Ma Jackie Lemancyzk è stata molto precisa quando ha detto alla giuria cos'era stata costretta a firmare. Ricorda la testimonianza?» Faccio dondolare il foglio davanti al podio.
«Sì, ho ascoltato la testimonianza» risponde Underhall. La voce è un po' più acuta, le parole più secche.
«Jackie Lemancyzk ha dichiarato che le diede diecimila dollari in contanti e le fece firmare un impegno. Lo ricorda?» Guardo il foglio come se lo leggessi. Jackie mi ha detto che l'ammontare della somma era nel primo capoverso del documento.
«Sì, l'ho sentita» risponde Underhall, e guarda Drummond. Sa che non ho una copia del documento perché l'ha insabbiato chissà dove. Ma non può esserne certo. Succedono tante cose strane. Come ha fatto a scovare le Sezioni U?
Non può ammettere che l'impegno esiste. E non può neppure negarlo. Se lo nega e poi io sfodero una copia, impossibile prevedere il disastro che causerà quando la giuria emetterà il verdetto. Esita, si agita, si asciuga la fronte sudata.
«E non ha una copia dell'impegno da mostrare alla giuria?» chiedo mentre continuo a sventolare il foglio.
«No. Non esiste.»

«Ne è sicuro?» chiedo passando l'indice sul bordo del foglio in un gesto carezzevole.

«Ne sono sicuro.»

Lo fisso per qualche secondo e mi godo la vista della sua sofferenza. I giurati non hanno preso sonno. Aspettano la mazzata, aspettano che tiri fuori l'impegno e lo metta con le spalle al muro.

Ma non posso. Appallottolo il foglio e lo lancio sul tavolo con un gesto plateale. «Non ho altre domande» dico. Underhall esala un profondo sospiro. Ha evitato un attacco cardiaco. Si alza di scatto dal banco dei testimoni ed esce dall'aula.

Drummond chiede cinque minuti di sospensione. Kipler ritiene che i giurati abbiano bisogno di una pausa più lunga, e decide per un quarto d'ora.

È chiaro che la strategia della difesa di tirare in lungo le testimonianze e cercare di confondere i giurati non funziona. I giurati hanno riso di Reisky e hanno dormito mentre parlava Pellrod. Underhall è stato un disastro quasi fatale perché Drummond temeva che io avessi la copia di un documento che, a quanto gli aveva garantito il suo cliente, non esisteva.

Drummond ha fatto il pieno. Punterà tutto sull'arringa finale: quella, almeno, sarà in grado di controllarla. Dopo la pausa annuncia che la difesa ha finito.

Il dibattimento è quasi concluso. Kipler fissa le arringhe finali per le nove di venerdì mattina. E promette ai giurati che prima delle undici potranno riunirsi per deliberare.

48

Molto tempo dopo che i giurati sono andati via e che Drummond e la sua truppa si sono precipitati in ufficio, senza dubbio per un'altra difficile discussione allo scopo di accertare cosa è andato storto, noi siamo ancora seduti al nostro tavolo in aula e parliamo di domani. Cooper Jackson e i due avvocati di Raleigh, Hurley e Grunfeld, si guardano dal dispensarmi troppi consigli non richiesti, ma non mi dispiace ascoltare le loro opinioni. Tutti sanno che è la mia prima causa, e sembrano sbalorditi da ciò che ho fatto. Sono stanco, nervoso e non mi faccio illusioni su quanto è accaduto. Mi sono capitati una splendida serie di dati di fatto, un avversario disonesto ma ricco, un giudice molto comprensivo e un colpo di fortuna dietro l'altro nel corso del dibattimento. Ho anche una giuria ideale, ma deve ancora decidere.

Mi dicono che d'ora in poi questo genere di cause non potrà che andare peggio, per me. Sono convinti che il verdetto sarà a sette cifre. Jackson ha fatto cause per dodici anni prima di ottenere il suo primo verdetto da un milione di dollari.

Raccontano aneddoti che hanno lo scopo di darmi sicurezza. È un modo piacevole di passare il pomeriggio. Io e Deck lavoreremo tutta la notte, ma per ora mi godo il conforto di spiriti affini che desiderano sinceramente di vedermi inchiodare la Great Eastern.

Jackson è abbastanza sgomento per le notizie che arrivano dalla Florida. Un avvocato di laggiù ha saltato il fosso e questa mattina ha depositato quattro citazioni contro la Great Eastern. Pensavano che si sarebbe associato alla loro azione collettiva, ma evidentemente si è lasciato vincere dall'avidità. Oggi come oggi, questi tre avvocati hanno diciannove cause pronte per la Great Eastern e intendono farlo all'inizio della settimana prossima.

Fanno il tifo per me. Vogliono offrirci un'ottima cena, ma noi dobbiamo lavorare. L'ultima cosa di cui ho bisogno stasera è un pasto abbondante con vino e liquori.

Perciò ceniamo nello studio: sandwich comprati al delicatessen e bibite analcoliche. Deck sta su una sedia nel mio ufficio mentre io provo la mia arringa finale. Ne ho imparate a memoria tante versioni che le confondo. Adopero una lavagnetta per scrivere in ordine le cifre importanti. Mi appello all'equità, ma chiedo somme scandalose. Deck mi interrompe spesso e discutiamo come due studentelli.

Nessuno dei due ha mai tenuto un'arringa finale davanti a una giuria, ma lui ne ha sentite abbastanza spesso e quindi è l'esperto. Ci sono momenti in cui mi sento invincibile, perfino arrogante, perché sono arrivato fino a questo punto. Deck coglie subito le mie arie e si affretta a intervenire. Mi ricorda più volte che domani mattina posso ancora vincere o perdere la causa.

Comunque, sono soprattutto spaventato. Riesco a tenere sotto controllo la paura, ma non mi abbandona mai. Mi sprona e mi suggerisce di tirare avanti; però sarò contento quando smetterà di assediarmi.

Alle dieci spegniamo le luci e andiamo a casa. Bevo una birra per facilitare il sonno. Funziona. Poco dopo le undici mi assopisco mentre nella mia mente danzano visioni trionfali.

Il telefono suona meno di un'ora dopo. È una voce femminile ignota, giovane e molto ansiosa. «Lei non mi conosce, ma sono amica di Kelly» dice quasi bisbigliando.

«Cos'è successo?» chiedo, svegliandomi di colpo.

«Kelly è nei guai. Ha bisogno del suo aiuto.»

«Cos'è successo?»

«Lui l'ha picchiata ancora. È tornato a casa ubriaco come al solito.»

«Quando?» Sono in piedi accanto al letto, al buio, e cerco l'interruttore della lampada.

«Ieri sera. Kelly ha bisogno del suo aiuto, signor Baylor.»

«Adesso dov'è?»

«È qui con me. Dopo che i poliziotti hanno portato via Cliff, è andata al pronto soccorso per farsi vedere da un medico. Per fortuna non ha niente di rotto. L'ho portata con me, e adesso è nascosta in casa mia.»

«È ridotta male?»

«Malissimo, direi, ma non ha fratture. Tagli e lividi.»

Mi faccio dare nome e indirizzo, riattacco e mi vesto in fretta. È un grande complesso di condomini nei sobborghi, non lontano dalla casa di Kelly, e imbocco diverse vie a senso unico prima di trovare l'edificio giusto.

Robin, l'amica, socchiude la porta senza togliere la catena e devo identificarmi prima che mi lasci entrare. Poi mi ringrazia perché sono venuto subito. Anche lei è giovanissima, probabilmente divorziata e con un lavoro che le rende poco più del salario minimo. Entro nel soggiorno, una stanzetta arredata con mobili a noleggio. Kelly è seduta sul divano con la borsa del ghiaccio sulla testa.

Perlomeno, mi pare che quella donna sia lei. Ha l'occhio sinistro gonfio e chiuso, già bluastro. E sopra l'occhio c'è una benda macchiata di sangue. Anche le guance sono gonfie. Il labbro inferiore è spaccato e sporge in modo grottesco. Ha addosso una T-shirt lunga e nient'altro, e vedo estesi lividi sulle cosce e sopra le ginocchia.

Mi chino a baciarle la fronte, poi siedo su uno sgabello di fronte a lei. Nell'occhio destro le spunta una lacrima. «Grazie per essere venuto» mormora muovendo a fatica le guance gonfie e le labbra ferite. Le batto delicatamente le dita su un ginocchio e lei mi accarezza il dorso della mano.

Ammazzerei volentieri Cliff.

Robin siede accanto a lei e dice: «Non deve parlare, okay? Il dottore le ha raccomandato di muoversi il meno possibile. Questa volta l'ha presa a pugni perché non ha trovato la mazza da baseball.»

«Cos'è successo?» Lo domando a Robin, ma continuo a guardare Kelly.

«Hanno litigato per la carta di credito. C'erano i conti di Natale da pagare. Lui aveva bevuto parecchio. Il resto lo sa.» Robin parla in fretta, e sospetto che abbia una certa esperienza. Non porta la fede al dito. «Hanno litigato, Cliff ha avuto la meglio come al solito, i vicini hanno chiamato la polizia. Lui è finito dentro, lei è andata dal dottore. Vuole una coca o qualcos'altro?»

«No, grazie.»

«Ieri notte l'ho portata qui e questa mattina l'ho accompagnata a un centro per donne maltrattate, in città. Ho parlato con una consulente che le ha spiegato cosa doveva fare, le ha dato un fascio di opuscoli. Sono là, se le servono. La conclusione è che Kelly deve chiedere il divorzio e tagliare la corda a tutta velocità.»

«Ti hanno fotografata?» chiedo a Kelly continuando a massaggiarle il ginocchio. Lei annuisce. Le lacrime le escono anche dall'occhio gonfio. Adesso scorrono su entrambe le guance.

«Sì, le hanno fatto molte foto. Ha tanti lividi che non si vedono. Mostraglieli, Kelly. È il tuo avvocato. Deve vedere.»

Aiutata da Robin, Kelly si alza in piedi con cautela, mi volta la schiena e solleva la T-shirt sopra la vita. Sotto non c'è niente, nient'altro che lividi sul sedere e sulle gambe. La T-shirt si solleva ancora di più e rivela altri lividi sulla schiena. Poi si riabbassa. Kelly si siede con prudenza sul divano.

«L'ha picchiata con una cintura» spiega Robin. «Se l'è rovesciata sulle ginocchia e l'ha picchiata con tutte le sue forze.»

«Ha un fazzolettino?» chiedo a Robin mentre sfioro le guance di Kelly.

«Certo.» Robin mi porge una scatola e io asciugo con delicatezza le guance di Kelly.

«Cos'hai intenzione di fare?» le chiedo.

«Sta scherzando?» interviene Robin. «Deve chiedere il divorzio. Se no, lui l'ammazzerà.»

«È vero? Presentiamo istanza di divorzio?»

Kelly annuisce e risponde: «Sì. Il più presto possibile».

«Lo farò domani.»

Mi stringe la mano e chiude l'occhio destro.

«Questo ci porta al secondo problema» dice Robin. «Non può restare qui. Stamattina hanno rilasciato Cliff e lui ha cominciato a telefonare a tutte le sue amiche. Oggi non sono andata a lavorare, ma non posso continuare. E lui mi ha chiamata verso mezzogiorno. Gli ho detto che non sapevo niente. Un'ora dopo mi ha richiamata e ha cominciato a minacciarmi. Kelly, poverina, non ha molte amiche, e non ci vuole molto perché la trovi. E poi c'è qualcun altro che vive con me, e così non si può andare avanti molto.»

«Non posso restare qui» dice Kelly con voce bassa e impacciata.

«Allora dove conti di andare?» le chiedo.

Robin ha riflettuto. «Ecco, questa mattina abbiamo parlato con la consulente e ci ha segnalato un rifugio per donne maltrattate, una specie di posto segreto che non è registrato ufficialmente presso la contea e lo stato. In città c'è qualche casa di questo tipo, e le donne si passano parola sull'indirizzo. Lì sono al sicuro perché i loro innamorati non possono trovarle. Il guaio è che costa cento sacchi al giorno, e ci si può restare solo una settimana. Io non guadagno un centone al giorno.»

«Ci vuoi andare?» chiedo a Kelly, e lei annuisce, a fatica.

«Bene. Ti ci accompagnerò domani.»

Robin respira di sollievo. Sparisce in cucina per andare a prendere l'indirizzo del rifugio.

«Fammi vedere i denti» dico a Kelly.

Spalanca la bocca per quanto può, e io riesco a vedere solo gli incisivi. «Niente di rotto?» chiedo.

Scuote la testa. Tocco la benda sopra l'occhio gonfio. «Quanti punti ti hanno messo?»

«Sei.»

Mi chino verso di lei e le stringo le mani. «Non succederà mai più, capito?»

Annuisce e mormora. «Prometti?»

«Prometto.»

Robin torna a sedere accanto a Kelly e mi passa il biglietto, poi aggiunge un consiglio. «Senta, signor Baylor, lei non conosce Cliff, ma io sì. È pazzo, è una carogna e quando è ubriaco diventa una bestia. Per favore, sia prudente.»

«Non si preoccupi.»

«È capace di essere là fuori, in questo momento, a sorvegliare la casa.»

«Non ha importanza.» Mi alzo e bacio Kelly in fronte. «Domattina presenterò istanza di divorzio, poi verrò a prenderti, d'accordo? Sono alle prese con un processo importante, ma ce la farò.»

Robin mi accompagna alla porta e ci scambiamo ringraziamenti. Poi richiude l'uscio e io sto ad ascoltare il rumore delle catenelle, delle serrature e dei chiavistelli.

È quasi l'una del mattino. L'aria è tersa e molto fredda. Non c'è nessuno in agguato nell'ombra.

A questo punto sarebbe ridicolo pensare a dormire, quindi vado in ufficio. Parcheggio proprio sotto la mia finestra e raggiungo di corsa il portone. La notte questo non è un quartiere sicuro.

Chiudo a chiave le porte dietro di me e vado nel mio ufficio. Per quanto sia un evento terribile, un divorzio è piuttosto semplice dal punto di vista legale. Comincio a battere a macchina anche se non so farlo molto bene, ma il motivo di quella fatica mi rende tutto più leggero. Sono veramente convinto di contribuire a salvare una vita.

Deck arriva alle sette e mi sveglia. Poco dopo le quattro mi sono addormentato sulla sedia. Mi dice che ho un aspetto spaventoso. Cosa ho fatto invece di riposare?

Gli racconto l'accaduto e lui reagisce male. «Hai passato la notte a occuparti di uno stupido divorzio? Fra meno di due ore dovrai pronunciare l'arringa finale!»

«Calmati, Deck. Me la caverò.»

«Perché hai quell'aria soddisfatta?»

«Perché vinceremo, Deck. La Great Eastern andrà a picco.»

«No, non è per questo. Tu riuscirai finalmente ad avere la ragazza: ecco perché sorridi.»

«Sciocchezze. Dov'è il caffè?»

Deck è tutto tic nervosi. È a pezzi. «Vado a prenderlo» dice, ed esce.

L'istanza di divorzio è sulla mia scrivania, pronta per essere depositata. Troverò un ufficiale giudiziario o qualcuno che la consegni all'amico Cliff sul luogo di lavoro: altrimenti potrebbe essere difficile trovarlo. L'istanza chiede anche con urgenza un'ingiunzione a Cliff di star lontano da Kelly.

49

Un grande vantaggio del fatto di essere un esordiente è che tutti si aspettano che sia nervoso e spaventato. I giurati sanno che sono un ragazzo senza esperienza. Quindi non si attendono molto. Non ho acquisito né l'astuzia né l'abilità necessarie per tenere grandi arringhe.

Sarebbe un errore tentare di essere ciò che non sono. Forse in futuro, quando avrò i capelli grigi e la voce suadente, e centinaia di scontri in aula alle spalle, sarò capace di piazzarmi davanti a una giuria e offrire una superba prestazione. Ma oggi no. Oggi sono soltanto Rudy Baylor, un ragazzo nervoso che chiede aiuto ai suoi amici giurati.

Sono in piedi davanti a loro, teso e impaurito, e cerco di rilassarmi. So cosa dirò perché l'ho detto cento volte. Ma è importante che non abbia l'aria di recitare. Esordisco spiegando che è un giorno molto importante per la mia cliente, perché è la sua unica occasione per ottenere giustizia nei confronti della Great Eastern. Non ci sarà un domani, non ci sarà una seconda possibilità in aula, un'altra giuria disposta ad aiutarla. Li invito a pensare a lei e a ciò che ha passato. Parlo un po' di Donny Ray, ma senza drammatizzare troppo. Chiedo ai giurati di immaginare cosa significa morire lentamente fra le sofferenze quando si sa che si dovrebbe ricevere la terapia alla quale si ha diritto. Parlo in toni misurati, sinceri e le mie parole giungono a segno. Parlo con calma e guardo dritto negli occhi dodici persone che stanno per decidere.

Espongo le caratteristiche fondamentali della polizza senza addentrarmi nei dettagli e discuto brevemente il trapianto di midollo osseo. Faccio notare che la difesa non ha portato prove contrarie alla testimonianza del dottor Kord. Si tratta di una procedura medica tutt'altro che sperimentale, e con ogni probabilità avrebbe salvato la vita di Donny Ray.

La mia voce si anima un po' quando passo alle varie stranezze. Parlo dei documenti insabbiati e delle menzogne della Great Eastern. Nel corso del processo tutto ciò ha avuto una tale risonanza che sarebbe un errore insistere. Il bello di un processo che dura solo quattro giorni è che le testimonianze importanti sono ancora fresche. Mi servo di quella di Jackie Lemancyzk e delle statistiche della Great Eastern e scrivo qualche cifra su una lavagna: il numero delle polizze del 1991, il numero delle richieste di liquidazione e soprattutto il numero dei rifiuti. Mi sbrigo in fretta, con chiarezza in modo che anche un ragazzino di quinta elementare potrebbe capire e non lo dimenticherebbe. Il messaggio è chiaro e inconfutabile. Le potenze sconosciute che governano la Great Eastern hanno deciso di mettere in atto un modus operandi per respingere le legittime richieste di liquidazione per un periodo di dodici mesi. Come ha spiegato Jackie, era un esperimento per vedere quanto denaro si poteva risparmiare in un anno. È stata una decisione presa a sangue freddo, ispirata dall'avidità, senza il minimo riguardo per quelli come Donny Ray Black.

A proposito di liquidità, prendo i bilanci e spiego ai giurati che li ho studiati per quattro mesi e non li ho ancora capiti. L'industria delle assicurazioni ha un sistema contabile tutto suo. Ma, stando alle cifre della Great Eastern, c'è in giro una quantità di liquido. Sommo sulla lavagna i liquidi disponibili, le riserve e gli utili non distribuiti e ottengo il totale di quattrocentosettantacinque milioni di dollari. I dirigenti hanno ammesso che la società ha un valore netto di quattrocentocinquanta milioni.

Come si può punire una società tanto ricca? Formulo una domanda, e scorgo lampi di luce negli occhi dei giurati. Non vedono l'ora!

Ricorro a un esempio che circola da molti anni. È fra i preferiti degli avvocati e ne ho letto una dozzina di versioni. È efficace perché semplicissimo. Dico ai giurati che sono un giovane avvocato esordiente, che ho terminato da poco gli studi e mi arrabatto per riuscire a pagare i conti. Cosa succederebbe se, lavorando con impegno, conducendo una vita frugale e risparmiando il più possibile fra due anni avessi diecimila dollari in banca? Ho lavorato molto per accumulare questa somma e vorrei proteggerla. E se mi capita di fare qualcosa che non va, se per esempio perdo la calma e tiro un pugno sul naso a qualcuno, e glielo spacco? Naturalmente la mia vittima mi chiederà di pagare i danni che ha subito, e verrò anche punito perché non ci riprovi più. Possiedo soltanto diecimila dollari. Quanto ci vorrà per farmi ricordare bene che non devo fare più ciò che ho fatto? L'uno per cento sono cento dollari, e mi danneggia così così. Preferirei non doverli pagare, ma non mi causerebbe un grave inconveniente. E il cinque per cento? Una multa di cinquecento dollari sarebbe sufficiente per punirmi di aver spaccato il naso a qualcuno? Soffrirei abbastanza al momento di compilare l'assegno? Forse sì e forse no. Ma se fossi obbligato a pagare mille dollari succederebbero due cose. Numero uno, ne soffrirei veramente. Numero due, cambierei modo di fare.

Come si punisce la Great Eastern? Nello stesso modo in cui punireste me o chiunque altro. Guardate i rendiconti bancari, decidete quale somma c'è a disposizione, e infliggete una multa che colpisca ma senza mandare in rovina. Lo stesso vale anche per una ricchissima società di assicurazioni. Non è certo migliore di tutti noi.

Dico ai giurati che è meglio siano loro a decidere. Abbiamo chiesto dieci milioni di dollari, ma non sono vincolati da questa cifra. Possono decidere come vogliono, e non spetta a me suggerire l'ammontare.

Termino ringraziando con un sorriso, ma poi aggiungo che se non fermeranno la Great Eastern, la prossima volta potrebbe toccare a loro. Qualche cenno di assenso, qualche sorriso. Alcuni giurati guardano le cifre sulla lavagna.

Torno al mio tavolo. Deck è nell'angolo e sfoggia un sorriso da un orecchio all'altro. Cooper Jackson, seduto nell'ultima fila, alza i pollici in segno d'approvazione. Siedo a fianco di Dot e attendo con ansia di vedere se il grande Leo F. Drummond riuscirà a trasformare in vittoria la sconfitta.

Esordisce scusandosi per il modo in cui si è comportato durante la selezione dei giurati: teme di essere partito con il piede sbagliato e adesso chiede fiducia. Le scuse continuano mentre parla del suo cliente, una delle più vecchie e rispettate assicurazioni d'America. Sì, ha commesso qualche errore nell'esame della richiesta di liquidazione. Errori gravi? Le lettere di rifiuto dimostravano una spaventosa insensibilità ed erano apertamente offensive. Il suo cliente ha avuto torto marcio. Ma il suo cliente ha più di seimila dipendenti ed è difficile sorvegliare i movimenti di tutti quanti, difficile controllare tutta la corrispondenza. Comunque non ci sono giustificazioni. Sono stati commessi errori.

Insiste su questo tema per qualche minuto, e dipinge le azioni del suo cliente come accidentali, non certo premeditate. Aggira con abilità la pratica della liquidazione, i manuali, i documenti insabbiati, le menzogne smascherate. I fatti sono campi minati e Drummond punta nella direzione opposta.

Riconosce che la liquidazione avrebbe dovuto essere accordata: tutti i duecentomila dollari. È un'ammissione grave, e i giurati l'assimilano attentamente. Sta cercando di rabbonirli, e ci riesce. Poi passa a parlare del risarcimento. Lo sgomenta che io abbia potuto chiedere alla giuria di accordare a Dot Black una percentuale del valore netto della Great Eastern. È scandaloso! A cosa servirebbe? Ha ammesso che il suo cliente aveva torto. I responsabili di tanta ingiustizia sono stati licenziati. La Great Eastern ha rimesso le cose a posto.

Quindi, a cosa servirebbe un verdetto astronomico? A niente, assolutamente a niente.

Drummond attacca con prudenza un'arringa contro l'arricchimento senza causa. Deve stare attento a non insultare Dot, perché se lo facesse si offenderebbero anche i giurati. Espone diversi fatti sul conto dei Black: dove vivono, da quanto tempo, la casa, il quartiere eccetera. Li presenta come una normale famiglia del ceto medio che vive in semplicità ma felicemente. È molto generoso. Neppure Norman Rockwell saprebbe dipingere un quadro più lusinghiero. Mi sembra quasi di vedere le vie ombrose e il simpatico ragazzo che consegna i giornali a domicilio. Lo scenario è perfetto e i giurati ascoltano. Sta descrivendo il modo in cui loro stessi vivono o vorrebbero vivere.

Perché mai voi giurati dovreste voler sottrarre tanto denaro alla Great Eastern e assegnarlo ai Black? Scompiglierebbe il quadretto così piacevole. Porterebbe il caos nelle loro vite. Li renderebbe immensamente diversi dai vicini e dagli amici. Insomma, per loro sarebbe una rovina. E qualcuno ha forse diritto a una somma come quella chiesta da me, Rudy Baylor? No, ovviamente. È ingiusto e sleale sottrarre tanto denaro a una società di assicurazioni per il semplice fatto che ce l'ha.

Va alla lavagna e scrive 746 dollari, poi spiega ai giurati che è il reddito mensile dei Black. Adesso scrive la somma di 200.000 dollari, e la moltiplica per il sei per cento e ottiene il risultato di 12.000 dollari. Quindi spiega ciò che si propone, raddoppiare il reddito mensile dei Black. Non piacerebbe a tutti noi? È così facile! Assegnate ai Black 200.000 dollari, il costo del trapianto, e se investiranno la somma in buoni del tesoro esentasse al sei per cento, avranno un reddito addizionale netto di 1000 dollari al mese. La Great Eastern si impegna addirittura a provvedere all'investimento per conto di Dot e Buddy.

Un vero affare!

Drummond ha fatto tante volte questo tipo di discorso da renderlo accettabile. È un'argomentazione convincente e vedo che i giurati ci stanno pensando. Guardano la lavagna. Sembra un accomodamento onesto.

A questo punto mi auguro che ricordino la promessa di Dot, la promessa di devolvere il denaro alla Società Americana per la Lotta contro la Leucemia.

Drummond conclude facendo un appello alla ragione, all'equità. La sua voce diventa più profonda, le frasi più lente. È il ritratto della sincerità. Fate giustizia, vi prego, chiede, e va a sedersi.

Dato che rappresento l'attore, ho diritto all'ultima parola. Ho tenuto dieci minuti della mezz'ora concessami e intendo utilizzarli per la replica. Mi avvicino sorridendo ai giurati. Dico loro che spero di poter fare un giorno ciò che ha appena fatto il signor Drummond. Elogio la sua abilità di avvocato, riconosco che è uno dei migliori del paese. Mi comporto da ragazzo educato.

Ho solo un paio di commenti da fare. Primo: adesso la

Great Eastern ammette di aver avuto torto e offre duecentomila dollari. Perché? Perché in questo momento si mangiano le mani e si augurano con tutta l'anima di dover pagare solo quei duecentomila. Secondo: il signor Drummond ha forse riconosciuto questi errori e offerto la somma quando si è rivolto alla giuria lunedì mattina? No, non l'ha fatto. Allora sapeva tutto ciò che sa adesso: quindi, perché non vi ha detto subito che il suo cliente aveva torto? Perché? Perché allora speravano che non avreste scoperto la verità. E adesso che la conoscete, sono diventati umili.

Concludo con una provocazione. Dico: «Se non sapete fare di meglio che accordare duecentomila dollari, lasciate perdere. Non li vogliamo. Sono per un'operazione che non avverrà mai. Se non credete che il comportamento della Great Eastern meriti di essere punito, lasciate perdere i duecentomila dollari, e ce ne andremo tutti a casa.» Guardo negli occhi, uno a uno, tutti i giurati mentre passo davanti al palco. Non mi deluderanno.

«Grazie» concludo, e torno a sedere accanto alla mia cliente. Mentre il giudice Kipler impartisce le istruzioni finali, mi sento sopraffare da una sensazione inebriante di sollievo. Mi rilasso come non mi era mai successo. Basta con testimoni e documenti, istanze e memorie, udienze e scadenze, basta con le preoccupazioni per questo o quel giurato. Respiro a fondo e mi lascio cadere sulla sedia. Sarei capace di dormire per giorni e giorni.

Questa calma dura circa cinque minuti, finché i giurati non escono per andare a deliberare. Sono quasi le dieci e mezzo.

Comincia l'attesa.

Io e Deck andiamo al primo piano del tribunale e depositiamo l'istanza di divorzio di Kelly Riker, e poi nell'ufficio del giudice Kipler. Si congratula con me per la bella performance e io ringrazio lui per la centesima volta. Però ho altro per la testa e gli mostro una copia dell'istanza di divorzio. Gli parlo di Kelly Riker e dei maltrattamenti subiti dal marito pazzo e gli chiedo se sarebbe disposto ad accogliere la richiesta di un'ingiunzione urgente che vieti a Cliff Riker di avvicinarsi alla moglie. Kipler detesta i divorzi, ma è molto colpito. È una procedura normale nei casi di maltrattamenti domestici. Si fida di me e firma l'ingiunzione. Non parliamo della giuria che è in riunione da un quarto d'ora.

Butch ci viene incontro nel corridoio, prende una copia dell'istanza di divorzio, l'ingiunzione appena firmata da Kipler e le citazioni. Ha accettato di consegnare i documenti a Cliff Riker sul posto di lavoro. Ancora una volta, gli raccomando di farlo senza mettere in imbarazzo il giovane.

Attendiamo in aula per un'ora. Drummond e la sua banda stanno intruppati da una parte. Io, Deck, Cooper Jackson, Hurley e Grunfeld siamo insieme dall'altra. Mi diverto a osservare i dirigenti della Great Eastern che si tengono a distanza dai loro avvocati: o forse è vero il contrario. Underhall, Lufkin e Addy sono nell'ultima fila e hanno l'aria tetra di chi aspetta di finire davanti al plotone d'esecuzione.

A mezzogiorno portano il pranzo nella camera di consiglio della giuria e Kipler ci spedisce via fino all'una e mezzo. Non riuscirei a tenere il cibo nello stomaco che sussulta e si rivolta. Chiamo Kelly col radiotelefono mentre mi precipito in macchina verso l'appartamento di Robin. Kelly è sola. Indossa una tuta sformata e scarpe di tela avute in prestito. Non ha portato con sé né capi d'abbigliamento né oggetti da toilette. Cammina a fatica e si capisce che soffre. L'aiuto a raggiungere la macchina, le apro la portiera, la faccio salire. Le sollevo le gambe per sistemarle, e lei stringe i denti ma non si lamenta. I lividi sul viso e sul collo appaiono molto più scuri nella luce del giorno.

Mentre partiamo, la sorprendo che si guarda intorno come si aspettasse di vedere Cliff saltar fuori dai cespugli. «Abbiamo appena depositato questa» le dico, e le consegno l'istanza di divorzio. L'accosta al viso e la legge mentre procediamo in mezzo al traffico.

«Quando la riceverà?» mi chiede.

«Più o meno in questo momento.»

«Diventerà una bestia.»

«Lo è già.»

«Se la prenderà con te.»

«Magari. Ma non lo farà perché è un vigliacco. Gli uomini

che picchiano le mogli sono vigliacchi della specie peggiore. E non preoccuparti, ho una pistola.»

La casa è vecchia, senza cartelli e non spicca fra le altre. Il prato anteriore è ampio e molto ben schermato. I vicini sarebbero costretti ad alzarsi in punta di piedi e ad allungare il collo per vedere qualche movimento. Mi fermo in fondo al vialetto, dietro altre due auto. Lascio Kelly in macchina e busso a una porta laterale. Una voce, attraverso un citofono, mi chiede di identificarmi. Qui la prudenza è fondamentale. Le finestre sono tutte chiuse da veneziane. Il giardino sul retro è cintato da uno steccato di legno alto due metri e mezzo.

La porta si socchiude. Una donna giovane e robusta mi squadra. Non sono dell'umore adatto. Sono stato impegnato per cinque giorni in un processo, e ora sono pronto a scattare. «Cerco Betty Norvelle» dico.

«Sono io. Dov'è Kelly?»

Indico la macchina.

«La faccia entrare.»

Potrei portarla in braccio con facilità, ma ha il retro delle gambe così dolorante che per lei è meglio camminare. Ci muoviamo lentamente sul marciapiede, saliamo i gradini e arriviamo sotto il portico. Mi sembra di scortare una nonna novantenne. Betty sorride a Kelly e ci accompagna in una stanzetta, una specie di ufficio. Sediamo fianco a fianco davanti a un tavolo e Betty prende posto dall'altra parte. Le ho parlato stamattina presto, e vuole le copie dell'istanza di divorzio. Le esamina in fretta. Io e Kelly ci teniamo per mano.

«E così è il suo avvocato» commenta Betty. Non le è sfuggito il nostro gesto.

«Sì. E sono anche un amico.»

«Quando deve tornare dal dottore?»

«Fra una settimana» risponde Kelly.

«Quindi non ha bisogno di cure?»

«No.»

«Medicine?»

«Solo qualche compressa per i dolori.»

La documentazione è in regola. Faccio un assegno di duecento dollari: il deposito, più il primo giorno.

«Questo non è un istituto autorizzato» spiega Betty. «È un rifugio per donne maltrattate e in pericolo di vita. È proprietà privata, di una donna maltrattata anche lei, ed è uno dei tanti della zona. Nessuno sa che siamo qui. Nessuno sa cosa facciamo. Vorremmo continuare così. Vi impegnate tutti e due a mantenere il segreto?»

«Ci può contare.» Annuiamo entrambi e Betty ci passa un modulo da firmare.

«Non è illegale, vero?» chiede Kelly. È una domanda logica, tenuto conto dell'ambiente.

«Non proprio. Il peggio che potrebbero fare è costringerci a chiudere. E noi ci trasferiremmo in qualche altro posto. Stiamo qui da quattro anni, e nessuno ha mai trovato da ridire. Sapete che la durata massima della permanenza è sette giorni?»

Lo sappiamo.

«Dovrete cominciare a pensare alla prossima tappa.»

Vorrei che Kelly venisse a stare nel mio appartamento ma non ne abbiamo ancora discusso.

«Quante donne ci sono?» chiedo.

«Oggi sono cinque. Kelly, avrai una stanza con bagno. Il vitto è buono, tre pasti al giorno. Puoi mangiare in camera tua o con le altre. Non forniamo assistenza medica né pareri legali. Non facciamo consulenze né sedute. Offriamo soltanto affetto e protezione. Qui sarai al sicuro. Nessuno ti troverà. E qui intorno c'è una guardia armata.»

«Lui può venire a trovarmi?» domanda Kelly accennando a me.

«Ammettiamo un visitatore alla volta, e ogni visita dev'essere approvata. Telefoni prima per l'autorizzazione e si assicuri di non essere seguito. Mi dispiace, ma non le permetteremo di passare la notte qui.»

«Va bene» dico.

«Altre domande? Se no, devo mostrare la casa a Kelly. Potrà venire a trovarla questa sera.»

Ho capito. Saluto Kelly e le prometto di tornare più tardi, in serata. Mi chiede di portare una pizza. Dopotutto è venerdì sera.

Mentre riparto, ho la sensazione di averla affidata alla clandestinità.

Il cronista di un quotidiano di Cleveland mi blocca nel corridoio davanti all'aula. Vuole parlare della Great Eastern. Lo sapevo che a quanto pare il procuratore generale dell'Ohio ha aperto un'inchiesta sulla società? Non rispondo. Mi segue in aula. Deck è solo al nostro tavolo. Dall'altra parte gli avvocati della difesa si scambiano battute e storielle. Kipler non c'è. Tutti aspettano.

Butch ha consegnato i documenti a Cliff Riker mentre stava uscendo per la pausa del pranzo. Ha minacciato di suonarlo, ma Butch non si è tirato indietro, si è dichiarato pronto a restituire il favore e Riker se l'è svignata in fretta. Sulla citazione c'è il mio nome, quindi a partire da questo momento farò bene a guardarmi le spalle.

Arrivano altri alla spicciolata mentre si avvicinano le due. Compare Booker e siede con noi. Cooper Jackson, Hurley e Grunfeld tornano dopo un lungo pranzo. Hanno bevuto parecchio. Il cronista va a sedere nell'ultima fila. Nessuno gli rivolgerà la parola.

Esistono molte teorie sulle deliberazioni delle giurie. In un caso come questo si ritiene che un verdetto rapido sia favorevole all'attore. Più tempo passa, e più è evidente che la giuria è incerta. Ascolto queste ipotesi con scarso fondamento e non riesco a star fermo. Esco a bere un po' d'acqua, vado in bagno e infine allo snack bar. Camminare è meglio che restare seduto in aula. Ho lo stomaco contratto e la testa mi martella.

Booker mi conosce meglio di chiunque altro e mi accompagna. È nervoso anche lui. Andiamo avanti e indietro nei corridoi di marmo, senza una meta, solo per ammazzare il tempo. E aspettiamo. Nei momenti più sconvolgenti, è importante essere in compagnia di amici. Lo ringrazio d'essere venuto e Booker risponde che non sarebbe mancato per niente al mondo.

Alle tre e mezzo sono convinto di aver perso. Doveva essere una decisione fulminea: bastava calcolare una percentuale per ottenere il risultato. Forse sono stato troppo sicuro di me. Ricordo una quantità di spaventosi episodi di verdetti ridicolmente bassi emessi in questa contea. Sto per diventare un dato statistico, l'ennesima conferma del fatto che un avvocato di Memphis dovrebbe afferrare al volo una transazione appena decente. Il tempo passa con una lentezza tormentosa.

Sento qualcuno chiamare il mio nome da lontano. È Deck. Sta davanti alla porta dell'aula e agita le braccia disperatamente per attirare la mia attenzione. «Oh, mio Dio» mormoro.

«Sta' calmo» mi esorta Booker, e tutti e due corriamo in aula. Respiro a fondo e recito una preghiera fra me e me. Drummond e gli altri quattro sono ai loro posti. Dot è sola al nostro tavolo. Tutti sono ai rispettivi posti. I giurati entrano nel palco mentre varco il cancelletto della barriera divisoria e siedo a fianco della mia cliente. Le facce dei giurati non rivelano nulla. Quando sono seduti, vostro onore chiede: «La giuria ha raggiunto un verdetto?».

Ben Charnes, il giovane studente nero part-time portavoce della giuria, risponde: «Sì, vostro onore».

«È stato scritto secondo le istruzioni?»

«Sì, signore.»

«Prego, si alzi e lo legga.»

Charnes si alza. La mano che tiene il foglio trema un po', ma meno violentemente delle mie. Respiro con affanno. Mi gira la testa e mi sento mancare. Dot è calmissima. Ha già vinto la sua battaglia contro la Great Eastern. Hanno ammesso in aula di aver avuto torto. Per lei, il resto non ha importanza.

Ho deciso di restare impassibile, di non tradire la minima emozione, qualunque sia il verdetto. Mi comporterò come mi è stato insegnato. Scribacchio su un bloc-notes. Un'occhiata alla mia sinistra rivela che i cinque avvocati della difesa hanno adottato la stessa strategia.

Charnes si schiarisce la gola e legge: «La giuria si pronuncia a favore dell'attore, al quale riconosce danni effettivi per l'ammontare di duecentomila dollari». Un attimo di silenzio. Tutti gli sguardi sono puntati sul foglietto. Fin qui, nessuna sorpresa. Charnes si schiarisce la gola di nuovo. «Inoltre la giuria si pronuncia a favore dell'attore, al quale riconosce un risarcimento punitivo per l'ammontare di cinquanta milioni di dollari.»

Dietro di me risuona un'esclamazione soffocata. Intorno al tavolo della difesa tutti si irrigidiscono. Ma gli altri rimangono in silenzio per qualche secondo. La bomba cade, esplode e dopo un momento tutti cercano di scoprire le ferite mortali.

Visto che non ce n'è neppure una, si può ricominciare a respirare.

Scrivo le cifre sul mio blocco, anche se con una grafia illeggibile. Rifiuto di sorridere, anche se per ottenere questo risultato sono costretto ad affondarmi i denti nel labbro inferiore. Ci sono tante cose che vorrei fare. Vorrei saltare sul tavolo e piroettare come un giocatore di football un po' scemo nei pressi della meta. Vorrei precipitarmi nel palco dove stanno i giurati e baciargli i piedi. Vorrei pavoneggiarmi intorno al tavolo della difesa con aria di sfida trionfale. Vorrei balzare sul banco del giudice e abbracciare Tyrone Kipler.

Invece conservo la compostezza e mi limito a bisbigliare «Congratulazioni» alla mia cliente. Lei non apre bocca. Guardo il banco del giudice, dove vostro onore sta esaminando il verdetto che gli ha consegnato il cancelliere. Guardo i giurati, e quasi tutti mi guardano. A questo punto è impossibile trattenere un sorriso. In silenzio, chino la testa in un cenno di ringraziamento.

Traccio una croce sul blocco e sotto scrivo il nome: Donny Ray Black. Chiudo gli occhi e rievoco l'immagine di lui che preferisco: sulla sedia pieghevole, alla partita di softball, mentre mangia popcorn e sorride per la gioia di essere lì. Un nodo mi stringe la gola e gli occhi mi si riempiono di lacrime. Non doveva morire.

«Il verdetto è regolare» dice Kipler. Regolarissimo, direi. Si rivolge ai giurati, li ringrazia per il dovere compiuto con spirito civico, comunica che i loro modestissimi assegni saranno spediti la settimana prossima, li invita a non parlare del caso con nessuno e li congeda. Seguono le indicazioni dell'usciere del tribunale e per l'ultima volta escono in fila dall'aula. Non li rivedrò mai più. In questo momento, vorrei regalare un milione secco a ognuno di loro.

Kipler si sforza di restare serio. «Discuteremo le istanze post-processuali fra una settimana. Il mio segretario vi spedirà la notifica. C'è altro?»

Scuoto la testa. Cosa potrei pretendere di più?

Restando seduto, Leo dice a voce bassa: «Niente, vostro onore». I suoi sono occupatissimi a stipare le carte nelle borse e i fascicoli nelle scatole. Non vedono l'ora di andarsene. È stato il verdetto più generoso nella storia del Tennessee, e loro saranno bollati per sempre come quelli che hanno preso la legnata. Se non fossi tanto stanco e stordito, forse me la sentirei di andargli incontro per stringergli la mano. Sarebbe un gesto di classe, ma non me la sento. È molto più facile restare seduto a fianco di Dot e fissare il nome di Donny Ray sul blocco.

Non sono diventato ricco. L'appello porterà via un anno, forse due. E il verdetto è così sensazionale che verrà attaccato con ferocia. Quindi avrò il mio da fare.

Ma in questo momento il lavoro mi nausea. Voglio salire a bordo di un aereo e andare in cerca di una spiaggia.

Kipler batte il mazzuolo, e il processo si conclude ufficialmente. Guardo Dot e vedo che piange. Le domando come si sente. Deck ci raggiunge per congratularsi. È pallido ma sorride, e i quattro incisivi luccicano. Concentro l'attenzione su Dot. È una donna forte che piange di rado, ma sta cedendo a poco a poco. Le batto la mano sul braccio e le passo un fazzolettino.

Booker mi stringe la nuca e dice che mi telefonerà la settimana prossima. Cooper Jackson, Hurley e Grunfeld si fermano accanto al tavolo. Sono raggianti e mi coprono di elogi. Ora devono prendere l'aereo, però lunedì ci sentiremo. Il giornalista si avvicina, ma gli faccio segno di stare alla larga. In pratica ignoro tutti: sono preoccupato per la mia cliente. Sta crollando, e i suoi singhiozzi diventano più rumorosi.

Ignoro anche Drummond e i suoi collaboratori che si caricano come muli da soma e se ne vanno in fretta. Non ci scambiamo una parola. Mi piacerebbe essere una mosca sul muro di Tinley Britt, in questo momento.

La stenografa, l'usciere e il cancelliere raccolgono la loro roba ed escono. In aula restiamo soltanto io, Dot e Deck. Ho bisogno di parlare con Kipler, di ringraziarlo per avermi dato coraggio e aver reso possibile tutto questo. Lo farò più tardi. In questo momento tengo la mano di Dot che piange senza riuscire a fermarsi. Deck si siede al nostro fianco e non dice niente. Neanch'io parlo. Ho gli occhi umidi e il cuore pesante. A Dot il denaro non interessa. Vorrebbe riavere il suo ragazzo.

Qualcuno, forse l'usciere, fa scattare un interruttore nel corridoietto vicino alla sala della giuria, e le luci si spengono.

L'aula è semibuia. Nessuno di noi si muove. Il pianto di Dot si smorza. Si asciuga le guance con il fazzolettino e con le dita.

«Mi scusi» dice con voce rauca. Vuole tornare a casa, e quindi decidiamo di andare. Le batto la mano sul braccio mentre Deck raduna il nostro materiale e lo ripone in tre borse.

Usciamo dall'aula buia e ci troviamo nel corridoio di marmo. Sono quasi le cinque di venerdì pomeriggio, e non c'è molto movimento. Non ci sono telecamere né giornalisti né una folla che mi aspetta per catturare qualche parola, qualche immagine dell'avvocato del momento.

A dire la verità, nessuno ci nota.

50

L'ultimo posto dove voglio andare è l'ufficio. Sono troppo stanco e intontito per festeggiare in un bar e per il momento il mio unico compagno è Deck, che è astemio. Due bicchierini mi manderebbero comunque in coma, perciò non mi sento tentato. Dovrebbe esserci una grande festa, ma sono cose difficili da organizzare in anticipo quando c'è di mezzo una giuria.

Domani, forse. Domani avrò certo superato il trauma, e forse avrò una reazione a scoppio ritardato. La realtà riprenderà a dominare. Domani farò festa.

Saluto Deck davanti al tribunale, gli dico che sono stanco morto, e gli prometto che ci vedremo più tardi. Tutti e due siamo ancora sotto shock e abbiamo bisogno di riflettere in solitudine. Arrivo a casa della signora Birdie e come faccio tutti i giorni controllo ogni stanza. È un giorno come un altro. Non è successo niente di speciale. Mi siedo nel suo patio, guardo il mio appartamentino e per la prima volta comincio a spendere. Quanto passerà prima che io possa acquistare o costruire la mia prima, bella casa? Che macchina nuova comprerò? Cerco di scacciare questi pensieri, ma è impossibile. Cosa si può fare con sedici milioni e mezzo di dollari? Non riesco neppure a rendermene conto. So che potrebbero andar male dozzine di cose: il verdetto potrebbe essere annullato e il processo sarebbe da rifare; il verdetto potrebbe essere annullato e basta e io resterei a mani vuote; il risarcimento punitivo potrebbe venire ridotto in modo drastico in appello, o completamente eliminato. So che queste cose orribili possono accadere. Ma per il momento il denaro è mio.

Sogno, e intanto il sole tramonta. L'aria è limpida ma molto fredda. Forse domani comincerò a rendermi conto dell'enormità di ciò che ho fatto. Per ora, mi riscalda il pensiero che la mia anima si è ripulita di molto veleno. Per quasi un anno ho vissuto odiando l'entità misteriosa chiamata Great Eastern Life. Ho covato una rabbia profonda verso quelli che ci lavorano e hanno messo in moto una catena di avvenimenti che ha tolto la vita a una vittima innocente. Spero che Donny Ray riposi in pace. Senza dubbio un angelo gli riferirà quello che è successo oggi.

Sono stati smascherati, è stato provato che avevano torto. Non li odio più.

Kelly taglia con la forchetta una fettina di pizza e l'addenta a piccoli morsi. Le labbra gonfie, le guance e le mascelle la fanno ancora soffrire. Siamo seduti sul suo letto a una piazza, con le spalle contro la parete, le gambe allungate e la scatola della pizza in mezzo a noi. Guardiamo un western di John Wayne sul Sony diciotto pollici posato sulla toeletta, a poca distanza.

Kelly ha sempre addosso la stessa tuta grigia, non porta né calze né scarpe, e vedo una piccola cicatrice sulla caviglia destra che il marito le ha fratturato la scorsa estate. Si è lavata i capelli e li ha raccolti a coda di cavallo. Si è laccata le unghie di rosso chiaro. Si sforza di sembrare felice e di parlare, ma soffre tanto che le è molto difficile essere spiritosa e divertente. Non parliamo molto. Non ho mai subito un pestaggio del genere e mi è difficile immaginare gli shock che può causare. I dolori fisici e il rancore si possono comprendere, l'orrore mentale no. Mi chiedo a che punto lui ha deciso di smettere e di ammirare il suo capolavoro.

Mi sforzo di non pensarci. In ogni caso, non ne abbiamo discusso e non intendo farlo. Cliff non si è fatto sentire da quando ha ricevuto l'istanza di divorzio.

Nel rifugio Kelly ha conosciuto un'altra signora, una donna di mezza età, madre di tre adolescenti, traumatizzata e spaventata al punto che stenta a finire una frase semplicissima. È nella camera accanto. Nella casa regna un silenzio di tomba. Kelly è uscita dalla sua stanza una volta sola, per andare a sedere sotto il portico sul retro e respirare un po' d'aria pura. Ha cercato di leggere, ma è difficile. L'occhio sinistro è ancora chiuso e a volte la vista di quello destro è offuscata. Il dottore ha detto che non ci sono lesioni permanenti.

Ha pianto diverse volte e io ho continuato a prometterle che non ci saranno altri maltrattamenti. Non succederà più, dovessi uccidere quel bastardo con le mie mani. Parlo sul serio. Se le si avvicina, sono capace di fargli saltare le cervella.

Arrestatemi. Incriminatemi. Processatemi. Mettete dodici persone nel palco della giuria. Non ho paura.

Non le parlo del verdetto. Mentre sto accanto a lei in questa cameretta buia e guardo John Wayne che cavalca, ho la sensazione di essere lontano molti giorni e molti chilometri dall'aula del giudice Kipler.

Ed è proprio qui che voglio essere.

Finiamo la pizza e ci rannicchiamo un po' più vicini. Ci teniamo per mano come due bambini. Devo stare attento, però, perché è piena di lividi dalla testa alle ginocchia.

Il film termina e va in onda il telegiornale delle dieci. Adesso sono curioso di sapere se parlano del caso Black. Dopo gli immancabili stupri e omicidi e dopo il primo intervallo pubblicitario, il giornalista in studio annuncia in tono piuttosto solenne: «Oggi c'è stata una decisione storica in un tribunale di Memphis. In una causa civile, la giuria ha accordato una somma da primato, cinquanta milioni di dollari, come risarcimento punitivo contro la società d'assicurazioni Great Eastern Life di Cleveland, Ohio. Il servizio è di Rodney Frate». Non so trattenere un sorriso. Vediamo Rodney Frate che rabbrividisce in diretta davanti al tribunale della contea di Shelby, che naturalmente è deserto da ore. «Sì, Arnie, ho parlato con Pauline MacGregor, cancelliere distrettuale, circa un'ora fa, e mi ha confermato che questo pomeriggio alle quattro una giuria dell'Ottava Divisione, in una causa presieduta dal giudice Tyrone Kipler, ha emesso un verdetto di duecentomila dollari per danni effettivi, e di cinquanta milioni a titolo di risarcimento punitivo. Ho parlato anche col giudice Kipler, ma ha rifiutato di farsi intervistare davanti alla telecamera e ha detto che si trattava di una causa per malafede promossa contro la Great Eastern. Non ha voluto aggiungere altro, se non che crede si tratti del verdetto più ingente mai emesso nel Tennessee. Ho parlato anche con diversi avvocati della città, e nessuno aveva mai sentito parlare di un verdetto simile. Leo F. Drummond, capo del collegio di difesa, non ha fatto commenti. Rudy Baylor, l'avvocato del querelante, è introvabile. Ti restituisco la linea, Arnie.»

Arnie passa subito a un incidente sull'Interstatale 55.

«Hai vinto?» mi chiede Kelly. Non è sbalordita, solo un po' incerta.

«Ho vinto.»

«Cinquanta milioni di dollari?»

«Sì. Ma quei soldi non sono ancora in banca.»

«Rudy!»

Alzo le spalle come se fosse ordinaria amministrazione. «Mi è andata bene» dico.

«Ma hai appena finito di studiare!»

Cosa posso dire? «Non è stato molto difficile. Avevamo una giuria ideale e i fatti erano chiari.»

«Già, già, cose che succedono tutti i giorni.»

«Magari!»

Prende il telecomando e toglie l'audio. Vuole continuare a parlarne. «È inutile che fai il modesto. Non attacca.»

«Hai ragione. In questo momento sono il più grande avvocato del mondo.»

«Così va meglio» replica lei, e si sforza di sorridere. Mi sono quasi abituato al suo viso livido e malconcio. Non fisso più le ferite come ho fatto in macchina nel pomeriggio. Non vedo l'ora che passi una settimana, così tornerà bellissima.

Giuro, sarei capace di ammazzare quel delinquente.

«Qual è la tua parte?» mi chiede.

«Arrivi subito al dunque, eh?»

«Semplice curiosità» risponde con una voce quasi infantile. In spirito siamo amanti, ormai, ed è bello ridacchiare e coccolarsi.

«Un terzo. Ma passerà chissà quanto prima che riesca ad averli.»

Si gira verso di me e i dolori l'assalgono, la fanno gemere. L'aiuto a stendersi bocconi. Si sforza di dominare le lacrime, ed è tesa. Non può dormire sul dorso a causa dei lividi.

Le accarezzo i capelli e le mormoro all'orecchio fino a quando suona il telefono interno. È Betty Norvelle. Il mio tempo è scaduto.

Kelly mi stringe forte la mano mentre le bacio la guancia livida e prometto che tornerò domani. Lei mi supplica di non andare.

Aver ottenuto un verdetto simile alla prima causa porta vantaggi evidenti. L'unico svantaggio che sono riuscito a riconoscere in queste ore è che ormai non può che andarmi peggio. D'ora in avanti ogni cliente si aspetterà che faccia lo stesso miracolo. Ma ci penserò più tardi.

Sono solo nell'ufficio il sabato mattina, in attesa di un giornalista e del suo fotografo quando squilla il telefono. «Sono Cliff Riker» dice una voce rauca, e io premo immediatamente il pulsante del registratore.

«Cosa vuole?»

«Dov'è mia moglie?»

«È una fortuna che non sia all'obitorio.»

«Ti romperò il culo, brutto stronzo!»

«Continua a parlare, vecchio mio. Ho il registratore in funzione.»

Riattacca subito e io fisso il telefono. È un altro, un modello da pochi soldi che lo studio legale Baylor ha comprato in un Kmart. Durante il processo, lo usavamo ogni tanto quando non volevamo che Drummond ascoltasse quello che dicevamo.

Chiamo Butch a casa sua e gli riferisco la conversazione con Riker. Butch sarebbe ben felice di affrontarlo perché ieri, quando gli ha consegnato la citazione, quello lo ha insultato con violenza, affibbiando epiteti ingiuriosi perfino a sua madre. La presenza di due colleghi di Cliff nel parcheggio ha impedito a Butch di conciarlo a dovere. Ieri sera Butch mi ha detto che, se ci fossero state minacce, gli sarebbe piaciuto intervenire. Ha un amico che si chiama Rocky e fa il buttafuori part-time, e insieme formano un duo che incute rispetto, mi ha assicurato. Gli faccio promettere che dovrà soltanto spaventare il ragazzo, senza fargli male. Butch mi spiega che ha intenzione di pescare Cliff da solo, accennare alla telefonata e dirgli che loro due sono le mie guardie del corpo e che se continuerà a minacciare lo metteranno a posto con le brutte. Mi piacerebbe assistere alla scena. Non voglio vivere nella paura.

Per Butch sarà un vero divertimento.

Il giornalista della "Memphis Press" arriva alle undici. Parliamo mentre il fotografo scatta un intero rullino. Vuol sapere tutto della causa e io lo ragguaglio. Ormai sono informazioni di dominio pubblico. Parlo bene di Drummond, benissimo di Kipler, magnificamente della giuria.

Mi promette un ampio servizio nell'edizione domenicale.

Indugio in ufficio, leggo la posta e guardo i pochi messaggi telefonici arrivati nell'ultima settimana. Mi è impossibile lavorare e ricordo che ho pochissimi clienti. Passo metà del tempo rivivendo il processo, l'altra metà sognando il mio avvenire con Kelly. Come potrei essere più fortunato?

Telefono a Max Leuberg e gli racconto i particolari. Una tempesta di neve ha bloccato l'aeroporto O'Hare e non ha potuto venire a Memphis per il processo. Parliamo per un'ora.

Il nostro incontro del sabato sera è molto simile a quello di venerdì. Sono diversi soltanto la cena e il film. Kelly ama la cucina cinese, e io porto un sacco di specialità. Guardiamo un film comico senza ridere molto, e stiamo seduti sul letto ai soliti posti.

Ma non mi annoio. Kelly sta uscendo lentamente dal suo incubo personale. Le ferite a poco a poco guariscono. Le risate sono più facili, i movimenti un po' più sciolti. Ci tocchiamo un po' di più, ma non troppo. Non abbastanza.

Non vede l'ora di liberarsi della tuta. Gliela lavano una volta al giorno, ma non la sopporta più. Vuol tornare carina e vuole i suoi abiti. Parliamo di andare di nascosto nel suo appartamento per portarli via.

Per ora, non parliamo del futuro.

51

Lunedì mattina. Òrmai sono ricco e dormo fino alle nove, mi vesto casual, kaki, mocassini, niente cravatta, e arrivo in ufficio alle dieci. Il mio socio è occupato a riporre i documenti della causa Black e a togliere i tavoli pieghevoli che per mesi hanno ridotto lo spazio. Sorridiamo e ridiamo di tutto. La tensione si è sciolta. Siamo riposati ed è venuto il momento di assaporare il trionfo. Deck corre a prendere il caffè, poi sediamo alla mia scrivania e riviviamo la nostra ora più bella.

Deck ha ritagliato l'articolo della "Memphis Press" di ieri nel caso mi servisse una copia in più. Lo ringrazio. Ne ho dozzine di copie nel mio appartamento, ma non si sa mai. Sono finito sulla prima pagina della sezione dedicata alla cronaca cittadina, con un pezzo lungo e ben scritto sul mio trionfo e una foto che mi mostra alla scrivania. Ieri non sono riuscito a staccare gli occhi dalla mia immagine per tutto il giorno. Il giornale è entrato in trecentomila case. Una pubblicità che vale un tesoro.

È arrivato qualche fax. Un paio di ex compagni di studi si congratulano e chiedono scherzosamente prestiti. Uno molto simpatico di Madeline Skinner della facoltà di legge. E due di Max Leuberg. Il primo è la copia di un breve articolo sul verdetto, apparso su un quotidiano di Chicago. Il secondo è invece un pezzo con la data di ieri, uscito su un giornale di Cleveland. Parla a lungo della causa Black, e riferisce i problemi crescenti della Great Eastern. Almeno sette stati stanno indagando sulla società, incluso l'Ohio. In tutto il paese ci sono detentori di polizze che fanno causa, e si prevede che il numero aumenterà. Si ritiene che il verdetto di Memphis darà l'avvio a una fiumana di processi.

Ah, ah, ah. Ci rallegriamo dei dispiaceri che abbiamo provocato. Ridiamo all'idea di M. Wilfred Keeley che riesamina i bilanci e cerca di trovare altri contanti. Sicuramente quei soldi devono essere da qualche parte!

Il fattorino di un fiorista viene a portare una bellissima composizione, omaggio di Booker Kane e dei suoi colleghi dello studio di Marvin Shankle.

Immaginavo che il telefono squillasse in continuazione, che tanti nuovi clienti mi chiedessero di rappresentarli. Per ora non è successo niente. Deck mi dice che prima delle dieci sono arrivate due telefonate: una era di un tale che aveva sbagliato numero. Ma non mi preoccupo.

Kipler chiama alle undici, e io passo al telefono "pulito" nell'eventualità che Drummond stia ancora intercettando le mie comunicazioni. Ha da raccontarmi una cosetta interessante, nella quale potrei forse essere coinvolto. Prima che lunedì scorso iniziasse il processo avevo detto a Drummond che avrei accettato una transazione per un milione e duecentomila dollari. Drummond non ha voluto saperne e così siamo arrivati in aula. A quanto pare non ha comunicato la proposta al suo cliente, e questi adesso sostiene che sarebbe stato disposto a pagare la somma da me richiesta. Non si può sapere se la società avrebbe accettato per davvero una transazione; ma col senno di poi un milione e duecentomila è molto più accettabile di cinquanta milioni e duecentomila. Comunque adesso la Great Eastern dice che avrebbe accettato l'accordo e afferma che il suo avvocato, il grande Leo F. Drummond, ha commesso un errore gravissimo quando ha omesso o rifiutato di inoltrare la mia richiesta.

Underhall, l'avvocato della società, ha passato l'intera mattina al telefono con Drummond e Kipler. La società è furibonda, umiliata, ferita e ovviamente sta cercando un capro espiatorio. In un primo momento Drummond ha negato tutto, ma Kipler ha tagliato corto. A questo punto entro in scena io. Può darsi che abbiano bisogno di una mia dichiarazione giurata per precisare i fatti come li ricordo. Con piacere, rispondo. La preparo subito.

La Great Eastern ha già revocato il mandato a Drummond e a Tinley Britt, e le cose potrebbero mettersi anche peggio. Underhall ha parlato di una denuncia per negligenza. Le implicazioni sono enormi. Come tutti gli studi legali, Tinley Britt è assicurato contro gli errori professionali: ma ci sono dei limiti. Non si è mai sentito di una polizza da cinquanta milioni di dollari. Un errore da cinquanta milioni di dollari da parte di Leo F. Drummond sarebbe un peso insopportabile per le finanze dello studio.

Non posso trattenere un sorriso. Riattacco e riferisco la conversazione a Deck. L'idea che Tinley Britt venga citato da una società di assicurazioni è molto comica.

Poi arriva una telefonata di Cooper Jackson. Lui e i suoi colleghi hanno presentato questa mattina un'istanza al tribunale federale di Charlotte. Rappresentano più di venti assicurati che sono stati fregati dalla Great Eastern nel 1991, l'anno del famoso piano. Vorrebbe venire nel mio ufficio per esaminare la mia pratica, se non disturba. Quando vuole, rispondo. Venga pure quando vuole.

Io e Deck pranziamo da Moe, un vecchio ristorante del centro vicino ai tribunali, dove vanno spesso avvocati e giudici. Ricevo molte occhiate, una stretta di mano e una pacca sulla schiena da un compagno di studi. Dovrei venire più spesso a mangiare qui.

La spedizione è fissata per questa sera, lunedì, perché il terreno è asciutto e la temperatura intorno ai sette-otto gradi. Le ultime tre partite sono state annullate per il maltempo. Chi può essere tanto matto da giocare a softball d'inverno? Kelly non risponde. È evidente: un matto come quello con cui abbiamo a che fare. Hanno sofferto per due settimane senza partite, senza festeggiamenti a base di birra e senza imprese eroiche da sbandierare. Cliff non si perderebbe l'incontro per niente al mondo.

Comincia alle sette, ma per prudenza passiamo dal campo di softball. I PFX Freight stanno giocando. Riparto in fretta. Non ho mai fatto niente di simile in vita mia e sono molto nervoso. Anzi, siamo spaventati tutti e due. Non parliamo molto. Più ci avviciniamo all'appartamento, più accelero. Ho una calibro 38 sotto il sedile, e intendo tenerla sempre a portata di mano.

Se Riker non ha cambiato le serrature, Kelly calcola che potremo entrare e uscire in meno di dieci minuti. Vuole portar via quasi tutti i vestiti e qualche altro oggetto. Dieci minuti è il massimo, le dico, perché qualche vicino potrebbe accorgersene, e magari chiamare Cliff e, be', chissà cosa potrebbe succedere.

Il pestaggio è avvenuto cinque sere fa, e il dolore si è attenuato. Riesce a camminare senza soffrire. Dice che è abbastanza forte per prendere gli abiti e muoversi in fretta. Dovremo darci da fare tutti e due.

Il complesso è a un quarto d'ora dal campo di softball. Ci sono sei palazzine di tre piani sparse intorno a una piscina e a due campi da tennis. Sessantotto alloggi, annuncia un cartello. Per fortuna l'appartamento di Kelly è al pianterreno. Non posso parcheggiare vicino all'entrata, perciò decido che entreremo, raduneremo quello che vogliamo portar via, poi io fermerò la macchina sull'erba, butterò tutto sul sedile posteriore e ce la batteremo.

Parcheggio la macchina e respiro a fondo.

«Hai paura?» chiede Kelly.

«Sì.» Tendo la mano sotto il sedile e prendo la pistola.

«Sta' tranquillo, lui è a giocare. Non perderebbe l'occasione per niente al mondo.»

«Se lo dici tu. Sbrighiamoci.»

Ci avviciniamo furtivi nel buio senza vedere anima viva. La chiave gira, la porta si apre, entriamo. Una lampada accesa in cucina e una nel corridoio danno luce a sufficienza. Ci sono indumenti sparsi su due sedie in soggiorno. Lattine di birra vuote e sacchetti di corn chip invadono i tavolini e il pavimento. Cliff è un vero sudicione. Kelly si ferma a guardare disgustata e commenta: «Mi dispiace».

«Dai, sbrigati» la incito. Appoggio la pistola su una stretta mensola che separa la cucina da quel porcile. Andiamo in camera da letto e accendo una piccola lampada. Non rifà il letto da giorni. Altre lattine di birra e una scatola della pizza. Un "Playboy". Kelly indica i cassetti di una piccola toilette. «Lì c'è la mia roba» dice. Parliamo sottovoce.

Prendo le federe dei cuscini e comincio a riempirle di biancheria, calze e pigiami. Kelly toglie gli abiti dall'armadio. Porto un carico di abiti e camicie in soggiorno, li appoggio su una sedia, torno in camera da letto. «Non puoi prendere tutto» le dico mentre guardo nell'armadio strapieno. Lei non dice niente, mi passa un altro carico e io lo porto in soggiorno. Lavoriamo in fretta e in silenzio.

Mi sembra di essere un ladro. Ogni movimento fa troppo rumore. Il cuore mi martella nel petto mentre corro avanti e indietro con altri carichi.

«Basta» dico alla fine. Kelly porta una federa piena e io diversi vestiti appesi alle stampelle. La seguo in soggiorno. «Andiamo via» dico. Sono nervosissimo.

Sento un lieve rumore alla porta. Qualcuno cerca di entrare. Restiamo immobili e ci guardiamo in faccia. Kelly avanza di un passo verso la porta che all'improvviso si spalanca, la investe e la scaglia contro il muro. Cliff Riker piomba nella stanza. «Kelly! Sono qui!» urla quando la vede cadere su una sedia. Io gli sto di fronte a meno di tre metri. Si muove fulmineo, e le sole cose che riesco a vedere sono la maglia dei PFX Freight, i suoi occhi rossi e la sua arma preferita. Resto immobile, terrorizzato, mentre lui rotea la mazza d'alluminio mirando alla mia testa. «Figlio di puttana!» urla mentre sferra un colpo terribile. Per quanto mi senta paralizzato, riesco a schivare un millesimo di secondo prima che la mazza mi investa. La sento fischiare nell'aria, sento la sua forza. Il colpo centra una colonnina di legno sul bordo della mensola, la riduce in un milione di pezzi e rovescia una pila di piatti sporchi. Kelly urla. Il colpo doveva fracassarmi il cranio, e quando mi ha mancato Riker ha continuato a roteare su se stesso fino a voltarmi la schiena. Lo carico come un pazzo e lo rovescio sulla sedia piena di stampelle e di abiti. Kelly urla di nuovo dietro di noi. «Prendi la pistola!» le grido.

Cliff Riker è svelto e forte e si rimette in piedi prima che io ritrovi l'equilibrio. «Ti ammazzo!» urla, e sferra un altro colpo. Mi manca ancora una volta perché lo schivo appena in tempo. La seconda mazzata non centra altro che l'aria. «Figlio di puttana» ringhia mentre sta per ricominciare.

Non avrà una terza occasione. Decido in fretta. Prima che

lui possa bilanciare di nuovo la mazza, mi avvento con un gancio destro alla faccia. Lo colpisco alla mascella e lo stordisco il tempo necessario per tirargli un calcio all'inguine. Il mio piede lo centra alla perfezione. Sento l'urto contro i suoi testicoli mentre prorompe in un urlo di dolore. Abbassa la mazza, io l'afferro e gliela strappo dalle mani.

Tiro un colpo violento e lo colpisco sull'orecchio sinistro. Il rumore è quasi nauseante. Le ossa scricchiolano e si spezzano. Cade carponi, con la testa penzolante, poi si volta e mi guarda. Fa per rialzarsi. Il secondo colpo parte dall'altezza del soffitto e si abbatte con la forza di cui sono capace. Lo sferro con tutto l'odio e tutta la paura immaginabili, e gli arriva esattamente sulla sommità della testa.

Sto per colpire ancora, ma Kelly mi trattiene. «Basta, Rudy!»

Mi fermo, la guardo, guardo Cliff. È sul pavimento, disteso bocconi, trema e geme. Lo guardiamo inorriditi mentre pian piano smette di muoversi. Un sussulto, cerca di dire qualcosa. È un suono gutturale, nauseante. Cerca di muovere la testa, perde sangue a fiotti.

«Voglio ammazzare quel bastardo, Kelly» dico ansimando. Ho ancora paura e sono ancora furioso.

«No.»

«Sì. Ci avrebbe uccisi.»

«Dammi la mazza» dice lei.

«Cosa?»

«Dammi la mazza e vattene.»

Mi sbalordisce vederla così calma. Sa esattamente cosa si deve fare.

«Ma... ma...?» cerco di chiederle. Guardo lei, poi Riker.

Mi prende la mazza dalle mani. «Ci sono già passata. Vattene. Va' a nasconderti. Stanotte non sei stato qui. Ti chiamerò più tardi.»

Non posso far altro che restare immobile a guardare l'uomo che sta morendo sul pavimento.

«Ti prego, Rudy, va'» insiste Kelly mentre mi spinge gentilmente verso la porta. «Te l'ho detto, ti chiamerò più tardi.»

«Va bene, va bene.» Entro in cucina, prendo la pistola e torno nel soggiorno. Ci guardiamo, poi i nostri sguardi si posano sul pavimento. Esco. Chiudo la porta senza far rumore e mi guardo intorno per vedere se ci sono vicini ficcanaso. Non vedo nessuno. Esito un attimo. Non sento rumori all'interno dell'appartamento.

Mi assale la nausea. Mi allontano furtivo nell'oscurità, e all'improvviso la mia pelle si copre di sudore.

Passano dieci minuti e arriva la prima macchina della polizia. Poco dopo ne arriva un'altra. Poi un'ambulanza. Sto acquattato a bordo della Volvo in un parcheggio affollato e osservo la scena. Medici e infermieri si precipitano nell'appartamento. Un'altra macchina della polizia. Luci rosse e blu che illuminano la notte e attirano una folla. Passano i minuti, ma non vedo traccia di Cliff. Un infermiere compare sulla soglia e impiega un bel po' di tempo per prendere qualcosa dall'ambulanza. Non ha fretta.

Kelly è là dentro, sola e spaventata, e deve rispondere a centinaia di domande su ciò che è successo. E io sono qui come un vigliacco, rannicchiato dietro il volante, e spero che nessuno mi veda. Perché l'ho lasciata? Devo andare a salvarla? Mi gira la testa, la vista mi si confonde. Il lampeggiare frenetico delle luci rosse e azzurre mi acceca.

Cliff Riker non può essere morto. Forse ridotto male, ma non certo morto.

Devo tornare là dentro, penso.

Lo shock si attenua e mi assale la paura. Voglio che portino fuori Cliff in barella, lo carichino e partano a tutta velocità, lo portino all'ospedale e lo rimettano in sesto. All'improvviso voglio che viva. Finché è vivo posso tenergli testa, anche se è pazzo. Dai, Cliff. Dai. Alzati ed esci.

Non è possibile che io abbia ucciso un uomo.

La folla diventa più numerosa e un poliziotto ordina a tutti di stare indietro.

Perdo il senso del tempo. Arriva il furgone del coroner, e questo desta mormorii eccitati. Cliff non se ne andrà in ambulanza. Finirà all'obitorio.

Socchiudo la portiera e vomito senza far rumore contro la fiancata della macchina accanto. Nessuno mi sente. Mi asciugo la bocca e mi avventuro tra la gente. «Ha finito per ammazzarla» dice qualcuno. I poliziotti entrano ed escono dall'appartamento. Sono a una quindicina di metri di distanza, perduto in un mare di facce. I poliziotti tendono i nastri gialli intorno a quella parte della palazzina. Il flash di una macchina fotografica, all'interno, brilla attraverso le finestre a intervalli di pochi secondi.

Aspettiamo. Devo vederla, ma non posso far nulla. Tra la folla corre un'altra voce, e questa volta è esatta. Lui è morto. Pensano che sia stata lei a ucciderlo. Ascolto attentamente ciò che dicono perché se qualcuno ha visto un estraneo lasciare l'appartamento poco dopo gli urli e le grida, io devo saperlo. Mi aggiro lentamente e ascolto con attenzione. Non sento niente. Indietreggio, mi allontano per qualche secondo e vomito di nuovo dietro i cespugli.

Intorno alla porta c'è un po' di confusione, adesso. Un infermiere esce a ritroso tirando una barella a ruote. Il corpo è in un sacco argentato. Lo spingono lungo il marciapiede fino al furgone del coroner e lo portano via. Dopo qualche minuto esce Kelly, fiancheggiata da due poliziotti. Sembra piccola piccola e spaventata. Per fortuna non ha le manette. È riuscita a cambiarsi e ora indossa un paio di jeans e un giubbotto imbottito.

La fanno salire su una macchina e partono. Torno in fretta alla Volvo e vado alla stazione di polizia.

Informo il sergente all'ingresso che sono un avvocato, che la mia cliente è stata appena arrestata ed esigo di essere presente mentre la interrogano. Lo dico in toni energici e il sergente fa una telefonata a chissà chi. Un altro sergente viene a prendermi e mi accompagna al primo piano dove Kelly è sola in una stanzetta per gli interrogatori. Uno della omicidi che si chiama Smotherton la guarda attraverso un finto specchio. Gli porgo un biglietto da visita. Non mi stringe la mano.

«Voi avvocati vi muovete in fretta, eh?» commenta con totale disprezzo.

«Mi ha telefonato subito dopo aver chiamato il 911. Cosa avete scoperto?»

Stiamo guardando tutti e due Kelly che è seduta all'estremità di un tavolo e si asciuga gli occhi con un fazzoletto.

Smotherton borbotta fra sé mentre decide cosa è disposto a dirmi. «Abbiamo trovato il marito morto sul pavimento del soggiorno. Aveva il cranio spaccato, sembra da una mazza da baseball. La donna non ha detto molto, solo che stavano per divorziare ed era tornata a casa di nascosto per prendere la sua roba. Lui l'ha sorpresa e hanno lottato. Era ubriaco fradicio, e chissà come lei si è impadronita della mazza e il marito adesso è all'obitorio. Si occupava lei del divorzio?»

«Sì. Le farò avere copia degli atti. La settimana scorsa il giudice gli aveva ingiunto di starle alla larga. La picchiava da anni.»

«Abbiamo visto i lividi. Vuole farle qualche domanda, eh?»

«Certamente.» Entriamo insieme nella stanza. Kelly è sorpresa di vedermi, ma riesce a rimanere calma. Ci scambiamo un casto abbraccio avvocato-cliente. Smotherton viene raggiunto da un altro poliziotto in borghese, l'agente Hamlet, che ha con sé un registratore. Non faccio obiezioni. Quando lo accende, prendo l'iniziativa. «Registriamo. Sono Rudy Baylor, avvocato di Kelly Riker. Oggi è lunedì 15 febbraio 1993. Siamo alla centrale della polizia nel centro di Memphis. Sono presente perché ho ricevuto una telefonata dalla mia cliente verso le sette e tre quarti di questa sera. Aveva appena chiamato il 911, e mi ha detto che pensava che il marito fosse morto.»

Faccio segno a Smotherton che può procedere, e lui mi guarda come se volesse strozzarmi. I poliziotti odiano gli avvocati difensori, ma in questo momento non m'importa niente.

Smotherton attacca con una serie di domande su Kelly e Cliff: informazioni di base come date di nascita e di matrimonio, impiego, figli e così via. Kelly risponde con pazienza e un'aria distaccata. Non ha più la faccia gonfia, ma l'occhio sinistro è nero e bluastro. Ha ancora la benda sul sopracciglio. È spaventata da morire.

Descrive i maltrattamenti subiti con una ricchezza di particolari che ci fa rabbrividire tutti e tre. Smotherton manda Hamlet a prendere i verbali dei tre arresti di Cliff per i pestaggi precedenti. Lei parla di altre aggressioni che non sono state denunciate e non hanno lasciato tracce burocratiche. Parla della mazza da softball e della volta che il marito le ha fratturato la caviglia. E quando non voleva spaccarle le ossa, la prendeva a pugni.

Parla dell'ultimo pestaggio e della decisione di lasciarlo, nascondersi e presentare istanza di divorzio. È infinitamente credibile perché è tutto vero. Quelle che mi preoccupano sono le bugie che sta per dire.

«Perché è tornata a casa questa sera?» chiede Smotherton.

«Per prendermi i vestiti. Ero sicura che non l'avrei trovato lì.»

«Dove ha passato gli ultimi giorni?»

«In un rifugio per donne maltrattate.»

«Come si chiama?»

«Preferirei non dirlo.»

«È qui a Memphis?»

«Sì.»

«Com'è arrivata all'appartamento?»

Il mio cuore si ferma per un momento, ma Kelly ci aveva già pensato. «Con la mia macchina» risponde.

«Che macchina è?»

«Una Volkswagen Rabbit.»

«Adesso dov'è?»

«Nel parcheggio davanti all'appartamento.»

«Possiamo dare un'occhiata?»

«Non prima che lo faccia io» intervengo, ricordandomi che sono un avvocato, non un complice.

Smotherton scuote la testa. Se gli sguardi potessero uccidere...

«Com'è entrata?»

«Con la mia chiave.»

«E quando è entrata, cos'ha fatto?»

«Sono andata in camera da letto e ho cominciato a raccogliere la mia roba. Ho riempito tre o quattro federe, e ho portato tutto in soggiorno.»

«Da quanto tempo era lì quando è rientrato il signor Riker?»

«Circa dieci minuti.»

«Poi cos'è successo?»

A questo punto m'intrometto. «Non risponderà se prima non avrò potuto parlare con lei e informarmi sull'accaduto. L'interrogatorio è finito.» Tendo la mano e premo il pulsante rosso dello stop del registratore. Smotherton freme per un minuto mentre riesamina i suoi appunti. Hamlet torna con la stampata e la studiamo insieme. Io e Kelly non ci guardiamo. Ma i nostri piedi si toccano sotto il tavolo.

Smotherton scrive qualcosa su un foglio e me lo passa. «È un omicidio, ma alla procura il caso andrà all'ufficio Maltrattamenti domestici. A occuparsene sarà la signora Morgan Wilson.»

«Ma avete intenzione di denunciare la signora Riker?»

«Non c'è scelta. Non posso certo lasciarla libera.»

«E l'accusa?»

«Omicidio colposo.»

«Può rilasciarla e affidarla alla mia custodia.»

«No, non posso» risponde rabbiosamente Smotherton. «Che razza di avvocato è?»

«Allora la lasci libera sotto la propria responsabilità.»

«Niente da fare» risponde lui, e rivolge ad Hamlet un sorriso di impotenza. «C'è di mezzo un morto. La cauzione dev'essere fissata da un giudice. Lo convinca, e la lasceremo andare. Io non sono che un umile poliziotto.»

«Mi mettete in prigione?» chiede Kelly.

«Non abbiamo scelta, signora» le risponde Smotherton, che di colpo diventa più gentile. «Se il suo avvocato vale qualcosa, le otterrà la libertà su cauzione entro domani. Cioè, se potrà pagarla. Ma non posso rilasciarla di mia iniziativa.»

Prendo la mano di Kelly. «Non preoccuparti. Ti tirerò fuori domani, al più presto possibile.» Lei annuisce in fretta, stringe i denti e cerca di farsi forza.

«Può metterla in una cella singola?» chiedo a Smotherton.

«Non faccia l'idiota. Non sono io quello che dirige il carcere, chiaro? Se vuole, vada a parlare con gli agenti di custodia. A loro piacciono gli avvocati.»

Non provocarmi, amico. Stasera ho già spaccato una testa. Ci scambiamo occhiate d'odio. «Grazie» dico.

«Non c'è di che.» Smotherton e Hamlet scostano le sedie e si avviano alla porta. «Le dò cinque minuti» dice il sergente girando la testa verso di me. Sbattono la porta.

«Non muoverti» sussurro. «Ci spiano dal finto specchio. E

probabilmente ci sono anche microfoni nascosti, quindi attenta a quello che dici.»

Kelly non dice niente.

Continuo a recitare il mio ruolo di avvocato. «Mi dispiace per quello che è successo», dichiaro con aria compunta.

«Cosa significa omicidio colposo?»

«Significa tante cose, ma soprattutto è un omicidio senza l'intento di uccidere.»

«Quanti anni potrebbero darmi?»

«Prima dovrebbero condannarti, ma questo non succederà.»

«Me lo prometti?»

«Prometto. Hai paura?»

Si asciuga gli occhi e riflette a lungo. «Lui ha una famiglia numerosa, e sono tutti della stessa razza. Tutti alcolizzati e violenti. Sono loro a farmi paura.»

Non so cosa rispondere. Fanno paura anche a me.

«Possono costringermi ad andare al funerale?»

«No.»

«Bene.»

Dopo qualche istante vengono a prenderla, e questa volta le mettono le manette. Li seguo con gli occhi mentre la conducono via lungo il corridoio. Si fermano davanti a un ascensore, e Kelly gira la testa per guardarmi. Le faccio un cenno di saluto, poi sparisce.

52

Quando commetti un omicidio, fai venticinque errori. Se riesci a fartene venire in mente dieci, sei un genio. Almeno, questo è quello che ho sentito dire una volta in un film. In realtà non è stato un omicidio; è stata legittima difesa. Ma gli errori cominciano ad accumularsi.

Giro intorno alla scrivania del mio ufficio, coperta da appunti disposti in bell'ordine. Ho tracciato la pianta dell'appartamento, con il cadavere, gli indumenti, la pistola, la mazza, le lattine di birra, tutto ciò che riesco a ricordare. Ho disegnato la posizione della mia macchina, della macchina di Kelly e del furgone di Riker nel parcheggio. Ho scritto pagine e pagine che riassumono ogni fase, ogni avvenimento della serata. Secondo i miei calcoli, sono rimasto nell'appartamento per almeno un quarto d'ora, ma sulla carta sembra un breve romanzo. Quante grida e urla si saranno sentite all'esterno? Non più di quattro, credo. Quanti vicini hanno visto uno sconosciuto andarsene dopo quelle urla? E chi lo sa?

Questo, penso, è stato il primo errore. Non avrei dovuto andarmene subito. Avrei dovuto aspettare dieci minuti o giù di lì per vedere se i vicini avevano sentito qualcosa. Poi avrei dovuto dileguarmi nel buio.

O forse avrei dovuto chiamare la polizia e dire la verità. Io e Kelly avevamo tutti i diritti di entrare nell'appartamento. È chiaro che Riker stava in agguato nelle vicinanze quando avrebbe dovuto trovarsi altrove. E io avevo il diritto di reagire, disarmarlo e colpirlo con la sua mazza. Con i suoi precedenti di violenza, nessuna giuria al mondo mi avrebbe ritenuto colpevole. E l'unica testimone sarebbe stata dalla mia parte senza esitazioni.

Ma allora, perché non sono rimasto? Tanto per cominciare, Kelly mi ha spinto fuori, e comunque sembrava la soluzione migliore. Chi riesce a pensare in modo razionale quando, nel volgere di quindici secondi, da vittima di un'aggressione si trasforma in un omicida?

Il secondo errore è stato rimanere nei pressi della macchina di Kelly. Dopo aver lasciato la stazione di polizia ho attraversato il parcheggio e ho trovato la Volkswagen Rabbit e il furgone di Riker. È una menzogna che reggerà solo se nessuno dirà alla polizia che la macchina di Kelly non si era mossa da giorni.

E se Cliff Riker e un amico avessero messo fuori uso la Rabbit mentre Kelly era nel rifugio, e adesso l'amico saltasse fuori e lo raccontasse alla polizia? La mia immaginazione è scatenata.

L'errore più grave che mi è venuto in mente nelle ultime quattro ore è stato la telefonata che Kelly mi avrebbe fatto dopo aver chiamato il 911. È stata una bugia molto stupida perché non c'è traccia della chiamata. Se la polizia controlla le registrazioni delle telefonate, mi troverò in un brutto guaio.

Altri errori emergono col passare del tempo. Per fortuna molti sono il prodotto della mia mente spaventata, molti si dileguano dopo che li ho analizzati con attenzione e ho scribacchiato abbastanza a lungo sul bloc-notes.

Lascio dormire Deck fino alle cinque, poi lo sveglio. Un'ora dopo arriva in ufficio col caffè. Gli espongo la mia versione dei fatti e la sua prima reazione è magnifica. «Nessuna giuria al mondo la condannerà» dice senza esitare.

«Il processo è una cosa» dico io. «Tirarla fuori di prigione un'altra.»

Mettiamo a punto una strategia. Ho bisogno della documentazione: rapporti sugli arresti, fascicoli del tribunale, cartelle cliniche e una copia della loro prima istanza di divorzio. Deck non vede l'ora di raccogliere il materiale. Alle sette esce per andare a prendere un altro caffè e il giornale.

La notizia è a pagina tre della cronaca: tre capoversi senza la foto del defunto. È successo ieri sera troppo tardi perché potessero fare di più. ARRESTATA PER LA MORTE DEL MARITO è il titolo, ma a Memphis succedono tre casi del genere al mese. Se non l'avessi cercata, non avrei trovato la notizia.

Chiamo Butch e lo faccio resuscitare. È un nottambulo, vive solo dopo tre divorzi e gli piace andare per bar fino all'ora di chiusura. Gli dico che il suo amicone Cliff Riker è morto prematuramente, e questo sembra svegliarlo. Arriva in ufficio poco dopo le otto, e gli chiedo di andare a curiosare nei pressi dell'appartamento per scoprire se qualcuno ha visto o sentito qualcosa. Che guardi se i poliziotti stanno facendo la stessa cosa. Butch mi interrompe. È un investigatore e sa cosa fare.

Poi chiamo Booker in ufficio e gli spiego che una mia cliente che intendeva divorziare ha ucciso ieri sera il marito, ma è una brava ragazza e voglio tirarla fuori di prigione. Ho bisogno del suo aiuto. Il fratello di Marvin Shankle è giudice del tribunale penale, e voglio che la faccia rilasciare senza cauzione o con una cauzione bassissima.

«Sei passato da un verdetto da cinquanta milioni di dollari a un sordido caso di divorzio?» mi prende in giro Booker.

Rido con un certo sforzo. Se sapesse...

Marvin Shankle è fuori città, ma Booker promette di cominciare a fare telefonate. Alle otto e mezzo lascio l'ufficio e corro in centro. Per tutta la notte ho cercato di non pensare a Kelly chiusa in una cella.

Entro nel palazzo di giustizia della contea di Shelby e mi presento subito nell'ufficio di Lonnie Shankle. Vengo a sapere che, come il fratello, il giudice è fuori città e tornerà solo nel tardo pomeriggio. Faccio qualche telefonata e cerco di rintracciare la pratica che riguarda Kelly. È stata una delle tante persone arrestate ieri sera, e sono sicuro che il suo fascicolo è ancora alla stazione di polizia.

Alle nove e mezzo incontro Deck nell'atrio. Ha i rapporti sugli arresti di Riker. Lo mando alla stazione di polizia per rintracciare la pratica di Kelly.

La procura distrettuale della contea di Shelby è al secondo piano. Ci sono più di settanta rappresentanti della pubblica accusa in cinque divisioni. Nella divisione Maltrattamenti domestici sono solo in due, Morgan Wilson e un'altra signora. Per fortuna Morgan Wilson è in ufficio: si tratta solo di arrivarci. Flirto per mezz'ora con l'impiegata e, con mia grande sorpresa, il metodo funziona.

Morgan Wilson è una bella donna sulla quarantina. Ha una stretta di mano energica e un sorriso che dice: "Ho molto da fare. Vedi di sbrigarti". L'ufficio è invaso dalle pratiche, ma ben organizzato. Mi sento stanco solo a guardare tutto quel lavoro da fare. Ci sediamo e all'improvviso lei ricorda.

«L'uomo da cinquanta milioni di dollari?» chiede. Il sorriso è molto diverso.

«Proprio quello» rispondo alzando le spalle. È stato un lavoro come un altro.

«Congratulazioni.» Morgan Wilson è impressionata. Ah, il prezzo della fama. Sospetto che stia facendo quello che fanno tutti gli avvocati: calcola un terzo di cinquanta milioni. Lei guadagna quarantamila dollari l'anno al massimo, e quindi vuol parlare del mio colpo di fortuna. Le faccio un breve riepilogo del processo e di ciò che ho provato quando ho sentito il verdetto. Concludo piuttosto in fretta e le espongo la ragione della mia presenza.

È un'ascoltatrice attenta e prende molti appunti. Le consegno le copie della recente istanza di divorzio, di quella precedente e dei verbali dei tre arresti di Cliff Riker per maltrattamenti alla moglie. Prometto di farle avere prima di sera le cartelle cliniche di Kelly. Descrivo le lesioni causate da un paio dei pestaggi peggiori.

Virtualmente tutti i fascicoli intorno a me riguardano uomini che hanno picchiato le mogli, i figli o le amichette, ed è facile prevedere da che parte si schiererà Morgan. «Povera creatura» mormora, e non parla certo di Cliff.

«Quanto è alta?» mi chiede.

«Uno e sessantacinque, più o meno. E peserà una cinquantina di chili.»

«Come ha fatto a uccidere il marito?» Il tono è di stupore, non d'accusa.

«Era terrorizzata. Il marito era ubriaco. Chissà come, è riuscita a impadronirsi della mazza.»

«Brava!» commenta Morgan Wilson, e mi sento accapponare la pelle. E questa sarebbe l'accusa!

«Vorrei farla uscire» dico.

«Devo esaminare la pratica. Telefonerò all'ufficio competente e dirò che non ho niente da obiettare a una cauzione molto bassa. Dove vive?»

«In un rifugio, una di quelle case clandestine.»

«Le conosco bene. Sono veramente molto utili.»

«Là è al sicuro, ma in questo momento la poveretta è in prigione, ed è ancora tutta piena di lividi dell'ultimo pestaggio.»

Morgan Wilson indica con un cenno le pratiche intorno a noi: «È il mio pane quotidiano».

Ci accordiamo per rivederci domattina alle nove.

Io, Deck e Butch ci troviamo in ufficio per mangiare un sandwich e decidere le nostre prossime mosse. Butch ha bussato a tutti gli appartamenti attorno a quello dei Riker, e ha trovato una sola persona che forse ha sentito una specie di tonfo. È una donna che abita al piano di sopra, e non credo che possa avermi visto uscire. Sospetto che abbia sentito la colonnina andare in pezzi quando Riker ha sferrato il colpo e mi ha mancato. Gli agenti non hanno parlato con lei. Butch è rimasto sul posto per tre ore e non ha visto tracce della polizia. L'appartamento è chiuso a chiave e sigillato, e attira molti curiosi. A un certo punto, due giovani nerboruti che sembravano parenti di Cliff sono stati raggiunti da una camionata di suoi compagni di lavoro. Si sono fermati al di là dei nastri tesi dalla polizia e hanno fissato la porta dell'appartamento bestemmiando e giurando vendetta. Tipi poco raccomandabili, mi dice Butch.

Nel frattempo ha anche scovato un garante per le cauzioni, un suo amico che ci farà un favore e provvederà alla cauzione chiedendo il cinque per cento, anziché il dieci com'è normale. Così risparmierò un po' di soldi.

Deck ha passato gran parte della mattina alla stazione di polizia a cercare i verbali degli arresti di Cliff e la pratica di Kelly. Lui e Smotherton vanno d'accordo, soprattutto perché Deck sbandiera il massimo disprezzo per gli avvocati. Adesso è solo investigatore, non paravvocato. Un dettaglio interessante: Smotherton gli ha riferito che a metà mattina hanno ricevuto minacce di morte contro Kelly.

Decido di andare alla prigione per vedere come sta. Deck

troverà un giudice che fissi la cauzione, e Butch si terrà pronto per far intervenire il garante. Mentre stiamo per uscire, suona il telefono. Deck solleva il ricevitore e me lo passa.

È Peter Corsa, l'avvocato di Jackie Lemancyzk, e chiama da Cleveland. Gli ho parlato per l'ultima volta dopo che lei ha testimoniato, e l'ho ringraziato con fervore. Mi ha detto che anche lui stava per fare causa alla Great Eastern.

Si congratula per il verdetto, dice che ha avuto molto spazio nell'edizione domenicale del giornale di lassù. L'Fbi, con la collaborazione del procuratore generale dell'Ohio e del Dipartimento assicurazioni dello stato, ha fatto un'incursione stamattina nella sede della società e ha cominciato a portar via documenti. A eccezione degli analisti dei computer della contabilità, tutti i dipendenti sono stati mandati a casa con l'ordine di non farsi vedere per due giorni. Secondo una notizia pubblicata di recente dai giornali la PennTron, la società madre, si è resa inadempiente nel pagamento di certe obbligazioni e ha licenziato vagonate di dipendenti.

Non so che dire. Diciotto ore fa ho ucciso un uomo e mi è difficile concentrarmi su cose che non c'entrano. Chiacchieriamo un po'. Lo ringrazio. Promette che mi terrà informato.

Ci vuole un'ora e mezzo per rintracciare Kelly nel labirinto e portarla nella stanza per le visite. Ci sediamo ai lati opposti di un vetro e parliamo per telefono. Mi dice che ho l'aria stanca. Io le dico che ha un aspetto magnifico. È in cella da sola, al sicuro, ma c'è chiasso e non riesce a dormire. Non vede l'ora di uscire. Le spiego che sto facendo il possibile. Le parlo del colloquio con Morgan Wilson e chiarisco come funziona il sistema delle cauzioni. Non accenno alle minacce di morte.

Abbiamo tante cose da dirci, ma non qui.

L'ho appena salutata e sto uscendo dalla stanza quando un agente di custodia in uniforme mi chiama. Mi chiede se sono l'avvocato di Kelly Riker e mi consegna un tabulato. «Qui sono annotate le telefonate che riceviamo. Ne sono arrivate quattro per quella ragazza nelle ultime due ore.»

Non riesco a leggere il tabulato. «Che tipo di chiamate?»

«Minacce di morte da parte di pazzi.»

Il giudice Lonnie Shankle arriva in ufficio alle tre e mezzo e io e Deck lo stiamo aspettando. Ha cento cose da fare, ma Booker ha telefonato e ammorbidito la segretaria, quindi gli ingranaggi sono debitamente lubrificati. Consegno al giudice un fascio di documenti, gli riassumo il caso e concludo chiedendogli di fissare una cauzione molto modesta perché dovrò versarla io. Shankle la fissa a diecimila dollari. Lo ringraziamo e ce ne andiamo.

Mezz'ora dopo siamo alla prigione. So con certezza che Butch ha una pistola nella fondina sotto l'ascella e sospetto che sia armato anche Rick, il garante della cauzione. Siamo pronti a tutto.

Firmo a Rick un assegno per cinquecento dollari e tutti i documenti. Se le accuse contro Kelly non saranno ritirate e non si presenterà in tribunale, Rick dovrà scegliere: sborsare i novemilacinquecento dollari rimanenti oppure trovarla e trascinarla di nuovo in prigione. L'ho convinto che le accuse saranno archiviate.

Ci vuole un'eternità per sbrigare le pratiche, ma finalmente la vediamo venire verso di noi senza manette e con un sorriso. La scortiamo alla mia macchina. Ho chiesto a Butch e Deck di seguirci per qualche isolato, per prudenza.

Parlo a Kelly delle minacce di morte. Sospettiamo che siano i parenti pazzi di Riker e i colleghi di lavoro. Non siamo molto loquaci mentre lasciamo in fretta il centro e ci dirigiamo verso il rifugio. Non voglio parlare dell'altra sera, e neppure lei è disposta a farlo.

Alle cinque del pomeriggio di martedì gli avvocati della Great Eastern presentano richiesta di fallimento alla corte federale di Cleveland. Tutti i beni della società vengono congelati. Peter Corsa telefona in ufficio mentre io sono andato a nascondere Kelly, e chi riceve la notizia è Deck. Quando torno, qualche minuto più tardi, Deck è pallido come un morto.

Restiamo seduti a lungo coi piedi sulla scrivania senza pronunciare una parola. Silenzio assoluto. Niente voci. Niente telefoni. Niente rumori di traffico che salgono dal basso. Avevamo rimandato la discussione della parte che sarebbe toccata a Deck, quindi non sa di precisione quanto ha perso. Ma sappiamo entrambi che, da milionari sulla carta, siamo diventati quasi insolventi. I sogni vertiginosi di ieri sembrano ridicoli, adesso.

C'è un barlume di speranza. La settimana scorsa il bilancio della Great Eastern appariva abbastanza solido da convincere la giuria che avrebbe potuto pagare cinquanta milioni di dollari senza troppe difficoltà. M. Wilfred Keeley stimava che la società avesse cento milioni liquidi. In questo ci dev'essere qualcosa di vero. Ricordo gli avvertimenti di Max Leuberg: non fidarti mai delle cifre di una società di assicurazioni perché seguono regole contabili tutte loro.

Ma senza dubbio da qualche parte, lungo la strada, ci sarà un milione anche per noi.

Per la verità, non ci credo. E non ci crede neppure Deck.

Corsa ha lasciato il numero di casa e alla fine trovo la forza di chiamarlo. Si scusa per la brutta notizia, dice che dalle sue parti la comunità legale e quella finanziaria sono in agitazione. È troppo presto per sapere la verità, ma pare che la PennTron abbia preso parecchie batoste speculando in valute straniere. Ha cominciato a risucchiare le enormi riserve liquide delle società consociate, inclusa la Great Eastern. Poi la situazione è peggiorata e la PennTron ha arraffato i soldi e li ha trasferiti in Europa. La maggior parte delle azioni della PennTron è controllata da un gruppo di pirati americani che operano a Singapore. A sentirlo, sembra che il mondo intero stia congiurando contro di me.

La situazione si va evolvendo rapidamente in un pasticcio colossale che richiederà mesi per chiarirsi: questo pomeriggio il procuratore federale locale è apparso alla televisione e ha promesso numerose incriminazioni. Ma per noi non sarà di nessuna utilità.

Corsa mi richiamerà domattina.

Riferisco tutto a Deck. Ci rendiamo conto che non ci sono speranze. Il denaro è stato arraffato da banditi troppo sofisticati per farsi prendere. Migliaia di assicurati che avevano rivendicazioni sacrosante e sono già stati fregati una volta verranno fregati di nuovo. Anch'io e Deck saremo fregati. E Drummond resterà fregato quando presenterà le sue cospicue parcelle. Lo faccio notare a Deck, ma c'è poco da ridere.

I dipendenti e gli agenti della Great Eastern saranno fregati. Quelli come Jackie Lemancyzk si prenderanno una botta in testa.

Mal comune mezzo gaudio, si dice, ma ho la sensazione di aver perso più della maggior parte degli altri. Il fatto che anche altri soffrano non è un grande conforto.

Penso di nuovo a Donny Ray. Lo vedo seduto sotto l'albero mentre cerca coraggiosamente di mostrarsi forte durante la deposizione. Lui ha pagato il prezzo più alto per le ruberie della Great Eastern.

Ho passato quasi tutti gli ultimi sei mesi lavorando su questo caso, ed è stato tempo sprecato. Il mio studio ha guadagnato in media mille dollari netti al mese da quando abbiamo cominciato, ma eravamo stimolati dal miraggio di trovare il filone d'oro con la causa Black. Le nostre pratiche non renderanno onorari sufficienti per sopravvivere altri due mesi e non intendo andare a caccia di clienti. Deck ha per le mani un interessante incidente automobilistico che non si risolverà se non quando il suo cliente non avrà più bisogno delle cure del medico, probabilmente fra sei mesi. E nel migliore dei casi sarà una transazione da ventimila dollari.

Suona il telefono. Deck risponde e si affretta a riattaccare. «Un tale ha detto che ti ammazzerà» mi annuncia come se fosse una cosa normale.

«Non è la peggiore telefonata di oggi.»

«In questo momento, non mi dispiacerebbe che mi sparassero» commenta.

Vedere Kelly mi solleva lo spirito. Mangiamo di nuovo pietanze cinesi nella sua camera, con la porta chiusa a chiave e la mia pistola su una sedia, sotto la giacca.

Ci sono tante emozioni che aleggiano intorno a noi e si disputano la nostra attenzione, e non è facile parlare. Le dico come stanno andando le cose con la Great Eastern e Kelly è delusa solo perché mi vede così scoraggiato. Per lei il denaro non ha importanza.

A volte ridiamo, a volte siamo sul punto di piangere. È preoccupata per domani e per dopodomani e per ciò che la polizia potrebbe scoprire. È terrorizzata dal clan Riker. Sono tipi che hanno cominciato ad andare a caccia a cinque anni. Sono abituati a sparare. Kelly ha paura di dover tornare in prigione, anche se le prometto che non succederà. Se la polizia e la pubblica accusa l'attaccheranno a testa bassa, mi farò avanti e dirò la verità.

Le parlo dell'altra notte, e lei non lo sopporta. Comincia a piangere e restiamo a lungo in silenzio.

Apro la porta, attraverso il corridoio buio senza far rumore, e finalmente trovo Betty Norvelle che guarda la televisione, sola nel soggiorno. Conosce fino all'ultimo dettaglio quello che è successo l'altra notte. Le spiego che in questo momento Kelly è troppo fragile e sconvolta per restare sola. Devo rimanere con lei. Se sarà necessario dormirò sul pavimento. Nel rifugio gli uomini non possono assolutamente fermarsi per la notte, ma in questo caso Betty fa un'eccezione.

Ci sdraiamo insieme sul letto a una piazza, sopra le lenzuola e le coperte, e ci teniamo abbracciati. La scorsa notte non ho dormito, ho fatto soltanto un sonnellino questo pomeriggio e ho l'impressione di aver dormito meno di dieci ore durante l'ultima settimana. Non posso stringerla a me perché temo di farle male. Mi assopisco.

53

La scomparsa della Great Eastern sarà una notizia sensazionale a Cleveland, ma a Memphis interessa ben poco. Il giornale di mercoledì non ne parla. C'è un trafiletto su Cliff Riker: l'autopsia ha rivelato che è morto per i colpi alla testa sferrati con un corpo contundente. La vedova è stata arrestata e rilasciata. Il funerale si svolgerà domani nella cittadina dalla quale era fuggito con Kelly.

Mentre io e Deck diamo un'occhiata al giornale, arriva un fax da Peter Corsa. È la copia di un lungo articolo apparso in prima pagina sul giornale di Cleveland e parla degli ultimi sviluppi dello scandalo PennTron. Almeno due gran giurì sono entrati in azione. Vengono intentate cause legali contro la società e le sue consociate, in particolare la Great Eastern che, con la sua richiesta di fallimento, occupa un bel servizio tutto suo. Gli avvocati sono in agitazione.

M. Wilfred Keeley è stato fermato ieri sera all'aeroporto Kennedy mentre attendeva di imbarcarsi su un volo diretto a Heathrow. La moglie era con lui e tutti e due hanno dichiarato che avevano intenzione di partire per una breve vacanza. Tuttavia non sono stati in grado di dare il nome di un albergo europeo dove avessero fatto una prenotazione.

Appare chiaro che le società sono state saccheggiate negli ultimi due mesi. All'inizio i liquidi sono stati usati per coprire gli investimenti sbagliati, ma poi sono stati tenuti da parte e trasferiti in vari paradisi fiscali. Comunque, non ci sono più.

La prima telefonata della giornata arriva da Leo Drummond. Mi parla della Great Eastern come se non sapessi nulla.

Chiacchieriamo un po', ed è difficile dire chi è più depresso. Nessuno dei due sarà pagato per la guerra che abbiamo appena finito di combattere. Non accenna alla controversia con l'ex cliente per la mia proposta di transazione, e a questo punto la faccenda è chiusa. L'ex cliente non è in grado di mandare avanti una causa per negligenza. È riuscito a eludere il verdetto per il caso Black, quindi non può sostenere di aver subìto danni in seguito al comportamento di Drummond. Tinley Britt ha schivato un gran brutto colpo.

La seconda telefonata è di Roger Rice, il nuovo avvocato della signora Birdie. Mi fa le congratulazioni per il verdetto. Se sapesse! Dice che ha pensato a me da quando ha visto la mia foto sull'edizione domenicale del giornale. La signora Birdie vorrebbe cambiare ancora una volta il testamento e in Florida ne hanno abbastanza di lei. Delbert e Randolph sono finalmente riusciti a ottenere la sua firma su un documento che hanno presentato agli avvocati di Atlanta chiedendo di conoscere in ogni dettaglio l'entità del patrimonio della madre. Gli avvocati hanno fatto muro. I due fratelli hanno assediato Atlanta per due giorni. Uno degli avvocati ha chiamato Roger Rice ed è saltata fuori la verità. Delbert e Randolph hanno chiesto all'avvocato, a muso duro, se la loro madre aveva venti milioni di dollari. L'avvocato non ha potuto trattenere una risata e i figli ci sono rimasti malissimo. Alla fine sono arrivati alla conclusione che la signora Birdie si divertiva alle loro spalle e sono tornati in Florida.

Lunedì sera sul tardi la signora Birdie ha chiamato Roger Rice a casa e gli ha comunicato che stava per rientrare a Memphis, ha detto che aveva cercato di contattarmi ma io sembravo molto occupato. Rice le ha parlato del processo e del verdetto da cinquanta milioni di dollari, e sembra che la cosa l'abbia emozionata moltissimo. «Che bella cosa» ha detto. «Niente male per un aiuto giardiniere.» Pareva molto eccitata all'idea che adesso sono diventato ricco.

Comunque, Rice mi avverte che la signora Birdie può arrivare da un momento all'altro. Lo ringrazio.

Morgan Wilson ha esaminato con scrupolo la pratica Riker e non ha nessuna intenzione di chiedere l'incriminazione di

Kelly. Però il suo superiore, Al Vance, è ancora indeciso. Andiamo da lui.

Vance è stato eletto procuratore distrettuale molti anni fa, e riesce sempre a farsi rieleggere senza problemi. È sulla cinquantina, e un tempo aspirava seriamente alla carriera politica. L'occasione buona non si è mai presentata, e lui si accontenta della sua carica. Ha una qualità molto rara nei rappresentanti della pubblica accusa: non ama le telecamere.

Si congratula con me per il verdetto. Faccio il modesto e non voglio parlarne, per ragioni che al momento preferisco tenere per me. Sospetto che entro ventiquattr'ore le notizie sulla Great Eastern arriveranno anche a Memphis, e l'ammirazione che mi circonda si dileguerà subito.

«Sono matti» commenta, buttando il fascicolo sulla scrivania. «Continuano a telefonare. Questa mattina hanno chiamato due volte. La mia segretaria ha parlato col padre e con uno dei fratelli di Riker.»

«Cosa vogliono?» chiedo.

«La morte per la sua cliente. Niente processo: vogliono mandarla sulla sedia elettrica oggi stesso. È uscita di prigione?»

«Sì.»

«Si nasconde?»

«Sì.»

«Bene. Sono così maledettamente stupidi da minacciarla. Non sanno che la legge lo vieta. Non sono normali.»

Siamo d'accordo tutti e tre: i Riker sono molto ignoranti e molto pericolosi.

«Morgan non ha intenzione di incriminarla» continua Vance. Morgan Wilson annuisce.

«È molto semplice, signor Vance» dico. «Può sottoporre il caso al gran giurì, e se ha fortuna ottenere il rinvio a giudizio. Ma se si arriva al processo, lei perderà. Agiterò quella maledetta mazza di alluminio davanti alla giuria, e chiamerò una dozzina di esperti di maltrattamenti domestici. Trasformerò Kelly Riker in un simbolo, e voi dell'accusa farete una pessima figura se cercherete di ottenere un verdetto di colpevolezza. Non avrete un solo voto su dodici giurati.»

E continuo: «Non m'interessa cosa farà la famiglia di Cliff Riker. Ma se riusciranno a intimidirvi e a indurvi a chiedere il rinvio a giudizio, ve ne pentirete. Quelli vi odieranno ancora di più quando i giurati assolveranno la mia cliente».

«Ha ragione, Al» commenta Morgan Wilson. «Sarebbe assolutamente impossibile ottenere un verdetto di colpevolezza.»

Al era già disposto a gettare la spugna prima ancora che ci presentassimo davanti a lui, ma aveva bisogno di sentirlo dire da me e da Morgan Wilson. Acconsente ad archiviare tutte le accuse. La signora Wilson promette che più tardi mi faxerà la conferma ufficiale.

Li ringrazio e me ne vado in fretta. Il mio stato d'animo cambia. Sono solo nell'ascensore e non so trattenermi dal rivolgere un gran sorriso alla mia immagine riflessa nell'ottone lucido della pulsantiera. Tutte le accuse saranno archiviate! Per sempre!

Attraverso quasi correndo il parcheggio per raggiungere la mia macchina.

Il proiettile è stato sparato dalla strada, ha trapassato la finestra dell'ufficio d'ingresso lasciando un foro di poco più di un centimetro, e ne ha lasciato un altro nella parete dove si è incassato profondamente. Deck era in quell'ufficio quando ha sentito lo sparo. Il proiettile l'ha mancato di tre metri, ma per lui era anche troppo vicino. Non si è precipitato alla finestra: ha cercato riparo sotto il tavolo e ha atteso per qualche minuto.

Poi ha chiuso a chiave la porta ed è rimasto ad aspettare che qualcuno andasse a vedere. Non è comparso nessuno. È successo verso le dieci e mezzo, mentre ero da Al Vance. A quanto pare nessuno ha visto lo sparatore. Se qualcun altro ha sentito lo sparo, non lo sapremo mai. In questa zona della città non è raro sentir fischiare i proiettili.

La prima telefonata di Deck è stata per Butch, che stava dormendo. Venti minuti dopo Butch era in ufficio, armato fino ai denti, e cercava di calmarlo.

Quando arrivo io stanno esaminando il foro nel muro, e Deck mi racconta l'accaduto. Sono sicuro che rabbrividisce e sussulta anche quando dorme, e adesso è scosso da tremiti violenti. Ci dice che è tutto ok, ma ha la voce acuta. Butch promette che si piazzerà sotto la finestra e li coglierà sul fatto se dovessero tornare. In macchina ha due doppiette e un fucile d'assalto AK-47. Dio aiuti i Riker se hanno intenzione di passare di nuovo in macchina per sparare contro lo studio.

Non riesco a parlare con Booker. È fuori città con Marvin Shankle per certe deposizioni, quindi gli scrivo un biglietto e prometto di cercarlo più tardi.

Io e Deck optiamo per un pranzo molto intimo, lontano dalle folle degli ammiratori e dai proiettili. Compriamo qualche sandwich in un delicatessen e mangiamo nella cucina della signora Birdie. Butch è parcheggiato nel viale dietro la mia Volvo. Soffrirà molto se non avrà l'occasione di sparare con l'AK-47.

Gli addetti alle pulizie sono venuti ieri, quindi la casa è rinfrescata e per il momento non puzza di muffa. È pronta per riaccogliere la signora Birdie.

Concludiamo un accordo semplice e indolore. Deck si prende le pratiche che vuole e io duemila dollari, entro novanta giorni. Se proprio dovrà farlo, si assocerà ad altri avvocati. E distribuirà ad altri le mie pratiche aperte che non gli interessano. I recuperi crediti della Ruffin's verranno rispediti a Booker. Non gli farà piacere, ma gli passerà.

È facile dividere le pratiche, ed è triste vedere quanto pochi sono i clienti che abbiamo rimediato in sei mesi.

Lo studio ha tremilaquattrocento dollari in banca e diversi conti in sospeso.

Ci accordiamo sui particolari mentre mangiamo. L'aspetto burocratico della separazione è facile, quello personale no. Deck non ha futuro. Non può superare l'esame d'ammissione all'ordine e non sa dove andare. Passerà qualche settimana sistemando le mie pratiche, ma non può agire senza un Bruiser o un Rudy che gli servano da facciata. Lo sappiamo tutti e due, ma non ne parliamo.

Mi confida di essere al verde. «Gioco d'azzardo?» gli chiedo.

«Sì. Nei casinò. Non riesco a star lontano.» Adesso è calmo, quasi sereno. Dà un morso a un sottaceto e lo sgranocchia rumorosamente.

Quando abbiamo aperto lo studio, l'estate scorsa, avevamo appena diviso a metà il frutto della transazione Van Landel. Avevamo cinquemilacinquecento dollari ciascuno, e ognuno ne ha investiti duemila. Sono stato costretto più volte ad attingere ai miei risparmi, ma in banca ho duemilaottocento dollari risparmiati vivendo in modo frugale e versando sul conto tutto il denaro che potevo. Anche Deck non spende. Però sperpera i soldi ai tavoli di blackjack.

«Ieri sera ho parlato con Bruiser» dice. La cosa non mi sorprende.

«Dov'è?»

«Alle Bahamas.»

«Prince è con lui?»

«Sì.»

È una bella notizia, e mi fa piacere. Sono sicuro che Deck lo sa da diverso tempo.

«E così ce l'hanno fatta» commento mentre guardo dalla finestra e cerco di immaginare quei due in cappello di paglia e occhiali da sole. Qui vivevano al buio.

«Sì, e non so come abbiano fatto. Certe cose non si chiedono.» Deck ha un'espressione vacua. È assorto nei suoi pensieri. «I soldi sono ancora qui, sai?»

«Quanto?»

«Quattro milioni liquidi. È la cresta che hanno fatto a sei club.»

«Quattro milioni?»

«Già. In un unico posto. Chiusi nella cantina di un magazzino. Proprio qui a Memphis.»

«E quanto ti hanno offerto?»

«Il dieci per cento. Se riesco a far arrivare la somma a Miami, Bruiser dice che al resto penserà lui.»

«Non farlo, Deck.»

«Non ci sono rischi.»

«Potrebbero prenderti e sbatterti in galera.»

«Ne dubito. I federali hanno lasciato perdere, non immaginano dove possono essere i soldi. Tutti pensano che Bruiser abbia portato via quanto gli bastava e non abbia più bisogno d'altro.»

«E invece ne ha bisogno?»

«Non lo so. Ma li vuole.»

«Non farlo, Deck.»

«Ma è uno scherzo. Il denaro si può caricare su un furgoncino preso a noleggio. Bruiser dice che ci vorranno al massimo due ore per sistemarlo. Non devo far altro che arrivare a Miami e aspettare gli ordini. Ci metterò due giorni e diventerò ricco.»

La sua voce ha un tono sognante. Non ho dubbi: Deck ci proverà. Lui e Bruiser devono essersi messi d'accordo tempo fa. Ma è inutile che parli. Non mi ascolta.

Lasciamo la casa della signora Birdie e andiamo nel mio appartamento. Deck mi aiuta a caricare in macchina un po' di vestiti. Riempio il portabagagli e metà del sedile posteriore. Non tornerò in ufficio, quindi ci salutiamo in garage.

«Non ti dò torto se te ne vai» mi dice.

«Sii prudente, Deck.»

Ci abbracciamo goffamente, e mi sento un nodo in gola.

«Sei passato alla storia, Rudy, lo sai?»

«Ce l'abbiamo fatta insieme.»

«Sì, ma qual è il risultato?»

«Possiamo sempre vantarci.»

Ci scambiamo una stretta di mano. Deck ha gli occhi umidi. Lo seguo con gli occhi mentre si avvia sul viale strascicando i piedi e sale in macchina con Butch. Poi se ne vanno.

Scrivo una lunga lettera alla signora Birdie promettendole che le telefonerò. La lascio sul tavolo della cucina perché sono certo che tornerà presto. Controllo ancora una volta la casa e dico addio al mio appartamento.

Vado a una filiale della banca e chiudo il conto. Un mucchietto di duemilaottocento dollari in biglietti da cento dà una sensazione piacevole. Lo nascondo sotto il tappetino.

È quasi buio quando busso alla porta dei Black. Dot apre e accenna un sorriso quando vede che sono io.

In casa regnano il buio e il silenzio. C'è ancora un'atmosfera di lutto. Credo che non cambierà mai più. Buddy è a letto con l'influenza.

Mentre bevo il caffè solubile, annuncio con delicatezza a Dot che la Great Eastern ha tirato le cuoia e che lei è stata fregata ancora una volta. Se non succederà un miracolo molto improbabile, non vedremo un soldo. La sua reazione non mi meraviglia.

La morte della Great Eastern è causata da diverse, complesse ragioni, ma per Dot è importante credere che è stata lei a premere il grilletto. Le brillano gli occhi e ha un'espressione soddisfatta. Li ha mandati a picco. Una piccola donna di Memphis, Tennessee, ha fatto fallire quei figli di puttana.

Domani andrà alla tomba di Donny Ray e glielo dirà.

Kelly mi aspetta ansiosa nel soggiorno in compagnia di Betty Norvelle. Tiene stretta una borsa di pelle che le ho comprato ieri e che contiene oggetti da toilette e qualche indumento regalato dalle donne del rifugio. Lì dentro c'è tutto ciò che possiede.

Firmiamo quello che c'è da firmare e ringraziamo Betty. Ci avviamo a passo svelto verso la macchina, tenendoci per mano. Tiriamo un respiro profondo quando siamo a bordo e partiamo.

Ho piazzato la pistola sotto il sedile, ma ho smesso di preoccuparmi.

«Da che parte andiamo, tesoro?» chiedo quando arriviamo al raccordo anulare che circonda la città. E ridiamo perché è meraviglioso. Non importa dove andiamo!

«Mi piacerebbe vedere le montagne» risponde.

«Anche a me. A est o a ovest?»

«Montagne grandi.»

«Allora a ovest.»

«Voglio vedere la neve.»

«Credo che la troveremo.»

Si raggomitola più vicina a me e mi appoggia la testa sulla spalla. Le accarezzo le gambe.

Attraversiamo il fiume ed entriamo nell'Arkansas. Memphis svanisce dietro di noi. È sorprendente, ma non abbiamo pianificato quello che stiamo facendo. Fino a questa mattina non sapevamo che Kelly avrebbe potuto lasciare la contea. Ma le accuse sono state ritirate e ho una lettera del procuratore generale dello stato che lo conferma. La cauzione è stata revocata questo pomeriggio alle tre.

Ci sistemeremo in un posto dove nessuno potrà trovarci. Non ho paura che ci seguano, ma voglio essere lasciato in pace. Non voglio più sentir parlare di Bruiser e Deck. Non voglio sapere niente dei guai della Great Eastern. Non voglio che la signora Birdie mi chiami per chiedere consigli legali. Non voglio preoccuparmi per la morte di Cliff e tutto quello che ne consegue. Io e Kelly ne parleremo, un giorno, ma non molto presto.

Sceglieremo una piccola città universitaria perché Kelly vuole riprendere gli studi. Ha solo vent'anni. Anch'io sono ancora un ragazzo. Ci lasciamo alle spalle un bagaglio pesante ed è ora che ci divertiamo un po'. Mi piacerebbe insegnare storia alle superiori. Non dovrebbe essere difficile. Dopotutto, ho fatto sette anni di college.

Non voglio più avere a che fare con la legge. Lascerò scadere la mia abilitazione a praticare la professione. Non mi farò registrare come elettore così non potranno chiamarmi per fare parte di una giuria. Non metterò più piede volontariamente in un tribunale.

Sorridiamo e ridiamo mentre intorno a noi si apre la pianura e il traffico diventa meno intenso. Memphis è a trenta chilometri alle nostre spalle. Giuro che non ci tornerò mai più.

Ringraziamenti

Nello scrivere questo libro, ho potuto contare sull'aiuto costante di Will Denton, valente penalista di Gulfport, Mississippi. Per venticinque anni Will ha assiduamente combattuto in difesa dei diritti dei consumatori e della povera gente. Le sue vittorie in tribunale sono leggendarie, e quando ancora facevo l'avvocato desideravo essere come lui. Mi ha lasciato guardare nelle sue vecchie pratiche, ha risposto alle mie innumerevoli domande, si è perfino letto le bozze.

Jimmie Harvey è un amico e un grande medico di Birmingham, Alabama. Jimmie mi ha sapientemente guidato nel labirinto impenetrabile delle procedure mediche. Certe parti di questo libro sono accurate e leggibili solo per merito suo.

Grazie.

OSCAR BESTSELLERS

Follett, Il Codice Rebecca
Bevilacqua, La califfa
Follett, L'uomo di Pietroburgo
Ludlum, Il treno di Salonicco
Cruz Smith, Gorky Park
Krantz, La figlia di Mistral
Forsyth, Il giorno dello sciacallo
Follett, Triplo
Follett, La cruna dell'Ago
Tacconi, La verità perduta
Fruttero & Lucentini, Il palio delle contrade morte
Follett, Sulle ali delle aquile
Krantz, Princess Daisy
Forsyth, Il Quarto Protocollo
De Crescenzo, Così parlò Bellavista
Forsyth, L'alternativa del diavolo
Robbins H., Ricordi di un altro giorno
Forsyth, Dossier Odessa
Robbins H., I mercanti di sogni
Lapierre - Collins, Il quinto cavaliere
Forsyth, I mastini della guerra
Freeman, Illusioni d'amore
Bevilacqua, Il Curioso delle donne
Fruttero & Lucentini, A che punto è la notte
Lapierre - Collins, "Parigi brucia?"
Puzo, Il padrino
Lapierre - Collins, Gerusalemme! Gerusalemme!
Tacconi, Lo schiavo Hanis
De Crescenzo, Storia della filosofia greca. I presocratici
Le Carré, La spia che venne dal freddo
De Crescenzo, Storia della filosofia greca. Da Socrate in poi
Higgins, La notte dell'Aquila
Lapierre - Collins, Alle cinque della sera
Bevilacqua, La Donna delle Meraviglie
Krantz, Conquisterò Manhattan
Conroy, Gli intoccabili
Fruttero & Lucentini, L'amante senza fissa dimora

Saviane, Getsèmani

Dolto, Adolescenza

Campanaro, Il caso Billie Holiday

Pinna, Cinque ipotesi sulla fine del mondo

Weis - Hickman, La stella degli elfi

Dolto, Quando i genitori si separano

Angela - Pinna, Oceano. Il gigante addormentato

Williams M., La leggenda di Weasel

Chang, Le donne e il Tao dell'amore

Buscaglia, La coppia amorosa

Pasini, Intimità

Schelotto, Strano, stranissimo, anzi normale

Parsi, I quaderni delle bambine

Buscaglia, Amore

Dolto, Come allevare un bambino felice

Allegri, Padre Pio

Asimov, Destinazione cervello

Asimov, Cronache della Galassia

Asimov, Il tiranno dei mondi

Silvestri, Caporetto

Mandruzzato, Il piacere del latino

Cartier, La seconda guerra mondiale

Gerrold, L'anno del massacro

Asimov, Tutti i racconti (vol. I, parte I)

Weis - Hickman, I draghi del crepuscolo d'autunno

Heinlein, Fanteria dello spazio

Asimov, Il sole nudo

Asimov, L'orlo della Fondazione

Asimov, Lucky Starr e gli anelli di Saturno

Spinosa, Edda. Una tragedia italiana

Petacco, Dear Benito, Caro Winston

Gibson, Monna Lisa Cyberpunk

Farmer, Il grande disegno

Guerri, Gli italiani sotto la Chiesa

Coscarelli, L'eredità

Sherwood, Vindication

Sgarbi, Onorevoli fantasmi

Bocca, La Repubblica di Mussolini

MacBride Allen, L'Anello di Caronte

Curcio - Scialoja, A viso aperto

Toso, Il colore del mattino

Brooks, I talismani di Shannara

Greer, La seconda metà della vita

D'Orta, Romeo e Giulietta si fidanzarono dal basso

Utley, Toro Seduto

AA.VV., Aforismi su denaro, ricchezza e povertà

Rocca, Avanti, Savoia!

Ellroy, White Jazz

Durrani, Schiava di mio marito

Cornwell, Postmortem

Asimov, La fine dell'eternità
Grisham, Il cliente
Vacca, Il medioevo prossimo venturo
Asimov, Tutti i racconti (vol. I, parte II)
Salk, Kingdoms
Salvi, 101 Buddhanate Zen
Le Carré, Una piccola città in Germania
Pilcher, La camera azzurra e altri racconti
Regan, Il Guinness dei fiaschi militari
Resca - Stefanato, Scoppia il maiale, ferito un contadino
Chang, Il Tao dell'amore
Abrescia, Enciclopedia di Dylan Dog
Sterling, Cronache del basso futuro
Turow, Ammissione di colpa
Asimov, Il meglio di Asimov
Sclavi, Tutti i misteri di Dylan Dog
Ravera, In quale nascondiglio del cuore
Blatty, Gemini Killer
Cruz Smith, Red Square
Sclavi, Tutti gli incubi di Dylan Dog
Ballestra, Compleanno dell'iguana
Weis - Hickman, I draghi dell'alba di primavera
Gibson, La notte che bruciammo Chrome
Campbell, Il racconto del mito
Pellegrino, Diario di uno stupratore
Blatty, L'esorcista
Sgorlon, Il trono di legno
Cervari, L'Immortale
Pasini, Volersi bene, volersi male
AA.VV., Vita di padre Pio attraverso le lettere
Asimov, Preludio alla Fondazione
Zavoli, La notte della Repubblica
Castellaneta, Navigli
Fogle, 101 domande che il vostro cane vorrebbe fare al suo veterinario
De Crescenzo, Raffaele
Cillario, Parola di Benito
Messori, Opus Dei
Asimov, Il paria dei cieli
Asimov, Il crollo della Galassia centrale
Asimov, Fondazione e Terra
Asimov, I robot dell'alba
Asimov, Abissi d'acciaio
Asimov, Il club dei Vedovi Neri
Storr, Solitudine
Mack Smith, Le guerre del Duce
Pasini, La qualità dei sentimenti
McBain, Mary Mary
Moggach, La controfigura
Togawa, Un bacio di fuoco
Forattini, Bossic Instinct

Salvalaggio, Il campiello sommerso

Drummond, Prigionieri d'amore

Anderson, La Pattuglia del Tempo

Gibson - Sterling, La macchina della realtà

Todisco, Rimedi per il mal d'amore

Farmer, Il labirinto magico

Filo Della Torre, Elisabetta II

Carmichael, Attrazione selvaggia

Angela, La straordinaria storia della vita sulla Terra

AA.VV., Stupidario giuridico

Iacchetti, Il pensiero bonsai

Baschera, Io ti guarirò

Petacco, La regina del Sud

Roe, Pratiche pericolose

Nizzi, Nick Raider. Squadra Omicidi

Wood, Vergini del Paradiso

Gibson, Giù nel Ciberspazio

Dolto, Il desiderio femminile

Willi, Che cosa tiene insieme le coppie

Hayslip - Wurts, Quando cielo e terra cambiarono posto

Vespa, Telecamera con vista

Angela, La straordinaria storia dell'uomo

Petacco, La principessa del Nord

Dé, Notti stellate

Tacconi, Il pittore del Faraone

Forattini, Il mascalzone

Bazzocchi, Incredibile ma vero...

Brooks, Il ciclo di Shannara

Venè, Mille lire al mese

Monduzzi, Manuale per difendersi dalla mamma

Asimov, Azazel

Mafai, Pane nero

Asimov, Lucky Starr e gli oceani di Venere

Asimov, Il libro di biologia

Asimov, Lucky Starr e il grande sole di Mercurio

Gìes, Si chiamava Anna Frank

Mosse, Intervista sul nazismo

Bonelli - Galleppini, Tex l'implacabile

Asimov, I robot e l'Impero

Tremonti, La riforma fiscale

Grisendi, Giù le mani, maschio

AA.VV., Gli aforismi del cinico

Rea, Ninfa plebea

Pasini, Il cibo e l'amore

Forsyth, Il pugno di Dio

Follett, Una fortuna pericolosa

Nolitta - Ferri, Zagor contro il Vampiro

Masini, Le battaglie che cambiarono il mondo

Pilcher, Le bianche dune della Cornovaglia

Norman, Stelle infrante

Castelli - Sclavi, Dylan Dog & Martin Mystère

Asimov, Il libro di fisica

Irving, Göring, il maresciallo del Reich

Weis - Hickman, La guerra dei gemelli

Pensotti, Rachele e Benito

Gerosa, Carlo V, un sovrano per due mondi

Sclavi, Tutti i mostri di Dylan Dog

Asimov, Le correnti dello spazio

Asimov, Neanche gli Dèi

Asimov, L'altra faccia della spirale

Buscaglia, Nati per amare

Ka-Tzetnik 135633, La casa delle bambole

Loy, Sogni d'inverno

Zecchi, Sillabario del nuovo millennio

Grisham, L'appello

AA.VV., Storie fantastiche di spade e magia (vol. I)

Castellaneta, Le donne di una vita

Resca - Stefanato, Il ritorno del maiale

Davis, Philadelphia

Sgorlon, Il regno dell'uomo

McBain, Kiss

Asimov, Tutti i racconti (vol. II, parte I)

Asimov, Tutti i racconti (vol. II, parte II)

Rendell, La morte non sa leggere

Benford, Il grande fiume del cielo

Farmer, Gli dei del fiume

Manfredi, Le paludi di Hesperia

Di Stefano, Stupidario medico

Collins L., Aquile nere

Daniele, Chi è felice non si ammala

August - Hamsher, Assassini nati. Natural Born Killers

Sgorlon, La fontana di Lorena

Ottone, Il tramonto della nostra civiltà

AA.VV., Storie fantastiche di spade e magia (vol. II)

Giacobini, La signora della città

Vespa, Il cambio

Ross, La camera chiusa

Petacco, La Signora della Vandea

Schelotto, Una fame da morire

Sgarbi, Le mani nei capelli

Disegni, Esercizi di stile

Sgorlon, L'armata dei fiumi perduti

Asimov, Lucky Starr, il vagabondo dello spazio

Fischer, Più importante dell'amore

Toscano, Morte di una strega

Fromm, L'arte di amare

García Márquez, Dell'amore e di altri demoni

Buscaglia, La via del toro

Salvalaggio, Vangelo veneziano

Cardella, Una ragazza normale

Olivieri, Villa Liberty

Thompson, L'angelo bruciato

Katzenbach, La giusta causa
Castellaneta, Progetti di allegria
Olivieri, Maledetto ferragosto
Villaggio, Fantozzi saluta e se ne va
Rendell, I giorni di Asta Westerby
Allegri, I miracoli di Padre Pio
Quilici, I Mari del Sud
Brooks, La sfida di Landover
Brooks, La scatola magica di Landover
Bocca, Il sottosopra
Follett, I pilastri della terra
Buscaglia, Vivere, amare, capirsi
Spaak, Un cuore perso
Giussani, I mille volti di Diabolik
Sgorlon, Il costruttore
Le Carré, Il direttore di notte
Sclavi, Tutte le donne di Dylan Dog
Medda, Serra & Vigna, Nathan Never. Memorie dal futuro
Lapierre, La città della gioia
AA.VV., Fantasex
García Márquez, Taccuino di cinque anni 1980-1984
Høeg, Il senso di Smilla per la neve
Donaldson, Lo specchio dei sogni
Borsa, Capitani di sventura
Bonelli - Galleppini, Tex, Sangue Navajo
Carr, L'alienista
AA.VV., Splatterpunk
Zorzi, Il Doge
Olivieri, La fine di Casanova
Dershowitz, Il demone dell'avvocato
Costanzo, Dove andiamo
Lovett, Legami pericolosi
Nasreen, Vergogna (Lajja)
Madre Teresa, Il cammino semplice
Weis - Hickman, Il sortilegio del serpente
Regan, Il Guinness degli aneddoti militari
Dick, Memoria totale
Rendell, La leggerezza del dovere
Willocks, Il fine ultimo della creazione
Regan, Il Guinness dei fiaschi militari II
Bonelli - Galleppini, Tex. Città senza legge
Clavell, Gai-jin
Weis - Hickman, Mare di fuoco
Zecchi, Il brutto e il bello
Castellaneta, La città e gli inganni
Krantz, Amanti
Dolto, I problemi dei bambini
Bocca, Il filo nero
Weis - Hickman, La mano del caos
James P.D., Morte sul fiume
Grisham, L'uomo della pioggia
Lagostena Bassi, L'avvocato delle donne

Pasini, A che cosa serve la coppia

Buscaglia, Autobus per il paradiso

De Filippi, Amici

Salvatore, Il mago di Azz

Vespa, Il duello

Cornwell, Insolito e crudele

Madre Teresa, La gioia di darsi agli altri

MacBride Allen, Il calibano di Asimov

Sclavi, La circolazione del sangue

Zavoli, Viva l'Itaglia

Smith, Nell'interesse della legge

Quilici, Il mio Mediterraneo

Boneschi, Poveri ma belli

Forattini, Berluscopone

Rendell, La notte dei due uomini

Friday, Donne sopra

Sgorlon, La poltrona

Monduzzi, Della donna non si butta via niente

Olivieri, L'indagine interrotta

Olivieri, Il caso Kodra

Sgorlon, L'ultima valle

Sclavi, Mostri

Allegri, A tu per tu con Padre Pio

Messaoudi, Una donna in piedi

Schelotto, Certe piccolissime paure

Hyde, Le acque di Formosa

Mafai, Botteghe Oscure, addio

Vergani, Caro Coppi

Curzi, Il compagno scomodo

Hogan, Lo stallo

Follett, Un luogo chiamato libertà

Zecchi, Sensualità

Ellroy, American tabloid

Barbero, Bella vita e guerre altrui di Mr. Pyle gentiluomo

Asimov, Fondazione anno zero

Gallmann, Il colore del vento

Rota, Curs de lumbard per terun

Høeg, I quasi adatti

Dick, Il disco di fiamma

Hatier (a cura di), Samsara

Manfredi, La torre della solitudine

Katzenbach, Il carnefice

Le Carré, La passione del suo tempo

Weis - Hickman, La sfida dei gemelli

Sclavi, Tutti i demoni di Dylan Dog

Bonelli - Galleppini, Tex. I figli della notte

Giussani, Diabolik. Le rivali di Eva

Gallmann, Notti africane

Asimov, Lucky Starr e i pirati degli asteroidi

Weis - Hickman, Il destino dei gemelli